D1345877

LES INSTITUTIONS
DE LA FRANCE
AU XVIᵉ SIÈCLE

R. DOUCET

PROFESSEUR HONORAIRE A LA FACULTÉ DES LETTRES DE LYON
RECTEUR DE L'ACADÉMIE DE BESANÇON

LES INSTITUTIONS DE LA FRANCE AU XVIᵉ SIÈCLE

TOME II

LA SEIGNEURIE
LES SERVICES PUBLICS
LES INSTITUTIONS ECCLÉSIASTIQUES

RECTE CURRUM REGIT

PARIS
ÉDITIONS A. ET J. PICARD ET Cie
82, RUE BONAPARTE
1948

III

LA SEIGNEURIE

CHAPITRE PREMIER

LE RÉGIME FÉODAL. — LA HIÉRARCHIE

LE RÉGIME FÉODAL. — LA SEIGNEURIE. — CLASSIFICATION DES SEIGNEURIES.

Le régime féodal. L'ensemble des institutions royales, d'origine relativement récente, s'était superposé à celles de l'époque féodale qui remontaient loin dans le passé, puisqu'elles s'étaient constituées aux xe et xie siècles de façon définitive. C'était cependant ce droit féodal qui régissait l'existence de la plupart des habitants du royaume. Ceux dont l'activité se limitait au cadre de la seigneurie et les habitants des villes eux-mêmes étaient astreints à l'accomplissement des obligations féodales et plus souvent en contact avec les agents seigneuriaux qu'avec les officiers du roi. Il en était évidemment ainsi pour le tenancier rural, mais c'était aussi le cas de l'artisan de la ville qui, très souvent, exploitait une terre dans la banlieue ou même à l'intérieur des murailles. Mentionnons également, comme des exceptions toutefois, les anciens serfs qui, après avoir rompu toutes leurs attaches avec la terre servile, pouvaient se trouver ressaisis par leur condition de mainmortables. Quant aux nobles et aux gens d'Église possesseurs de fiefs, il est évident que leur existence et leurs intérêts étaient régis par le droit féodal.

Droit féodal d'ailleurs bien différent de celui du passé. Le système tel qu'il existait au Moyen Age, avec ses obligations personnelles, avec la hiérarchie des fiefs et des vassaux, n'était pas parvenu jusqu'au xvie siècle sans se dégrader profondément. Mais, par un paradoxe étrange, la pratique allait en s'assouplissant dans le temps même où les juristes s'appliquaient à codifier les principes du droit. La théorie se consolidait au moment où ses applications se transformaient pour devenir moins rigides. D'ailleurs, la rédaction des coutumes venait renforcer ce travail juridique en donnant à ces règles une forme définitive, achevant de réconforter d'une vie factice ce passé en voie de disparition. Ainsi l'usage tendait à se séparer du principe, ce qui complique la tâche de l'histoire qui se propose de saisir la réalité.

Cette transformation des usages féodaux était le résultat des circonstances. Le royaume ne pouvait plus s'accommoder de cet éparpillement de l'autorité qui caractérisait le monde féodal. Le pouvoir royal ressaisissait l'autorité sur l'armée, les finances et la justice, mettant fin aux usurpations accomplies par les possesseurs de fiefs. Le seul fait que les juges du roi, que le Parlement de Paris introduisaient les principes du droit féodal dans leur jurisprudence était la négation de ce droit. Le régime politique qui tendait vers l'absolutisme ne pouvait se concilier qu'avec une féodalité transformée.

Des conditions économiques nouvelles devaient accélérer cette transformation. Un bouleversement tel que celui qui avait troublé le royaume pendant la guerre de Cent ans, suivi du rétablissement de l'agriculture, apportait un élément de trouble dans les relations fixées précédemment entre les différentes tenures : à l'économie fondée sur la possession exclusive de la terre, succédait une économie dans laquelle la richesse mobilière tenait une place importante; dans une société où se développait une circulation monétaire active, l'enrichissement égalisait soudainement les conditions sociales, si bien qu'on ne pouvait plus conserver ni cette hiérarchie héréditaire ni ce système de relations personnelles, qui s'étaient établis anciennement pour garantir la sécurité de chacun.

Alors que les services militaires perdaient de leur valeur, le seigneur féodal était tenté d'utiliser son domaine en appropriant les terres communes, en y établissant de nouveaux hôtes, qu'il attirait en les libérant des obligations traditionnelles. Colonisation et affranchissement allaient de pair pour rompre les cadres anciens.

En même temps, les domaines royaux et ecclésiastiques qui, jusqu'alors, étaient restés en dehors du commerce, étaient livrés à des acquéreurs de toutes conditions sociales, auxquels on imposait différentes obligations en même temps que le paiement du prix d'achat convenu.

D'une façon générale, les obligations traditionnelles auxquelles étaient soumises les différentes catégories de tenanciers ne pouvaient se concilier avec le mouvement de translation des propriétés, qui ne fit que s'accentuer au cours du XVIe siècle. Les biens fonciers passèrent de mains en mains sans qu'on tînt compte de leur condition juridique.

D'ailleurs, même lorsque les liens féodaux subsistaient, les transmissions par héritage et par vente, qui se multipliaient, aboutissaient à un incroyable morcellement de la propriété terrienne, si bien que le système féodal, très simple dans ses principes, devenait dans la pratique d'une complication extrême. C'était désormais un ensemble de relations juridiques et économiques superposé à la propriété avec laquelle il cessait de se confondre. Tel était du moins l'aspect nouveau sous lequel il se présentait pendant les derniers siècles de l'Ancien Régime.

Nous devons avant tout remarquer que la pratique des institutions féodales allait sans cesse en déclinant. Si les relations qui unissaient les fiefs se maintenaient encore, le statut des censives devenait de plus en plus précaire. Dans l'usage courant, il était fréquent que l'on ignorât les obligations qui étaient imposées à une tenure en censive, et même à quelle seigneurie elle se rattachait.

Ce phénomène se constate simultanément dans toutes les provinces : on l'observe dans les lièves et terriers bordelais, dans les comptes et dans les contrats de la région lyonnaise[1], dans les terriers de l'Ile-de-France, où les cens en argent apparaissent d'un rendement insignifiant et sont considérés comme « inutiles », dès la fin du XVe siècle. Il en était ainsi dans la seigneu-

---

1. Cela ressort notamment du *Cartulaire de Saint-Seurin*, publié par Brutails, qui conclut que les droits du domaine direct avaient « sombré » dans cette confusion et que la condition des terres était devenue indéfinissable. La même conclusion se dégage des sondages faits dans la série E, aux Archives départ. du Rhône.

rie de Bures, où les cens étaient réduits à néant, parce qu'on ne savait « bonnement l'assignation d'iceux ne qui les tient de présent ». Et dans cette même seigneurie de Bures, on dépeignait encore, à la fin du siècle, cette situation, qui était celle d'un grand nombre de domaines : « Les censives, c'est un sot bien et un maygre contentement, sy elles ne sont fort liquides et grosses, et que deux les doyvent par villaiges, ung seul et pour le tout, soit en grains ou argent, et recongneues de temps en temps. Aultrement, ce n'est que villennye et procès de néant[1]. »

Même dans les États féodaux les mieux organisés et dans les seigneuries les plus prospères, la plus grosse partie des recettes provenait des produits du domaine et spécialement de l'exploitation des bois. Le reste correspondait presque exclusivement aux droits de mutation, le produit des droits féodaux étant à peu près nul.

C'est en définitive un fait évident et de portée considérable que ce relâchement, au XVIᵉ siècle, des rapports féodaux, qui ne subsisteront plus, jusqu'à la fin de l'Ancien Régime, que d'une façon sporadique et intermittente[2].

Le système féodal, tel qu'il nous apparaît après ces transformations, consistait dans un ensemble d'institutions de droit public et privé concernant à la fois l'exercice de la souveraineté et les relations individuelles d'homme à homme, l'usage de la propriété et le statut personnel des propriétaires. Il convient d'y rattacher aussi les institutions économiques qui correspondaient à l'exploitation de la seigneurie et qui réglaient les rapports du seigneur avec ses tenanciers. C'était en définitive un ensemble de relations très complexe et très astreignant, mais

---

1. LAIR, *Histoire de la seigneurie de Bures*. Il est à remarquer d'une façon générale que les descriptions des relations féodales faites d'après les chartriers, les aveux et dénombrements et autres documents analogues sont forcément partielles : elles nous montrent la féodalité là où elle se maintient plus ou moins intacte. Les documents sont plus rares là où elle est en voie de disparition. Alors, pour se faire une idée de la réalité, il faut se reporter aux actes de procédure et aux contrats notariés qui, mieux que tous les autres documents, nous donnent une vue exacte de la situation.

2. Nous en trouvons la confirmation dans toutes les études sur la propriété aux XVIIᵉ et XVIIIᵉ siècles, qui nous montrent les difficultés résultant de la reconstitution des terriers. Cette opération aboutissait à imposer un droit différent de la réalité.

qui ne répondait plus aux besoins réels des hommes, un formalisme désuet qui incommodait sans profit pour personne ceux qui y étaient astreints, et qui apparut plus nocif chaque fois qu'on essaya de le revivifier.

Nous en trouvons la description dans de nombreux textes et avant tout dans le droit coutumier du XVIᵉ siècle, dans la jurisprudence des tribunaux royaux et seigneuriaux, dans les ordonnances royales, dans les chartes seigneuriales, dans les terriers, censiers, et autres titres qui constituaient les archives des seigneuries. Nous devons enfin nous reporter aux commentaires des jurisconsultes, Loyseau, Bacquet, aux commentaires des coutumes et spécialement à ceux de Du Moulin et de Guy Coquille, qui nous ont donné les descriptions les plus justes de la réalité, bien qu'il faille user de prudence avec leurs constructions trop systématiques et tendant avec excès à la généralisation.

Le droit féodal reposait essentiellement sur un double principe, l'existence de la seigneurie, et la distinction entre la terre noble et la terre roturière.

La seigneurie. La seigneurie était une entité difficile à définir, surtout lorsqu'il s'agissait de trouver une formule valable pour la seigneurie du Moyen Age et pour celle du XVIᵉ siècle, les principes du droit ne coïncidant pas toujours avec une réalité sans cesse en mouvement.

Les juristes du XVIᵉ siècle définissaient alors la seigneurie, dans son acception la plus large, comme une « puissance en propriété », la puissance étant « commune aux seigneuries et aux offices », alors que la propriété « distingue les seigneuries d'avec les offices, dont la puissance n'est que par fonction ou exercice et non pas en propriété[1] ».

Mais cette formule était d'une part trop vaste, puisqu'elle pouvait s'appliquer à toute autre chose qu'à la seigneurie proprement dite, et d'autre part mal adaptée à la seigneurie du

1. Cette définition est celle de Loyseau, dans son traité *Des seigneuries*, ch. I, 25. Elle est accompagnée d'abondants commentaires, aux chapitres I et IV.

xvıᵉ siècle, puisque ces termes de puissance publique correspondaient à certains attributs dont la seigneurie était alors dépourvue.

On peut définir plus exactement la seigneurie comme la possession simultanée d'un fief, d'une puissance de juridiction et d'un domaine.

Le fief en était la partie essentielle. Sa condition au xvıᵉ siècle ne s'était pas transformée : il consistait dans la tenure ou dans le droit immobilier concédé par le suzerain à son vassal, à charge de foi et d'hommage et de certains services. Cette concession n'était pas un fait isolé unissant les deux seigneurs contractants. Le suzerain était lui-même concessionnaire d'un fief et vassal d'un autre suzerain. Ainsi s'édifiait une hiérarchie correspondant à celle des fiefs, cette subordination étant désignée par le terme de *mouvance*.

Cette hiérarchie reposait à la base sur le simple seigneur, dont ne relevait aucun vassal, pour atteindre au sommet le roi, qualifié de « suprême seigneur fieffeux » dans toute l'étendue du royaume. Elle était plus ou moins complexe, suivant les cas; ici, nous trouvons de longues séries de vassaux, et là, de simples seigneuries « mouvant directement de la Couronne », c'est-à-dire relevant immédiatement du roi.

La *juridiction* était le résidu de ce qu'on désignait par le terme de *seigneurie publique*, qui avait autrefois compris diverses attributions souveraines. La plupart avaient été ressaisies par l'État, si bien qu'il ne restait plus au seigneur que les droits de justice et quelques prérogatives qui y demeuraient attachées.

Quant au *domaine*, c'était la terre sur laquelle s'exerçait le droit de propriété, soumise à la *seigneurie privée*. Ce droit de propriété était d'ailleurs très différent de notre conception moderne de la propriété, qui attribue au propriétaire un droit absolu et exclusif sur la chose possédée. La propriété féodale comprenait en effet deux éléments distincts, le *domaine utile* et le *domaine direct*.

Le domaine utile consistait dans la jouissance de tous les produits de la terre. Le domaine direct n'était qu'un droit de propriété éminente, comportant la perception de certains profits fixés par la coutume.

Avec le temps, le rapport de ces deux éléments s'était modifié. Le domaine direct s'était réduit à la simple reconnaissance d'un droit auquel ne correspondaient plus que des redevances insignifiantes, pas toujours payées. En sens inverse, le domaine utile s'était développé, se rapprochant de plus en plus de la propriété totale.

Quant aux terres sur lesquelles s'exerçaient ces droits de propriété, elles s'étaient réparties dès l'origine en terres nobles et terres roturières, suivant que leur possession était réservée aux nobles ou aux roturiers, les obligations qui leur étaient imposées consistant, dans le premier cas, en services militaires, et dans le second, en redevances payables, soit en argent, soit en nature.

Mais là encore, les principes avaient fléchi : toutes les terres étaient désormais accessibles aux tenanciers de toute catégorie sociale, et l'atténuation des services militaires avait abouti, sinon à l'assimilation totale, du moins à un rapprochement sensible des obligations imposées aux uns et aux autres. Cette classification, si nette autrefois, tendait à s'effacer et correspondait à des formules juridiques plutôt qu'à des réalités.

Simultanément, le principe sur lequel reposait la concession de ces tenures, nobles ou roturières, se modifiait. Alors que, dans le passé, cette concession reposait sur l'accord des deux participants, le seigneur et le tenancier, limitée à la vie de l'un et de l'autre, et comportant des obligations réciproques strictes, le tenancier du xvie siècle se trouvait investi d'un droit absolu et définitif. Sa terre faisait partie de son patrimoine; il l'avait acquise par hérédité ou par achat, le seigneur n'intervenant dans cette transmission que pour la ratifier, moyennant certaines conditions. Patrimonialité et hérédité des tenures, complétées par un droit de transmission illimité, effaçaient les traits essentiels du droit féodal primitif.

Parallèlement, un bouleversement analogue se produisait dans la condition des personnes : le mouvement vers l'affranchissement rapprochait les différentes classes dans un statut qui était très proche de la liberté complète. Les obligations personnelles s'effaçaient, ne laissant subsister que les obligations réelles, celles qui étaient inhérentes à la propriété, et dont tout élément arbitraire était exclu.

Du milieu du XVᵉ à la fin du XVIᵉ siècle, un monde nouveau était ainsi issu de la féodalité transformée, adaptée aux circonstances nouvelles politiques et économiques. Il serait inexact de parler de la disparition totale de cette féodalité, alors que certains usages, tout un ensemble de traditions juridiques subsistaient, mais il serait également inexact de se laisser abuser par les mots, comme s'ils recouvraient des réalités immuables.

Classification des seigneuries. L'ensemble des seigneuries constituait un édifice dans lequel les juristes distinguaient plusieurs groupes : seigneuries souveraines ou capables de souveraineté et possédant un titre de dignité, — seigneuries possédant un titre de dignité, mais non capables de souveraineté, — seigneuries simples, sans titre de dignité et comportant simplement l'exercice de la justice.

A la première classe appartenaient comtés, duchés, marquisats et principautés; à la seconde, les baronnies, vicomtés, vidamies et châtellenies; la dernière classe comprenait les simples seigneuries dépourvues de titre particulier[1]. Il est vrai que cette classification, toute théorique, manquait parfois de rigidité : on qualifiait souvent de baronnie « toute seigneurie première, après la souveraineté du roi, mouvant directement de sa Couronne[2] ».

Cette classification était en réalité très artificielle et répondait à un souci de logique abstraite plutôt qu'au désir de se conformer aux faits : à côté des duchés et des comtés qui constituaient presque à eux seuls la totalité des seigneuries du premier ordre, marquisats et principautés faisaient figures d'exceptions, leurs caractères juridiques restant imprécis et indéfinissables.

En réalité, le titre de principauté, qui, autrefois, avait désigné

---

1. Nous trouvons cette classification dans LOYSEAU, *Des seigneuries*, ch. IV. Elle avait d'ailleurs un caractère officiel, ayant été déterminée par un arrêt du Conseil privé du 10 mars 1578, repris dans un édit de 1579.

2. Voir LOYSEAU, *ibid.*, ch. VI.

un État pourvu de pouvoirs souverains, n'était plus, au xvie siècle, qu'une qualification honorifique relevant la dignité d'une
seigneurie, sans en modifier la condition. « C'est, dit Loyseau,
le titre et le nom d'une certaine seigneurie que Du Tillet dit
être moindre que le comté, mais plus grande que la baronnie
et la vicomté. » Mais Loyseau ne reprend pas à son compte cette
classification trop subtile. « Cette espèce de seigneurie, conclut-il,
est extraordinaire et extravagante », c'est-à-dire en dehors de la
hiérarchie normale. Ce titre était soit usurpé par des ambitieux,
qui voulaient « se distinguer des simples seigneuries », soit
accordé par les rois à leurs favoris « qui ont affecté ce titre
excellent de prince[1] ». On en citait une dizaine, au xvie siècle,
qui pouvaient se prévaloir de cette faveur, tels les La Trémoille,
princes de Talmont, ou les princes de Conti.

Il en était de même pour les marquisats, qui étaient eux aussi
en principe des fiefs pourvus d'une dignité spéciale, mais que
rien ne distinguait en réalité des autres fiefs du premier ordre.
Seuls, les juristes particulièrement minutieux en faisaient une
catégorie intermédiaire entre duchés et comtés. Cette dignité
était d'ailleurs peu répandue au xvie siècle. Ce fut seulement à
la fin que les rois prirent l'habitude de ces érections, qui se multiplièrent dans la suite. C'est ainsi que nous voyons apparaître
les marquisats de Mézières, de Mouy, de Boisy, de Royan.

Cependant, il faut insérer dans cette hiérarchie le titre de
pairie, qui en constituait le sommet. C'était « la plus grande et
suprême dignité en ce royaume, après la royale[2] ». Des douze
anciennes pairies, qui d'ailleurs n'avaient jamais existé sous la
forme rigide que certains auteurs se plaisaient à décrire, il ne
subsistait plus, au xvie siècle, que les six pairies ecclésiastiques,
qui échappaient aux vicissitudes de la politique, et le comté de
Flandre, qui tendait à sortir du cadre du royaume, si bien qu'on
était réduit, dans le cérémonial du sacre, à remplacer les pairs
de France par des nobles dépourvus de cette dignité.

Mais les pairies disparues se reconstituaient par l'attribution
de ce titre à des comtés ou à des duchés, que le roi voulait élever

1. LOYSEAU, *Des seigneuries*, V, 72-74.
2. Guy COQUILLE, *Des pairs.*, Œuvres, t. II.

en dignité. Ces concessions, d'abord réservées à des princes du sang ou à des seigneurs du plus haut rang, ne furent pas toutes de longue durée : il arrivait que les domaines ainsi pourvus de la pairie fussent réunis à la Couronne. Mais ces érections se multiplièrent à partir du XVIᵉ siècle, en même temps que l'usage s'établissait de concéder la pairie à des seigneuries d'importance secondaire[1].

Les pairs jouissaient de certaines prérogatives : ils avaient séance et voix délibérative au Parlement de Paris, tant aux plaidoiries qu'au conseil, en qualité de premiers conseillers de la Cour. Les causes qui concernaient directement leur personne ou leur pairie étaient jugées en première instance au Parlement, auquel les autres pairs s'adjoignaient de façon à constituer alors la *Cour des pairs*. Leurs autres causes devaient être portées devant les baillis et sénéchaux, ou aux Requêtes du Palais. Leurs justices particulières ressortissaient directement au Parlement, sans que les appels fussent soumis aux tribunaux intermédiaires. Enfin, ils avaient le droit, dans leur domaine, de posséder sous le nom de Grands Jours une juridiction d'appel, prérogative qui fut théoriquement supprimée en 1564, mais qui subsista dans la pratique[2].

Duchés et comtés constituaient donc les cadres principaux de cette féodalité supérieure; mais les réalités étaient bien différentes de ce qui avait existé dans les siècles antérieurs, où duchés et comtés rappelaient les cadres de l'administration carolingienne et où leurs chefs détenaient la plupart des attributions souveraines.

Ces seigneuries, en effet, même lorsqu'elles appartenaient aux catégories les plus élevées de la hiérarchie féodale, ne con-

---

1. Il existait, au début du XVIᵉ siècle, plusieurs pairies dont la dignité fut confirmée dans la suite. Telles étaient celles de Valois, Nevers, Nemours, Marche, Bourbon, Alençon. Dès 1515, furent créées celles de Vendôme, Châtellerault et Angoulême, et, dans les années suivantes, celles de Berry, Aumale, Guise, Montpensier, Montmorency, Château-Thierry, Enghien, Penthièvre, Mercœur, Uzès, Rethel, Mayenne, Saint-Fargeau, Joyeuse, Piney-Luxembourg, Épernon, Elbeuf, Retz, Halwin, Montbazon, Ventadour, Thouars, Beaufort, Biron, Aiguillon, soit 28 créations, dont 7 seulement sous François Iᵉʳ. D'autres créations avaient été faites dans le même temps, mais elles étaient restées sans effet, les lettres patentes n'ayant pas été enregistrées au Parlement.

2. C'était la conséquence de l'art. 24 de l'édit de Roussillon.

servaient rien des attributions souveraines du passé : bien que théoriquement « capables de souveraineté », elles ne possédaient plus la souveraineté judiciaire, ni le droit d'imposer, ni celui de battre monnaie, ni celui de lever des armées. Les prérogatives du possesseur étaient purement honorifiques, droit de se qualifier haut et puissant seigneur, d'avoir des armoiries timbrées, de créer des fiefs et des censives.

S'il en était autrement dans certains fiefs, comme le duché de Bretagne ou le comté de Nevers, c'étaient là des survivances, exceptionnelles dans la France du XVIe siècle.

Il s'agissait maintenant de simples titres que le roi décernait à l'un ou à l'autre, pour rehausser son prestige par quelques prérogatives honorifiques, sans rien ajouter à son pouvoir effectif.

Ces promotions, d'abord exceptionnelles, devinrent fréquentes au cours du XVIe siècle. Aux ambitions des seigneurs, les rois répondaient par une complaisance sans limites : là où le Moyen Age avait établi une hiérarchie, il n'y avait plus que de vains titres destinés à satisfaire toutes les vanités.

Dans la mesure où il est possible de récapituler toutes ces créations, nous constatons que, jusqu'à la fin du règne de Henri III, les rois avaient créé, en moins d'un siècle, 12 comtés, 12 marquisats, 26 duchés, et 5 principautés[1].

Des précautions étaient toutefois prises pour éviter une multiplication excessive de ces dignités féodales : tandis que le territoire de ces seigneuries et les droits féodaux correspondants étaient divisibles entre tous les héritiers, le titre et la justice des seigneuries de premier rang étaient indivisibles et transmissibles à un seul successeur.

La classe des seigneuries moyennes présentait les mêmes incertitudes quant à la titulature et à la hiérarchie. Le roi multipliait les concessions de titres de dignité à de simples seigneurs, tandis que d'autres les usurpaient.

Ces titres ne conféraient d'ailleurs que de médiocres avantages : ces seigneuries, de même que celles de la classe supérieure,

1. D'après CHOPPIN, _De domanio._

pouvaient seules posséder des églises collégiales, des abbayes ou des prieurés conventuels, des hôpitaux, des châteaux et maisons fortes, instituer des notaires, tenir des marchés et des foires.

A la dignité de châtelain correspondait le droit de posséder des péages sous toutes sortes de titres, barrage, pontonnage, coutume, travers. Mais cette prérogative était surtout théorique et les usurpations, la possession traditionnelle imposaient de nombreuses exceptions.

Ce qui distinguait surtout ces titres de dignité, c'étaient des attributions de justice et de police, qui dépassaient en étendue celles des simples justiciers. Ils pouvaient posséder deux degrés de juridiction, qualifiés respectivement de prévôté et de bailliage. Mais l'édit de Roussillon eut pour effet de supprimer l'un de ces degrés de justice, là où ils coexistaient dans une même localité. Par contre, les simples justices seigneuriales pouvaient ressortir à celles des fiefs supérieurs.

Les attributions de police comportaient le droit de faire des règlements applicables à tous les habitants de la seigneurie. Une ordonnance de 1572 reconnaissait à ces seigneurs le droit de faire appliquer dans leurs villes tous les règlements nécessaires. Il s'agissait surtout des règlements portant sur la vente et le prix des denrées, sur la fixation des poids et mesures, sur les métiers et la voirie. Là encore, le droit était incertain : le roi contestait aux seigneurs le droit de mesurage, et la jurisprudence hésitait entre ces revendications contraires.

Quant aux seigneuries de la dernière classe, elles se répartissaient encore en diverses catégories, parmi lesquelles se trouvaient notamment les vavassoreries normandes. La plupart n'avaient pour attributions que la simple justice, avec les droits qui s'y rattachaient.

A ces plus humbles classes de la hiérarchie féodale, se rattachait la possession de certains offices tenus en fief, comme les sergenteries nobles de Normandie, dont l'existence n'était liée à la possession d'aucune terre, et qui se réduisait à la jouissance de privilèges personnels.

Si nous considérons toutes ces seigneuries, quelle que soit

leur place dans la hiérarchie, il serait très inexact de les associer à un territoire bien délimité, découpé lui-même en circonscriptions inférieures, châtellenies et prévôtés, et finalement en fiefs nobles de la dernière catégorie et en censives. Le territoire de chacune d'elles était morcelé par des enclaves rattachées aux seigneuries voisines, par des territoires litigieux, qui faisaient l'objet de procès interminables. Bien rares étaient les limites précises et les territoires incontestés. D'ailleurs, le simple jeu des héritages, des aliénations et des saisies judiciaires faisait de tout domaine féodal quelque chose de particulièrement instable, même lorsqu'il s'agissait d'une seigneurie rattachée au domaine du roi ou d'un établissement ecclésiastique[1].

Au total, la seigneurie consistait surtout dans un ensemble de droits qui ne correspondaient pas tous à la définition qu'en donnaient les juristes, et qui, surtout, ne s'étendaient pas uniformément à l'ensemble du territoire. Ici, tel droit était en usage et là, tel autre. Tout reposait sur un état de possession d'une extrême diversité. Dans telles seigneuries, qui restaient en dehors du domaine royal, la concurrence des droits de souveraineté revendiqués par les officiers royaux limitait les droits des seigneurs et se résolvait en fait par un partage. L'étude si poussée des institutions du duché de Nevers nous en offre plus d'un exemple[2].

Dans le domaine royal, lorsque le roi concédait une seigneurie par faveur ou par vente, c'était toujours en retenant une partie des droits inhérents au titre concédé : bien que le droit essentiel d'un seigneur féodal consistât dans la réception des hommages de ses vassaux, le roi se réservait la foi et hommage des vassaux secondaires, certains droits de justice et la ratification des nominations d'officiers, ce qui entraînait l'intervention fréquente des parlements et des chambres des comptes dans les affaires inté-

1. Les censives étaient également éparpillées, si bien qu'il serait actuellement impossible d'établir la description exacte de l'une d'elles, si nous ne possédions pas les indications des terriers contemporains.

2. Voir cette description du duché de Nevers dans Guy COQUILLE, *Histoire de Nivernois* (Œuvres, t. I), DE LESPINASSE, *Les finances, les fiefs et les offices du duché de Nevers*, DESPOIS, *Histoire de l'autorité royale dans le comté de Nivernais*; voir aussi l'*Inventaire des titres de Nevers* par l'abbé DE MAROLLES, pub. par de Soultrait.

rieures du duché ou du comté. D'ailleurs, de nombreuses seigneuries secondaires, châtellenies, vicomtés, baronnies, et surtout la plupart des établissements ecclésiastiques se soustrayaient à la domination de leur seigneur immédiat, pour relever
directement du roi et de ses officiers[1].

Enfin, dans tous les domaines féodaux, quel qu'en fût le possesseur, les anomalies les plus contraires aux principes du droit
étaient à noter. Les droits du comte ou du duc variaient à l'intérieur de son propre domaine, d'une châtellenie ou d'une baronnie à l'autre. Ici, il était seulement suzerain de la châtellenie,
là, il en était également le propriétaire, ailleurs, il possédait
dans les domaines de ses vassaux de simples seigneuries
avec justice, qui faisaient de lui le subordonné de son propre
vassal.

Il arrivait aussi que ses droits fussent exercés sur une ville
ou sur une seigneurie en association avec un autre seigneur;
c'était le système du *pariage*, si répandu en Languedoc. Dans
d'autres cas, cette copropriété se traduisait par un partage; les
seigneurs copartageants se répartissaient par fractions les droits
de justice ou les droits utiles de la seigneurie, et ce sytème
pouvait entraîner des fractionnements à l'infini[2].

En définitive, le possesseur du domaine féodal, dépouillé
de ses pouvoirs souverains, et de tout ce qui se rattachait à
l'autorité publique, ne disposait plus guère, en dehors de ses
privilèges honorifiques, que de pouvoirs judiciaires strictement
limités et de quelques droits utiles. Aussi, pouvait-on le définir
comme un simple usufruitier, jouissant de ses revenus, sous le
contrôle de l'autorité royale.

---

1. On trouve des exemples typiques dans l'histoire du comté d'Étampes étudiée
par DUPIEUX, *Les institutions royales au pays d'Étampes*.

2. Il y a de nombreux cas de telles fragmentations dans le comté de Lauraguais :
ainsi, à Deyme, le roi, en qualité de comte, possédait la moitié de la haute justice
et le quart de la moyenne et basse. Voir les descriptions de seigneuries dans l'ouvrage de RAMIÈRE DE FORTANIER, *Les droits seigneuriaux*. On peut citer bien d'autres
exemples en Haute-Provence, où certains fiefs étaient divisés entre 26 coseigneurs,
une juridiction en 32 parts, certaines étant possédées par des communautés, qui
prêtaient hommage. Les archives des chambres des comptes révèlent une multitude de cas semblables.

BIBLIOGRAPHIE

L'indication même sommaire des sources de l'histoire du régime féodal et de la seigneurie au XVIᵉ siècle dépasserait de beaucoup les limites de ce que nous nous proposons dans ces aperçus préliminaires. La théorie du droit féodal se trouve dans les textes du droit coutumier et dans les commentaires juridiques qui en ont été faits. Il convient, dans ce cas, de se reporter à la bibliographie des coutumes et aux bibliographies juridiques qui s'y rattachent. On peut alors consulter utilement l'ouvrage de GAVET, *Sources des institutions et du droit français.*

Pour étudier dans la réalité la condition des personnes et des choses, on trouvera des ressources infinies dans la série E des archives départementales, qui comprend les titres de famille. On y rattache, dans une classification spéciale, les archives notariales, dont nous avons déjà signalé l'immense richesse et qui offrent des possibilités particulières pour toutes les études de droit privé, notamment pour tout ce qui concerne la propriété et ses modalités.

LOYSEAU, *Traité des seigneuries.* — R. CHOPPIN, *De domanio Franciae.* — Guy COQUILLE, *Des pairs de France.* — *Institution au droit françois.* — J. BACQUET, *Quatrième traicté... concernant les francs-fiefs, nouveaux acquests, anoblissemens et amortissemens.* — RENAULDON, *Traité historique et pratique des droits seigneuriaux.*

VIOLLET, *Histoire du droit civil français.* — M. BLOCH, *Les caractères originaux de l'histoire rurale française.* — J. R. BLOCH, *L'anoblissement en France au temps de François Iᵉʳ.* — Olivier MARTIN, *Histoire de la coutume de la prévôté et vicomté de Paris.* — DE LUÇAY, *Le comté de Clermont-en-Beauvaisis* (Mém. soc. acad. de l'Oise, t. XV). — G. ROBERT, *Les fiefs de Saint-Rémi de Reims.* — D'ESPINAY, *Les réformes de la coutume de Touraine au XVIᵉ siècle* (Mém. soc. arch. de Tour., XXXVI). — LEBEURIER, *État des anoblis en Normandie.* — BEAUCOUSIN, *Registre des fiefs et arrière-fiefs du bailliage de Caux en 1503.* — LEBRETON, *Les sergenteries de l'Avranchin à la fin du XVIᵉ siècle* (Rev. de l'Avran., 1925 et suiv.). — H. SÉE, *Les classes rurales en Bretagne.* — GUILLOTIN DE CORSON, *Les grandes seigneuries de la Haute-Bretagne.* — LANGLOIS, *La seigneurie bretonne de Quintin* (Pos. th. Éc. des ch., 1944). — A. LEROUX, *Géographie historique du Limousin* (Bull. soc. arch. du Limousin, LVIII). — FELGÈRES, *Histoire de la baronnie de Chaudesaigues.* — DE LESPINASSE, *Les finances, les fiefs et les offices du duché de Nevers, en 1580.* — LEX, *Les fiefs du Mâconnais.* — GALLEY, *Le régime féodal dans le pays de Saint-Étienne.* — CABIÉ, *État féodal de la judicature d'Albigeois* (Rev. hist. scien. et litt. du Tarn, 1881-86). — PINATEL, *L'emphytéose dans l'ancien droit provençal.* — ISNARD, *État documentaire et féodal de la Haute-Provence.*

CHAPITRE II

LA PROPRIÉTÉ FÉODALE

LA PROPRIÉTÉ NOBLE. — LES TENURES ROTURIÈRES ET SER-VILES. — LE FRANC-ALLEU. — LES MUTATIONS DE LA PRO-PRIÉTÉ FÉODALE.

La propriété noble. Nous avons vu que la seigneurie consistait dans la possession d'un fief, des droits de juridiction et d'un domaine. Ces trois éléments étaient associés, du moins en principe, spécialement le fief et la justice, dont certains juristes déclaraient l'union indissoluble. Cette union se traduisait dans la réalité par la possession d'un château, d'une tour, centre de la seigneurie et siège de la justice[1].

Mais les droits que le seigneur exerçait en qualité de propriétaire variaient suivant qu'il s'agissait du fief, de la justice ou du domaine et même des différentes parties de ce dernier. Le droit de propriété n'était ni aussi simple ni aussi absolu qu'il devait le devenir dans la suite.

Il faut remarquer avant tout que la seigneurie, juxtaposée à la communauté rurale, ne se confondait pas avec celle-ci. Elles coïncidaient parfois, sans doute, en particulier dans les villes neuves, qui avaient été incorporées tout entières dès leur création dans leur seigneurie d'origine, mais le plus souvent, les seigneuries, fragmentées par des aliénations et des inféodations, étaient dispersées entre plusieurs paroisses, tandis que les villages étaient partagés entre plusieurs mouvances. Aussi, la vie

---

1. Voir l'exposé de ces principes dans LOYSEAU, *Des seigneuries*, ch. I et IV.

des communautés rurales doit-elle être toujours considérée à part de celle des seigneuries.

Le domaine seigneurial comprenait ainsi un ensemble de terres soumis à des règles juridiques particulières, différentes pour chaque partie du domaine. Ces règles étaient inspirées par ce principe général que le droit de propriété se partageait entre le seigneur et le tenancier, l'un possédant la propriété directe et l'autre la propriété utile.

Le domaine se divisait en deux parts : 1º le *domaine proche*, exploité plus ou moins directement par le seigneur, tenure noble, qu'il tenait en fief du seigneur supérieur, dont il était vassal; 2º les *mouvances*, dont l'ensemble constituait ce qu'on appelait la *directe seigneuriale*, et dont la propriété utile appartenait aux tenanciers, nobles ou roturiers. Ces mouvances étaient elles-mêmes classées en deux catégories, dont la condition juridique était bien différente, *fiefs* concédés à un vassal, à charge de services nobles, et *tenures* concédées en roture ou *censives*, chargées de services non nobles et de redevances, payables en argent ou en nature[1].

Nous retrouvons ainsi à tous les degrés la distinction fondamentale entre le statut juridique de la tenure noble et de la tenure roturière, du fief et de la censive.

La réalité, d'ailleurs, ne correspondait pas toujours à cette définition trop rigide : le fief, sous sa forme parfaite, comportant un domaine sur lequel s'exerçait une juridiction, n'était pas le type le plus commun de la tenure féodale. Cela apparaît à tout instant dans les aveux et dénombrements, dans les terriers et les registres de fiefs, où nous trouvons de nombreux seigneurs possesseurs de quelques pièces de terre dispersées et

---

1. Cette classification des tenures était variable suivant les coutumes : d'après le *Grand Coutumier*, qui représentait la situation et la pratique du xvᵉ siècle, on ne reconnaissait comme immeubles féodaux que les tenures nobles, les censives étant considérées comme immeubles non féodaux, au même titre que les alleux. En réalité, les censives étaient incorporées dans le droit féodal et régies d'après des principes analogues à ceux qui régissaient les fiefs. D'ailleurs, la condition juridique des fiefs et celle des censives différaient suivant les coutumes : ces différences fortement marquées en Champagne, en Orléanais et dans le Beauvaisis, s'atténuaient et disparaissaient presque en Normandie, en Bretagne, en Anjou et dans le Maine. Nous sommes forcés, ici, de faire abstraction de ces divergences locales, pour nous tenir aux principes généraux.

de faible étendue, sur lesquelles ils ne jouissaient que de droits insignifiants, ici, une maison ou un jardin, un moulin ou un four, ailleurs, un pré ou une pièce de terre minuscule. Souvent, le fief était réduit à un simple droit, droit de gîte ou de péage, assis à un emplacement déterminé, droit de percevoir un cens ou une redevance en nature[1]. Tout cela n'assurait plus à son possesseur que de faibles profits, ce dont il faut tenir compte lorsqu'on considère le fief du point de vue de son importance économique.

D'ailleurs, et cet usage était conforme aux strictes traditions féodales, on assimilait parfois aux fiefs certaines fonctions, certains droits dépourvus d'assise terrienne, mais qui étaient régis d'après les principes juridiques applicables aux fiefs terriens. Ce cas était, il est vrai, exceptionnel au XVIᵉ siècle, et nous pouvons décrire la situation du fief terrien comme étant celle du fief en général.

Le fief correspondait à la terre (ou à un droit quelconque), concédée moyennant la foi et hommage et l'exécution de différents services. La foi et hommage était primitivement l'acte essentiel de l'inféodation, qui établissait le lien entre deux personnages, dont l'un devenait l'homme de l'autre, et recevait une terre comme gage de cette union. Au XVIᵉ siècle, ces liens s'étaient relâchés, la foi et hommage ne représentait plus qu'un formalisme désuet, tout en restant encore à la base du contrat d'inféodation.

La *foi et hommage* consistait dans le serment de fidélité, par lequel le vassal se reconnaissait l'homme du suzerain. Il se mettait à genoux devant lui, les mains dans les siennes, et celui-ci le baisait sur la bouche. La cérémonie s'accomplissait au principal fief du suzerain.

Telle était encore la théorie, mais la pratique s'était grandement altérée. Le suzerain, en général absent, ne recevait plus l'hommage du vassal, qui se rendait à la résidence du suzerain, appelait celui-ci pour la forme et baisait symboliquement la porte ou la serrure en présence de témoins qui dressaient un procès-verbal. En retour, le suzerain ne lui faisait plus remise,

---

1. On en rencontre de nombreux exemples dans le *Registre des fiefs de Saint-Rémi de Reims*, pub. par G. Robert.

comme autrefois, d'un objet qui représentait l'investiture du fief; il lui délivrait simplement des lettres, qui attestaient l'accomplissement de ces formalités.

Quant aux hommages prêtés au roi, c'était un simple acte administratif, qui s'accomplissait à la Chambre des comptes pour les fiefs les plus importants, ou plus simplement, auprès des baillis et des sénéchaux, pour ceux de moindre valeur.

De même, avaient disparu les diverses qualités d'hommage qui correspondaient aux liens qu'un vassal pouvait contracter envers différents seigneurs. L'hommage lige, qui primait tous les autres, ne correspondait plus à aucune réalité, bien que mention en soit faite dans certains textes.

La foi et hommage devait nécessairement se renouveler chaque fois que disparaissait un des deux contractants. Lorsque le suzerain changeait, son successeur faisait sommation au vassal de se présenter. Dans le cas contraire, c'était le vassal qui devait se présenter de lui-même, dans un délai de quarante jours.

A l'hommage succédait l'*aveu et dénombrement*, actes par lesquels le vassal reconnaissait sa situation vis-à-vis du suzerain, et énumérait dans le détail tout ce qu'il tenait de lui. Ces deux actes étaient groupés en un seul[1].

Au cas où toutes ces formalités n'avaient pas été accomplies, le tenancier était exposé à des sanctions. Primitivement, lorsque le lien féodal était plus rigide, toute omission entraînait la rupture de ce lien et aboutissait à la *commise*, c'est-à-dire à la réunion définitive du fief concédé au domaine du suzerain. Au XVIe siècle, la commise n'était plus appliquée pour la simple omission d'une formalité d'investiture : elle n'était prononcée qu'en cas de *désaveu*, lorsque le vassal rompait le lien de suzeraineté, et alors, c'était la justice qui intervenait pour appliquer cette sanction. Lorsque d'autres manquements étaient constatés, le seigneur pouvait seulement faire ordonner la saisie du fief par une autorité judiciaire, et encore cette saisie était-elle provisoire[2].

1. La procédure de l'hommage est exposée dans le *Reiglement des fiefs du comté de Nevers en* 1580. DE LESPINASSE, *Les finances, les fiefs*...

2. On trouve un long exposé du système de la saisie dans Guy COQUILLE, *Institution au droit françois, Des fiefs*.

Lorsque le vassal était légitimement en possession de sa tenure, il était astreint envers son suzerain à diverses obligations. Depuis longtemps, les services personnels, services de cour et services militaires, *conseil*, *pleigerie* et *ost*, étaient réduits à peu de chose, lorsqu'ils n'avaient pas complètement disparu[1]. Ce qui subsistait du service militaire s'était transformé en service de ban et arrière-ban, que le roi avait détourné à son propre avantage. Il est vrai que, dans les relations féodales, le service d'ost d'autrefois se conservait sous une autre forme, qui était devenue un des usages de la vie seigneuriale du XVIᵉ siècle. Une tradition, renforcée par des intérêts personnels, en dehors de toute contrainte juridique, poussait les gentilshommes à se grouper autour de certains seigneurs d'un rang élevé, même lorsqu'aucun lien de vassalité ne les unissait à ce chef de parti. Cette clientèle de nobles formait ainsi une force armée toujours prête à se mobiliser pour leur service. Ces troupes, fortes parfois de plusieurs centaines de combattants, furent les cadres des armées qu'utilisèrent les Montmorency, les Guise et les rois de Navarre pendant les guerres de religion.

A ces obligations traditionnelles, en voie de disparition, d'autres s'étaient parfois substituées : l'obligation de payer une rente en argent n'était pas complètement inconnue, bien que ce système fût radicalement contraire aux principes du droit féodal[2]. Ailleurs, des communautés ecclésiastiques, en possession d'un fief noble, s'acquittaient de toutes leurs charges par leurs prières.

Mais d'autres obligations s'imposaient au tenancier, à l'occasion des mutations de vassal. Primitivement, le suzerain, en cas de vacance, reprenait possession du fief pour le concéder à un autre vassal en état de lui rendre des services. Mais cette tradition était depuis longtemps périmée : le fief était devenu un

---

1. Ces services subsistaient parfois, çà et là, de façon purement fictive : ainsi, à Louviers, les vassaux de l'archevêque de Rouen étaient tenus de l'assister pour l'examen des procès criminels et de venir siéger à sa cour; mais cette obligation ne se traduisait par aucun service effectif.

2. Ainsi, les vassaux nobles de la seigneurie de Quintin étaient redevables de droits divers, chefs rentes et autres, de même que des roturiers. LANGLOIS, *La seigneurie bretonne de Quintin.*

patrimoine transmissible par succession ou par vente. Par contre,
l'usage s'était établi de percevoir à chaque mutation des droits
qui attestaient le domaine éminent du seigneur et ce principe
juridique du partage de la propriété, auquel il est toujours
nécessaire de revenir.

Çà et là, l'usage consistait à accorder au seigneur concédant
quelque rétribution, l'*achaptement* (dénommé *albergue* en Languedoc), qui pouvait s'élever à 5 sous, et qui se transformait le
plus souvent en fourniture de quelques accessoires militaires,
éperons, fers à cheval, gants, éperviers.

En cas de succession ou de transmission dans le cadre familial, par donation ou mariage, le seigneur percevait un droit de
relief ou *rachat*, équivalent au revenu d'une année. Les cas où
ce paiement était exigible étaient d'ailleurs très variables d'une
coutume à l'autre. Certains juristes contestaient même sa légitimité, en raison du principe, désormais admis, de la patrimonialité des fiefs. Quant au tarif de la redevance, il variait suivant
les conventions particulières ou la décision des experts.

Lorsque le fief était vendu, le suzerain recevait 1/5 du prix
de vente. C'était le droit de *quint denier*, payable par le vendeur.
Si le paiement était à la charge de l'acquéreur, le vendeur payait
un supplément égal au 1/5 de cette somme, c'était le *requint*[1].

Dans les cas de vente, le suzerain pouvait se substituer à
l'acheteur et prendre possession du fief vacant, en payant lui-
même le prix convenu entre le vendeur et l'acquéreur primitif.
C'était le *retrait féodal*.

En dehors de ces redevances, la transmission des fiefs était
soumise à certaines conditions qui rappelaient, quoique de loin,
le caractère militaire de cette institution. En cas de succession,
les baronnies et autres seigneuries de dignité étaient indivisibles,
mais les autres fiefs pouvaient se partager sans conditions. Il
est vrai que le droit d'aînesse était en vigueur, plus ou moins
strict d'ailleurs, suivant les coutumes; il permettait au fils aîné
de prendre pour sa part d'héritage le principal manoir et le
jardin y attenant. C'était un maigre avantage, quoique, parfois,

---

1. Guy Coquille donne de longs développements sur ces droits de mutation
des fiefs dans son *Institution au droit françois* (*Des fiefs*).

à la suite des démembrements successifs du patrimoine familial, cette part représentât l'essentiel des biens en partage.

Certaines règles s'imposaient pour sauvegarder les droits du suzerain sur les fiefs qu'il concédait : il était interdit au vassal d'aliéner partiellement son fief par quelque procédé que ce fût, sous-inféodation, concession en censive, création de rentes. Toutes ces pratiques, considérées comme des démembrements du fief, étaient réputées préjudiciables aux intérêts du suzerain. Mais, avec le temps, ces prohibitions étaient tombées en désuétude, et les créations de rentes avaient fini par être autorisées par les coutumes. Ces rentes étaient incorporées dans ce nouveau droit et assimilées du point de vue juridique à de véritables fiefs, sous le nom de *rentes inféodées*, comportant l'hommage et le paiement du cinquième denier en cas de mutation.

Le droit admettait d'ailleurs d'autres pratiques tendant au démembrement du fief, telles que la concession en censive d'une partie du fief, ou la sous-inféodation, qui aboutissaient à réduire la productivité du fief et les ressources dont son possesseur disposait pour le service du suzerain.

Les tenures roturières et serviles. A côté des fiefs, les tenures roturières constituaient une part importante de la seigneurie, et nous retrouvons ici le même démembrement du droit de propriété. Mais leur destination était différente : il s'agissait, pour le seigneur, de concéder sa terre de façon à en tirer un profit certain. A l'origine, cette concession avait été très différente de celle du fief, mais, à la suite des modifications survenues dans le système féodal, ces deux sortes de tenures avaient acquis le même caractère patrimonial, si bien que la tenure roturière ne différait du fief que par des aspects juridiques assez superficiels.

Depuis le XVᵉ siècle et la reconstitution de nombreux domaines seigneuriaux, le système des tenures roturières avait subi des transformations notables. En fait d'abord, par leur extension aux dépens de la réserve seigneuriale, en droit aussi, par la disparition des redevances personnelles remplacées par des redevances réelles, qui, elles-mêmes, se transformaient de plus en plus en rentes fixes calculées en argent. Tout cela était d'une importance capitale pour l'émancipation économique de la classe paysanne, qui n'était plus soumise à des exigences illimitées, et qui, en raison de l'avilissement progressif de la monnaie de compte, n'était plus tenue qu'à payer des sommes insignifiantes.

Les tenures roturières étaient caractérisées par le paiement d'une rente en argent ou en nature. C'était le plus souvent une rente, dont le montant était fixé en monnaie de compte, le *cens*, d'où le nom de *censive*, par lequel on désignait ces tenures.

Du Moulin en indiquait les caractères essentiels, lorsqu'il définissait la censive un « contrat transférant le domaine utile d'un fonds, moyennant le paiement d'une pension annuelle et perpétuelle sous le nom de cens, avec retenue du domaine direct et des droits seigneuriaux ».

Par la fixité de son montant, cette rente se distinguait des redevances variables qui étaient en usage pour certaines tenures, et qui consistaient dans une part de la récolte. Ce dernier système était celui de la tenure à *champart* ou à *terrage*.

D'autres types de concessions, faites dans des conditions analogues, existaient dans les différentes provinces du royaume. Une des plus répandues était l'*emphytéose*, pratiquée en Provence et en Languedoc. La plupart des coutumes admettaient des variétés de baux temporaires ou perpétuels, dont la nomenclature différait d'une province à l'autre. Mais, pour plus de simplicité, on appliquait généralement le nom de censive aux unes et aux autres, surtout lorsqu'il s'agissait de les opposer aux fiefs.

La tenure roturière ne comportait ni foi ni hommage, mais un *aveu et déclaration* des tenures, qui correspondait au dénombrement du fief. Cette formalité était d'ailleurs moins nécessaire que pour le fief, car le paiement d'une redevance annuelle, qui correspondait aux conditions de la concession, suffisait pour attester les engagements du tenancier. Le paiement annuel du cens ou du champart était alors l'acte essentiel qui marquait l'existence d'un contrat.

Parfois, le seigneur procédait à une réformation générale

des aveux de son domaine : une déclaration était alors exigée simultanément de tous les tenanciers. Cette déclaration devait être faite avec le plus grand soin, car elle était comparée avec les déclarations antérieures et les omissions donnaient lieu à des sanctions.

Les cens étaient de nature très complexe : ils comprenaient plusieurs redevances théoriquement distinctes, le *chef cens*, *droit cens* ou *menu cens*, qui était peu important et fixé de toute ancienneté, auquel s'ajoutaient parfois des suppléments dénommés *crois de cens* ou *surcens*, rentes dont le montant était beaucoup plus élevé, et correspondait de façon plus approchée au revenu de la terre concédée.

Aussi, le total des sommes payées à titre de cens était-il très variable : les cens en argent ne s'élevaient parfois qu'à une somme insignifiante, 1 denier par arpent, selon l'usage de la coutume de Paris, ou 12 deniers pour l'ensemble de la tenure, ce qui avait surtout une valeur recognitive[1]. Souvent, le cens était variable suivant la nature des terres exploitées. Dans la seigneurie de Bures, on accensait les prés à raison de 12 à 18 deniers par arpent, les terres labourables de 6 à 12 deniers. D'autres cens étaient payables en grains, boisseaux de blé ou de seigle. Dans tous les cas, il s'y ajoutait des redevances en poules et chapons, qui, pour des seigneuries de moyenne importance, atteignaient un total de plusieurs centaines de volailles chaque année.

Ces livraisons, au total, imposaient au tenancier des charges relativement légères, surtout lorsqu'il s'agissait de cens invariables, fixés par des conventions anciennes. Cette atténuation, très sensible au XVIᵉ siècle, libérait la propriété roturière et les classes paysannes.

Il en était autrement pour le champart, dont le taux était proportionnel au produit de la récolte, et qui, acquittable en nature, ne subissait aucune dépréciation. Le taux en était généralement élevé : nous trouvons çà et là des champarts fixés à

---

1. Guy Coquille remarquait que le cens « se paye par reconnaissance de supériorité, et non pas pour avoir profit qui ait quelque proportion aux fruits de l'héritage chargé de cette redevance ». *Institution au droit françois, Des cens.*

1/6, 1/8 ou 1/11 de la récolte. A Reims, le terrage était perçu
de 1/8 à 1/10, en Bretagne, à 1/6. Sur les terres de Saint-Seurin
de Bordeaux, il était de 1/6 pour le blé, et de 1/7 pour le raisin.
Dans certains cas, exceptionnels il est vrai, il atteignait 1/5 ou
1/4, ce qui constituait une charge beaucoup plus lourde que
tous les cens usités à la même époque[1]. Par contre, en Provence,
la *tasque* ne se percevait guère qu'au taux de 1/13 ou de 1/20.

Mais dans tous les cas, la perception du champart était difficile et compliquée par des procédures de contrôle. Les terres
qui y étaient soumises se trouvaient dépréciées, au détriment
du seigneur lui-même. Et celui-ci, s'il n'entrevoyait pas la
dépréciation ultérieure de la monnaie, trouvait un profit immédiat à transformer ces redevances de quotité en redevances
payables en argent.

Le cens était imprescriptible : le seigneur pouvait toujours
en exiger le paiement, même lorsque celui-ci avait été suspendu
pendant plusieurs années. Il était payable à date fixe, en général
à la Saint-Rémi, et portable au domicile du seigneur ou au bureau
de sa recette, le produit des censives, comme celui de presque
tous les droits féodaux, étant affermé. Le non-paiement donnait
lieu à une amende, ou même à la saisie de la censive. Tantôt
le seigneur pouvait procéder lui-même à la saisie, comme possédant la justice foncière, tantôt il devait faire intervenir la
justice publique. Il y avait là matière à divergences, suivant
les coutumes et suivant les jurisconsultes.

C'était d'ailleurs un usage courant que le tenancier, désireux
de renoncer à sa tenure, cessât d'en payer le cens. La saisie
de la terre consacrait la rupture du contrat. C'était la procédure
connue sous le nom de *déguerpissement*.

Les redevances annuelles étaient parfois très légères, parce
qu'il s'agissait seulement de maintenir les droits de la seigneurie
directe, qui trouvait surtout à s'exercer de façon profitable à
l'occasion des mutations, par succession ou par vente. Le temps
n'était plus où la censive, essentiellement précaire, faisait retour
au seigneur à la disparition du tenancier. La transmission des

---

1. Voir le *Cartulaire de Saint-Seurin*, publié par Brutails et celui de l'abbaye de
Saint-Jean-d'Angély, publié par G. Musset.

tenures en censive se pratiquait couramment, comme s'il se fût agi d'une véritable propriété. Elle comportait seulement le paiement de certains droits.

Lorsque la censive était transmise par héritage, il était dû un droit de *relief* qui subsistait encore au XVIᵉ siècle dans certaines coutumes, sous des appellations diverses, mais dont l'usage était nettement en régression[1]. En cas d'aliénation, la transmission de la terre exigeait en principe l'intervention du juge, qui accomplissait la *dessaisine-saisine*, d'après un formalisme ancien, par la remise d'une baguette symbolique à l'acquéreur. Peu à peu, cette procédure cessait d'apparaître comme indispensable pour la régularité de la transmission, mais l'usage en était encore répandu lorsqu'on voulait la rendre incontestable. Un droit minime, dénommé droit de *véture*, dont le montant était parfois de 12 deniers seulement, était attaché à cette opération.

En plus de cette procédure de transmission, la vente entraînait le paiement des *lods et ventes* : le droit de ventes, dont le taux variait de 1/12 à 1/20 du capital, était payable par l'acquéreur; le droit de lods était payable au même tarif par le vendeur, mais sa perception tendait à disparaître au XVIᵉ siècle, et la redevance de l'acquéreur subsistait seule sous l'appellation, désormais inexacte, de lods et ventes.

Çà et là, des droits analogues étaient encore en usage : en Provence, c'était le droit de *lods et tréçain*, perçu pour la cession des biens concédés en emphytéose.

Moyennant le paiement de ces droits, le seigneur était tenu de consentir à la vente. L'usage du *retrait censuel*, qui lui aurait permis de se substituer à l'acquéreur, avait disparu dans plusieurs coutumes et ne se pratiquait plus généralement au XVIᵉ siècle.

D'autres transformations étaient survenues avec le temps : il arrivait parfois qu'aux cens particuliers, dus pour chaque tenure, on substituât, pour l'ensemble des censives d'une seigneurie, un cens unique dû par tous les tenanciers collective-

---

1. Ainsi le droit d'*essoigne*, à Reims, qui fut supprimé en 1556, l'*acapte* et l'*arrière-acapte* du Languedoc et de la Provence.

ment ou groupés en confréries, qui correspondaient à des sortes de syndicats d'exploitants. Parfois, c'était l'usage des pâtures communes qui était concédé aux habitants, moyennant un cens modique payable par feu. Enfin, au lieu de payer ces cens annuellement, il arrivait qu'on rachetât, par un versement effectué une fois pour toutes, tout ou partie de ces droits. Des études locales nous en donnent des exemples pour diverses provinces : en Bretagne et en Provence notamment, nous voyons cette pratique toujours plus répandue au XVIe siècle, dans les communautés de ces pays[1].

Ainsi se disloquait le système des tenures et des redevances qui y étaient attachées. Toutes ces conventions nouvelles, peut-être temporairement avantageuses pour le seigneur, aboutissaient à la consolidation des droits du tenancier, qui se muait en propriétaire.

D'ailleurs, les nécessités économiques, le désir d'employer des capitaux abondants et de disposer librement de la terre avaient introduit dans la pratique de la censive des usages nouveaux.

Le système de la liberté absolue eût permis au censitaire de céder à un nouveau tenancier une partie de sa censive, à charge d'acquitter une partie du cens. C'eût été un sous-accensement. Certaines coutumes le toléraient, et il en existait un peu partout des exemples. On les considérait toutefois comme des exceptions, et le droit du XVIe siècle était en général opposé à cette pratique[2].

Mais d'autres procédés permettaient aux censitaires de disposer partiellement de leur tenure, en particulier dans les villes, où la plus-value toujours grandissante des immeubles laissait une marge considérable entre leurs revenus et les charges imposées par le seigneur.

---

1. Pour la Bretagne, voir Sée, *Les classes rurales...* Pour le Berry, E. Chénon, *Histoire de Sainte-Sévère*. En Provence, on en voit de nombreux exemples depuis le XVe siècle, à Ollioules, Châteaudouble. Voir De Ribbe, *La société provençale*. Pour la Guyenne, Brutails, *Cartulaire de Saint-Seurin*. En Languedoc, le droit d'*albergue*, payé par les communautés, était une redevance instituée par le seigneur pour l'exonération de certaines obligations anciennement imposées aux communautés.

2. J. Bacquet, *Traicté concernant les francs-fiefs, nouveaux acquests*. Cette pratique était autorisée par le coutume de Bordeaux. Voir ci-dessus, Brutails.

Il existait tout un système de rentes foncières, qui finirent elles aussi par s'incorporer dans ce droit féodal transformé, c'était le bail à rente foncière, par lequel le propriétaire cédait son domaine au preneur, qui lui payait une rente en échange. L'aliénation était définitive, la rente n'étant pas rachetable et demeurant attachée au fonds. Il y avait aussi la rente constituée : le propriétaire recevait alors du preneur un capital, moyennant lequel il lui devait une rente attachée au domaine. Le propriétaire primitif restait en possession de l'immeuble, pour lequel il continuait de payer le cens. Il pouvait constituer ainsi autant de rentes qu'il désirait sur son fonds. Contrat personnel, qui restait en dehors du droit féodal.

Ce régime des tenures était juridiquement le même dans les villes et dans les campagnes, mais les conditions matérielles de la vie urbaine avaient quelque peu modifié les usages. Le territoire des villes était, comme celui des seigneuries rurales, réparti en censives, mais avec cette particularité que les seigneuries ecclésiastiques y étaient plus nombreuses que les seigneuries laïques. Les tenures consistaient surtout en maisons, bien que, même dans les plus grandes villes, il subsistât encore de vastes terrains livrés à la culture. Mais, dans tous les cas, le morcellement excessif des tenures faisait que les cens se trouvaient réduits à des sommes insignifiantes ayant seulement une valeur recognitive. Ces cens urbains étaient presque exclusivement des rentes en argent. Certains termes rappelaient parfois les services qui y étaient joints, mais dont l'usage avait disparu. Ainsi, les *servis* désignaient des rentes en argent qui remplaçaient des redevances accessoires ou des corvées tombées en désuétude[1].

Là surtout, après la crise économique du XVᵉ siècle, la disproportion s'était rapidement fait sentir entre les cens primitifs, de valeur minime, et la valeur réelle des immeubles. Là plus qu'ailleurs, le tenancier était réellement le propriétaire, désireux de disposer de la plus-value de son bien : aussi l'usage des rentes de toutes sortes y était-il répandu, et, aux relations entre le

---

1. Tels étaient les « cens et servis », qu'on percevait à Lyon. Voir J. POINTET, *Historique des propriétés et maisons de Lyon.* Cet ouvrage est particulièrement remarquable, pour faire comprendre ce qu'étaient les censives urbaines.

propriétaire censitaire et le seigneur s'ajoutaient les droits des rentiers, des créanciers hypothécaires et des locataires. Notons enfin que, dans les villes, les liens censitaires semblaient s'être maintenus plus intacts que dans les campagnes[1]. Sur les censives mieux délimitées, il était plus rare que les seigneurs laissassent tomber leurs droits dans l'oubli.

Tenures en censive et en champart comprenaient au xvie siècle la plus grande partie des terres, en dehors des tenures nobles. Mais il existait encore d'autres types de tenures, que l'on peut grouper sous le nom de *tenures serviles* ou mainmortables. Leur existence se trouvait limitée aux régions où subsistaient le servage ou des conditions voisines du servage, et là encore, la régression était sensible au xvie siècle.

La tenure mainmortable peut être définie comme la possession d'une terre dont seul peut hériter le descendant direct du concessionnaire, et encore à condition que l'héritier habite sur la tenure de ses parents. Ceux-ci ne pouvaient ni transmettre la terre mainmortable à des collatéraux, ni la vendre[2]. Cette possession comportait le paiement de redevances immuables, équivalant au cens des tenures roturières, mais toujours accompagnées de corvées.

En cas d'extinction de la ligne directe, la tenure revenait au seigneur, mais celui-ci devait la remettre à un homme de condition identique, sans rien modifier aux redevances dont elle était chargée. Il lui était interdit de la réunir à son domaine proche. Ce statut se caractérisait par sa fixité, qui faisait de ce système quelque chose de désuet dans la société si changeante de la fin du Moyen Age.

C'est sous cette forme que nous voyons subsister la propriété mainmortable dans les régions de l'Est, en Bourgogne, en Champagne, en Nivernais. Çà et là, des régimes analogues subsistaient sous d'autres noms, *motteries* et *quevaises* en Bretagne, *bordelages* en Nivernais.

---

1. Rien que dans la ville de Paris, il existait 165 censives.

2. Il faut toutefois noter ces exceptions que le tenancier pouvait céder sa terre à un autre mainmortable de la même seigneurie, ou à un homme franc, mais avec approbation du seigneur de la mainmorte. Ajoutons aussi que le tenancier ne pouvait pas être dépossédé de sa tenure.

Dans l'ensemble, le pur régime de la mainmorte tendait à sa fin, seigneurs et tenanciers ayant un égal intérêt à sa transformation. La terre mainmortable vacante ne trouvait plus preneur aux conditions traditionnelles. Aussi, les seigneurs affranchissaient-ils volontiers le sol mainmortable, pour le transformer en sol roturier et le concéder sous une forme nouvelle. Dans les territoires où terres franches et terres mainmortables étaient mélangées, on voyait, à chaque génération, le terroir mainmortable se rétrécir au profit de la terre franche.

Le franc-alleu. Ce système de tenures en fief ou en censive n'épuisait pas toutes les possibilités : en dehors ou à côté du système féodal, existait le *franc-alleu*, terre sur laquelle s'exerçait un droit absolu de propriété, sans distinction entre le domaine direct et le domaine utile, et ne comportant aucune redevance ni reconnaissance envers aucun seigneur.

Une question préalable se posait à ce sujet : l'alleu ainsi défini pouvait-il exister dans le cadre des institutions féodales ?

Certains juristes le contestaient, en invoquant le principe d'après lequel le roi possédait un droit de directe sur toutes les terres du royaume. Ceux qui prétendaient posséder des francs-alleux auraient été en réalité dans la mouvance du roi[1].

Quelle que fût la réponse à cette question purement théorique, il existait en fait des alleux, mais une nouvelle difficulté surgissait, lorsqu'il s'agissait de déterminer la qualité allodiale d'une terre : deux principes se heurtaient : « nulle terre sans seigneur », et « nul seigneur sans titre ». D'après le premier, toute terre était réputée féodale, à moins qu'elle ne pût fournir les preuves de son allodialité; d'après le second, le lien féodal n'existait que là où le seigneur pouvait prouver son existence. L'alleu était ainsi considéré, par les uns comme une exception, et par les autres comme une règle générale.

Et cette question n'était pas de pure théorie : la disparition des archives seigneuriales, l'affaiblissement des liens féodaux

1. Cette théorie est discutée par DU MOULIN, *Opera*, t. I, p. 189.

laissaient trop souvent les parties indécises sur la qualité réelle d'un domaine. De là d'innombrables procès, sur la solution desquels les juristes étaient divisés, la jurisprudence également. Aussi, les cas d'espèce étaient-ils tranchés diversement.

Lorsque l'existence du franc-alleu était reconnue, son statut était facile à définir, puisqu'il consistait précisément dans l'absence de toute obligation et dans la liberté absolue de transmission.

Ainsi, les propriétaires allodiaux eussent été totalement étrangers au système féodal, s'ils n'avaient été soumis à la justice du haut justicier sur le territoire duquel l'alleu était situé[1].

Il fallait d'ailleurs distinguer plusieurs catégories de francs-alleux, les uns nobles, desquels relevaient fiefs et censives, et qui possédaient des droits de justice, les autres roturiers, qui ne comportaient aucune mouvance. En cas de doute, le franc-alleu était réputé roturier.

Les mutations de la propriété féodale. La condition des terres étant ainsi déterminée, il fallait prévoir le cas où cette condition se trouvait altérée par un changement survenu dans la condition de son possesseur. C'était ce qui se produisait lorsque le bien fonds, fief, censive ou alleu, passait entre les mains de gens de mainmorte.

On entendait par là ceux qui étaient incapables d'exercer sur leurs biens les droits inhérents au propriétaire, et en premier lieu, de les transmettre par héritage.

Mais il fallait alors distinguer entre gens de mainmorte : les serfs d'une part, dont les terres, au statut bien déterminé, n'avaient pas tendance à s'accroître, et les communautés, qui, elles, possédaient leurs biens sous un régime juridique spécial, et dont le domaine se trouvait sans cesse accru par de nouvelles acquisitions; ce domaine se transmettait en effet sans changer de mains et se trouvait exempt de tous les droits de mutation qui frappaient les transactions.

---

1. J. BACQUET, *Traicté concernant les francs-fiefs, nouveaux acquests.*

Ces communautés, qui constituaient la seconde catégorie des propriétaires de biens de mainmorte, c'étaient les groupements ecclésiastiques, églises, couvents, universités, collèges; c'étaient aussi certaines collectivités laïques, villes, confréries, métiers, qui possédaient un patrimoine; et pour les premiers surtout, dont d'innombrables donations accroissaient la richesse, un problème se posait, pour lequel des solutions juridiques étaient nécessaires.

Le seigneur direct, qui percevait les droits de mutation, y était intéressé. Le roi l'était également, même lorsque la propriété transmise faisait partie du domaine d'un de ses vassaux. Les droits du seigneur et du roi se trouvaient amoindris. Il y avait « abrégement de fief », et le roi, conformément à un principe général, était appelé à intervenir. Seigneur et roi devaient autoriser la transmission de la propriété et percevoir à cette occasion les droits qui leur revenaient. Enfin, cette autorisation était temporaire ou définitive, et à chacun de ces cas, correspondait une procédure différente. De là une certaine complexité dans la pratique.

A la base de ces exigences était la prohibition légale pour les communautés de mainmorte, de tenir aucuns héritages ni droits immobiliers sans l'autorisation du roi. Cette prohibition était périodiquement renouvelée, quoique à intervalles irréguliers, par des ordonnances, qui prescrivaient le paiement des *nouveaux acquêts*, sur les immeubles et droits ainsi détenus[1].

Le roi exigeait pour lui le paiement des nouveaux acquêts. Quant au seigneur féodal, il imposait au possesseur de mainmorte l'obligation de désigner un représentant, connu sous le nom « d'homme vivant et mourant », dans lequel se personnifiait le propriétaire. Ce délégué de la communauté faisait au seigneur la prestation de foi et hommage, et à sa mort, étaient acquittés les droits de rachat correspondants. La propriété restait ainsi attachée à une personne physique.

Mais cette solution n'était que provisoire et n'assurait aux

1. Notamment par lettres patentes du 6 septembre 1520, du 7 janvier 1548, du 5 septembre 1571. Voir dans Bacquet les lettres du mois de mars 1523 (*Catalogue*, n° 1792), destinées au clergé du diocèse de Paris.

communautés propriétaires aucune garantie stable. Celle-ci résultait seulement de l'*amortissement*, qui concédait une autorisation définitive.

Les concessions d'amortissement se renouvelaient sous des formes variables et à des intervalles irréguliers. Des amortissements généraux étaient destinés à une province entière ou au clergé de tout le royaume. Parfois, cet octroi se limitait à un diocèse, aux possessions non amorties d'un Ordre religieux ou d'un chapitre, ou à tel héritage en particulier. Des lettres d'amortissement général furent publiées le 8 mars 1548 et en novembre 1551. Ces publications étaient d'ailleurs en rapport étroit avec les besoins financiers du Trésor royal.

L'amortissement ne pouvait être accordé que par le roi, et la décision royale entraînait le consentement du seigneur qui possédait la directe[1]. Le roi déléguait des commissaires préposés à sa perception. Le taux était d'environ 1/3 de la valeur des biens amortis, moins élevé pour les censives et les héritages roturiers que pour les terres nobles. Cette somme revenait intégralement au roi, lorsque les terres amorties étaient tenues de lui sans intermédiaire, sinon, elle se partageait entre lui et le seigneur. Enfin, lorsqu'il s'agissait d'un fief, le propriétaire du bien amorti devait fournir au seigneur féodal un homme vivant et mourant, pour en assurer le service ainsi que le paiement des redevances. Moyennant cette convention, la situation des biens amortis était définitivement régularisée. Leurs possesseurs étaient exempts de toute obligation envers le roi, y compris le ban et arrière-ban. A plus forte raison, n'était-il plus question pour eux de payer les nouveaux acquêts.

Un autre cas se présentait, qui donnait lieu à la perception du droit de *franc-fief*, lequel était souvent rattaché en droit aux nouveaux acquêts.

Lorsqu'un fief était transmis à des roturiers, théoriquement incapables de s'acquitter des obligations imposées par le fief, il y avait là une atteinte portée au droit féodal, un abrégement de fief qui demandait compensation.

---

1. Ce principe, si favorable à l'autorité royale, avait été instauré par un arrêt du Parlement de 1539, qui servait de base à la jurisprudence.

En quoi consistait cette atteinte ? Dans le fait que le tenancier roturier était juridiquement incapable d'accomplir personnellement les services militaires inhérents au fief. Cette défaillance était en vérité fictive : depuis longtemps, l'obligation du service d'ost avait disparu, mais la théorie se maintenait sans atteinte, et nul, au XVIe siècle, ne songeait à la contester.

La théorie reposait sur l'incapacité pour les non-nobles de posséder fiefs ou droits « noblement tenus », sans permission du roi. Cette permission pouvait être accordée moyennant le paiement d'une taxe spéciale, dite de *franc-fief.*

Cette théorie avait été affirmée par de nombreux textes législatifs : des ordonnances anciennes, de 1275 et de 1291, renouvelées par des édits récents[1] et confirmées par le texte de plusieurs coutumes. Le franc-fief était dû pour tous les fiefs nobles, terres, droits de justice, péages, rentes féodales, dîmes inféodées, domaines fieffés, etc... Il était dû au roi, qui était considéré comme directement lésé par cette infraction. La perception était d'ailleurs irrégulière. Elle se faisait à des intervalles de trente ou de quarante ans, chaque fois que le roi prescrivait aux acquéreurs en défaut de se mettre en règle. C'était une indemnité valable pour un temps et renouvelable. Le tenancier roturier n'en était définitivement exempt que par l'anoblissement, qui supprimait l'infraction elle-même.

Le droit de franc-fief n'était d'ailleurs pas applicable partout et sans exceptions : les habitants de la plupart des villes avaient reçu, par privilège, le droit de tenir des fiefs nobles sans être astreints au paiement du droit de franc-fief.

Ce système, qui acheva de se constituer au XVIe siècle, complétait le statut de la propriété féodale, adapté aux circonstances nouvelles. Il ne restait plus de l'organisation des XIe et XIIe siècles que des liens fictifs et un système de redevances, qui s'accommodaient à une conception nouvelle de la propriété.

---

1. C'étaient les mêmes édits que ceux qui se rapportaient aux nouveaux acquêts, ceux du 6 septembre 1520, du 7 janvier 1548 et du 5 septembre 1571.

BIBLIOGRAPHIE

Dans tous les fonds d'archives, d'innombrables documents fournissent des indications sur la propriété féodale et sur l'organisation de la seigneurie. Les terriers, registres d'aveux et dénombrements, de cens, existent partout en abondance. On peut indiquer à titre d'exemples la série P des Archives nationales, 1 à 940 : Aveux et dénombrements, Hommages; 941 à 1935 : Terriers; et la série Q¹ : Titres domaniaux. La série C des archives départementales est également riche en titres domaniaux. A la Bibliothèque nationale, on rencontre çà et là des collections relatives au xvie siècle, notamment, ms. fr. 26309-421, Terriers et censives; nouv. acq. 1257, 3591, 4117, Registres de tenanciers; nouv. acq. 20550, 21653, Censiers; nouv. acq. 20688, Aveux. Mentionnons encore une fois les archives notariales, dont l'abondance et la variété peuvent fournir une documentation de premier ordre, jusqu'à présent peu utilisée.

Un grand nombre de documents ont été publiés dans les éditions de terriers, chartriers ou cartulaires. On remarquera toutefois que beaucoup de ces publications sont limitées aux périodes antérieures au xvie siècle, les documents de cette époque étant réputés comme d'un moindre intérêt. Nous en mentionnerons quelques-unes, parmi celles qui contiennent des textes intéressants pour le xvie siècle. LALORE, *Documents sur l'abbaye de N.-Dame-aux-Nonnains de Troyes.* — J. FÈVRE, *Le cartulaire de Riaucourt.* — VATTIER, *Cartulaire du prieuré de Saint-Christophe-en-Halatte.* — BONNIN, *Cartulaire de Louviers.* — MÉTAIS, *Cartulaire de l'abbaye de la Trinité de Vendôme.* — BRUTAILS, *Cartulaire de Saint-Seurin de Bordeaux.* — MUSSET, *Le cartulaire de Saint-Jean-d'Angély.* — MIROT, *Chambre des comptes de Paris. Inventaire des hommages rendus à la Chambre de France.*

A la liste des ouvrages mentionnés au chapitre précédent, nous ajouterons seulement quelques titres, pour ceux qui concernent plus spécialement le statut de la propriété au xvie siècle. FAGNIEZ, *Recherches sur la commune de Vémars* (Mém. soc. hist. de Paris, 1876). — LAIR, *Histoire de la seigneurie de Bures* (Ibid., 1876). — ROBINET, *La vie rurale en Thiérache* (Pos. th. Éc. ch., 1942). — DEBUISSON, *Étude sur la condition des personnes et des biens d'après les coutumes de Reims.* — DE CHARMASSE, *Essai sur l'état de la propriété en Bourgogne au Moyen Age,* Introduction au t. III du *Cartulaire de l'église d'Autun.* — POINTET, *Historique des propriétés et maisons de Lyon.* — RAMIÈRE DE FORTANIER, *Les droits seigneuriaux dans la sénéchaussée et comté de Lauragais.* — DE RIBBE, *La société provençale à la fin du Moyen Age.*

CHAPITRE III

LA CONDITION DES PERSONNES

LES NOBLES. — LES ROTURIERS. — LES SERFS ET MAIN-MORTABLES.

A la hiérarchie des terres était juxtaposée, dans le système féodal, une hiérarchie des personnes, dont la condition et les obligations étaient déterminées par la nature de leur tenure.

Ces règles subsistaient au XVIe siècle, mais profondément altérées, comme celles qui s'appliquaient aux terres elles-mêmes, et pour les mêmes raisons. Depuis le XIIIe siècle l'interdiction pour les roturiers d'acquérir des fiefs nobles était définitivement levée par la perception du franc-fief. De même, nobles et ecclésiastiques acquéraient légalement des censives, autrefois réservées aux vilains. Chaque propriétaire s'acquittait des services et redevances imposées à sa tenure quelle que fût sa condition personnelle. L'histoire sociale du XVIe siècle nous montre que de vastes transferts de propriété s'accomplissaient ainsi couramment, sans tenir compte des prohibitions d'autrefois[1].

La classification subsistait toujours en clercs, nobles, hommes libres, qui comprenaient les bourgeois et les simples roturiers. Il y avait enfin les serfs proprement dits ou ceux dont la condition était voisine du servage[2].

---

1. En Bourgogne, en particulier, où l'influence des gens de robe s'était fait sentir de bonne heure, ceux-ci étaient, dès le XVe siècle, en possession de la plupart des fiefs. Voir GARNIER et CHAMPEAUX, *Chartes de commune... en Bourgogne.*

2. Pour la condition des clercs, se reporter aux chapitres qui traitent des institutions ecclésiastiques, Par. V, ch. II.

Les nobles. Les nobles acquéraient leur qualité par la naissance. L'hérédité paternelle conférait toujours la noblesse. D'après certaines coutumes, il en était de même de l'hérédité maternelle. La noblesse était aussi attachée à l'exercice de certaines fonctions, noblesse personnelle ou héréditaire. Enfin, elle était conférée par le roi, comme marque de sa faveur, et ces anoblissements ne tardèrent pas à se multiplier, sous forme de vente de lettres de noblesse, lorsque les besoins du Trésor contraignirent le gouvernement à user de toutes ses ressources.

On prétendait parfois que l'acquisition de certaines terres nobles pouvait conférer la noblesse. Le principe, en lui-même, n'avait aucun fondement légal. L'ordonnance de 1579 affirmait même expressément que le roturier acquéreur d'un fief noble ne devient pas noble pour cela[1]. Mais, certains juristes, comme Du Moulin, soutenaient le principe contraire, applicable à des cas particuliers. Quoi qu'il en soit de ces controverses juridiques, certains bourgeois acquéreurs de terres nobles se considéraient comme anoblis, et la voix commune ne tardait pas à ratifier cette usurpation. C'était un procédé extralégal dont on ne doit pas méconnaître l'importance[2].

La noblesse se perdait par une condamnation infamante, ou par simple dérogeance, lorsque le noble cessait de vivre noblement, c'est-à-dire lorsqu'il exerçait un art mécanique ou un office de rang inférieur. La dérogeance, dans ce cas, n'était que temporaire et cessait lorsque le noble abandonnait ce genre d'existence.

A la noblesse étaient attachés certains privilèges que le roi s'efforçait de préserver; privilèges honorifiques : le noble pouvait, à défaut d'autres titres, se qualifier d'écuyer; il avait le droit d'avoir des armoiries, une girouette, il pouvait chasser, posséder une garenne et un colombier; — privilèges fiscaux :

---

1. Art. 258. L'art. 257 prescrivait des mesures contre ceux qui essayaient d'usurper la qualité de nobles.

2. Nous observons cette ascension dans le Lauraguais, où elle atteignait même les fiefs titrés : tout acquéreur de droits de justice s'étendant sur plusieurs paroisses s'intitulait baron, et ainsi, au cours du XVIᵉ siècle, dix baronnies nouvelles s'ajoutèrent aux six baronnies primitives.

il était exempt de la taille, et cette exemption était le signe le plus visible de la noblesse, si bien qu'on la considérait comme la preuve juridique de l'anoblissement; — privilèges judiciaires : le noble ressortissait directement aux tribunaux de bailliage et de sénéchaussée. Les règlements qui déterminaient la compétence de ces tribunaux tenaient toujours compte de la qualité des justiciables. Une catégorie de pénalités spéciales était de même applicable aux nobles. Enfin, certaines dispositions de droit civil leur étaient propres, différentes suivant les coutumes[1]. La plus importante était celle qui concernait les successions et qui établissait le droit d'aînesse.

Les roturiers. La grande masse des populations urbaines et rurales était constituée par des hommes francs, parmi lesquels on peut distinguer les roturiers, ou vilains, et les bourgeois.

En réalité, leur franchise n'était pas totale. Issus de l'ancienne classe servile, ces hommes avaient été libérés par des chartes collectives ou individuelles, mais il n'y avait aucune uniformité dans ces textes d'origine et d'inspiration très différentes, où se trouvaient mélangés franchises civiles et droits politiques, statuts de droit privé et de droit municipal. Cette œuvre s'était poursuivie dans la rédaction des coutumes, et enfin, des usages s'étaient introduits, qui avaient aboli par prescription certaines des obligations serviles.

Cette législation, aux aspects si divers, avait laissé subsister çà et là des obligations qui rappelaient l'ancien état de choses et établissaient des distinctions dans la condition juridique des individus.

Les simples roturiers se trouvaient plus ou moins expressément affranchis de toutes les obligations personnelles inhérentes à la servitude et des incapacités qui restreignaient pour les serfs l'usage de leurs biens. Mais certaines redevances subsistaient, déterminées par des conventions ou par des usages traditionnels.

1. Ordonnance de 1579. Les articles 256 et 259-63 réservaient aux nobles certains états et offices particulièrement honorables.

Presque partout, la *taille seigneuriale*, perçue arbitrairement, avait disparu. Dans de nombreux cas, elle avait été rachetée par un versement unique; ailleurs, elle restait en vigueur, à un taux déterminé, parfois minime, parfois aussi assez lourde aux redevables. Dans certains villages, en Bourgogne, elle n'était que de 2 ou 3 sous par feu, tandis qu'ailleurs, elle dépassait 100 livres pour l'ensemble de la communauté, bien que les participants y fussent peu nombreux. Souvent, il s'y ajoutait des redevances en nature, vin, grains, fruits, cierges, etc.

Ailleurs, c'était l'*aide féodale* aux quatre cas qui subsistait, mais sous une forme atténuée, à un tarif peu élevé, qui correspondait souvent au doublement du cens annuel, et limitée, en raison des circonstances, au mariage de la fille du seigneur.

Un très grand nombre de chartes, publiées au cours du XVIᵉ siècle, nous font assister au progrès continu de cet affranchissement, qui, par suite de la dépréciation des monnaies, allait devenir plus effectif encore au cours des siècles suivants.

Les *corvées* avaient été l'objet des mêmes amodiations : souvent supprimées, elles étaient limitées, là où on les avait maintenues, à une ou deux journées de travail par an, et consacrées à des travaux d'intérêt général, tels que l'entretien des chemins. Elles comportaient d'ailleurs l'emploi de chevaux et de voitures, mais il était d'usage que corvéables et animaux devaient recevoir leur nourriture.

Le *droit de gîte*, enfin, n'avait pas complètement disparu : il subsistait çà et là, en Bretagne particulièrement, où on l'acquittait tantôt en nature, tantôt en argent.

En plus de ces obligations, les roturiers étaient astreints à toutes les charges qui pesaient sur les habitants de la seigneurie, banalités, péages, etc.; mais il s'agissait là d'obligations qui se rattachaient à la souveraineté et aux pouvoirs de justice dont les seigneurs étaient investis.

Les bourgeois étaient pourvus d'un droit particulier : la *bourgeoisie* consistait en effet dans un ensemble de libertés et de privilèges reconnus à une communauté d'habitants, qu'il s'agît d'une commune ou d'une ville simplement affranchie sous l'administration du seigneur. Limitation des charges du régime seigneurial, concession aux habitants de droits économiques, partage des pouvoirs administratifs et judiciaires, il y avait là un ensemble de règles touchant à la fois au droit public et au droit privé, très diverses d'une ville à l'autre et créant autant de conditions différentes.

Cette diversité était encore accrue du fait que la plupart des communautés, partagées entre plusieurs seigneuries, comprenaient diverses catégories de bourgeois, ceux du comte ou du baron, de l'évêque ou du chapitre, d'une église ou d'une communauté, sans compter les bourgeois du roi, qui pouvaient recevoir ce privilège à titre individuel, quelle que fût leur résidence.

Cette qualité de bourgeois du roi suivait ceux-ci d'une ville à l'autre, même en dehors du domaine royal, si bien que l'institution s'était développée au Moyen Age comme un instrument de lutte contre les institutions seigneuriales. Il n'en était plus de même au XVIe siècle, où le gouvernement disposait de moyens plus puissants. Aussi la concession du droit de bourgeoisie était-elle devenue un simple profit domanial, que le roi aliénait aussi facilement que ses autres droits domaniaux[1].

La condition de bourgeois était en général liée au paiement d'une taxe spéciale, le droit de bourgeoisie, le cens de franchise, d'un montant peu élevé, quelques deniers ou quelques sous au maximum; on l'acquittait souvent en nature, en donnant une certaine quantité de grains. Des tailles exceptionnelles s'y ajoutaient parfois, telle la taxe du sacre, payée par les bourgeois de Reims, pour défrayer leurs seigneurs des frais du couronnement. Presque partout enfin, la taxe des pauvres apparut au cours du XVIe siècle.

A ces taxes s'ajoutait le service de guet, auquel on substituait parfois une taxe compensatrice, qui fut fréquemment exigée pendant les guerres de la fin du siècle.

Enfin, dans les bourgeoisies rurales, les corvées n'étaient pas inconnues, bien que là encore, elles fussent réglées de façon à ne laisser aucune part à l'arbitraire.

De nombreux avantages économiques venaient d'ailleurs

---

1. Cette transformation est nettement indiquée dans l'étude de CHABRUN, *Les bourgeois du roi*.

compenser ces charges, portant surtout sur l'usage des communaux, l'exercice des droits de pêche et de chasse, dont les non-nobles n'étaient pas toujours exclus.

Tout cela n'aurait offert que peu de différences avec la condition de l'ensemble des roturiers, si on n'avait pas tenu compte de la participation des habitants à l'administration de la communauté, à l'exercice de la justice et à la répartition des taxes municipales. Il est vrai que certains bourgeois pouvaient en être presque complètement exclus, demeurant soumis à l'autorité du seigneur. On les désignait alors sous le nom d' « hommes de poeté », tandis que d'autres jouissaient d'une franchise presque illimitée.

Les serfs et mainmortables. A l'extrémité de la hiérarchie sociale, les serfs représentaient le résidu de l'immense masse servile du Moyen Age peu à peu vidée de son contenu par les affranchissements et transformée en même temps par l'atténuation des charges personnelles.

Dans tout le royaume, un petit nombre de coutumes[1] seulement faisaient allusion au servage, qui se trouvait limité à quelques provinces du Centre et du Nord-Est. Dans la région parisienne, Du Moulin affirmait sa disparition, et les serfs de l'abbaye de Rebais, au début du siècle, semblaient en être les derniers survivants. Il en existait encore dans la Marche, en Champagne, surtout sur les territoires ecclésiastiques, quoique, dans la région de Reims, leur disparition ait été presque totale dès le xve siècle. On en rencontre en plus grand nombre en Berry, en Auvergne, en Bourbonnais, en Nivernais et surtout en Bourgogne[2].

Dans ces provinces, l'existence du servage personnel était un problème qui s'imposait encore à l'attention des seigneurs[3] :

1. C'étaient les coutumes de Nivernais, Bourbonnais, Bourgogne, Troyes, Vitry, Berry et Auvergne.
2. M. Galley signale quelques mainmortables dans la région de Saint-Étienne, mais cette condition s'appliquait exclusivement aux terres, sans correspondre à une servitude personnelle imposée aux tenanciers.
3. Nous remarquerons que, même en Bourgogne, il ne s'agissait plus de la servitude corporelle du Moyen Age. La coutume était sur ce point formelle : « Ou duchié de Bourgogne, n'a nulz hommes serfs de corps ».

François Iᵉʳ et Henri II avaient publié des édits d'affranchissement pour les serfs des domaines royaux[1]. De nombreux établissements ecclésiastiques avaient suivi cet exemple et des tentatives furent faites à plusieurs reprises, pour aboutir à des solutions plus générales[2]. Malgré tout, malgré la multiplication des chartes d'affranchissement, le servage subsistait encore, sous une forme atténuée, si bien qu'en 1789, dans plus du tiers de la Bourgogne, il existait encore des mainmortables[3].

La condition des *mainmortables* ou *mortaillables* s'était en même temps transformée par l'effacement des principaux caractères de la servitude. Tandis que s'atténuait la rigueur du droit qui réglait pour eux la possession des tenures serviles, les charges et les incapacités personnelles avaient pour la plupart disparu : le *chevage*, dont le paiement était la marque de la servitude, était presque partout inconnu. La *taille arbitraire* était rare et sa perception s'était le plus souvent régularisée par l'usage ou par des conventions. Elle était souvent abonnée ou convertie en une redevance payable en nature. Elle se confondait ainsi avec les autres redevances, dont le taux se trouvait légèrement relevé. En Nivernais, elle était fixée au 1/10 de l'épargne du serf et devait correspondre au loyer de la tenure. Il s'y ajoutait d'ailleurs la *quête*, taille supplémentaire perçue à intervalles de deux ou trois ans[4]. Quant aux *corvées* qui étaient imposées aux serfs, elles n'étaient pas inhérentes à leur condition, puisque beaucoup de roturiers y étaient astreints. D'ailleurs, là aussi, des conventions intervenaient pour exclure l'arbitraire en limitant les corvées par le système de l'abonnement, sinon même en les remplaçant par des redevances en argent.

1. Édits de mars 1544 et de 1554. Ce dernier avait donné lieu à de nombreuses applications.

2. Aux États généraux de Pontoise, en 1561.

3. Voir l'excellent travail de GARNIER et CHAMPEAUX, *Chartes de communes... en Bourgogne*, et la carte de Bourgogne, dans laquelle sont résumées les conclusions à la fin de l'Ancien Régime.

4. Guy Coquille, exposant le régime de la taille servile en Nivernais, dit que la capacité des taillables était évaluée chaque année par des prudhommes, et que le taux de la taille était en général fixé au 1/10 de l'épargne faite par le serf. Il ajoute que le développement de l'impôt royal tendait à réduire de plus en plus le produit de la taille servile : « Les rois prennent tant qu'il n'y a rien de reste pour les seigneurs. » *Coutumes de Nivernois*, VIII, 2.

Les autres obligations personnelles s'effaçaient de même : le droit de poursuite, qui permettait au seigneur de ramener sur sa terre le serf fugitif, s'était transformé. Il consistait seulement à imposer au serf, en toutes circonstances, le paiement de ses redevances, et à revendiquer sa succession en cas de mort.

Certaines incapacités juridiques subsistaient cependant : le *formariage*, qui empêchait le serf de se marier en dehors de la seigneurie, n'existait plus[1], mais le serf n'était pas admis à témoigner, ni à plaider contre son seigneur; il ne pouvait le désavouer; il ne pouvait pas entrer dans les ordres sans son autorisation.

Mais le droit primitif se maintenait dans quelques provinces sans aucune atténuation : en Combrailles, les obligations personnelles étaient imposées dans toute leur rigueur : taille sans limite, droit de formariage, droit de poursuite, en vertu duquel le seigneur pouvait revendiquer en tout temps et sans prescription les redevances dues par le serf.

Ce qui caractérisait surtout la condition du serf, c'est que son droit de propriété s'exerçait dans des conditions spéciales, dont l'ensemble constituait le régime de la mainmorte. En dehors des conditions déterminées dans lesquelles il jouissait de la tenure mainmortable, le serf était propriétaire des biens meubles et immeubles qu'il avait acquis. Il pouvait les acheter et les vendre librement, en payant au seigneur un droit de mutation[2]. Les donations étaient tolérées, tant que leur importance n'était pas excessive. Quant à la succession du serf, le seigneur la recueillait en totalité, en plus de la tenure dont la reprise était conforme à la logique du système. Seules quelques donations testamentaires pouvaient être faites, pour lesquelles un maximum de 60 sous était en général fixé. Toutefois, certaines coutumes n'imposaient ces prohibitions que lorsque le serf mourait sans descendants en ligne directe.

Les transformations du servage, tel qu'il nous apparaît au XVI⁰ siècle, étaient donc sensibles. Il ne comportait plus qu'un

---

1. Le formariage n'existait plus comme incapacité personnelle, mais il arrivait qu'une taxe fût perçue dans certains cas sous ce nom; on constate son existence aux environs de Troyes en 1497.

2. En Berry, on appliquait à la vente des biens des serfs le droit de lods et ventes, payable au taux de 1/12. Voir E. CHÉNON, *Histoire de Sainte-Sévère*.

petit nombre de charges personnelles, et encore, ne s'appliquait-il, sous cette forme, qu'à un nombre très limité de personnes. En dehors de ces exceptions, il subsistait quelques traces du servage, mais sous une forme encore plus atténuée, dans certaines conditions diversement qualifiées, intermédiaires entre la franchise et le servage.

Dans l'ensemble, qu'il s'agît des terres ou des personnes, régnait partout une extrême diversité, dans les procédures et dans les termes, plus encore que dans les choses, qui évoluaient vers des rapports nouveaux; et ces rapports allaient pouvoir se ramener à un petit nombre de principes : au système de la division du droit de propriété et de la tenure conditionnée par des services, se substituait celui de la propriété totale, patrimoniale et transmissible. L'échafaudage des relations féodales, les obligations multiples, réelles et personnelles, apparaissaient déjà au XVIe siècle comme des survivances auxquelles s'opposaient les réalités nouvelles de la vie économique. Tout cela n'était plus guère soutenu que par les théoriciens, qui s'efforçaient de maintenir intact l'édifice proche de la ruine.

BIBLIOGRAPHIE

Toutes les indications bibliographiques données à la fin des deux chapitres précédents sont également valables pour celui-ci. Nous y ajouterons les recueils de documents suivants : GARNIER, CHAMPEAUX, *Chartes de communes et d'affranchissements en Bourgogne.* — SAIGE, *Documents historiques relatifs à la vicomté de Carlat.* — RAMIÈRE DE FORTANIER, *Chartes de franchises du Lauragais.*

DUPIEUX, *Les institutions royales au pays d'Étampes.* — MOHLER, *Le servage et les communautés serviles en Nivernais.* — AUTORDE, *Le servage dans la Marche avant la publication de la coutume, en 1521* (Soc. arch. de la Creuse, t. VII). — *Le servage dans la Marche depuis la publication de la coutume* (Ibid.). — CHÉNON, *Histoire de Sainte-Sévère en Berry.* — ROSSIGNOL, *Étude sur les institutions seigneuriales et communales de l'arrondissement de Gaillac.*

CHAPITRE IV

LA JUSTICE SEIGNEURIALE

DÉFINITION ET COMPÉTENCE. — LA ROYAUTÉ ET LES JUS-
TICES SEIGNEURIALES. — LES DROITS SEIGNEURIAUX RATTA-
CHÉS A LA JUSTICE.

Définition
et
compétence.

Des divers attributs de la puissance souveraine que le seigneur féodal s'était appropriés, seule l'administration de la justice
restait entre ses mains au XVIᵉ siècle, et
encore était-elle l'objet, de la part du roi,
d'une réglementation qui en restreignait l'exercice.

Le droit de justice, qui s'était, pendant plusieurs siècles,
incorporé au pouvoir du seigneur, était désormais revendiqué
par le roi comme une part de la puissance publique. On affirmait couramment que toutes les justices dépendaient du roi,
soit parce qu'elles lui appartenaient, soit parce qu'elles relevaient
de lui en fief, celles-ci étant simplement exercées au nom du
seigneur qui les détenait. Aussi le roi était-il seul capable d'ériger
des justices nouvelles. Ce principe était affirmé par les juristes
les plus autorisés, par J. Faber et Du Moulin, bien que les coutumes fussent divergentes sur ce point.

Conformément à cette doctrine, la justice royale avait entrepris de restreindre, par toutes sortes de procédés, l'exercice de
la justice seigneuriale, spécialement par la méthode des cas
royaux, par la prévention et par le ressort[1].

A ces revendications s'ajoutaient celles qui concernaient les

1. Voir pour plus de détails, Partie IV, ch. 1.

causes des bourgeois du roi, même lorsque ceux-ci résidaient sur un territoire seigneurial, ce privilège de juridiction étant un des principaux avantages qui leur fussent attribués.

L'histoire judiciaire du XVIᵉ siècle est pleine des contestations qui opposent les juges seigneuriaux aux baillis et aux sénéchaux royaux; les arrêts et les ordonnances qui tranchent ces litiges aboutissent finalement à la dépossession du juge ordinaire, même lorsque celui-ci se trouve appartenir au roi, seigneur de la localité[1].

Cette pratique eût abouti à l'élimination totale de la justice seigneuriale, si les rois eux-mêmes n'avaient pas tenu à protéger son existence traditionnelle.

Celle-ci restait en effet, malgré tout, la justice « ordinaire », dont relevaient les sujets. Une déclaration de février 1537 affirmait qu'elle devait subsister intacte[2], et les juges du roi avaient pour elle un reste de considération. « Les officiers royaux, disait Loyseau, inventent journellement tant de nouvelles sortes d'entreprises sur les justices seigneuriales que, si les parlements n'eussent parfois pris leur protection, rendant à chaque justice ce qui lui appartient, il y a longtemps que les seigneurs eussent été spoliés de leurs justices. »

En regard de ces doctrines, qui subordonnaient les droits du seigneur à ceux du roi, d'autres doctrines tendaient à rattacher l'autorité judiciaire à la possession du fief, ce qui aurait affirmé son autonomie. Ce principe était admis par certaines coutumes et rejeté par d'autres. D'Argentré, pour la Bretagne, affirmait que le seigneur a des droits de justice « en qualité de seigneur et par rapport au fief ». La justice se transmettait en conséquence comme le fief, se partageait de même, et se trouvait soumise au droit de rachat. Ce strict parallélisme avait pour conséquence que, dans une seigneurie, les habitants des mouvances étaient seuls justiciables du seigneur, tandis que ceux du domaine propre faisaient partie du fief concédé par le seigneur suzerain et relevaient par conséquent de sa justice.

1. Voir le cas de la justice de Condom, dans GARDÈRE, *Histoire de la seigneurie de Condom.*
2. Déclaration du 24 février 1537. *Catalogue*, n° 8810.

Par contre, d'autres coutumes et d'autres juristes contestaient âprement ces principes. Loyseau les déclarait « ineptes et faux ». On leur opposait la formule : « Justice et fief n'ont rien de commun », et il ne manquait pas d'exemples pour démontrer qu'il en était ainsi dans un grand nombre de cas, contre la stricte théorie juridique, qui se rattachait à un passé en voie de disparition[1].

Il est évident qu'au XVIe siècle, la théorie traditionnelle semblait fléchir : le fief perdait ses attributions de souveraineté et tendait à devenir une forme de la propriété privée.

Mais ces controverses, bien qu'elles aient conservé toute leur importance théorique, n'exprimaient qu'un des aspects du problème de la justice seigneuriale. Il fallait également considérer la réalité et la façon dont ces justices avaient pris naissance.

En fait, les justices s'étaient créées le plus souvent par l'usurpation des possesseurs de fiefs, sans tenir compte des principes, et Loyseau, le grand théoricien, devait avouer qu'il était inutile, dans cette matière, de « chercher la raison où il n'y en a point ».

« Il n'y a si petit gentilhomme, écrivait-il, qui ne prétende avoir en propriété la justice de son village; tel mesme, qui n'a ny village ny hameau, ains un moulin ou une basse court, veut avoir justice sur son meunier ou sur son fermier; tel encore qui n'a ny basse court ny moulin, ains le seul enclos de sa maison, veut avoir justice sur sa femme et sur son valet; tel finalement, qui n'a point de maison, prétend avoir justice sur l'air, sur les oiseaux du ciel, disant en avoir eu autrefois[2]. »

La justice, ainsi calquée sur le modèle de la seigneurie, comportait des attributs de nature différente, les uns essentiellement judiciaires et les autres qui se rapprochaient des formes de la propriété privée. On distinguait en effet trois parts dans la justice seigneuriale, le pouvoir, l'honneur et le profit : le pouvoir, qui consistait à conférer l'autorité aux officiers chargés de rendre la justice, l'honneur, auquel correspondaient tous les droits honorifiques attachés à la qualité de justicier, le profit, c'est-à-dire le droit de percevoir les amendes et les confiscations,

---

1. Voir les exemples donnés par TANON, *Histoire des justices des anciennes églises*, et par BRUTAILS, *Cartulaire de Saint-Seurin*.
2. LOYSEAU, *Discours de l'abus des justices de village*, p. 1.

de s'approprier les biens vacants ou en déshérence, les revenus des greffes et des notariats.

De même que la seigneurie, la justice pouvait être transmise et divisée. Des conventions passées entre des seigneurs rivaux, entre les seigneurs supérieurs, comtes ou barons, et leurs vassaux, concédaient à ceux-ci des droits de justice, réglaient les partages là où il y avait contestation. Les parlements intervenaient le plus souvent pour consacrer les prétentions de ceux qui usurpaient les droits de justice. Les quelques statistiques dont nous disposons révèlent toutes ce pullulement des justices, de même que les études locales nous montrent l'inextricable confusion qui y régnait[1]. Aussi, le partage d'un village entre plusieurs justices était-il fréquent. Parfois même, c'était une rue, un îlot de maisons qui était réparti entre plusieurs domaines judiciaires.

Le système de la coseigneurie aboutissait au partage de la justice entre plusieurs cojusticiers, quelquefois au nombre de 8 ou de 10, et même davantage. On se conformait alors à des conventions de partage, destinées à garantir les intérêts respectifs des partageants plutôt que la saine administration de la justice. Ainsi, la haute justice se trouvait séparée de la moyenne et de la basse, les unes et les autres étant elles-mêmes réparties entre plusieurs cojusticiers.

Des conventions décidaient alors que le juge serait désigné soit par l'ensemble des seigneurs, soit par chacun d'eux alternativement. Ailleurs, les attributions judiciaires se trouvaient réparties d'après leur nature : un des seigneurs disposait de la justice civile et un autre du criminel. Ailleurs encore, l'instruction des procès criminels était faite par le juge qui s'était emparé le premier de l'affaire, le jugement étant rendu en commun.

Au milieu de cette confusion, on avait toutefois essayé d'établir une hiérarchie des justices seigneuriales. Au sommet, les justices des seigneuries titrées, des ducs, des comtes et des barons, qui comportaient plusieurs degrés de juridiction, Grands Jours

---

1. GIFFARD, *Les justices seigneuriales en Bretagne,* nous donne une excellente description de cette organisation au début du xviiiᵉ siècle. Il est certain que la situation, au xviᵉ siècle, n'était pas très différente.

ou bailliages, auxquels ressortissaient en appel les ugements rendus par la justice ordinaire du même seigneur ou par les juges de ses vassaux[1]. Ces justices supérieures avaient droit, comme signes tangibles de leur puissance, à un pilori et à un gibet ou fourches patibulaires, dont l'importance se marquait au nombre des piliers, quatre pour les barons, six pour les comtes et huit pour les ducs.

Immédiatement au-dessous étaient les châtelains, dont les fourches patibulaires n'étaient qu'à trois piliers.

Les uns et les autres avaient le droit de nommer des notaires et des sergents, en nombre variable suivant la qualité du seigneur.

Enfin, au degré inférieur, la justice des simples seigneurs comprenait elle-même trois degrés, la haute, la moyenne et la basse justice, définissables par leur compétence.

En matière criminelle, le haut justicier connaissait de tous les cas, même de ceux qui entraînaient la peine de mort, à l'exception des cas royaux; le moyen justicier, de tous les cas pour lesquels l'amende ne dépassait pas 60 sous par. (soit 75 s. tour.). Il pouvait d'ailleurs arrêter tous les délinquants et instruire tous les procès, à charge de les transmettre aux juges supérieurs s'ils excédaient sa propre compétence. Pour les bas justiciers, la limite correspondait à une amende de 6 sous par. (soit 7 s. 6 d. tour.), avec le droit de prendre tous les coupables, pour les remettre ensuite au juge compétent.

En matière civile, le haut justicier jugeait toutes les affaires réelles, personnelles ou mixtes, quelle que fût leur importance; le moyen justicier avait une compétence identique; quant au bas justicier, il était compétent pour les matières personnelles où le litige ne dépassait pas 60 sous par.

Parmi les seigneurs de ces dernières catégories, les hauts justiciers seuls avaient droit de posséder un pilori avec un carcan et un gibet pourvu de deux piliers.

Ce système, si précis dans les exposés des juristes, l'était moins dans la réalité. Il variait en effet, d'une coutume à l'autre, et,

---

1. Tout cela apparaît très clairement dans l'excellente monographie de CHÉNON, *Histoire de Sainte-Sévère*.

dans un même district, la compétence des différentes justices était souvent imprécise et contestée.

Loyseau, qui était expert dans la pratique, se refusait à considérer comme absolues des définitions trop rigides. Il déclarait inexistante la compétence des basses justices en matière criminelle, les affaires comportant des amendes infimes ne méritant pas d'être instruites. Quant aux justices moyennes, il niait leur existence même, les déclarant imaginées par d'anciens docteurs « radoteurs », égarés par de fausses interprétations du droit romain[1].

A ces trois degrés de justice, il s'en ajoutait un quatrième, dont l'existence était plus problématique encore, c'était la *justice foncière*.

On entendait par là une autorité judiciaire appartenant au seigneur direct et s'exerçant sur ses censives, compétente pour assurer la conservation de tous les droits féodaux et censuels, pouvant prononcer des amendes en cas de cens non payés, d'aveux non rendus et autres cas semblables. Dans certaines circonstances, le seigneur se prétendait même autorisé à créer un juge compétent pour connaître de toutes les causes de ses vassaux et sujets censiers, jusqu'à une valeur de 60 sous par., ce qui eût assimilé cette justice foncière à la basse justice. Dans tous les cas, c'était une variété de la basse justice, inhérente à la seigneurie, et qui distinguait celle-ci de la simple propriété privée.

Cette justice foncière, admise par un petit nombre de coutumes, en Poitou, en Normandie, en Touraine, n'était pas reconnue par d'autres, en Bretagne et en Ile-de-France; et là même où elle existait, ses forces étaient variables : tantôt, on accordait simplement au seigneur le droit d'avoir un sergent, sans juge ni siège, tantôt on lui concédait un juge compétent pour certains règlements de peu d'importance, affaires d'héritage ou de bornage[2].

---

1. LOYSEAU, *Des seigneuries*, chap. x, *Des petites seigneuries ; Discours de l'abus des justices de village*, p. 7.

2. L'ordonnance d'Orléans (art. 106) semblait éliminer cette justice foncière, en prescrivant que les seigneurs féodaux, censiers et autres, devaient poursuivre leurs droits par les voies ordinaires de justice. Mais qu'entendait-on au juste par là ? Il n'y eut rien de changé dans la pratique.

De toutes façons, que cette justice foncière fût douée d'une existence distincte ou qu'elle se fondît avec la basse justice, le seigneur justicier disposait de pouvoirs étendus en matière fiscale : il pouvait contraindre vassaux et tenanciers à l'accomplissement de leurs devoirs. C'était le soutien de tout l'édifice féodal.

Toutes ces catégories de justices entretenaient la confusion dans la hiérarchie des justiciers, qui se multipliaient de façon désastreuse pour les plaideurs. Un procès, après avoir été plaidé successivement devant deux juridictions seigneuriales, pouvait venir par appel devant le tribunal du suzerain, après quoi les degrés de la justice royale constituaient de nouvelles étapes, jusqu'au Parlement, qui décidait en dernier ressort.

En Bretagne, où la hiérarchie des justices seigneuriales subsistait dans son intégrité, c'étaient sept ou huit degrés de juridictions, qui se présentaient devant le plaideur obstiné. Tout le monde en déplorait les inconvénients. Loyseau constatait que la vache ou la brebis, au sujet desquelles un procès était entamé, mourait toujours avant la solution de l'affaire. Il aurait pu dire que c'était souvent le plaideur lui-même qui disparaissait avant la sentence définitive.

La royauté et les justices seigneuriales. La législation royale intervint plus d'une fois, au cours du XVIe siècle, pour remédier à cette confusion. L'ordonnance d'Orléans (art. 57) avait déjà supprimé toute formalité judiciaire et par suite tout appel pour les procès dont l'importance était insignifiante. En 1564, l'édit de Roussillon (art. 24) ne laissait plus subsister qu'un seul degré de juridiction dans une même ville. Mais les parlements, interprétant à tort cette prescription, laissèrent subsister toutes les juridictions qui appartenaient à des seigneurs différents, si bien que les suppressions furent réduites à peu de chose. En réalité, le roi, bien que se proclamant lui-même l'origine de toute justice, hésitait à nier le caractère patrimonial des justices seigneuriales et à dépouiller les hauts justiciers d'un droit qui leur appartenait en propre.

Par contre, l'autorité royale s'efforça constamment de réglementer le fonctionnement des justices seigneuriales, de façon à restreindre l'intervention personnelle du seigneur. Il s'agissait surtout de contrôler le choix de ses agents et leur activité.

Il était prescrit que ces justices devaient posséder un siège « honorable et certain », sur le territoire même de la seigneurie, mais en dehors du château, d'un accès libre et facile. Cette prescription était d'ailleurs presque toujours éludée : rares étaient les seigneuries qui disposaient d'un local honorable; on trouvait des justices un peu partout, le plus souvent dans des auberges ou même en plein air, sur la place du village.

Le seigneur, en qui résidait le pouvoir judiciaire, ne participait en aucune façon à son administration; il intervenait seulement dans le choix de ceux qui jugeaient en son nom. Le juge, nommé par le seigneur, devait en principe être investi par les magistrats royaux, après examen[1]. Le seigneur en était d'ailleurs responsable et pouvait être condamné à une amende en cas de « mal jugé ». Aussi, avait-il le droit de le révoquer[2]. Ce juge était en général unique, mais il était souvent assisté d'un ou de plusieurs lieutenants. Il recevait un salaire fixe, mais presque toujours infime, quelquefois de 5 à 10 livres par an.

Des auxiliaires lui étaient adjoints : hautes et moyennes justices possédaient un officier, qualifié dans le premier cas procureur fiscal, dans le second, procureur de seigneurie ou procureur d'office. Ces officiers défendaient à la fois les intérêts du public et ceux du seigneur, notamment pour la protection de ses droits seigneuriaux. Il y avait enfin le petit personnel qui complétait toutes les juridictions, greffiers, sergents, geôliers.

En plus du pilori et du gibet à piliers, dont l'existence avait une valeur symbolique, le seigneur devait posséder une prison sûre et passablement aménagée. Il ne faut pas oublier, disait Bacquet, que « les prisons ont été introduites pour la garde des malfaiteurs, non pas pour la punition d'iceux ».

En principe, ces justices seigneuriales étaient soumises à un contrôle assez strict, de façon à assurer leur fonctionnement en

1. Ordon. d'Orléans, art. 55.
2. Édit de Roussillon, art. 27.

vue de l'intérêt public. Les règlements relatifs au recrutement des juges étaient destinés à garantir leur compétence et leur impartialité, à les empêcher d'être asservis aux intérêts du seigneur. Il leur était interdit de participer aux fermes des amendes. Ils devaient, comme les juges royaux, informer des crimes commis dans leur ressort et poursuivre les coupables. Les juges royaux avaient la charge de surveiller toute l'administration seigneuriale, pour que, sous des apparences de légalité, elle n'aboutisse pas à l'oppression de ses hommes[1]. Il s'agissait en réalité de transformer cette justice personnelle des seigneurs, dont la justice foncière eût été l'élément le plus redoutable, en une administration publique, placée sous le patronage honorifique du seigneur, et en lui réservant les profits matériels qui y étaient attachés.

Mais, en dépit de ces précautions, les justices seigneuriales donnaient lieu à de sévères critiques : leur insuffisance décourageait les plaideurs. Trop souvent, le renvoi des procès, dont la connaissance leur appartenait de droit, était fait « à la prochaine assise, laquelle ne tient qu'en un an ou deux ans une fois, et n'a procureur, ne conseil, ne logis au lieu où elle tient[2] ». Même lorsque cette justice était expéditive, on lui reprochait son laisser-aller et des abus de toutes sortes. On accusait les juges de servir délibérément les intérêts du seigneur, d'être incompétents, de cumuler des fonctions qui les mettaient dans l'incapacité d'accomplir leurs fonctions. « Juge en un village est demain greffier en l'autre, après-demain procureur de seigneurie en un autre, puis sergent en un autre. » Souvent même, ils cumulaient ces offices inférieurs avec des offices royaux, malgré les prohibitions des ordonnances.

On leur reprochait surtout de piller les justiciables par l'abus des procédures : Loyseau dénonçait avec âpreté « ces petites mangeries de village », où « il faut souler le juge et le greffier et les procureurs de la cause », et ces « juges guestrez de village, jugeans sous l'orme, ignorans et meschans pour la pluspart, et

---

1. Ordon. d'Orléans, art. 63, 81 et 106. Ordon. de Moulins, art. 30. Ordon. de Blois, art. 184, 192, 196 et 283.

2. IMBERT, *La practique judiciaire*, II, 3, 9.

surtout mercenaires et dépendans de leur seigneur[1] ». Et il faut convenir que ces appréciations sévères des contemporains sont confirmées par tous les faits que rapportent les historiens.

D'ailleurs, les seigneurs eux-mêmes, et parfois les plus élevés en dignité, ne tenaient pas la main au bon fonctionnement de leurs justices : les offices restaient vacants, les revenus du domaine ne pouvant suffire à leur entretien. Des exemples comme celui de la vicomté de Rohan, dont les principaux juges et la plupart des sièges avaient successivement disparu, n'étaient pas rares.

Les droits seigneuriaux rattachés à la justice.
A ce pouvoir judiciaire, considéré comme un des attributs de la souveraineté, se rattachaient diverses prérogatives, les unes participant de près à l'exercice du pouvoir souverain, les autres de caractère simplement honorifique, toutes ayant une large part dans l'activité de la seigneurie.

C'étaient en premier lieu les *banalités*, dont le principe reposait sur le droit de faire des règlements ou proclamations publiques. Les seigneurs s'en étaient depuis longtemps servis pour s'attribuer un certain nombre de privilèges économiques dans l'étendue de leur domaine.

Ces privilèges reposaient sur des abus de pouvoir lointains, que le temps avait consolidés. Les juristes les considéraient comme n'ayant pas de rapports avec la possession du fief ni de la justice. Ç'aurait été, d'après eux, une simple coutume, qui trouvait sa justification dans les aveux et dénombrements.

Ces banalités étaient de nature très diverse : il y avait celle de four et de moulin, qui imposait aux habitants de la seigneurie l'obligation de faire moudre leur grain et cuire leur pain au moulin et au four banaux. Ailleurs, c'étaient la forge, le pressoir, le moulin à foulon, à huile, à pastel, dont l'usage était obligatoire. Quant au *banvin*, qui rentrait lui aussi dans le cadre des banalités, et qui se rattachait peut-être de plus près à leur ori-

1. Loyseau, *Discours de l'abus des justices de village*, p. 10 et 11, *Des seigneuries*, VIII, 53.

gine, c'était le privilège reconnu au seigneur de vendre son vin avant les autres propriétaires, monopole qui s'étendait parfois sur plusieurs semaines.

Ces coutumes étaient d'ailleurs modifiées par de nombreuses conventions destinées à supprimer ou à réglementer l'usage des banalités. Les habitants, sauf dans les cas que nous avons mentionnés ci-dessus, profitaient de toutes les occasions pour les racheter par le versement d'une somme fixe ou par une augmentation des autres redevances. Nous voyons, au cours du XVIᵉ siècle, de nombreuses communautés racheter au seigneur le droit de four, ou profiter du désordre des guerres de religion pour s'en affranchir. Il est vrai que, dans certains cas, les habitants eux-mêmes, pour leur propre commodité, consentaient à la création de fours ou de moulins banaux et à l'établissement d'un monopole en faveur de leur seigneur. Le XVIᵉ siècle fournit des exemples de banalités créées dans ces conditions. De toutes façons, là où le régime des banalités existait, d'interminables procès mettaient aux prises les seigneurs avec les usagers.

Lorsque les banalités existaient normalement, les tarifs étaient en général peu élevés : pour l'usage du moulin, qui était la plus répandue des banalités, on retenait 1/16 ou 1/20 du grain moulu. Le tarif était analogue pour le four banal. L'inconvénient principal résidait dans l'incommodité de cette obligation, dans la nécessité de parcours excessifs et difficiles, dans les délais trop prolongés et les vexations qui accompagnent toujours la pratique d'un monopole. Des conventions tendaient d'ailleurs à les atténuer, en dispensant de l'usage du four ou du moulin ceux qui ne pouvaient pas faire exécuter leur travail dans un certain délai.

Mais, la plupart du temps, les seigneurs défendaient âprement leurs banalités. « Moulins, fours banaux et halles sont beaux droits seigneuriaulx et de grand proffit. » Partout, moulins et fours étaient affermés, et ces revenus étaient le plus clair des revenus domaniaux.

D'autres droits se rattachaient également à la haute justice : le seigneur haut justicier entrait en possession de tous les biens vacants sur le territoire de sa justice : il s'attribuait le produit des confiscations prononcées contre les coupables des crimes les plus graves, avec cette restriction que le roi s'emparait des biens confisqués à l'occasion de tous les crimes qualifiés cas royaux. De même pour les déshérences, biens délaissés par des défunts dépourvus d'héritiers, tandis que le roi se réservait l'héritage des aubains et des bâtards. Enfin, tous les autres biens considérés comme vacants, terres vaines et emplacements vides des villages, étaient également la propriété du seigneur haut justicier.

Le droit de police se rattachait de même à la haute justice : il consistait à promulguer des règlements applicables à tous les habitants de la seigneurie; ces règlements concernaient surtout le commerce des denrées, l'exercice des métiers et la voirie.

Le droit de tabellionnage et de sceaux consistait à instituer des notaires et tabellions, à posséder un scel à contrats. Ce droit, réservé en principe aux seigneurs titrés, était souvent concédé à de simples hauts justiciers.

Les droits de foires et marchés comportaient le droit de tenir foires et marchés, qu'on appelait parfois le droit de halle ou hallage, d'y percevoir des taxes sur les poids et mesures et sur les transactions, droit de minage sur les céréales, droit d'étalage et autres taxes aux dénominations variées. Ces droits n'étaient d'ailleurs pas concédés à tous les seigneurs : il fallait, pour en jouir, une concession du roi, et les nombreuses lettres patentes de concession et de confirmation que nous rencontrons prouvent qu'il s'agissait bien moins de droits que de véritables privilèges.

Enfin, les seigneurs possédaient souvent des péages, désignés sous des noms divers, suivant la voie commerciale où la taxe était perçue : barrage, pontonage, coutume, droit de prévôté, travers. Ces droits comportaient, pour celui qui les percevait, l'obligation d'entretenir les voies de communication en bon état, de se conformer à des tarifs établis, et de ne rien usurper au delà de ce que la coutume lui accordait. Les ordonnances d'Orléans et de Blois rappelèrent ces prescriptions. Plus d'une fois, on renouvela l'interdiction des péages illégaux, mais ces mesures fréquemment répétées montrent le grand nombre des abus contre lesquels elles devaient réagir et auxquels les troubles de la fin du siècle donnèrent une plus grande extension.

Cet ensemble de droits, qui devaient en théorie appartenir, soit à tous les seigneurs, soit seulement à certaines catégories, sous le contrôle du roi, ou à la suite de concessions octroyées par lui, constituaient la partie la plus lucrative du système seigneurial. A ces avantages matériels se joignaient les prérogatives honorifiques.

Les seigneurs justiciers se qualifiaient seigneurs du village où ils exerçaient leurs droits. Ils avaient le premier rang dans les processions, un banc spécial à l'église et un tombeau pour les défunts, on venait leur présenter le pain bénit; ils avaient enfin le droit de litre, qui consistait à faire peindre leurs armoiries sur les murs de l'église, vaines prérogatives, mais qui donnaient lieu à d'interminables contestations, surtout lorsqu'une paroisse avait plusieurs coseigneurs, ou lorsque des droits de patronage venaient concurrencer ceux des seigneurs justiciers.

La seigneurie était, dans son ensemble, une institution en voie de transformation, qui avait conservé les caractères extérieurs du système féodal, tout en abandonnant les ressorts mêmes de son activité primitive. Aux relations qui s'étaient autrefois établies dans le cadre de la seigneurie, s'étaient substituées des relations nouvelles, dont le caractère économique était nettement prédominant. Les multiples relations féodales se résolvaient dans un système de taxes, et la justice elle-même n'était plus pour le seigneur qu'une source de profits.

Le seigneur, dépourvu de ses attributions guerrières et très atteint dans ses prérogatives judiciaires, n'était plus qu'un propriétaire entre beaucoup d'autres, dont le statut différait partiellement du sien. Les droits seigneuriaux étaient pour la plupart affermés, soit isolément, soit en bloc, et cet usage généralisé au xvie siècle au profit d'hommes d'affaires professionnels, de banquiers spécialisés dans ce genre de trafic, montre mieux que tout autre fait quel édifice nouveau s'était élevé sur les ruines de la grande et harmonieuse construction du passé.

BIBLIOGRAPHIE

Les archives des justices seigneuriales sont extrêmement dispersées, comme toutes les archives des seigneuries. On trouvera des
sources abondantes dans la série B des archives départementales
et spécialement dans les départements suivants : Allier, Aisne, Bouches-du-Rhône, Cher, Côtes-du-Nord, Drôme, Eure, Eure-et-Loir,
Loir-et-Cher, Lozère, Morbihan, Seine-et-Oise, Somme. Registres
et pièces de procédure de toutes sortes y sont classés non sans lacunes
importantes pour le XVIe siècle. Mais il faut également tenir compte
des fonds notariaux de la série E. De nombreux notaires étaient
appelés dans ces juridictions en qualité de greffiers et ont transcrit
dans leurs registres des sentences, des enquêtes, etc. Ces archives
notariales constituent une source très importante, et souvent peu
utilisée de l'histoire des justices seigneuriales.

Ordonnances d'Orléans, de 1561, art. 55, 57, 63, 81, 106-7, 138.
— de Roussillon, de 1564, art. 24-7. — de Moulins, de 1566, art. 30.
— de Blois, de 1579, art. 101, 115, 184, 192, 196, 282-5.

BRUTAILS, *Cartulaire de Saint-Seurin de Bordeaux.* — GARNIER,
CHAMPEAUX, *Chartes de communes et d'affranchissements en Bourgogne.*

LOYSEAU, *Des seigneuries,* 10-16. — *De l'abus des justices de village.* —
Guy COQUILLE, *Institution au droit françois, Des droits de justice.* —
J. BACQUET, *Traité des droits de justice, haute, moyenne et basse.* — CHOP-
PIN, *De domanio Franciae.* — NICOLAY, *Générale description du Bour-
bonnois.* — *Description générale du païs et duché de Berry.* — RENAULDON,
Traité des droits seigneuriaux. — MARESCHAL, *Traité des droits honori-
fiques des seigneurs.*

ALLARD, *Histoire de la justice criminelle au XVIe siècle.* — TANON,
Histoire des justices des anciennes églises de Paris. — COMBIER, *Les jus-
tices seigneuriales du bailliage de Vermandois.* — CHÉNON, *Histoire de
Sainte-Sévère en Berry.* — D'ESPINAY, *Les réformes de la coutume de
Touraine au XVIe siècle* (Mém. soc. arch. de Touraine, XXXVI). — DE
LESPINASSE, *Les finances, les fiefs et les offices du duché de Nevers.* — GAL-
LEY, *Le régime féodal dans le pays de Saint-Étienne.* — ROSSIGNOL,
*Étude sur les institutions seigneuriales et communales de l'arrondissement
de Gaillac.* — H. SÉE, *Les classes rurales en Bretagne.* — GIFFARD, *Les
justices seigneuriales en Bretagne.* — TRÉVÉDY, *L'organisation judiciaire
de la Bretagne avant 1790* (N. Rev. histor. de droit, 1893).

IV

LES SERVICES PUBLICS

CHAPITRE PREMIER

LA JUSTICE — LA HIÉRARCHIE JUDICIAIRE

LA HIÉRARCHIE JUDICIAIRE. — LES JURIDICTIONS D'ATTRI-BUTION. — LES EMPIÉTEMENTS DE LA JUSTICE ROYALE.

Comme toutes les attributions de la souveraineté, la justice avait été totalement accaparée par les particuliers et par les collectivités au cours de la période féodale. Seigneurs, villes, clergé s'étaient approprié le droit de juger leurs hommes. Le droit lui-même s'était émietté, sous la forme des coutumes juxtaposées au droit écrit, du droit canonique juxtaposé au droit civil.

La reconstruction de l'édifice monarchique se réalisa aux derniers siècles du Moyen Age, par la reconstitution de la justice d'État au profit de la royauté. Le xvi⁰ siècle vit progresser dans une large mesure cette œuvre d'uniformité et d'unité, à laquelle le xviie siècle n'eut que peu de chose à ajouter.

L'unification du droit était à la base de cette reconstitution. Elle reposait pour une part sur l'apport du droit romain, dont l'importance ne cessa de croître pendant le xvi⁰ siècle, et, pour une part aussi, sur le travail de rédaction des coutumes, qui tendait, dans une certaine mesure, à l'élaboration d'un droit unique.

Ceux qui en avaient ordonné la rédaction avaient l'idée qu'il s'agissait d'un travail préparatoire qui devait aboutir à la constitution d'un droit uniforme pour tout le royaume. Mais les résultats n'avaient pas toujours répondu à cette intention. L'unification du droit fut plutôt l'œuvre des commentateurs du XVIe siècle, qui mirent en lumière les dispositions communes aux diverses coutumes, pour fixer des principes communs à toutes les provinces, tandis qu'ils s'efforçaient en même temps de trouver dans la coutume de Paris des dispositions applicables aux autres territoires coutumiers[1].

Tout cela aurait pu aboutir, au cours du XVIe siècle, si la royauté ne s'était pas désintéressée de ce travail. Les compilations juridiques, notamment le *Code Henry III*, ne furent d'aucun profit pour la rédaction d'un code civil, et l'apport de la royauté se réduisit à la publication des grandes ordonnances qui fixaient quelques points de droit, mais d'une façon aussi peu systématique que possible. Bien plus que ces travaux de doctrine, ce fut l'action des parlements qui assura l'unification de la justice et restitua à l'État les attributions de la puissance souveraine.

D'ailleurs, cette œuvre d'unification était en même temps combattue par un système qui introduisait des exceptions de plus en plus nombreuses. C'était un principe généralement admis que tout administrateur était également juge de tous les litiges relevant de son administration. Il en résulta la création d'une multitude de juridictions administratives, *juridictions d'attribution* dépendant toutes du roi, mais dont le foisonnement n'était pas moins contraire au système de l'unité judiciaire que l'avait été l'éparpillement des justices féodales.

La hiérarchie judiciaire. — La hiérarchie des tribunaux était encore imprécise, malgré les essais d'organisation tentés au cours du XVIe siècle.

Au premier échelon, dans le cadre de la seigneurie, se trouvaient toutes les juridictions seigneuriales, investies des pouvoirs de basse, moyenne et haute justice. Il y avait d'ailleurs dans ce premier groupe toute une hiérarchie comprenant des justices de première instance et des justices d'appel, plus ou moins développée selon l'importance du domaine féodal et la dignité de son possesseur.

---

1. Voir notamment les œuvres de Du Moulin, *De concordia et unione consuetudinum*, et P. II, ch. 1.

« En une chastellenie, dit Imbert, sont deux juges : le premier qui congnoist en première instance des causes, qu'on appelle le juge chastelain... Les autres juges des chastellenies sont les séneschaux[1], et congnoissent des causes d'appel, de crimes et de tous cas[2]. »

Dans les états féodaux de première importance, il existait encore, au-dessus de ceux-ci, un degré supérieur de juridiction, avec des baillis ou des sénéchaux, qui étaient les égaux des baillis et des sénéchaux du roi, et qu'on qualifiait parfois de *juges d'appeaux*. Ils étaient en effet chargés de recevoir les appels de toutes les juridictions du comté ou du duché et contestaient même aux baillis et sénéchaux royaux le droit de reviser leurs jugements, n'acceptant que la juridiction suprême des parlements. Il en était ainsi en Bretagne, dans le comté de Nevers, en Bourbonnais, tant que ce dernier duché resta sous l'autorité des ducs.

A côté et au-dessus de ces juges seigneuriaux, se trouvaient ceux du roi. Au degré inférieur, dans les seigneuries appartenant au roi, nous trouvons des juridictions correspondant exactement à celles des vassaux de la Couronne. C'étaient les prévôts et châtelains royaux, qualifiés parfois de petits baillis, vicomtes, bailes, viguiers, tous étant compris dans la classification des juges ordinaires. Ces juges avaient la même compétence que les juges féodaux, tant au civil qu'au criminel; il arrivait même, dans certains cas, que ces juridictions fussent exercées simultanément par un seul juge, pour le compte du roi et pour celui d'une ville ou d'un seigneur. Il en était ainsi, par exemple à Condom, pour la juridiction du bailli, qui appartenait à la fois au roi et à l'évêque, à Mâcon, où la prévôté appartenait au roi et à la municipalité.

Il faut noter toutefois que les prévôts et les châtelains royaux s'établissaient parfois au-dessus des juges ordinaires des seigneurs, dont ils recevaient les appels.

Un degré de juridiction supérieure était constitué par les

---

1. Ces sénéchaux seigneuriaux n'ont de commun que le nom avec ceux du roi, qui sont à la tête des sénéchaussées royales.
2. Imbert, *La practique judiciaire*, II, 3.

baillis et sénéchaux du roi, qui jugeaient en première instance, au civil comme au criminel, certaines affaires privilégiées, et en appel, celles qui leur provenaient des juges inférieurs, tant seigneuriaux que royaux.

« Le tiers degré, dit Imbert, est des baillifs et sénéchaux des provinces, ou leurs lieutenants, desquels on appelle nuement et sans moyen en la Cour de Parlement. Et congnoissent des appellations interjettées de tous les séneschaux des seigneuries et chastellenies de leur ressort et jurisdiction, et des appellations interjettées de chastellains royaux de leurs sièges[1]. »

Il existait en effet un quatrième degré dans les institutions judiciaires, constitué par les cours de Parlement, qui, en qualité de cours souveraines, jugeaient en dernier ressort.

Tel était, dans ses grandes lignes, le plan de la hiérarchie judiciaire, avec ses quatre étages de juridictions superposées, qui, dans la réalité, comportaient la possibilité de plus de quatre appels successifs, lorsque les juridictions seigneuriales possédaient une hiérarchie assez ample, avant qu'on pût aborder la succession des juges royaux. Des exemples empruntés à la justice bretonne montrent que certaines affaires se poursuivaient successivement devant sept juridictions, avant de parvenir à l'arrêt définitif.

Plusieurs ordonnances royales essayèrent de mettre de l'ordre dans cette confusion, et de simplifier en même temps cette hiérarchie trop complexe.

L'édit de Crémieu, en 1536, apporta une première solution, qui consistait à délimiter la compétence des « prévosts, chastelains et autres juges inférieurs », d'une part, et celle des « juges présidiaux », c'est-à-dire baillis et sénéchaux ressortissant sans intermédiaire au Parlement. On accroissait largement la compétence de ceux-ci, tant en leur attribuant la connaissance exclusive des causes domaniales, des affaires de ban et de fiefs, des cas royaux, des lettres de rémission et des matières bénéficiales qu'en leur réservant certaines causes en raison de la qualité des plaideurs : causes dans lesquelles intervenaient les nobles

---

1. IMBERT, *La practique judiciaire*, II, 3.

et les églises pourvues de lettres royales de garde. Pour tout le
reste, qui, en réalité, constituait un domaine judiciaire très exigu,
les prévôts devaient juger en première instance, les baillis et
les sénéchaux en appel.

Cette limitation très stricte de la juridiction des prévôts en
première instance avait pour effet de restreindre la série des
appels, mais, à ces mesures s'ajoutaient d'autres dispositions
moins heureuses, qui attribuaient indifféremment à l'une ou à
l'autre juridiction les commissions provenant des chancelleries
et, par prévention, les matières possessoires de nouvelleté. Cela
ne pouvait que créer une incertitude fâcheuse et donner lieu à
des litiges de compétence, qui rendaient les procès inextricables.

En 1552, la création des présidiaux et tous les édits ultérieurs
qui déterminaient leur juridiction n'aboutirent pas à la simplification désirée. Sans doute, pour les affaires qui leur parvenaient,
soit en première instance, soit en appel, dont le montant était
inférieur à 250 l., jugeaient-ils sans appel, ce qui supprimait
tout recours au Parlement. Mais pour celles dont le montant
dépassait cette limite, la voie d'appel restait ouverte, ce qui ne
changeait rien à la situation antérieure.

L'ordonnance d'Orléans, en 1561, devait être plus efficace :
elle prescrivait (art. 50), « pour donner ordre à la multiplication
des degrez de jurisdiction », que les sièges de prévôts, viguiers,
alloués et leurs lieutenants, et tous autres sièges subordonnés
aux baillis et sénéchaux seraient supprimés dans toutes les villes
où il existait un siège de bailliage ou de sénéchaussée, ce qui
supprimait, du moins dans les principaux centres, un degré de
juridiction. Là, les causes relevant de la justice royale ne pouvaient en aucune façon passer par plus de deux juridictions[1].

Enfin, en 1566, l'ordonnance de Moulins (art. 71) supprima
la juridiction civile des municipalités, ce qui fit disparaître un
des degrés de ces juridictions inférieures, qui compliquaient
la hiérarchie des appels.

Mais toutes ces mesures n'étaient pas applicables uniformément à toutes les provinces du royaume. La suppression des

---

1. Cette suppression fut confirmée par l'édit de Roussillon, art. 24.

prévôtés était limitée à certaines villes. Quant à la disparition des justices municipales, il y eut des exceptions en faveur de quelques-unes; des situations particulièrement confuses furent maintenues, précisément en raison de cette obscurité. D'interminables procès furent engagés pour savoir si une juridiction relèverait directement en appel du sénéchal voisin ou du parlement lointain, si bien que l'organisation judiciaire n'était pas sensiblement allégée à la fin du xvie siècle.

Les juridictions d'attribution. Cette organisation était d'autant moins simplifiée que, à côté de ces tribunaux ordinaires, fonctionnaient de nombreuses juridictions, dont la compétence était limitée à certaines affaires, et qui étaient qualifiées de *juridictions d'attribution*. Elles comprenaient parfois une hiérarchie presque aussi développée que celle des justices ordinaires. Nous avons déjà signalé la plupart d'entre elles à propos des organes administratifs auxquels elles étaient rattachées. Nous n'avons ici qu'à rappeler leur existence dans le cadre de l'organisation judiciaire qu'elles venaient compléter.

Les plus importantes de ces juridictions spéciales étaient celles qui se rattachaient de près au souverain et au Conseil du roi, avec une compétence indéterminée, fixée plutôt par les usages que par des textes formels. C'était la délégation la plus directe de la justice royale.

Au premier rang, le Conseil du roi, ou sa section judiciaire, le *Conseil des parties*, jugeait les procès de toutes sortes évoqués par le roi ou portés devant lui par des requêtes des parties. Il se superposait ainsi aux cours souveraines, dont les arrêts se trouvaient susceptibles de revision. Il se substituait même normalement à ces cours, lorsque celles-ci étaient récusées pour des motifs reconnus valables[1].

C'était ensuite le *Grand Conseil*, issu récemment du Conseil

1. Cela résulte de l'article 14 de l'édit de Roussillon de janvier 1564. L'ordonnance de 1579 (art. 91-92) semblait nettement contraire à ces interventions du Conseil privé et voulait restaurer la compétence exclusive des cours souveraines et des justices ordinaires, mais cette affirmation de principes ne prévalut pas contre une pratique passée dans les usages.

du roi, et cherchant à organiser un domaine judiciaire encore très indécis. Sa compétence, fixée par une série de mesures peu coordonnées, laissait une certaine latitude aux plaideurs désireux d'échapper aux juridictions ordinaires, soit en première instance, soit en appel d'autres tribunaux.

Enfin les maîtres des requêtes de l'Hôtel recevaient également des procès; ils étaient compétents pour toutes les affaires concernant les offices. D'autre part, les maîtres des requêtes du Palais avaient à connaître de tous les procès des privilégiés possesseurs de lettres de *committimus*.

A côté de ces juridictions générales qui doublaient simplement les juridictions ordinaires, la juridiction administrative était entre les mains de certains corps administratifs et disposait d'un domaine réservé, interdit aux juridictions ordinaires. C'était surtout l'administration financière, fertile en contestations, qui offrait une abondante variété de tribunaux : les questions de comptabilité et, accessoirement, les procès criminels intentés aux comptables eux-mêmes relevaient de la Chambre des comptes; les affaires domaniales, jugées en première instance par les baillis, étaient relevées en appel devant la Chambre du Trésor, et de là, devant le Parlement. Toutes les affaires d'impositions, ordinaires ou extraordinaires, tant au civil qu'au criminel, avaient leurs juges spéciaux : élus, pour les affaires d'aides et de tailles, grenetiers et contrôleurs, pour les gabelles, avec comme tribunal d'appel la Cour des aides. Enfin, la Cour des monnaies jugeait les affaires monétaires et celles des monnayers, ce qui lui ouvrait, comme à toutes les cours de justice personnelle, un domaine indéterminé.

D'autres administrations avaient leur hiérarchie judiciaire, notamment celles qui se groupaient à la Table de marbre du Palais, à Paris : les Eaux et Forêts, qui partaient des simples gruyers, pour aller aux maîtres particuliers et au tribunal de la Table de marbre de Paris, — la juridiction prévôtale, qui était en première instance celle des prévôts des maréchaux et, en appel, celle de la connétablie et maréchaussée, — la juridiction maritime, qui allait des lieutenants particuliers d'amirauté au tribunal de l'Amirauté siégeant à la Table de marbre. Ces trois juridictions étaient, en cas d'appel, subordonnées au Parlement de Paris.

Il y avait enfin, pour les affaires commerciales, la juridiction des conservateurs des foires, dont nous avons suivi l'extension au cours du XVIᵉ siècle.

Tout cela, c'étaient les juridictions laïques, mais la justice d'Église pouvait elle aussi ouvrir des voies d'accès au plaideur laïque ou ecclésiastique. La hiérarchie des officialités se complétait au sommet par les juges pontificaux, qui devaient être choisis dans le royaume, et recevaient seulement leurs pouvoirs de la cour de Rome.

Ces voies nombreuses constituaient autant de concurrences possibles pour les juridictions ordinaires, et l'incertitude sur la nature du litige, de même que la variété des privilèges accordés aux plaideurs, tout cela donnait lieu à des contestations interminables, malgré les arrêts de règlement de juges, si bien que les procès se poursuivaient parfois simultanément dans plusieurs voies différentes. La multiplicité des hiérarchies judiciaires n'était pas un moindre mal que le pullulement des justices subalternes, dont les contemporains se plaignaient si aigrement. Et nous avons vu au passage que ces hiérarchies s'étaient singulièrement multipliées au cours du XVIᵉ siècle.

Le gouvernement royal, cependant, avait fait quelques tentatives pour fixer certaines voies judiciaires et empêcher les plaideurs de s'égarer devant des juridictions rivales.

Les grandes ordonnances judiciaires prescrivaient, sans ambiguïté, que la connaissance des causes devait appartenir aux juges ordinaires[1]. Du même coup, la compétence des juridictions exceptionnelles était limitée aux cas strictement prévus par les ordonnances. Ainsi la compétence du Grand Conseil, celle des maîtres des requêtes de l'Hôtel et du Palais, celle du Conseil privé se trouvaient réduites, et ces juridictions, en quelque sorte, assimilées aux juridictions ordinaires[2].

D'ailleurs, la réglementation, étayée sur une jurisprudence toujours plus précise, établissait des principes qui déterminaient

1. Ordon. de 1561, art. 36, et de 1579, art. 98.
2. *Ibid.*, art. 37-38, et 99.

la compétence des justices rivales, principes se rattachant les uns à la qualité du plaideur, les autres à la nature du litige.

Nobles, ecclésiastiques et roturiers n'étaient pas, en effet, soumis aux mêmes règles judiciaires, et des usages toujours plus précis déterminaient la condition des uns et des autres.

De tout temps, les pairs avaient joui du privilège de ne plaider qu'au Parlement constitué en Cour des pairs, et cela comprenait même les affaires dans lesquelles leur procureur avait pris fait et cause, ce qui était le cas de tous les procès criminels.

Quant aux nobles en général, leur situation était définie par l'édit de Crémieu, qui, en principe, réservait leurs causes aux bailliages et sénéchaussées, celles des roturiers relevant des prévôts ou autres juges de même rang. Il en était de même pour tous les procès où des nobles plaidaient contre des roturiers, comme parties principales ou même comme y étant simplement intéressés. Les actes de juridiction gracieuse étaient également répartis d'après le même principe[1].

Les ecclésiastiques avaient joui autrefois d'un privilège bien plus ample, puisque leur condition les soustrayait à la justice laïque, même lorsqu'il s'agissait de procès purement civils. Sur ce point, la législation, depuis plusieurs siècles, avait largement restreint les privilèges cléricaux, et ses dernières conquêtes se réalisèrent au cours du xvie siècle, tant pour la détermination des clercs auxquels ce privilège était concédé que pour fixer la procédure applicable à certaines causes et spécialement aux causes criminelles : pour ces dernières, en effet, la législation précisait la distinction déjà couramment admise du cas privilégié et du délit commun ; elle réglait la participation des deux juridictions dans toutes les affaires où un ecclésiastique était impliqué, en assurant la prééminence du juge laïque qui jugeait le cas privilégié, et en assurant le respect de sa sentence, quelle que fût celle du juge d'Église[2].

Enfin, à côté des classes jouissant de privilèges collectifs,

---

1. Édit de Crémieu, art. 4 à 8.
2. Ordon. de Villers-Cotterets de 1539, art. 2 à 4. Édit de Roussillon, de 1564, art. 21. Ordon. de Moulins, de 1566, art. 39-40. Pour le détail, se reporter ci-dessous, Partie V, ch. iii.

il y avait les petits groupes auxquels étaient concédés des privilèges plus ou moins étendus, ceux auxquels on accordait des lettres de *garde gardienne* ou de *committimus*.

Les premières étaient accordées par le roi à des églises, à des corporations ecclésiastiques, ou à des communautés telles que les universités, pour les prendre sous sa protection spéciale, en leur assignant des juridictions susceptibles de simplifier la hiérarchie judiciaire. Ces juridictions étaient le plus souvent celles des baillis et des sénéchaux, mais aussi parfois celle des maîtres des requêtes du Palais, ce qui mettait les justiciables sur le même pied que ceux auxquels était octroyé le privilège de *committimus*[1].

Dans ce dernier cas, le privilégié était autorisé à plaider en première instance aux Requêtes du Palais, privilège enviable et qui était l'objet de nombreuses compétitions. Aussi les ordonnances s'efforçaient-elles de limiter strictement la nature des procès auxquels s'appliquait ce régime et le nombre de ceux qui pouvaient en jouir. Il était limité aux causes personnelles et possessoires. Quant aux usagers, c'étaient les principaux officiers de la Couronne, les conseillers du Conseil privé, les maîtres des requêtes de l'Hôtel, les notaires et secrétaires du roi, les officiers domestiques du roi et des princes, les officiers des cours souveraines, ainsi qu'un petit nombre d'avocats et de procureurs des parlements[2].

Il y avait en dernier lieu tous les privilèges isolés que constituaient les *évocations*. Dans ce cas, le roi, pour servir les intérêts d'un de ses sujets, ou pour s'assurer à lui-même des juges dont il était sûr, ôtait à la justice ordinaire la connaissance d'une cause, pour en attribuer la décision à un autre juge. Il ne s'agissait plus ici d'une mesure générale applicable à toute une série de procès, mais d'une cause isolée, et l'intervention du roi, qui, dans le cas du *committimus*, pouvait simplifier la voie de la procédure, n'aboutissait ici qu'à la troubler, tout en jetant sur les juges dessaisis une suspicion de partialité.

De là, l'hostilité avec laquelle tous les justiciables considé-

---

1. Voir les textes relatifs au *committimus* dans GIRARD, *Trois livres des offices*, I, 27.
2. Ordon. de Moulins, art. 56.

raient les évocations, et la pression qui fut faite à plusieurs reprises sur le gouvernement pour mettre fin à cette pratique. Plus d'une fois, le roi sembla céder : l'édit du 18 mai 1529 limitait les évocations aux cas où les membres du Parlement seraient valablement récusés. Il exigeait une sérieuse procédure préalable, l'intervention du Conseil du roi, et prescrivait le renvoi de l'affaire à un autre parlement, sans qu'il fût possible de la retenir au Grand Conseil, « sinon que les parties y consentissent », ce qui ouvrait de nouveau la voie à l'arbitraire et au désordre.

Toutes les ordonnances ultérieures répétèrent les mêmes prescriptions, condamnant toujours aussi formellement le principe de l'évocation. Mais, c'était un acte de favoritisme trop aisé et un procédé de gouvernement trop avantageux pour qu'on y renonçât, et l'usage, malgré les protestations, persista pendant tout le XVIᵉ siècle.

Il faudrait également, pour être complet, noter la juridiction d'exception qui était réservée à certains malfaiteurs publics, avec l'intention d'assurer, non pas un privilège, mais la répression plus rapide des crimes. Ceux qu'on appelait gens sans aveu et vagabonds relevaient de la justice des prévôts des maréchaux, alors que, pour les mêmes délits, ils eussent été normalement justiciables des juges ordinaires.

Les empiétements de la justice royale. A côté de ces exceptions déterminées par la qualité du plaideur, viennent celles qui dépendaient de la nature du procès. Là encore, une longue tradition s'inspirait surtout de la nécessité de fortifier la justice du roi, aux dépens des tribunaux seigneuriaux ou ecclésiastiques. C'est ainsi que s'était constituée la théorie des cas royaux, celle de la prévention et celle du ressort, qui amenaient les juges du roi à se saisir de procès dans lesquels, normalement, ils n'auraient pas eu à intervenir.

La théorie des *cas royaux* s'était constituée par l'attribution aux baillis et aux sénéchaux du roi de tous les crimes portant atteinte à la personne du roi, à ses représentants et à l'exécution de ses ordres. De là, on était passé aux atteintes portées au domaine royal. Enfin, on avait considéré que l'intérêt du roi était lié à tous les intérêts généraux dont il avait la garde, à la garantie de la paix publique, aux droits des églises et des communautés, et d'une façon générale, au maintien de l'ordre public, si bien que tout ce qui troublait ce dernier pouvait entrer dans la catégorie des cas royaux.

Cette conception du cas royal était d'ailleurs en progrès constant : depuis le XIIIᵉ siècle, où elle était apparue dans le droit, elle n'avait pas cessé de s'étendre, en même temps que se développait l'affirmation de l'autorité royale.

Pour une notion aussi large et aussi mobile, il est difficile de trouver une définition précise et satisfaisante.

Loyseau définissait comme cas royaux ceux à la connaissance desquels le roi était intéressé pour la conservation de ses droits ou de son autorité, et qu'il réservait à ses juges[1]. Une définition aussi large pouvait s'appliquer à un grand nombre d'affaires. Et cette incertitude même favorisait les empiétements des juges du roi.

Les textes législatifs se contentaient d'énumérer les cas royaux. Certains de ces textes remontaient assez loin dans le passé, comme les lettres patentes du 8 mai 1372. Plus récemment, ces cas avaient fait l'objet d'une déclaration du 5 juillet 1499, et, pour l'usage du XVIᵉ siècle, un arrêt du Parlement de 1574 en avait donné une liste, qui s'imposait à la jurisprudence des tribunaux[2].

On considérait ainsi comme cas royaux le crime de lèse-majesté, les infractions à la sauvegarde royale, les causes concernant les cathédrales et les églises de fondation royale, le « destourbier » causé aux officiers royaux et autres causes les concernant, le port d'armes, les violences et excès commis dans des assemblées illicites, le rapt, l'incendie, le trouble apporté au service divin, la fabrication de fausses monnaies, la falsification

1. LOYSEAU, *Des seigneuries*.
2. Arrêt entre le duc de Montpensier et les officiers du duché d'Auvergne, dans CHOPPIN, *Commentaires sur la coutume d'Anjou*, I, 65. Voir aussi du même auteur, *Du domaine*, II, p. 149.

du sceau royal et des lettres royaux, les causes concernant les
dettes du roi, l'exécution des commandements et commissions
scellées du grand sceau. A ces crimes, s'ajoutaient quelques
causes civiles, celles qui touchaient à l'entérinement des lettres
royales et au possessoire des bénéfices. C'était au total un
domaine immense, que les juges du roi, les parlements et le
Conseil privé savaient largement exploiter.

La *prévention* consistait à attribuer à un juge les causes dont
il avait entrepris l'examen avant le juge auquel la connaissance
de l'affaire appartenait naturellement. En fait, cette théorie
devait toujours jouer en faveur du juge royal et au détriment
du juge seigneurial, négligent ou incapable.

La théorie se fondait sur des arguments tirés du droit romain
et du principe d'après lequel le roi disposait, dans tout le
royaume, d'un droit de justice suprême, théories d'ailleurs
controversées. Un grand nombre d'ordonnances définissaient
les cas où la prévention était admise, depuis celle de 1254,
jusqu'à l'édit de Crémieu, de 1536. La plupart des coutumes
y étaient contraires. Mais, en fait, la prévention était entrée
dans le droit et le juge royal, qui avait entrepris la connaissance d'une affaire était considéré comme compétent jusqu'à
ce que le renvoi en fût obtenu par le juge seigneurial.

Quant au *ressort*, c'était une application abusive du principe
qui permettait d'appeler du juge inférieur au juge supérieur
dont il ressortissait. On prétendait que le juge inférieur se trouvait définitivement dépossédé de l'affaire, même lorsque l'appel
ne portait que sur un incident de procédure[1]. Le juge supérieur
se trouvait ainsi amené à empiéter sur la juridiction des seigneuries, malgré les prescriptions des ordonnances qui interdisaient
aux « juges ressortissans en nos cours, vuidans les appellations
des juges inférieurs, retenir la cause du procès principal ». Mais
l'ordonnance de Blois ajoutait « fors ès cas esquels par les
ordonnances il leur est permis user de rétention de cause[2] ».
Et cette échappatoire permettait à l'usage de triompher de
la loi.

1. IMBERT, *La practique judiciaire*, I, 23.
2. Ordon. de Blois, de 1579, art. 148 et 179.

Ces mesures, générales ou particulières, qui modifiaient l'ordre normal de la hiérarchie judiciaire, étaient inspirées, pour une part, par le désir de fortifier la justice du roi, mais aussi par celui de simplifier les formes en faveur des justiciables. Les préambules des ordonnances reconnaissaient de bonne grâce les tares et l'impuissance de l'administration judiciaire, en affirmant la volonté d'y remédier.

Mais, en fait, ces mesures ne déterminaient pas sans ambiguïté la compétence de chaque tribunal. La voie restait toujours ouverte au plaideur obstiné pour soulever les questions d'incompétence, pour appeler au Conseil du roi et obtenir des arrêts en règlement de juges, qui aboutissaient aux interventions les plus arbitraires.

Par ailleurs, les recours à la Chancellerie et les lettres qu'on y obtenait relevaient des prescriptions imposées par les lois et autorisaient les procédures les plus incorrectes, achevant de bouleverser l'ordre judiciaire.

Les interdictions rigoureuses sans cesse renouvelées contre ces pratiques prouvent seulement que la loi était impuissante contre de telles méthodes, destructrices de toute saine justice.

BIBLIOGRAPHIE

Les textes législatifs qui se rapportent à l'administration de la justice sont nombreux : la plupart des grandes ordonnances du XVIᵉ siècle sont consacrées aux matières judiciaires. On retiendra spécialement l'ordonnance de Blois de mars 1499 (art. 13-162). — Ordon. du 3 janvier 1529, du 18 mai 1529. — Ordon. d'Is-sur-Tille, d'octobre 1535. — Édit de Crémieu, du 19 juin 1536. — Ordon. de Villers-Cotterets, d'août 1539 (art. 1-184). — Édits de juin 1550, du 3 septembre 1551, de février 1557, de juillet 1560. — Ordon. d'Orléans, de janvier 1561 (art. 34-93). — Édit de Roussillon, de janvier 1564 (art. 1-36). — Ordon. de Moulins, de février 1566. — Ordonnance du domaine, de février 1566. — Édit de mai 1567. — Ordonnance de Blois, de mai 1579 (art. 89-209). Les textes de ces ordonnances sont publiés dans NÉRON et GIRARD, *Recueil d'édits et ordonnances royaux*, avec les commentaires des jurisconsultes, DU MOULIN, BOURDIN, FONTANON, L. CHARONDAS, Guy COQUILLE, DURET et BUGNYON.

J. Imbert, *La practique judiciaire*. — Loyseau, *Des seigneuries*. — *Des abus des justices de village*.

Il convient de se reporter à la bibliographie de tous les chapitres précédents concernant l'organisation judiciaire. Les ouvrages relatifs aux parlements, aux bailliages et sénéchaussées sont à consulter pour étudier l'organisation des services judiciaires dans leur ensemble.

CHAPITRE II

LA PROCÉDURE

LA PROCÉDURE CIVILE. — LA PROCÉDURE CRIMINELLE.

La procédure en usage dans les différentes juridictions du royaume variait d'un pays à l'autre, déterminée par des coutumes locales et des styles de procédure différents. Aussi ne peut-on qu'énoncer quelques règles générales applicables à la majorité des cas.

La procédure civile. La procédure civile reposait sur une classification des causes, qui, selon leur nature, étaient soumises à différentes règles. On distinguait en premier lieu les *actions* réelles, personnelles et mixtes.

L'*action réelle* était celle qui concernait la propriété d'une chose, et par laquelle le demandeur tendait à être remis en possession de ce qui lui appartenait. L'*action personnelle* était celle qui était dirigée contre une personne obligée envers le demandeur, pour contraindre par exemple à exécuter un contrat. L'*action mixte* était celle qui participait de l'une et de l'autre, par laquelle on demandait à la fois la restitution d'une chose et le paiement de prestations personnelles.

Les actions réelles se répartissaient elles-mêmes en *actions possessoires* et *actions pétitoires*, classification fondamentale quant aux règles de procédure applicables à chacune d'elles. Le possessoire consistait dans la revendication du droit de propriété; le pétitoire visait seulement à attribuer la possession d'une chose, abstraction faite du droit de propriété. Ces deux questions devaient toujours rester distinctes, pour être jugées à part.

Si nous nous élevons au-dessus des détails de la procédure applicable à chacune de ces catégories d'affaires, il y a des règles générales applicables à tous les procès, que nous trouvons formulées dans les ordonnances royales, dans les coutumes locales et dans les styles de procédure en usage dans les différentes juridictions du royaume.

Tout procès débutait par un *ajournement*. « Il faut que le demandeur fasse adjourner le défendeur[1] », pour comparaître devant une juridiction et répondre à la demande dirigée contre lui. Cet ajournement était notifié par un sergent ou un huissier, accompagné de deux records servant de témoins.

Dans de nombreux cas, cet ajournement était difficile à signifier. Si la partie résidait hors du royaume, on l'ajournait sur les lieux du litige ou sur les confins du royaume. Si le sergent craignait quelque violence, il se contentait d'attacher l'acte dans un lieu public ou de faire une proclamation à son de trompe et cri public.

Les parties étaient tenues, pour simplifier les formalités, d'élire domicile au lieu où le procès était pendant, et d'y constituer un procureur. Alors, elles se présentaient devant le tribunal, au jour fixé par l'ajournement.

Le procès, toutefois, pouvait ne pas s'engager si promptement : la partie ajournée pouvait récuser le juge et une procédure s'engageait alors pour vérifier ces motifs de récusation. L'adversaire pouvait également faire défaut, mais le défaut, après avoir été renouvelé un certain nombre de fois, entraînait la perte du procès pour le défaillant.

Enfin, le défendeur pouvait invoquer des *exceptions*, qui permettaient d'empêcher l'ouverture du débat; c'étaient les arguments qui visaient la nullité de l'ajournement, l'incapacité du demandeur, l'existence d'une transaction, la prescription dans le temps, ou toute autre considération qui pouvait rendre dès le début l'action caduque.

---

1. IMBERT, *La practique judiciaire*, I, 1.

Après ces préambules, on abordait le fond du procès. Pour les affaires les plus simples, une procédure expéditive était prévue : le juge pouvait les vider « sur-le-champ, sans avocat ou procureur, après avoir ouï les deux parties contendantes[1] ». Mais cette simplicité de formes ne pouvait s'adapter aux cas plus complexes. On pouvait alors, et c'était encore une procédure simplifiée, se contenter de faire exposer les faits oralement par les avocats, qui ne devaient pas prendre la parole plus de deux fois chacun.

Lorsque l'affaire était importante et que les parties n'arrivaient pas à se mettre d'accord sur les faits, une procédure d'enquête était nécessaire. Le juge appointait les parties à écrire et à informer : c'était la *contestation en cause* : chacun exposait par écrit les faits qu'il entendait prouver; c'étaient les *intendits*, auxquels l'adversaire pouvait opposer ses contredits. Les articles étaient ainsi « accordés » ou « discordés ».

Cette phase de la procédure était décisive : on ne pouvait plus, dès lors, transiger, et le demandeur n'était plus admis à rien changer à sa demande.

Si les parties étaient en désaccord sur les faits, le juge poursuivait cette enquête : avant 1539, les parties devaient affirmer par serment, en audience, les faits contenus dans leurs écritures et y répondre par l'affirmative ou la négative, c'était ce qu'on appelait répondre par *credit vel non*[2]. L'ordonnance de 1539 supprima cette solennité, mais permit aux parties de s'interroger réciproquement sur les faits en cause, afin de délimiter le champ des contestations.

Lorsque le désaccord persistait, le juge pouvait prescrire une enquête contradictoire, pour laquelle on appelait des témoins. C'est alors qu'intervenaient les *enquêteurs*, qui étaient apparus dès le XVe siècle, dans certains bailliages, et dont l'existence fut généralisée en 1515. Il est vrai que le juge pouvait procéder lui-même à l'enquête, mais cette intervention provoquait des contestations interminables. Les parties pouvaient en effet formuler des oppositions, soit contre la forme de l'enquête,

1. Ordon. d'Orléans, de 1561, art. 57, et de Blois, de 1579, art. 153.
2. Ordon. de 1499, art. 16. Ordon. de Villers-Cotterets de 1539, art. 36.

soit contre les enquêteurs ou contre le juge, si bien que de nouveaux appels pouvaient être interjetés.

Ces incidents réglés, l'enquête consistait surtout dans l'audition des témoins : ceux-ci étaient interrogés isolément et en secret sur chaque article. Dans certains cas, ils pouvaient comparaître en groupe, c'était l'*enquête par tourbe*. Cette dernière méthode était employée lorsqu'on avait à établir l'authenticité d'une coutume ou d'un usage local qui ne figurait pas dans le texte officiel de la coutume. Dans ce cas, on convoquait au moins dix témoins, qui délibéraient à part et désignaient un rapporteur chargé de répondre au nom de tous[1].

L'audition des témoins pouvait également donner lieu à des récusations et à des reproches dirigés contre eux, ce qui risquait d'étendre démesurément la procédure.

D'ailleurs cette audition pouvait être complétée par la production de pièces écrites servant à renforcer les preuves testimoniales.

Les enquêtes ainsi terminées étaient déclarées closes, puis publiées et communiquées au défendeur et au demandeur. Ceux-ci pouvaient alors engager de nouvelles procédures sur la réception de l'enquête : ils pouvaient demander l'audition de nouveaux témoins, le renouvellement de la commission d'enquête; on alléguait sa nullité, des faux témoignages, la corruption des témoins.

Ces incidents étant liquidés, l'enquête pouvait être complétée par d'autres opérations, descentes sur les lieux, expertises faites par les juges eux-mêmes ou confiées à des experts. Après quoi l'enquête et le procès étaient reçus à juger.

Le procès était alors distribué à un ou plusieurs rapporteurs chargés de l'examiner. Le rapporteur faisait des extraits des pièces qu'il estimait probantes et on aboutissait ainsi au rapport, qui devait être l'objet d'une délibération faite avec le concours des conseillers du siège.

Le juge rédigeait ensuite sa sentence, qu'il devait signer. Le greffier la prononçait aux parties. Au revers, était inscrite

1. Ordon. de 1499, art. 13 à 22.

la taxe de ce qui était dû au juge, aux conseillers et surtout aux rapporteurs, c'est-à-dire les *épices*. Mais le prononcé du jugement pouvait comporter de longs délais, que les ordonnances s'efforçaient de réduire.

La dernière phase du procès comprenait l'exécution de la sentence. Dans les cas les plus simples, l'exécution se faisait par la simple intervention d'un sergent. Mais certains cas étaient plus complexes, lorsqu'il y avait à taxer des dépens, à attribuer les revenus de l'objet litigieux, ce qu'on appelait la liquidation des fruits.

Si le condamné refusait d'exécuter le jugement, on avait recours à l'exécution forcée : ses meubles étaient saisis et vendus aux enchères, par « criées et subhastations ». Après les meubles, les immeubles étaient vendus suivant les mêmes formes.

Mais, de nouveaux obstacles pouvaient encore surgir : des tiers, qui avaient des droits sur les biens vendus, pouvaient s'opposer aux criées, et tout était suspendu jusqu'à ce qu'un jugement intervînt pour décider de l'ordre dans lequel les créanciers devraient exercer leurs droits. Naturellement ce jugement pouvait être lui-même précédé d'enquêtes, d'oppositions, qui greffaient une nouvelle procédure sur le procès principal expirant. Les juristes du XVIe siècle estimaient que c'était là la partie la plus délicate du procès, et celle qui pouvait exiger les plus longs délais.

Le jugement final comportait ordinairement une condamnation aux dépens : le plaideur qui succombait payait à ce titre tous les frais de la procédure, augmentés des dommages et intérêts. Là encore, le demandeur exposait ses revendications, sur lesquelles s'ouvrait une discussion avec de nouveaux incidents de procédure. La taxation était l'objet d'une autre décision judiciaire. Enfin, aux dépens se joignaient habituellement des amendes au profit du roi et du gagnant. Le plaideur qui ne les payait pas était emprisonné jusqu'à ce qu'il se fût acquitté.

Le jugement étant ainsi rendu, s'ouvrait la série des procédures d'appel.

L'appel devait être fait *illico*, c'est-à-dire aussitôt après le prononcé de la sentence. Toutefois, des lettres de *relief*, obtenues à la chancellerie, autorisaient les appels dans le délai de trois mois ou même de six.

L'appel était dirigé contre la partie au profit de qui la sentence avait été rendue, et contre le juge qui l'avait rendue : il était admis, au XVIᵉ siècle, que le juge ne devait pas comparaître pour défendre sa sentence[1].

L'appelant s'adressait en principe au juge immédiatement supérieur dans la hiérarchie judiciaire, que ce fût un juge seigneurial ou un juge royal, le chaîne des appels se terminant aux parlements. C'était cependant une règle de jurisprudence qu'on ne pouvait faire plus de deux appels pour une même cause, mais, dans la pratique, cette règle était souvent sans application, et les juges étaient trop intéressés à la multiplication des procès pour déclarer un appel irrecevable[2].

Il y avait par contre possibilité de faire appel à des juges supérieurs en négligeant les juridictions intermédiaires, ce qu'on désignait par la formule *omisso medio*. Fréquemment, les appels féodaux ou ceux des prévôts royaux étaient portés directement au Parlement, sans passer par le tribunal de bailliage, bien que cette pratique fût prohibée par les ordonnances. Dans ce cas, le juge ainsi négligé pouvait demander le renvoi de l'affaire, qui était de droit.

Il était toutefois admis, dans certains cas, que l'on appelle directement aux parlements, ainsi, lorsque le procès portait sur l'exécution de lettres royales, ou lorsqu'on appelait comme d'abus d'une juridiction ecclésiastique, ou encore lorsqu'on voulait faire infirmer une sentence prononcée par des juges

---

1. La jurisprudence était d'ailleurs variable : en pays de droit écrit, l'appel était dirigé surtout contre l'adversaire, et, en pays coutumier, contre le juge. L'ordonnance de 1510 prescrivait aux procureurs des bailliages de se présenter au Parlement, lorsque les appels de leur siège y étaient appelés, comme s'ils avaient dû en répondre eux-mêmes.

2. L'effort le plus raisonné qui fut tenté au XVIᵉ siècle pour restreindre le développement des appels consista surtout dans les mesures contre la juxtaposition des juridictions locales appartenant aux divers degrés de la hiérarchie judiciaire. L'ordonnance d'Orléans de 1561, l'édit de Roussillon, de 1564, établirent sur ce point des règlements qui auraient dû être efficaces. Voir ci-dessus, ch. 1. Mais nous avons vu que cette réglementation, hostile aux privilèges particuliers, ne fut pas exactement appliquée, et l'édit du 1ᵉʳ février 1569 vint promptement rétablir les juridictions supprimées.

délégués par lettres royales, par des conservateurs des privilèges universitaires ou par les maîtres des requêtes du Palais.

Les appels relevés devant la juridiction compétente débutaient par la « commission pour ajourner ». Ils étaient poursuivis avec la même procédure que devant la juridiction primitive, simplifiée du fait que les demandes et les enquêtes étaient déjà faites, mais compliquées par l'intervention d'une juridiction plus ample.

Lorsque l'appelant perdait sa cause, il était condamné à une amende de fol appel. Si, au contraire, la sentence primitive était cassée, et si un nouveau jugement devait s'ensuivre, l'affaire devait être renvoyée au juge primitif, et il en fut ainsi jusqu'en 1536, où l'édit de Crémieu prescrivit au juge d'appel d'en retenir la connaissance.

A côté de la voie d'appel, les plaideurs pouvaient obtenir la revision d'un jugement et même d'un arrêt du Parlement, pour erreur de fait ou violation des ordonnances. C'est ce qu'on appelait se pourvoir « par proposition d'erreur[1] ». Dans ce cas, il fallait une intervention de l'autorité suprême. La demande était présentée au chancelier et examinée par les maîtres des requêtes de l'Hôtel. Si elle était justifiée, le chancelier octroyait au plaignant des lettres patentes prescrivant à la Cour de reviser le procès.

La procédure criminelle. La procédure criminelle s'était fixée plus tardivement que la procédure civile. Elle avait ses origines lointaines dans une procédure très primitive, dans laquelle la poursuite était réservée à la partie lésée et où le système des épreuves par l'eau et par le feu avait finalement fait place au duel judiciaire.

Peu à peu, depuis la fin du XIIIᵉ siècle, une procédure nouvelle s'était instituée, avec la poursuite d'office, sur l'intervention du procureur du roi ou du seigneur, et l'enquête qui tendait à établir par des preuves la culpabilité de l'accusé.

---

1. Éd. de Crémieu, de 1536, art. 23. Le juge qui avait « erré manifestement », devait être frappé d'une amende arbitraire. Ordon. de 1499, art. 59, et éd. de Crémieu, art. 24.

Une jurisprudence nouvelle s'était ainsi dégagée de la pratique des sièges royaux, jurisprudence qui fut, dans la suite, authentifiée et généralisée par les deux grandes ordonnances, celle de Blois de 1499 et celle de Villers-Cotterets, d'août 1539, qui établirent les bases définitives de la procédure criminelle. La grande ordonnance de 1670 ne fit en effet que reprendre les principes déjà affirmés au siècle précédent.

Quelques principes essentiels dominaient cette organisation : d'abord la distinction entre la procédure ordinaire et la procédure extraordinaire, telle qu'elle était exposée dans l'ordonnance de Blois; puis, l'action prépondérante du procureur, à côté de la partie civile, et l'importance de l'instruction écrite et secrète conduite par le juge criminel. Cette méthode du secret, déjà imposée par l'ordonnance de 1499, pour éviter « les subornations et forgements qui se pourroient faire », fut confirmée et renforcée par celle de 1539[1].

Le procès criminel pouvait être engagé soit devant la justice seigneuriale, soit devant la justice royale[2]. En matière criminelle, le haut justicier pouvait intervenir dans toutes les affaires, à l'exception des cas royaux; la moyenne justice n'était compétente que pour les causes dont l'amende était inférieure à 60 sous. Enfin, la basse justice n'avait que des attributions de simple police. Quant à la justice royale, elle pouvait intervenir sans conditions ni limitations d'aucune sorte.

L'action pouvait être introduite par les gens du roi et par les particuliers lésés. L'ordonnance de 1539 laissait même au juge une latitude plus grande, en le chargeant, dès qu'il aurait été averti d'un crime, d'informer en toute diligence, et de provoquer ensuite les conclusions du procureur du roi, chargé de poursuivre au nom de l'intérêt public. L'ordonnance de 1579 renouvela cette prescription, tant pour les juges royaux que pour ceux des hauts justiciers. Les particuliers, s'ils interve-

---

1. Ordon. de 1539, art. 162 : « Les parties... sont interrogées... séparément, secrètement et à part..., abolissant tous styles... par lesquels les accusés avoient accoustumé d'estre ouis en jugement. »
2. Comme exemple d'une procédure criminelle, on peut se reporter au procès du maréchal de Gié (1504-06), publié par DE MAULDE, *Procédures politiques du règne de Louis XII.*

naient, figuraient seulement comme parties civiles, et leur action était limitée à la réparation du préjudice causé[1]. La conception moderne de l'action publique se trouvait ainsi pleinement réalisée.

Il restait toutefois quelques traces de l'ancienne procédure accusatoire; même lorsque le procureur du roi était seul en cause, des particuliers pouvaient participer à l'affaire comme instigateurs, et, dans ce cas, ils étaient tenus de payer les frais si l'accusation échouait. Enfin, si des accusateurs étaient parties dans l'affaire, ils devaient tenir prison en même temps que l'accusé, jusqu'à ce que l'accusation ait pris quelque consistance.

Lorsqu'il y avait flagrant délit, ou « présent méfait », l'affaire était simple. Le coupable était arrêté, interrogé, confronté avec les témoins et condamné sans délai.

Dans le cas contraire, l'information était plus compliquée : elle comprenait l'interrogatoire des témoins par le juge ou par des enquêteurs, ou même par de simples sergents. Les dépositions étaient rédigées par écrit. Elles étaient remises aux gens du roi, qui présentaient leurs conclusions. Il y avait alors un « décret de juge » qui pouvait abandonner l'affaire, ajourner l'accusé ou décider sa prise de corps.

L'arrestation n'était d'ailleurs pas une mesure générale. Le juge ne devait l'ordonner que contre un homme « non resséant, pauvre et non ayant biens immeubles[2] », à moins qu'il ne s'agît d'un cas assez grave pour faire craindre la fuite du coupable, quels que fussent les gages qu'il laissait derrière lui.

L'accusé était ajourné personnellement ou à cri public. S'il ne se présentait pas, on prononçait défaut contre lui, et on l'ajournait « à trois briefs jours », en saisissant ses biens.

S'il était finalement défaillant, le jugement était rendu par contumace. Dans le cas contraire, le procès continuait : l'accusé était interrogé et prêtait serment, et, par des interrogatoires réitérés, le juge s'efforçait de découvrir la vérité. Il pouvait

---

1. Ces principes étaient repris par l'ordonnance de 1561 (art. 63), qui précisait que les poursuites devaient se continuer « sans attendre la plainte des parties civiles et intéressées, ni les contraindre à se rendre parties ».

2. IMBERT, *La practique judiciaire*, III, 2.

alors, sans procéder plus avant, provoquer les conclusions du procureur et de la partie civile, et terminer l'affaire par un jugement.

Si les confessions de l'accusé n'étaient pas concluantes, la procédure se continuait par l'audition de témoins, et le juge décidait alors, suivant la gravité du fait, qu'on emploierait la *voie ordinaire* ou la *voie extraordinaire*.

Dans le premier cas, la procédure était celle des affaires civiles; l'accusé pouvait être remis en liberté sous caution; les parties rédigeaient accusations et réponses, informaient par témoins, après quoi le juge rendait sa sentence.

Lorsque le cas était grave, on appliquait la procédure extra-ordinaire, d'un usage général au xvie siècle : on récolait les témoins, on les confrontait avec l'accusé, mais celui-ci n'était admis à faire contre eux ses reproches qu'avant la lecture de la déposition, ce qui le mettait hors d'état de discuter les accusations même erronées[1].

Cette phase de l'instruction terminée, le procès était communiqué aux gens du roi, après quoi le rapporteur faisait son rapport.

Le juge pouvait alors ordonner la question préparatoire, qui était exécutée sans délai, de façon que l'accusé n'ait pas le temps de s'y préparer. Il pouvait seulement appeler de cette décision. Après la question, il y avait un nouvel interrogatoire, pour savoir si l'accusé persistait dans ses aveux[2].

Enfin, l'affaire était examinée par le juge, assisté de ses conseillers, et le jugement était rendu.

A aucun moment, la procédure n'admettait l'intervention d'un avocat[3].

La compétence du juge criminel était soumise à des règles précises : le juge était compétent si l'accusé était domicilié dans son ressort, ou si le crime y avait été commis. A ces règles générales, s'en ajoutaient d'autres, spéciales aux diverses espèces

---

1. Ordon. de 1539, art. 153 à 155.
2. Ordon. de 1499, art. 112 à 114, et ordon. de 1539, art. 163-4.
3. Ordon. de 1539, art. 162. « En matière criminelle, ne seront les parties aucunement ouies, et par le conseil ne ministère d'aucunes personnes. »

de délits ou à la condition sociale des coupables. Pour les cas royaux, le juge royal était seul compétent, à l'exclusion des juges seigneuriaux. Mais les questions de compétence les plus délicates concernaient les matières ecclésiastiques, pour lesquelles la justice laïque était en concurrence avec la justice ecclésiastique. Les crimes d'hérésie, de blasphème et de sorcellerie devaient, d'après la jurisprudence des parlements, relever des juges laïques, si l'accusé était lui-même laïque, et des juges d'Église, s'il s'agissait d'un clerc. Toutefois, les affaires d'hérésie prirent une telle importance au cours du XVIe siècle, et la répression s'avéra tellement difficile que les ordonnances se multiplièrent pour déterminer la participation de l'une et de l'autre juridiction dans le jugement des procès. Enfin, pour les crimes commis par des gens d'Église, on se conformait à la jurisprudence établie sur la distinction du *délit commun* et du *délit privilégié*.

Ces différents principes réglaient la compétence réciproque des juges en matière criminelle. Toute intervention d'un juge non qualifié pouvait donner lieu à récusation.

Lorsqu'il ne pouvait pas décliner la compétence du juge, le condamné pouvait recourir à l'appel. Sur de nombreux points, la procédure d'appel était la même que pour les procès civils, avec toutefois quelques modalités particulières : pour simplifier cette interminable procédure d'appel, qui aurait exposé l'accusé à une détention presque perpétuelle, on avait décidé de simplifier la hiérarchie des appellations. L'édit de Crémieu, de 1536, autorisait l'accusé à appeler directement au Parlement, mais seulement pour les sentences comportant la peine de mort ou « affliction de corps ». Cette possibilité d'appel *omisso medio*, généralisée par l'ordonnance de Villers-Cotterets, fut de nouveau limitée par une déclaration du 21 novembre 1542[1].

Cette procédure criminelle, qui se caractérisait par l'absence de garanties accordées à l'accusé, fut l'objet de critiques assez sévères, même de la part des juristes du XVIe siècle, cependant

---

1. Édit du 19 juin 1536, art. 22, et ordon. d'août 1539, art. 163.

peu enclins à l'indulgence. J. Constantin, dans son *Commentaire sur l'ordonnance de Villers-Cotterets*, en déclare les rigueurs contraires au droit commun. Du Moulin en fait également la critique, en essayant de trouver des interprétations qui auraient permis de donner quelques garanties à l'accusé. Quant à P. Ayrault, il blâmait l'autorité excessive attribuée au juge et au greffier, l'intervention des enquêteurs et examinateurs, interposés entre le juge et l'accusé. Il déplorait la nécessité où celui-ci se trouvait de critiquer la valeur des témoignages portés contre lui avant l'audition des témoins. Il considérait comme injuste ce conflit judiciaire qui mettait en présence le juge, expert en procédure, et le pauvre homme ne sachant A ni B, qui ne sait « que c'est que reprocher et accuser ». C'était toute l'iniquité sociale du temps qu'il entrevoyait dans cette rigueur du droit strictement appliqué aux faibles[1].

Le droit criminel comportait une grande variété de pénalités, dont quelques-unes étaient prescrites par des ordonnances royales et la plupart par l'usage des tribunaux : en principe, l'emprisonnement n'était pas une pénalité, mais on en usait seulement pour s'assurer de la personne de l'accusé, et dans la mesure où il était indispensable pour l'empêcher de se soustraire aux poursuites. C'est pourquoi on se contentait fréquemment d'interner les prévenus chez des huissiers ou de leur « donner la ville pour prison ». En dehors de ces cas, la prison servait seulement à exercer la contrainte par corps pour assurer le paiement des amendes ou des restitutions.

Les véritables pénalités c'étaient les amendes pécuniaires ou honorables, l'exposition au pilori, le bannissement, puis la série des peines afflictives, qui commençait par la fustigation jusqu'à la marque au fer rouge, et enfin l'exécution à mort, qu'on appliquait avec une extrême facilité et toutes sortes de modalités : il y avait la mort par pendaison et par décapitation; les blasphémateurs et les sorciers étaient brûlés vifs, les faux monnayeurs bouillis et les criminels de lèse-majesté écartelés. Le

---

1. J. CONSTANTIN, *Commentaria... in leges regias..*, DU MOULIN, *Notes sur l'ordon. de 1539*, dans NÉRON, *Recueil...* I, p. 250. P. AYRAULT, *L'ordre, formalité et instruction judiciaire*, l. III, 3, 45 à 71.

supplice de la roue était réservé aux bandits de grand chemin[1].

Le procès criminel pouvait enfin recevoir une autre solution, c'était la grâce du condamné, qui s'obtenait sous la forme de lettres de rémission ou de pardon. La forme de l'une et de l'autre était différente, mais les effets en étaient semblables : elles accordaient la remise de la peine, mais laissaient subsister la confiscation partielle ou totale des biens du condamné.

L'usage des lettres de grâce était d'ailleurs subordonné à une longue procédure : les parties informaient contradictoirement sur le contenu des lettres, pour vérifier si elles correspondaient aux faits révélés par le procès. On citait des témoins et tout se terminait par un jugement final.

En résumé, cette procédure criminelle, du fait de l'impuissance où se trouvait l'accusé, était plus expéditive que la procédure civile. Le procès criminel aboutissait rapidement à une conclusion, juste ou injuste, mais efficace pour l'exemple, tandis que le procès civil, sous l'apparence de protéger les droits des parties, se nourrissait d'une suite interminable d'incidents de procédure. L'histoire judiciaire du XVIe siècle est pleine de ces procès infinis, dont certains ont duré plusieurs siècles et qui étaient la négation même de la justice.

BIBLIOGRAPHIE

Les indications du chapitre précédent sont également valables pour celui-ci. On peut y ajouter certains règlements de procédure publiés par GIRARD et JOLY, *Trois livres des offices*, t. I, parmi lesquels l'ordonnance générale du 22 octobre 1563 et les règlements du 28 décembre 1590, pour le Parlement de Toulouse, des 3 février 1481 et 24 janvier 1560, pour Dijon, du 21 janvier 1516, pour Rouen, du 30 août 1536, pour la Bretagne. On consultera aussi *Le stille du bailliage de Sens*, pub. par JULLIOT (Bull. soc. arch. de Sens, 1880).

FONTANON, *Les édicts et ordonnances*, t. I, livre 3, consacré aux règlements judiciaires de procédure civile et criminelle.

---

1. Cette jurisprudence relative à l'application des pénalités est largement exposée, avec les références aux ordonnances royales, là où elles prescrivent des pénalités, par IMBERT, *La practique judiciaire*, III, 22.

J. Constantin, *Commentaria... in leges regias.* — J. Papon, *Trias judiciel du second notaire.* — P. Ayrault, *De l'ordre et instruction judiciaire.* — Lebrun de La Rochette, *Le procès civil et criminel.*

Dupont-Ferrier, *Les officiers royaux des bailliages et sénéchaussées.* — F. Aubert, *Histoire du Parlement de Paris, de l'origine à François Ier*, t. II. — Allard, *Histoire de la justice criminelle au XVIe siècle.* — Esmein, *Histoire de la procédure criminelle en France.* — Jeanvrot, *Étude sur les progrès de la procédure criminelle* (en addit. à P. Ayrault, *Ordre et instruction...*). — F. Hélie, *Traité de l'instruction criminelle*, t. I.

CHAPITRE III

LES FINANCES PUBLIQUES — LE DOMAINE ROYAL

DÉFINITION ET CONDITION JURIDIQUE DU DOMAINE ROYAL. — LES DROITS DOMANIAUX. — L'ADMINISTRATION DU DOMAINE ROYAL.

Aucune partie de l'administration royale n'est plus complexe que l'organisation financière. Le particularisme local, les privilèges provinciaux s'y sont maintenus plus que nulle part ailleurs, et les ordonnances royales, qui ne pénètrent pas dans les détails de l'administration locale, sont insuffisantes pour nous donner une idée nette de ce qu'était cette organisation. Il faudrait pour cela « étudier les finances et l'impôt successivement dans chacun des pays qui formaient le royaume » (Dognon), et en se reportant aux documents de comptabilité, qui seuls permettent de se rendre compte des réalités. Il faudrait, par surcroît, étudier tout spécialement les provinces nouvellement incorporées au royaume, Provence, Guyenne, Dauphiné, Bourgogne, Bretagne, qui restaient en dehors du système applicable aux autres provinces, du moins jusqu'au jour où la réorganisation des généralités amena un progrès réel vers l'unification administrative[1].

Les finances royales et l'administration financière reposaient sur une distinction fondamentale : on distinguait en effet « deux manières de finances, assavoir finances ordinaires et finances

---

1. Il faudrait multiplier les études locales sur le régime financier des provinces, avec une documentation empruntée aux archives des généralités et des élections. Nous en trouvons le modèle dans les travaux de Spont sur les impositions en Languedoc (Annales du Midi, 1890-91), et dans l'étude de Dognon sur *La taille en Languedoc*, ibid., 1891.

extraordinaires[1] ». Et on précisait qu'il s'agissait d'une part du domaine du roi, et de l'autre du revenu des greniers, aides et tailles, en outre duquel il aurait fallu mentionner, pour être complet, les autres ressources qui s'y étaient ajoutées avec le temps.

En vérité, cette distinction était un peu périmée dès le XVIe siècle, en ce sens qu'elle semblait mettre sur le même pied deux catégories de revenus dont l'importance n'était plus comparable et dont les plus anciens, qui étaient de beaucoup les moins lucratifs, ne justifiaient plus l'existence d'une administration particulière.

A la fin du XVIe siècle, la mention des finances ordinaires n'était plus guère qu'une survivance, en usage dans les examens destinés à recruter le personnel des finances. Néanmoins, ce qui en subsistait dans la réalité et l'importance que les théoriciens de l'époque y attachaient doivent nous inciter à quelques développements.

Définition et condition juridique du domaine royal.
On entendait par domaine royal un ensemble de propriétés et de droits dont le roi disposait en qualité de propriétaire et de seigneur féodal, et qui, par sa nature, ne différait pas de celui que possédaient les autres seigneurs du royaume. C'était, suivant une définition contemporaine, « l'héritage et patrimoine que la République luy apporte arrivant à la Couronne[2] ».

Il y avait d'ailleurs, à voir les choses de près, quelques caractères distinctifs qui séparaient le domaine royal de la propriété privée. Les rois avaient introduit sur leurs terres certains droits qui n'étaient pas reconnus aux autres seigneurs, droits de souveraineté tels que la régale, les droits de patronage et de garde noble, dont on avait fait des droits domaniaux administrés dans le cadre des finances ordinaires. Enfin, le seul fait que ces droits

---

1. *Vestige des finances.* Cette définition classique se retrouve dans tous les formulaires.
2. LA BARRE, *Formulaire des esleuz.*

appartenaient au roi leur avait attribué un statut juridique spécial qui les mettait en dehors du droit commun.

Le domaine se caractérisait ainsi par sa nature de propriété permanente, en opposition avec les impositions dites extraordinaires, consenties pour un temps par les sujets. Différence d'origine, qui alla en s'atténuant lorsque tous ces revenus devinrent également permanents et cessèrent d'être consentis par les représentants de la nation.

C'était en réalité un amalgame de droits échus au roi à des titres différents. Il y avait parmi eux des droits seigneuriaux, reste des anciens droits souverains que s'étaient appropriés les seigneurs, — des droits féodaux, qui correspondaient à l'application des principes du droit féodal proprement dit, — des droits personnels, qui étaient ceux de la propriété privée. Si ces droits ne différaient pas, quant à leur nature, de ceux des autres seigneurs, le roi avait cependant cette prérogative de disposer d'une variété de droits seigneuriaux beaucoup plus grande que celle dont jouissaient ses vassaux. Il avait d'autre part réussi à conserver ou à reconquérir un certain nombre de droits, qualifiés de régaliens, qu'il exerçait dans tout le royaume. Enfin il protégeait ce patrimoine par un ensemble de dispositions légales et avec le concours de juridictions qui faisaient du domaine quelque chose de spécial au milieu des autres institutions financières.

Ainsi, il était difficile de formuler une définition précise, et cette difficulté s'accroît encore lorsqu'on veut pousser plus loin l'analyse et distinguer, comme certains auteurs ont cherché à le faire, différentes sortes de domaines, domaine de la Couronne et domaine du roi. Les limites entre ces deux expressions manquent de fondement juridique, et nous concluons avec Ragueau, que « les financiers et praticiens sont bien empêchés pour faire entendre s'il y a différence entre elles[1] ».

En réalité, les droits domaniaux, par leur extrême variété, échappent à toute détermination, de sorte que la notion de domaine repose moins sur la nature et l'origine de ces droits

---

1. RAGUEAU, *Glossaire*, art. Domaine.

que sur leur caractère juridique, défini par l'ensemble des ordonnances royales[1].

Le statut du domaine royal était défini dans plusieurs ordonnances qui lui étaient consacrées en tout ou en partie, et spécialement dans l'édit de Moulins, de février 1566[2].

Le roi, après avoir rappelé le serment du sacre, par lequel
il s'engageait à conserver l'intégrité du domaine, « patrimoine
royal de notre Couronne », le définissait comme « celui qui est
expressément consacré, uny et incorporé » à cette Couronne,
ou « qui a esté tenu et administré par nos receveurs et officiers
par l'espace de dix ans et est entré en ligne de compte ». Définition confuse, qui consiste moins à déterminer la nature de l'objet
défini qu'à indiquer certains caractères accessoires, susceptibles
de distinguer les droits du roi de ceux de ses compétiteurs.

Le domaine, ainsi défini, était déclaré inaliénable sauf dans
deux cas, la constitution d'apanages en faveur des princes de la
famille royale et l'aliénation, à deniers comptants, pour les
nécessités de la guerre. Le roi se présentait ainsi comme l'usufruitier plutôt que comme le véritable propriétaire du domaine[3].

De là les règles posées pour son administration : le domaine
devait être affermé aux enchères. Il ne pouvait être l'objet d'aucune donation, même déguisée sous la forme d'une remise des
droits de location. Les concessions, pour être valables, devaient
être vérifiées par les parlements et par la Chambre des comptes.
Les bois, qui représentaient un capital facilement destructible,
étaient l'objet de mesures particulières : il était interdit aux
détenteurs du domaine de les couper; le roi ne pouvait en aucune

1. Choppin, en tête de son célèbre traité *De domanio Franciae*, se rendant compte
des difficultés que nous signalons ici, hésite à donner une véritable définition du
domaine royal. Il se borne à reproduire le texte de l'ordonnance de 1566 (art. 2),
qui consiste dans l'énumération de certains caractères extrinsèques. Ailleurs,
nous trouvons des listes plus ou moins détaillées des droits domaniaux, mais nulle
part une définition satisfaisante de ce qui constituait le domaine.

2. L'ordonnance de Blois (art. 329-40) s'exprime dans le même sens.

3. G. Coquille critiquait ce qu'il y avait d'un peu excessif dans cette doctrine :
si le « droit de souveraineté » était en principe inaliénable, « ce qui est de la seigneurie utile, pour les profits et honneurs, semble être aliénable, pourvu que la directe
seigneurie, la souveraineté et le ressort demeurent au roi ». Et c'était bien ce qui
se passait effectivement, malgré les affirmations de principe. *Institution au droit
françois. Du droit de royauté*.

façon aliéner les bois de haute futaie, dont les coupes ne pouvaient se faire qu'en vertu de lettres patentes. Le roi, enfin, se réservait le droit de recevoir les hommages pour les fiefs dépendant du domaine.

Ces prescriptions faisaient du domaine quelque chose de particulier, spécialement protégé contre toutes les possibilités de démembrement ou de diminution temporaire ou partielle.

Le principe de l'inaliénabilité du domaine était constamment énoncé dans des édits royaux qui proclamaient en conséquence la révocation des aliénations considérées comme illégales. Le roi rappelait que le domaine était le patrimoine de la Couronne, inaliénable d'après les lois fondamentales du royaume, le droit civil et canonique, et le serment du sacre. Si quelque partie tombait entre les mains des particuliers, c'était soit par suite de faveurs extorquées par l'importunité des requérants, soit sous couleur d'aliénations fictives qui, en réalité, n'avaient comporté aucun versement de fonds. Les rois reconnaissaient ainsi et leur faiblesse et la négligence de leurs officiers. En conséquence, ils annulaient toutes les concessions antérieures et réunissaient au domaine les parties aliénées, sans que les détenteurs puissent invoquer la prescription[1].

Ces mesures reparaissaient périodiquement, au moins une fois au début de chaque règne. On leur donna une solennité particulière en les insérant dans l'ordonnance de 1579 (art. 332). Mais ces affirmations de principes, loin de mettre fin à la pratique des aliénations, fournissaient seulement des arguments pour justifier leur révocation.

Au surplus, ces mêmes édits contenaient déjà des exceptions en faveur de certains hauts personnages, quelquefois même des clauses générales approuvant les aliénations faites, « pour sub-

---

1. Ces mesures avaient une origine lointaine dans une série d'ordonnances, qui constituaient une base juridique solide, tels les édits de réintégration de 1329, 1360, 1374, 1401. Au XVIe siècle, nous relevons ceux du 30 avril 1517 (*Ordonnances*, n° 114), de juil. 1521 (*Ordonnances*, n° 290), du 13 avril 1530 (*Ordonnances*, n° 530), du 30 juin 1539 (*Catalogue*, n° 11077), du 10 sept. 1543 (*Catalogue*, n° 13331), de 1549, du 22 août 1559. Les juristes avaient d'ailleurs élaboré une théorie, pour justifier les aliénations. Il n'y aurait pas eu en réalité aliénation mais un simple engagement d'une portion du domaine; l'engagiste serait un prêteur, auquel on remettait en gage le domaine sur lequel portait la transaction.

venir aux grans et urgens affaires... pour le fait de nos guerres ».
C'était la porte ouverte à toutes les infractions, si bien que la
série de ces édits était en fait inopérante.

D'ailleurs, chacun de ces édits de révocation des aliénations
du domaine n'était que la préface d'une série d'autres édits
prescrivant des aliénations nouvelles en vue de fournir au Trésor
les fonds dont il avait besoin. On essayait de reconstituer le
capital qu'on se proposait d'aliéner. Tout cela ne fortifiait pa
beaucoup le principe juridique de l'inaliénabilité du domaine,
tandis que le rappel périodique de ce principe n'aboutissait
qu'à rendre plus incertaine la situation des acquéreurs, et par
suite plus désavantageuses les opérations du Trésor.

La liste de ces aliénations du domaine est déjà longue pour
la première moitié du xvie siècle. Après Charles VIII, qui y eut
recours en 1494, François Ier en fit largement usage, surtout au
moment des grandes crises de 1522, 1536, et 1543. Mais la politique désordonnée de Henri II et de ses successeurs en matière
financière fit de ces aliénations un procédé normal d'administration, du moins tant qu'il y eut encore des revenus domaniaux susceptibles d'être vendus[1].

Ces aliénations pouvaient porter tant sur le domaine disponible que sur le domaine déjà aliéné, le nouvel acquéreur s'engageant dans ce cas à rembourser au premier occupant le capital
que celui-ci avait déjà fourni. Cette aliénation était consentie
sans limites de temps, le roi se réservant seulement le droit de
rachat moyennant le remboursement de la somme versée. Ce
droit de rachat ainsi maintenu était la correction nécessaire de
l'atteinte portée au principe de l'inaliénabilité du domaine. Les
cours souveraines y tenaient fermement et refusaient d'enregistrer les lettres patentes d'aliénation où cette réserve était
omise.

En définitive, ce principe de l'inaliénabilité n'était qu'une
simple survivance juridique sans portée pratique. Les juristes la
mentionnaient, tout en indiquant les conditions dans lesquelles

---

1. Voir notamment *Catalogue*, no 1472, pour 1522, nos 8661 et 8694 pour
1536, no 13297, pour 1543. Pour les règnes suivants, lettres patentes d'avril
1574 et sept. 1591, dans FONTANON, t. II, 2, 8.

devaient se faire les aliénations, ce qui aboutissait simplement
à rendre celles-ci plus précaires.

D'ailleurs, nous noterons que, plus que les arguments juridiques, l'autorité de la Chambre des comptes intervenait pour
protéger le domaine royal. Son intervention dans les affaires
domaniales et son autorité de cour souveraine lui permettaient
de faire triompher les prétentions du roi, quelle que fût la réalité
de ses droits.

Les droits domaniaux. Une nouvelle question se
pose, lorsqu'il s'agit d'indiquer
les divers éléments dont se com-
posait le domaine. Les traités dogmatiques étaient clairs en
apparence, lorsqu'ils distinguaient le *domaine immuable*, c'est-
à-dire les revenus dont le montant était fixe, tels que censives et rentes foncières, et le *domaine muable*, qui comprenait
tous les revenus casuels, ceux dont l'échéance dépendait des
circonstances, revenus des justices, droits sur les mutations
immobilières, aubaines et déshérences, etc. Mais ce n'était là
qu'une classification tout extérieure, et l'énumération des
droits domaniaux était en réalité plus complexe.

Pour Bacquet, la première impression qui se dégage d'un
examen des questions domaniales est toute d'incertitude : les
droits domaniaux, dit-il, ont toujours été « secrets, obscurs et
cachez », ils reposent sur « certaine ancienne usance, statuz,
antiquitez du royaume et anciens arrestz de la cour de Parlement[1] ».

Le domaine était en effet constitué d'éléments hétéroclites.
D'une part, les territoires sur lesquels le roi exerçait son autorité
comme seigneur féodal, comtés, baronnies, châtellenies, avec
tous les droits attachés à la seigneurie. D'autre part, une foule
de droits domaniaux, qui s'étendaient sur le domaine des autres
seigneurs.

C'étaient, dans le premier cas, « les fiefs et arrière-fiefs, censives, rentes et justices », les droits sur les mutations, rachats et

---

1. BACQUET, *Œuvres*, t. I, p. 2.

reliefs, quints et requints, lods et ventes, les profits de la justice, amendes et confiscations, les greffes et tabellionnages, avec les droits de scel et de chancellerie, les banalités de four et de moulin, la voirie, les droits sur les rivières et les étangs, sur les buissons et les garennes. Et, dans le second cas, la régale sur les évêchés vacants, les dîmes inféodées, les amortissements, francs-fiefs et nouveaux acquêts, les droits d'épaves, d'aubaine, de bâtardise et de déshérence, ceux de foire et de marché, d'étalonnage, barrage, rouage, les multiples taxes perçues sur les routes et les ponts, et enfin les droits forestiers, parmi lesquels le tiers et danger, qu'on percevait en Normandie[1].

Et cette énumération reste encore incomplète. On pourrait y ajouter une foule de coutumes domaniales, droits perçus sur la vente de certaines marchandises ou à la traversée des villes, et destinées, dans ce cas, à l'entretien des ponts et passages, les taxes perçues sur les grains, le pain, le poisson, les animaux de boucherie, les épices, les laines, cuirs et draps, taxe du dixième sur les produits miniers, taxe sur les revendeurs au détail, droits d'étalage pour l'entretien des halles et marchés[2].

Une enquête approfondie amène ainsi M. Dupont-Ferrier à conclure que, « dans tous les actes de la vie quotidienne, les sujets du roi étaient contraints à contribuer à l'accroissement des revenus domaniaux... Ce domaine s'insinuait donc, et sous les formes les plus variées, dans tous les coins du royaume[3] ».

Parmi ces droits domaniaux, un grand nombre, et, parmi eux, les plus importants, nous sont déjà connus comme se rattachant à la seigneurie. Ceux qui ne sont pas compris dans ce cadre seigneurial, et qui constituent une sorte de droit doma-

1. On classait aussi les droits domaniaux en deux catégories, *domaine fieffé*, qui comprenait les revenus des terres inféodées, et *domaine non fieffé*, c'est-à-dire les revenus provenant des autres taxes et ceux des justices.
2. Tous les règlements financiers du XVIe siècle classent les recettes domaniales sous les rubriques suivantes : 1° cens et rentes; 2° domaine muable, c'est-à-dire loyers, péages, greffes, sceaux, lods et ventes, reliefs, quints et requints, amendes et forfaitures, ventes de bois ordinaires et extraordinaires, amendes perçues pour les forêts.
3. DUPONT-FERRIER, *Les origines et le premier siècle...*, pp. 5 et 6.

nial applicable à l'ensemble du royaume, méritent quelques
éclaircissements[1].

Les plus lucratifs étaient ceux qui se rattachaient à l'exercice
de la justice, amendes, exploits, droits de scel et de tabellionnage. D'autres, également importants, portaient sur les biens
abandonnés dans certaines conditions, et dont le roi revendiquait la possession : *épaves*, c'est-à-dire les biens trouvés sans
propriétaires, tels qu'animaux isolés, trésors découverts. Le
droit d'aubaine consistait à saisir les biens appartenant aux étrangers non naturalisés, qui ne pouvaient ni les transmettre à
leurs héritiers directs ni en disposer par testament. Ce droit
strict comprenait d'ailleurs, dans la pratique, bien des accommo-
dements : d'abord, il n'était pas appliqué dans beaucoup de
provinces et, d'autre part, il était d'usage de laisser l'héritage
aux enfants du défunt, lorsqu'il en avait.

Le *droit de bâtardise* attribuait au roi les biens paternels et
maternels des bâtards non légitimés, qui ne pouvaient transmettre à leurs propres enfants que leurs acquêts.

Enfin, la *déshérence* s'appliquait aux biens de ceux qui décé-
daient sans laisser d'héritiers ni de dispositions testamentaires.

Ces deux derniers droits, d'ailleurs, n'étaient pas réservés
au roi exclusivement. Dans de nombreux cas, les seigneurs
hauts justiciers les revendiquaient, si bien qu'à la suite d'usurpations traditionnelles, les rois en avaient été partiellement
dépouillés[2].

Les droits de foire et de marché correspondaient au privilège
royal de « créer, ordonner, octroyer toutes foires et marchés ».
Ce droit, généralement reconnu depuis le XIVe siècle, entraînait
la nécessité d'entériner par lettres patentes ces créations, le roi
se réservant une partie des revenus qui en provenaient.

D'autres droits domaniaux de moindre importance, quelques-
uns limités à certaines provinces ou à certaines localités, appa-

---

1. Nous en exceptons la régale et les dîmes inféodées, qui seront étudiées plus
loin, ainsi que d'autres droits déjà connus, tels que les amortissements.

2. L'exercice de ces droits avait donné lieu à une jurisprudence abondante et
à de nombreux traités, dont les plus notables sont ceux de J. BACQUET, *Trois
premiers traictez des droits du domaine*, et *Quatriesme traicté des droits du domaine*, et
de CHOPPIN, *Trois livres du domaine de la Couronne*.

raissent çà et là dans les terriers du roi et dans les comptes du domaine, parfois sous des noms différents, bien que s'appliquant aux mêmes matières fiscales. Tels étaient l'étalonnage, qui consistait à contrôler la contenance de certaines mesures, le rouage, perçu sur le vin transporté par charroi; en Normandie, le fouage, perçu tous les trois ans; en Provence, les droits de cavalcade, d'albergue, de quiste, la latte et l'inquant, et, dans toutes les provinces, des coutumes variées applicables à quelques denrées, et dont la nomenclature serait infinie.

Enfin, et c'étaient là des revenus de première importance, il faut noter les droits provenant des forêts domaniales et autres. Dans les forêts royales, le roi disposait des ventes de bois, qui devaient être accompagnées de nombreuses formalités, lorsqu'il s'agissait de bois de haute futaie, pour lesquels on multipliait les mesures de conservation, les ventes de bois taillis s'accomplissant beaucoup plus simplement. A ces profits, s'ajoutaient les amendes infligées pour les délits forestiers, les taxes perçues sur la récolte des produits de la forêt, paissons, glandée.

Quant aux bois appartenant à des particuliers, le roi y percevait des droits tels que le tiers et danger, qui avait cours dans certaines forêts normandes. Là, les coupes devaient être autorisées par le roi, qui prenait 1/3 plus 1/10 du produit, ce qui correspondait presque à un partage sur le pied d'égalité.

L'administration du domaine royal. Ces revenus dont la multiplicité et la variété déconcertent, étaient administrés par des officiers spéciaux, les trésoriers de France et le changeur du Trésor, avec le concours, pour la partie contentieuse, de la Cour du Trésor. Au degré inférieur, c'était le personnel administratif ordinaire, baillis et sénéchaux, avec les receveurs ordinaires.

Ces derniers étaient chargés de tenir à jour la liste des fiefs dépendant du domaine royal, et celle des vassaux qui les détenaient, de surveiller les mutations et le paiement des droits qui devaient être perçus à cette occasion. Les ordonnances royales ne cessaient de leur rappeler cette obligation, ce qui prouve qu'elle devait être peu respectée dans la pratique[1].

La difficulté de percevoir ces taxes s'opposait à ce qu'elles fussent soumises au système de la régie. L'administration les affermait pour éviter d'avoir à exercer elle-même un contrôle, qui devait porter sur une multitude de transactions et de transports. Si elle y perdait une bonne partie des recettes prélevées sur le public, elle avait l'avantage de recevoir ces sommes plus régulièrement, parfois même par anticipation.

Ces fermes étaient en général concédées pour des périodes assez brèves, dépassant rarement une année, atteignant exceptionnellement trois ans, mais renouvelables parfois tous les trois ou tous les six mois. Les baux étaient conclus à la suite d'enchères, par les baillis et les sénéchaux, ou par les trésoriers de France. Les formalités étaient strictes, pour assurer la sincérité des opérations et obtenir le rendement le plus élevé possible, de nouveaux fermiers étant admis à surenchérir en cours de bail : c'était le tiercement et le doublement.

Les fermiers étaient souvent associés, surtout lorsqu'il s'agissait de fermes importantes. Pour garantir leur solvabilité, ils devaient fournir des cautions.

Sur les recettes domaniales étaient imputées certaines dépenses concernant spécialement le domaine. En premier lieu, les *fiefs et aumônes*, qui étaient assignés sur ces recettes en faveur de certains établissements religieux ou charitables, à charge de service divin. Ensuite, les gages d'officiers rattachés à l'administration domaniale, baillis et sénéchaux, prévôts, lieutenants, procureurs et avocats du roi. Les frais de justice correspondaient à la garde et à l'entretien des prisonniers. Il y avait enfin les frais d'entretien et de réparation des bâtiments, ponts, routes, que les trésoriers prescrivaient pour les entretenir en bon état.

Toutes ces dépenses acquittées, le reste des sommes disponibles devait être porté par le receveur ordinaire à la caisse du receveur général.

Les recettes domaniales ainsi centralisées auraient dû constituer un des principaux revenus de l'État. En principe, elles

---

1. Voir notamment l'ordonnance de décembre 1557, art. 49.

auraient dû suffire à toutes les dépenses ordinaires, et c'est pourquoi elles étaient qualifiées de *finances ordinaires*. Elles devaient supporter tous les frais d'entretien de la Maison du roi et du personnel administratif, et les contemporains rappelaient sans cesse le passé, où cet équilibre avait été constamment réalisé.

Il avait depuis longtemps disparu, un peu par suite de l'accroissement démesuré des dépenses, et surtout par la disparition des recettes domaniales.

Déjà, en 1443, on déplorait que le domaine fût « venu en ruyne et comme en non valoir[1] ». Ce fut, dans la suite, le thème habituel des doléances officielles.

Il n'était pas toujours justifié, car les produits du domaine, en 1523, étaient encore estimés à 353.920 l. t., déduction faite des charges à acquitter sur place. C'était, il est vrai, peu de chose, dans un total de recettes qui dépassait 5 millions de livres. Et cette disproportion ne fit que s'accentuer dans la suite, car les recettes qui auraient dû s'accroître avec les années, en même temps que s'élevaient les prix et que se multipliaient les transactions, se trouvèrent atteintes par les aliénations domaniales. Si, en 1567, les recettes du domaine pouvaient encore atteindre un total de 350.000 à 400.000 livres, c'était dans un budget de 10 millions. A la fin du siècle (1597), le revenu du domaine était encore prévu pour 460.000 livres, mais le budget était alors de 30 millions de livres, ce qui réduisait encore son importance relative.

Les administrateurs qui rédigeaient les ordonnances imputaient cet appauvrissement à la négligence des officiers chargés du contrôle, qui concédaient à des particuliers certaines parties du domaine à des taux dérisoires. Les financiers estimaient la valeur réelle du domaine à 50 millions de livres, et calculaient que le total des aliénations atteignait seulement 15 millions. Ils concluaient que le rachat à prix coûtant serait une opération très profitable pour le Trésor : le domaine ainsi libéré pourrait produire un revenu annuel de 4 à 5 ou même 6 millions de livres,

1. Ordon. du 25 sept. 1443.

ce qui permettrait de subvenir à toutes les dépenses ordinaires de la monarchie[1].

Ces calculs ne reposaient en réalité sur aucune base solide. Le domaine était dilapidé à la suite des donations imprudentes faites par le roi et sans cesse renouvelées, malgré les prohibitions des ordonnances. Les usurpations tolérées faisaient le reste. Le mal, à la fin du XVIe siècle, était entré dans les habitudes, et la contribution du domaine au budget de l'État ne devait plus provoquer que des dissertations théoriques et de vains regrets.

BIBLIOGRAPHIE

Les archives des chambres des comptes royales sont les sources principales pour toute étude sur l'administration du domaine royal. Si celles de la Chambre des comptes de Paris ont disparu et si nous devons nous contenter de la médiocre collection des *Mémoriaux* reconstitués, celles des chambres provinciales sont plus riches et doivent être mises à contribution. Il existe en outre aux Archives nationales quelques épaves classées dans la série P, et surtout la série des Hommages, aveux et dénombrements, P, 1-940. Enfin, le Trésor des chartes (JJ, 226-266) possède les registres du Trésor, avec la série des minutes des actes délivrés à la chancellerie royale. A la Bibl. nat. se trouvent un *État du domaine* et différents recueils de pièces (ms. fr. 18547 et suiv., nouv. acq. 20928).

Ordonnance du 30 avril 1517 (*Ordonnances,* n° 114). — Ordonnances de décembre 1557, du 18 août 1559 et de février 1566 (FONTANON, t. II). — Ordonnance de Blois de 1579 (art. 329-40).

FONTANON, *Les édicts et ordonnances,* t. II, 2, 8-9. — JACQUETON, *Documents relatifs à l'administration financière.* — R. DOUCET, *L'État des finances de 1523.*

Le *vestige des finances* (JACQUETON, *Documents*). — HENNEQUIN, *Guidon général des financiers.* — CHOPPIN, *De domanio Franciae libri III* (trad. franç. dans l'édit de 1613). — BACQUET, *Trois premiers traictez des droits du domaine.* — *Quatriesme traicté des droits du domaine.* — F. GARRAULT, *Traité des finances de France,* 1580 (Archives curieuses,

1. GARRAULT, *Traitté des finances* de 1580; S. HARDY, *Le Guidon général des finances.* J. Bodin fait un calcul analogue, mais ne croit pas pouvoir obtenir du domaine un revenu net supérieur à 3 millions de livres. *De la République,* VI, 2.

t. IX). — La Barre, *Formulaire des esleuz.* — Moreau de Beaumont, *Mémoires concernant les impositions et droits*, t. IV.

Dupont-Ferrier, *Les origines et le premier siècle de la Cour du Trésor.* — Contrasty, *L'apanage de Marguerite de Valois dans la sénéchaussée de Toulouse* (Mém. Ac. des sc. de Toulouse, 1934). — V. de Valous, *Le domaine ordinaire du Lyonnais, au commencement du XVIe siècle.*

CHAPITRE IV

LES IMPOSITIONS

AIDES. — TAILLE. — GABELLE. — TRAITES.

A côté des revenus du domaine, qui constituaient les recettes personnelles et permanentes du roi, les besoins exceptionnels provoqués par les guerres et l'entretien de l'armée, par le développement de l'administration, avaient amené le roi, en qualité de souverain, à lever sur ses sujets diverses contributions, qui, au début, avaient été exceptionnelles et temporaires comme les besoins auxquels il avait fallu faire face, mais qui, bientôt, se trouvèrent indispensables pour la marche normale des services administratifs et constituèrent la plus grosse part du budget permanent de l'État.

Ces impositions, par suite de leur origine, conservèrent le nom de « finances extraordinaires », et elles devaient, en principe, être accordées au roi par les sujets convoqués aux États généraux ou provinciaux. Les États généraux de 1484 avaient rappelé ce principe. Les ordonnances royales l'approuvaient, mais, en fait, ce n'était plus que l'affirmation d'une théorie désuète : les rois, depuis le xve siècle, levaient en permanence les subsides temporaires accordés autrefois par les États et s'attribuaient le droit d'en établir de nouveaux.

En réalité, finances ordinaires et extraordinaires ne formaient plus, au xvie siècle, que deux branches d'un même service public, dont le roi disposait librement. Cette unité, qui s'affirmait déjà lorsque ces différentes ressources étaient fondues sans distinction dans un budget unique, l'*État général des finances*, acheva de se réaliser par la fusion des deux administrations qui, jusqu'alors, avaient été spécialisées.

Dans cette organisation relativement récente, la terminologie elle-même manquait de précision : encore au XVIe siècle, toutes les finances extraordinaires étaient qualifiées d'*aides*, et cette acception un peu imprécise se retrouvait dans le titre des *généraux des aides*, qui étaient chargés de les administrer. D'ailleurs, lorsque ce terme d'aide était appliqué à un impôt en particulier, il était employé, de même que celui de taille, pour désigner l'impôt direct. Le terme *fouage* qui, originairement, correspondait à l'impôt direct, levé sur chaque foyer, avait également plusieurs acceptions ; il désignait les « impositions, aydes, tailles, anciennement nommées fouages ».

Quant au mot gabelle, il avait désigné, jusqu'au XVe siècle, toutes les variétés de l'impôt indirect, avant de se fixer définitivement sur l'impôt du sel. Mais au XVIe siècle, il ne s'appliquait plus qu'à la gabelle du sel, ce qui fut son acception définitive.

Pour nous reconnaître dans cette terminologie encore confuse, nous sommes donc forcés d'y introduire une rigueur un peu arbitraire et tout à fait étrangère aux habitudes de l'époque, en réservant le terme d'*aide* aux impôts indirects portant sur tous les produits autres que le sel, ce dernier impôt étant qualifié de *gabelle*. L'impôt direct est la *taille*, le terme de *fouage* étant réservé à certaines variétés locales de cette imposition[1].

Aides.   Les aides apparurent au milieu du XIVe siècle, « pour l'extrême nécessité des affaires », et, à part quelques brèves interruptions, subsistèrent jusqu'à la fin de l'Ancien Régime.

Les droits d'aides n'étaient pas perçus dans tout le royaume. Ils avaient été accordés au roi par les États généraux de Languedoïl, et restèrent un système spécial aux provinces du Nord et du Centre. Il y eut ainsi, dans le royaume, une zone « où les aides avaient cours », et qui était délimitée par une véritable frontière fiscale, au passage de laquelle était perçue la *traite foraine*.

---

1. Sur cette terminologie, voir Dupont-Ferrier, *Études sur les institutions financières*, t. II, et *Histoire et signification du mot « aides »*. Bib. Éc. des Ch., 1928.

Cette zone coïncidait au Nord et à l'Est avec les frontières politiques du royaume, sauf quelques exceptions : la Flandre, au temps où elle était française, était affranchie de l'aide, tandis que l'Artois s'était racheté par un versement annuel, dit *composition d'Artois*, et que le Rethélois la remplaçait également par une *composition*. Au Sud, cette frontière fiscale correspondait aux limites méridionales des élections de Saintes, d'Angoulême, de Périgueux, de Tulle, de Saint-Flour, de Clermont, de Forez et de Lyon. A l'Ouest, la Bretagne restait en dehors du système des aides proprement dites, quoique soumise à un régime de taxes analogues.

Il est difficile de donner des aides une définition et une énumération précises. La principale de ces taxes consistait dans une imposition de 12 deniers par livre « sur toutes les marchandises et denrées qui seroyent vendues en ce royaume », à l'exception du sel et des boissons, qui avaient un régime spécial. Pour celles-ci, on levait le 8e et le 20e du vin vendu en gros et en détail, et le 4e des boissons vendues en Normandie.

Ces droits devaient donc porter sur toutes les transactions, au moins sur toutes les marchandises qui étaient l'objet d'un trafic important et faciles à saisir chez les marchands de gros et dans les foires. Et c'est un fait qu'aux XIVe et XVe siècles, les droits d'aide furent immuables et d'une infinie diversité.

Une déclaration de 1467 avait mis un peu d'ordre dans l'administration des aides, en limitant la perception des 12 deniers pour livre au vin, au poisson, au bétail désigné sous le nom d'« animaux à pied fourché », au drap, au bois de chauffage vendus en gros. A cela s'ajoutait le 8e du vin vendu au détail, qui, dans certains cas, s'élevait au 4e.

En réalité, on n'en vint jamais à une telle uniformité : les aides comprirent toujours une foule de droits locaux et de tarifs divers. Au XVIe siècle, on pouvait les définir comme « fermes du huytiesme, vingtiesme de vin, impositions selon les coustumes des lieux[1] ».

Ce serait une tâche infinie, et sans doute irréalisable, que d'en-

---

1. *Vestige des finances.*

treprendre, pour une date déterminée, la liste des droits d'aides effectivement perçus. Aussi bien, la législation générale sur les aides était-elle inexistante[1] : tous les traités généraux sur les finances du royaume ne donnent à ce sujet que des indications sommaires, tandis que tous les comptes (dont nous ne possédons que de rares épaves) se bornent le plus souvent à indiquer des rendements globaux par généralité[2].

Les aides étaient donc perçues sous la forme d'une multitude de taxes locales, qui étaient l'objet d'autant de baux. La multiplicité et la diversité de ces taxes auraient en effet imposé à l'administration royale un effort de contrôle disproportionné avec leur rendement, si on avait voulu les percevoir directement. Le système de l'affermage coupait court à cette dispersion des efforts, en réduisant le rôle des administrateurs à la conclusion des baux et à l'encaissement de leurs produits.

En principe, chaque taxe faisait l'objet d'un bail particulier, ce bail se limitant à l'étendue d'une paroisse. L'ordonnance de 1508 prescrivait que les fermes seraient « baillées à part et distinctement pour une année... et non par chastellenies ou plusieurs ensemble » (art. 19). Dans les villes, les baux débordaient ce cadre paroissial, s'étendant à la ville tout entière et même à ses faubourgs, mais, en revanche, la complexité de l'activité commerciale donnait lieu à une fragmentation encore plus grande des droits d'aides. C'est ainsi qu'à Paris, il existait des fermes spéciales pour les aides perçues dans les foires, pour le vin débarqué à la place de Grève, etc...

Il arrivait par contre que certaines fermes, malgré les prescriptions des ordonnances, s'étendissent à une châtellenie, sinon même à une élection ou à un bailliage. La coutume prévalait toujours sur le règlement, d'autant plus que les règlements de comptabilité prescrivaient que les comptes des receveurs devaient exactement reproduire le détail des comptes précédents.

D'autre part, à la fin du XVIe siècle, les trésoriers généraux

---

1. Les ordonnances royales qui traitent des aides s'occupent seulement de la comptabilité, mais ne prescrivent rien quant à la nature de l'impôt et à ses modalités.

2. En particulier l'*État général des finances de 1523*, et celui de 1567.

furent autorisés à affermer eux-mêmes, pour trois ou cinq ans, le 8e et le 20e du vin, ce qui simplifia grandement les opérations de l'affermage.

Ces opérations étaient réglées par une procédure très stricte, de façon à assurer le plus grand rendement possible des droits d'aides. Elles s'accomplissaient au cours du mois de juillet, pour que le fermier entrât en fonctions le 1er octobre, date à laquelle commençait l'exercice des fermes.

Les élus devaient faire annoncer les enchères publiques plusieurs semaines à l'avance. Ils devaient les préparer par des enquêtes faites au cours de leurs chevauchées, en s'informant du rendement réel de chaque ferme, pour rehausser au besoin la mise à prix. Au jour fixé, l'adjudication avait lieu, à la chandelle éteinte, en présence de l'élu, du greffier et du procureur du roi. Le dernier enchérisseur désignait aussitôt ses cautions, dont l'élu vérifiait la solvabilité.

On devait veiller à ce que les enchérisseurs ne faussent pas l'adjudication par des ententes préalables : les associations de fermiers étaient interdites, avec toutefois quelques exceptions pour les plus grosses fermes qui, autrement, n'auraient pas trouvé preneur. De même, il était interdit d'admettre aux enchères nobles et privilégiés, qui auraient pu écarter les concurrents. Si les élus ne pouvaient pas triompher de tous ces obstacles pour adjuger les aides « raisonnablement », ils devaient organiser directement leur perception en improvisant un système de régie[1].

Une autre procédure était d'ailleurs prévue pour accroître le rendement des baux, et ce système s'appliquait également aux fermes du domaine : lorsque les baux étaient conclus, de nouveaux enchérisseurs étaient admis, dans le délai d'un mois, à surenchérir d'un tiers, et pendant un autre mois, en ajoutant la moitié du prix initial. C'était le système du tiercement et du doublement.

Ces précautions semblaient suffisantes pour assurer la sincérité des adjudications, mais il fallait empêcher une autre sorte de fraude qui se faisait avec la complicité des receveurs des

---

1. Ordonnance du 22 novembre 1508 (art. 14-23).

aides : les états que ceux-ci établissaient des fermes adjugées, pour les communiquer aux généraux des finances, indiquaient souvent des chiffres inférieurs à la réalité. Le surplus était le profit du receveur, qui pouvait le partager avec le fermier. Contre ces abus, les ordonnances ne pouvaient que faire appel à la vigilance des généraux et à la menace de sanctions.

Bien d'autres fraudes étaient encore possibles : élus et greffiers exigeaient des fermiers des droits de *vinage*, de scel, contrairement aux prescriptions des ordonnances, ce qui se traduisait toujours par un déchet sur le produit de la ferme. Là encore, on ne pouvait qu'user d'intimidation, sans établir un contrôle efficace.

Les produits des fermes devaient être versés chaque mois dans la caisse du receveur des aides, qui les reversait au receveur général de sa charge.

Quant au contentieux, il était remis, en première instance, aux élus, et, en appel, à la Cour des aides.

Le rendement total des aides est difficile à calculer, en raison des nombreuses donations que le roi accordait sur ces recettes à ses parents et à ses favoris. Les apanagistes étaient gratifiés d'une partie plus ou moins importante de ces revenus, dont le montant n'était pas mentionné dans la comptabilité publique. On déduisait de même dans les comptes certains frais, notamment les gages d'officiers qui, logiquement, auraient dû être décomptés à part, de même que les recettes concédées à des villes ou à des particuliers pour des remboursements de dettes ou des engagements de toutes sortes. Cette comptabilité des aides est pleine d'obscurités.

On peut évaluer, en 1523, le produit net total à 480.000 livres, mais le rendement était sensiblement supérieur, si on tient compte, comme il serait logique de le faire, du montant des sommes arbitrairement défalquées.

Le produit des aides alla toujours en grandissant au cours du xvie siècle. Il avait peut-être triplé à la fin du règne de Henri III.

Dans certaines provinces où les aides « n'avaient pas cours » elles étaient remplacées par des contributions dont les noms et les modalités différaient d'un pays à l'autre. En Limousin, en Auvergne et dans la Marche, on payait des *compositions* perçues sur la vente des marchandises.

En Languedoc, c'était l'*équivalent*, dont l'origine était complexe et la définition difficile à formuler. Depuis le milieu du XVe siècle, les États de la province avaient obtenu du roi l'établissement d'un système particulier d'aides et finalement s'étaient engagés à lui fournir une somme fixe de 73.000 l. qu'ils levaient sous la forme d'un impôt de consommation, si bien que l'équivalent se présentait comme un impôt indirect à son origine et de produit variable, pour aboutir à une contribution fixe versée au Trésor royal. La principale différence avec les aides des autres provinces consistait dans ce fait que l'équivalent était affermé par les États et que ses plus-values profitaient à la province.

Taille.   La taille était la plus importante des recettes extraordinaires et devait rester, jusqu'à la fin de l'Ancien Régime, l'assise la plus solide du système financier.

Depuis ses origines, qui remontaient au XIIIe siècle, la terminologie employée à son égard était imprécise : la taille était une variété de l'aide, sans que ces deux termes s'appliquassent à des impositions distinctes, et ce fut seulement au cours du XVIe siècle que cette appellation de taille fut réservée à une variété particulière de l'impôt direct. Nous nous en tiendrons à l'usage de l'époque la plus récente, en réservant le terme de taille à l'impôt direct perçu sur les roturiers ou sur les terres roturières et, plus exactement, sur certaines catégories des uns et des autres.

La taille était un impôt de répartition, dont le montant total était fixé chaque année, en rapport avec les besoins prévus pour cet exercice. Cette somme était déterminée par le Conseil du roi, auquel assistaient les généraux des finances. Il appartenait ensuite au Conseil d'en faire la répartition, c'est-à-dire le *département* des tailles, qui se faisait en premier lieu entre les différentes généralités.

Cette répartition eût été difficile à faire si on avait cherché à tenir un compte rigoureux des facultés de chaque province. Il n'existait en effet ni cadastre ni statistiques exactes des feux. En 1493, on avait bien entrepris une « recherche générale », qui aurait dû aboutir à une répartition plus rationnelle de l'impôt, mais la tâche était trop vaste pour qu'on parvînt à un résultat, et on se contenta, après comme avant, d'appliquer un pourcentage de répartition traditionnel, qu'on ne modifiait que de loin en loin, lorsque les inégalités devenaient trop apparentes[1]. On disposait pour cela des rapports fournis par les généraux des finances à la suite de leurs chevauchées. Cette répartition entre les généralités figurait dans l'*État général des finances*. Toutes ces décisions, prises par le Conseil du roi, donnaient lieu à l'établissement des *commissions des tailles*, qui étaient adressées aux généraux des finances à la fin de chaque année[2].

Cela fait, les généraux des finances répartissaient entre les élections les sommes ainsi imputées à leur généralité. Ils se basaient pour cela sur les enquêtes faites par eux-mêmes et sur les rapports des élus. Il leur était recommandé de s'informer des charges et des ressources des populations, de ne pas procéder à une répartition purement mathématique. Aussi la

---

1. En 1511, 1523 et 1567, la répartition du principal de la taille se faisait de la façon suivante :

	1511	1523		1567
Languedoïl	44.4 %	35.1 %	Génér. de Tours, Poitiers, Bourges	28.4 %
Guyenne		9.2	— Bordeaux, Agen	9.2
Lyonnais, Forez	2.7 }	12.7	— Lyon, Riom.	12.6
Languedoc	10. }		— Toulouse, Montpellier	5.1
Normandie	24.5	25.1	— Rouen, Caen	25.5
Outre-Seine-et-Yonne	16.2	16.6 }	— Paris, Châlons, Amiens	18.8
Picardie	1.9	1. }		

Le pourcentage de chaque généralité est, dans l'ensemble, assez stable, à part quelques écarts, qui seraient à expliquer. D'ailleurs, les méthodes de répartition n'avaient rien de rigoureux. Pour une même année, la répartition du principal de la taille différait de la répartition des crues, et cela de façon assez sensible.

2. Ces opérations initiales ne se faisaient jamais au moment opportun, ce qui mettait en retard toute la suite des opérations. De là, le désordre et le recours aux expédients financiers, pour parer aux besoins urgents. Une des premières mesures prises par Sully fut de fixer exactement les dates auxquelles ces opérations devaient avoir lieu. Règlement du 19 janvier 1599. Revue Henri IV, I, 189.

portion de taille imputée à chaque élection variait-elle grandement d'une circonscription à l'autre, en raison de son étendue, de sa richesse, et aussi des exemptions de taille accordées par le roi à certaines villes ou à certains pays. Les variations étaient de même fréquentes d'une année à l'autre, pour une même élection, suivant les besoins du Trésor et aussi suivant l'habileté ou l'autorité de ses protecteurs.

Ce second département étant effectué, il fallait répartir la part de chaque élection entre les paroisses. Cette opération était préparée par les chevauchées que les élus étaient astreints à faire dans leurs circonscriptions : ils devaient se rendre dans chaque paroisse, y convoquer les habitants et les collecteurs de la taille, s'informer du nombre des feux, des événements qui l'avaient modifié au cours de l'année, de la situation des récoltes, des chemins à réparer et des profits réalisés par les habitants. Ceux-ci pouvaient présenter leurs requêtes et demander à être déchargés, aucune réduction n'étant plus possible après la confection de l'assiette. Les plaintes en surtaux pouvaient être jugées sommairement sur place ou renvoyées à la juridiction ordinaire.

Après ces inspections qui avaient lieu pendant les derniers mois de l'année, les élus réunissaient leur Conseil, qui comprenait le procureur et l'avocat du roi, le receveur, le greffier, les sergents et, au besoin, quelques notables. Sur le vu du mandement qui leur était adressé par les généraux, ils procédaient à la répartition, d'abord entre les subdivisions principales de l'élection, vicomtés, mandements, châtellenies, villes, et finalement, entre les paroisses.

Cette procédure était différente dans les pays où il existait des États provinciaux, et surtout dans ceux où il n'existait pas d'élus. Dans le premier cas (en Normandie, par exemple), le roi envoyait des commissaires qui le représentaient auprès des États, et, une fois l'accord réalisé sur le montant total de l'imposition, les États procédaient à sa répartition entre les élections. Dans le second cas (en Guyenne, Gascogne, Rouergue, Quercy), c'étaient des commissaires royaux qui faisaient la répartition de l'impôt entre les paroisses.

Cette répartition, malgré les prescriptions des ordonnances inlassablement répétées, était en réalité arbitraire : elle reposait sur des impressions plutôt que sur des statistiques, dont aucun essai ne fut tenté au cours du xvie siècle, en dehors de l'état des feux, dont l'efficacité était d'ailleurs minime. Elle était en outre influencée par des interventions arbitraires, par les seigneurs qui faisaient exonérer les villages dépendant de leurs domaines, si bien que le plat pays se trouvait irrégulièrement taxé par rapport aux villes closes.

On aboutissait ainsi à l'établissement de la *commission* adressée par les élus aux consuls, échevins et syndics des villes et communautés, qui indiquait la somme imposée à chacune d'elles.

Il s'agissait alors de faire la répartition entre les contribuables. Ici, l'administration royale cédait la place aux redevables, qui devaient organiser eux-mêmes la perception de l'impôt.

L'assemblée générale des habitants désignait les *asséeurs* et les *collecteurs* de la taille. Ils étaient choisis pour un an parmi les contribuables non privilégiés, et, autant que possible, dans toutes les catégories, gros, moyens et petits. Leur nombre était en rapport avec l'importance de la collecte : 2 à 4, suivant que celle-ci était inférieure ou supérieure à 900 livres.

Les asséeurs devaient se réunir dans un local soustrait aux influences extérieures et spécialement à celle du seigneur de l'endroit. La présence des privilégiés, et en particulier celle des nobles et des ecclésiastiques, était prohibée.

Les asséeurs étaient assistés d'un greffier, d'autant plus nécessaire qu'ils étaient le plus souvent illettrés. Ils procédaient alors à la répartition de l'impôt, avec l'obligation de cotiser tous les habitants non privilégiés sans exception, en tenant compte de leur situation de fortune, richesse mobilière et immobilière, des terres qu'ils possédaient, quelle que fût leur nature, nobles ou roturières, des ressources qu'ils pouvaient tirer du commerce et de l'industrie[1].

Ces prescriptions étaient d'ailleurs vagues : aucune instruction n'était donnée pour faire calculer le revenu global du

1. La taille, disait La Barre, est réglée « au regard des moyens, trafic et négociations » des contribuables.

contribuable, pour établir une discrimination entre les différentes sortes de revenus, pour faire préciser le taux de l'imposition. La taille était un impôt sur les revenus, mais dont l'application était arbitraire et laissée à la fantaisie des asséeurs, dont aucun principe ne pouvait guider la décision. L'assiette de cet impôt, auquel le Trésor demandait la plupart de ses ressources, était ainsi dépourvue de toute base solide, et ce défaut devait vicier tout le système fiscal de l'Ancien Régime.

En fait, les asséeurs étaient amenés à reproduire les rôles des années précédentes, avec quelques modifications correspondant aux changements survenus dans la situation matérielle des contribuables, et à la réparation de quelques injustices antérieures, dans la mesure où ils avaient le courage nécessaire pour le faire.

Dans les localités plus importantes, dans les villes où la taille était perçue, les méthodes de répartition étaient un peu moins arbitraires. Il existait des cadastres, livres terriers, compoix, dans lesquels étaient enregistrés les principaux éléments de la fortune des contribuables. On établissait ainsi une sorte de barème, fixant le rapport qui devait exister entre tous les habitants. Procédé encore très imparfait, puisque ces coefficients n'étaient revisés que de loin en loin et que certains contribuables jouissaient de faveurs excessives. La vénalité et la corruption des échevins ou des commissaires qui revisaient ces terriers suscitaient ainsi des querelles infinies.

Le rôle devait en définitive correspondre exactement au total exigé par la commission, augmenté seulement d'un supplément de 12 deniers pour livre destiné à rémunérer les collecteurs. Il devait être approuvé par une assemblée générale des habitants : les contribuables qui se trouvaient cotisés injustement pouvaient alors faire une plainte en surtaux, qui était jugée par les élus.

Le rôle ainsi arrêté était envoyé en double exemplaire aux élus, qui conservaient l'une de ces expéditions et remettaient l'autre au collecteur. Ils devaient la vérifier, apprécier la légitimité des exemptions, le montant des cotes individuelles et, s'ils trouvaient quelque illégalité, ils pouvaient effectuer les corrections nécessaires, en prenant l'avis de deux autres notables.

L'essentiel, dans la confection des rôles, était la distinction à faire entre les contribuables et les exempts. Sur ce point, les prescriptions des ordonnances étaient précises, en vue de restreindre autant que possible les limites de l'exemption.

D'après le principe qui faisait de la taille permanente un impôt militaire, destiné au paiement des compagnies d'ordonnance, nobles et clercs devaient être exempts de cet impôt de remplacement. Mais encore fallait-il bien s'entendre sur ceux qui avaient droit à cette qualité.

Étaient exempts de droit les ecclésiastiques et étudiants des universités, les gentilshommes vivant noblement, les officiers commensaux de la Maison du roi inscrits sur les états du personnel (et encore la franchise, pour ces derniers, était-elle limitée à 5 livres); au début du xvie siècle, les francs-archers avaient joui de cette immunité. L'ordonnance d'Orléans (1561) mentionnait également les monnayeurs, les officiers de l'artillerie et les mortes-payes, jusqu'à concurrence de 20 sous[1]. Enfin nous ajouterons à ces exempts les prévôts des maréchaux et leurs archers. Par contre, il était prescrit que, lorsque les exempts, nobles, ecclésiastiques ou autres privilégiés exploitaient des biens à ferme, ils devaient être cotisés pour le quart des profits réalisés.

En 1577, le gouvernement, à court de ressources, imagina de vendre aux enchères, dans chaque paroisse, un privilège d'exemption valable pour tous les impôts directs. Enfin, de tout temps, les rois avaient décerné ou vendu à des collectivités, villes, collèges, établissements de charité, des privilèges de franchise temporaires ou perpétuels.

Le nombre des exempts aurait été assez restreint, s'il avait été limité à ces catégories, mais les abus étaient innombrables, et l'attention des administrateurs était sans cesse en éveil pour écarter de la franchise tous ceux qui y accédaient indûment, ceux qui avaient usurpé la noblesse ou s'étaient glissés sans titre valable dans les rangs du clergé, les nobles et privilégiés

1. Ordonnance d'Orléans, art. 123 à 128.

authentiques qui tenaient des fermes ou faisaient trafic de
marchandises, les habitants des villes exemptes qui possédaient
des terres dans des localités taillables, les fermiers des privilégiés qui essayaient de se faire passer pour de simples domestiques. Il y avait une multitude de fraudeurs qui changeaient
de domicile, de façon à n'être cotisés nulle part. Contre tous
ceux-là, les ordonnances renouvelaient inlassablement les mêmes
prescriptions, qui, sans doute, restaient sans effet. Elles s'efforçaient de même de restreindre les privilèges les mieux établis
des bourgeois et des gens d'Église, en prescrivant que leurs
terres devaient être affermées et les locataires assujettis à la
taille, faute de quoi ils seraient eux-mêmes cotisés sans qu'on
tînt compte de leurs privilèges[1].

Toutes ces précautions auraient dû accroître le nombre
des taillables, mais les contemporains ne cessent de dénoncer
les injustices du système qui rejetait le fardeau de l'impôt sur
l'habitant du plat pays et sur la partie la plus pauvre de cette
population, au profit des plus riches, qui se faisaient exempter
« par collusion et intelligence avec ceux qui ont la charge de
faire les départements[2] ».

La taille une fois répartie et les rôles approuvés par les élus,
on procédait à la levée de l'impôt. Pour cela, on désignait des
collecteurs, qui pouvaient être des entrepreneurs volontaires,
auxquels la levée de la taille était concédée au rabais, sur la
taxe de 12 d. pour livre prévue pour les frais de perception.
Lorsqu'il ne se présentait personne, l'assemblée des habitants
élisait les collecteurs, auxquels était attribuée la prime de 12 d.
A la fin du XVIᵉ siècle, on décida que les asséeurs seraient en
même temps collecteurs.

La taille devait être payée par trimestre. Le montant de
chaque quartier était payable dans un délai de quinze jours.
Contre les insolvables, les collecteurs possédaient tous les pouvoirs des officiers royaux. Ils étaient pour cela assistés des *sergents des tailles* : ils pouvaient saisir les biens des retardataires
et procéder par exécution. L'ensemble des habitants de la

1. Ordon. d'Orléans, art. 129.
2. COMBES, *Traicté des tailles*.

paroisse était d'ailleurs collectivement responsable, et on pouvait saisir les biens des plus riches pour assurer le recouvrement de la somme imposée à la paroisse.

Les collecteurs étaient finalement responsables de ces versements, sans qu'on tînt compte des cotes arriérées et irrecouvrables. Aussi leur situation était-elle difficile, et beaucoup d'entre eux terminaient leur carrière par la ruine ou par la prison. C'est ce qui explique que leur fonction était peu recherchée.

Les sommes ainsi payées devaient être remises aux receveurs des tailles, dans un délai de quatre jours après l'échéance, et par eux aux receveurs généraux, qui assuraient la centralisation de la recette. Ceux-ci la reversaient à l'Épargne. Pour accélérer ces opérations, les clercs des finances étaient chargés de contrôler ces mouvements de fonds et d'opérer au besoin les transports de deniers.

Malgré les prescriptions réitérées des ordonnances, la perception de la taille donnait lieu à de nombreux abus. Les sommes imposées dépassaient souvent le montant légal de l'impôt. Dans les pays d'États, c'étaient des suppléments destinés à accorder des indemnités exceptionnelles aux gouverneurs, aux présidents des cours souveraines, aux trésoriers et autres officiers. Dans les paroisses, les asséeurs grossissaient les cotes pour s'assurer un excédent destiné à compenser les non-valeurs. Abus inévitables dans un système où la centralisation n'était pas parfaite, et où les opérations essentielles étaient confiées à de simples particuliers.

Ce système de perception de la taille n'était d'ailleurs pas uniforme dans tout le royaume. C'était celui de la *taille personnelle*, applicable aux roturiers en raison de leur condition légale, et tarifée d'après les ressources de toute nature dont ils disposaient. Mais les provinces du Midi, Provence et Languedoc, ainsi que la région du Sud-Ouest, avaient un régime différent : la taille était *réelle*, c'est-à-dire qu'elle portait sur les terres roturières et même sur les maisons des villes, quel qu'en fût le propriétaire, bourgeois de ville privilégiée, noble ou ecclésiastique. Le principe, formulé dès le XIVe siècle, avait été repris dans toutes les ordonnances ultérieures et confirmé par la jurisprudence[1]. Il y avait là une règle très claire, qui éliminait les exemptions illégitimes et simplifiait la procédure de perception. On tenait à jour une description des propriétés, le *compoix*, d'après lequel était fixée la cote de chaque contribuable.

On distinguait enfin les tailles *mixtes*, imposées sur le contribuable au lieu de son domicile, mais calculées d'après tous les « biens et fortunes du taxable, quelque part qu'ils soient assis ».

Pour remédier aux abus, en donnant à la taille une base plus solide, différents projets furent présentés, notamment celui de la taille *égalée*, qui fut discuté par les États généraux de Blois, en 1576 : elle devait atteindre tous les sujets, à l'exception des nobles et des ecclésiastiques. Les redevables paieraient de 1 sou à 50 livres selon leurs facultés. On attendait une recette de 15 millions de livres, qui aurait remplacé tous les autres impôts. Projet peu étudié, dont l'application aurait certainement causé des désillusions si, dès l'abord, le Tiers État ne s'y était opposé[2].

Il y avait d'ailleurs d'autres variétés dans le système de la taille. Le système qui est décrit ci-dessus ne s'appliquait pas, tant s'en faut, à tout le royaume. Il était limité à trois des quatre grandes généralités entre lesquelles était réparti le « principal de la taille », Normandie, Languedoïl et Guyenne, Outre-Seine-et-Yonne et Picardie. La quatrième généralité, celle de Languedoc, avait un régime spécial, dont il faut indiquer les grandes lignes. Le système des impositions s'y était organisé à la suite d'une série de transactions passées entre les États et le Conseil du roi, système qui était devenu au XVIᵉ siècle quelque chose d'inextricable.

En principe, la province devait payer la dixième partie du

---

1. Déclaration du 26 mars 1544 : « Tous et chacuns les biens, terres, possessions et héritages ruraux de nostre pays de Languedoc, en quelques mains qu'ils soient jà escheus, soient gens d'Eglise, chapitres ou particuliers, nobles, présidens, conseillers de nos cours de Parlement... et autres personnes quelconques, de quelque estat qu'ils soient,... soient contribuables à nosd. tailles ordinaires. »

2. Guillaume DE TAIX, *Mémoires des affaires...*, p. 99. Bodin (*De la République*, VI, 2) nous décrit également un système d'impôt territorial sur les feux et les industries. Mais il était chimérique de croire que le royaume, dans la situation où il se trouvait, pût fournir, sous n'importe quelle forme, des sommes assez considérables pour alimenter abondamment le Trésor.

principal de la taille. Cette somme se trouvait répartie en plusieurs impositions distinctes : l'*aide* et l'*octroi*.

Le montant de l'*aide* était déterminé en fonction de celui de l'*équivalent*[1], le total des deux impôts devant fournir une somme globale de 167.000 livres, pour laquelle une sorte d'abonnement avait été consenti à la province, si bien que les accroissements de la ferme de l'équivalent se traduisaient par une réduction concomitante du montant de l'aide.

Quant à l'*octroi*, il était calculé de façon que son produit, complété par celui de l'aide (estimé à sa valeur théorique de 73.000 l.), fournisse au Trésor cette dixième partie de la taille, à laquelle les États s'étaient engagés.

Aide et octroi, contrairement à la signification courante de ces termes, étaient donc en Languedoc des impositions directes, correspondant exactement à la taille des provinces du Nord. La répartition se faisait entre les diocèses par les soins des commissaires du roi et des représentants des États, et, dans chaque diocèse, entre les paroisses, par les *assemblées d'assiette*. Pour fixer les cotes des contribuables, on avait recours à un cadastre établi en 1464, reposant sur une déclaration des immeubles bâtis et non bâtis. Il y avait dans chaque diocèse un grand livre contenant la description des héritages, ce qui donnait à l'impôt une base plus solide que dans les autres provinces.

La perception de la taille proprement dite (y compris les impositions qui en tenaient lieu en Languedoc) était ainsi limitée aux quatre grandes généralités et aux généralités secondaires qui y avaient été rattachées, Guyenne et Picardie. C'était, dans l'ensemble, le royaume tel qu'il était constitué au milieu du XVe siècle. Les provinces récemment acquises étaient restées en dehors, sans qu'on ait fait effort pour les assimiler administrativement. Plus tard, lorsque les généralités furent réorganisées, le domaine de la taille ne subit aucune modification.

Aussi existait-il des méthodes spéciales pour la perception de l'impôt direct dans les autres provinces, celles où la taille n'avait pas cours, c'est-à-dire en Bretagne, en Bourgogne, en

1. Voir ci-dessus, p. 562.

Dauphiné et en Provence. Dans toutes ces provinces, il existait des États qui, sous des formes variées, votaient un impôt diversement qualifié, dont ils assuraient le recouvrement sans intervention des officiers royaux.

En Bretagne, c'était le *fouage*, dont l'existence remontait au temps de l'indépendance du duché. Il était voté chaque année par les États, ainsi que les autres impôts payés par le pays. Il était perçu par feux, le feu correspondant non pas à un foyer familial, mais à une unité fiscale susceptible de fournir une fraction de l'impôt total réparti sur la province. Chaque village correspondait à un certain nombre de feux, et lorsque le montant de l'impôt attribué à chaque feu était déterminé, il suffisait de répartir entre les habitants la somme totale ainsi calculée. Le nombre de feux restait à peu près invariable, avec parfois quelques réductions obtenues à la suite de réclamations pressantes des États. Il en existait 36.400 en 1523 et 36.254 en 1577.

La répartition des feux était d'ailleurs traditionnelle et ne tenait pas compte des modifications survenues dans la population, ni dans l'état économique du pays. Les exemptions individuelles ou collectives bouleversaient encore plus profondément les facultés contributives des paroisses, sans qu'on modifiât pour cela la statistique des feux. On procédait seulement çà et là à des réformations partielles. Il faut également tenir compte de l'absence de tout cadastre : il existait seulement un *rôle censier*, dont on ordonna la revision en 1539, sans résultat, si bien qu'on estime que, dans l'ensemble, le nombre des feux dépassait le nombre réel des familles, ce qui aboutissait à surcharger les paroisses rurales soumises au fouage, par rapport aux villes.

Le fouage portait seulement sur les terres roturières, ce qui pouvait avoir pour effet d'y assujettir les nobles. Ce caractère rural était d'autant mieux marqué que les villes en étaient exemptes; elles étaient en effet soumises à une imposition spéciale, qu'on appelait l'*aide des villes*, dont le produit était d'ailleurs insignifiant.

Le tarif du fouage était variable : au début du XVIe siècle, il était à peu près fixé aux environs de 7 l. 4 s. t. Dans la seconde moitié du siècle, il atteignit 10 l. 7 s., ce qui donnait, pour la province entière, une contribution de 375.000 livres.

En Provence, les États votaient également chaque année le *fouage*, qu'ils répartissaient entre les paroisses d'après la statistique des feux, qui, là comme ailleurs, représentaient une simple unité fiscale[1]. De même que la taille en Languedoc, ce fouage était une imposition réelle qui devait porter sur toutes les terres roturières, mais la taxation des terres possédées par les nobles et par les ecclésiastiques donna lieu à des contestations interminables. Pendant tout le XVIe siècle, lettres patentes, arrêts des cours souveraines et du Conseil se succédèrent sans trancher définitivement la question.

En Dauphiné, nous trouvons sous le nom d'*aide* une contribution de même nature, et qui suscitait, par ses modalités d'application, les mêmes difficultés. Mais nobles et ecclésiastiques y avaient le dessus : une transaction de 1554, confirmée par un arrêt du Conseil de 1556, les déclarait exempts de toute imposition pour les biens « tant nobles que ruraux », et maintenait le principe de la taille personnelle. Le litige n'était d'ailleurs pas résolu pour cela, et cet arrêt entretint une crise qui devait se prolonger au delà du XVIe siècle.

La taille, complétée par ces impôts locaux, que l'on désigne parfois, à tort, sous une même appellation, manquait de fixité. Devant suffire à tous les besoins imprévus, elle subissait des fluctuations avec les circonstances, et cela d'autant plus que, fixée quant à son montant dans les derniers mois de l'année précédente, elle ne pouvait s'adapter aux besoins des opérations militaires qui se préparaient au printemps.

Ces besoins imprévus nécessitaient des levées supplémentaires improvisées en cours d'exercice : au principal de la taille s'ajoutaient les *crues* exceptionnelles. Parfois, au lieu de ces crues, on décidait de lever par anticipation une partie de la taille de l'année suivante, ce qui, finalement, créait pour l'avenir un déficit qu'on

---

1. Mais, même dans le cadre bien délimité de cette province, le fouage n'était pas perçu de façon uniforme : il y avait les *terres adjacentes*, qui comprenaient les plus grandes villes, comme Marseille et Arles, lesquelles étaient imposées séparément.

ne pouvait combler qu'à l'aide d'une nouvelle crue. Ainsi, crues et anticipations se combinaient pour subvenir aux insuffisances de la taille, sans qu'on établisse de distinction précise entre ces deux sortes d'expédients.

A la longue, en temps de guerres et de déficit chronique, les crues devenaient habituelles; on les qualifiait de *crues ordinaires*, pour les distinguer des *crues extraordinaires*, qui s'y ajoutaient exceptionnellement. Au bout de quelques années, on se décidait à incorporer les crues ordinaires au principal de la taille, qui se trouvait subitement grossi. Les crues extraordinaires ne tardaient pas à reparaître dans la suite, et le même processus se renouvelait, accroissant régulièrement les charges des sujets.

Il en était de même pour les anticipations : lorsqu'à la suite de plusieurs anticipations, la taille d'une année se trouvait épuisée au cours de l'exercice précédent, on se mettait à jour en levant une nouvelle taille pour l'exercice qui en était dépourvu, ce qui correspondait au doublement exceptionnel de l'impôt[1].

Ce n'était de même qu'une simple crue, ce *parisis* qui fut levé à partir de 1577, et qui consistait à percevoir la taille sur la base de la monnaie parisis, plus forte d'un quart que la monnaie tournois. Cela revenait à imposer un supplément de 5 sous pour livre sur le principal de la taille.

A ces expédients habituels, crues et anticipations, s'ajoutèrent au cours du XVIᵉ siècle, de nouveaux impôts qu'il convient de rattacher à la taille, parce qu'ils furent créés pour remédier à son insuffisance, répartis et levés d'après les mêmes méthodes.

François Iᵉʳ, qui avait levé, à plusieurs reprises, sur les villes exemptes de taille, des impositions destinées à la solde des compagnies de mercenaires, renouvela cette exigence en 1543[2]. Mais cette contribution, destinée à la solde de 50.000 hommes, fut désormais levée régulièrement, même après le rétablissement de la paix, et étendue aux habitants du plat pays à partir de 1555. C'était désormais une imposition ordinaire, qui s'éle-

---

1. Pour étudier de près le mécanisme de ces impositions, on peut se reporter à l'*État des finances de* 1523, et à celui de 1567.
2. Édit du 3 mai 1543. *Catalogue*, nᵒ 13039.

vait à 1.200.000 livres en temps de guerre, et dont le montant diminuait pendant la paix avec la réduction des effectifs.

Henri II, en 1549, introduisit une innovation de plus grande importance avec le *taillon* de la gendarmerie[1]. Pour remédier aux excès commis par les gendarmes des compagnies d'ordonnance, qui exigeaient des prestations en nature auxquelles ils n'avaient pas droit, le gouvernement avait publié à différentes reprises des règlements très précis, mais toujours inefficaces. Henri II, après un nouvel essai de réglementation, par l'édit du 7 avril 1548, appliqua un système nouveau qui consistait à relever les soldes des gens de guerre.

C'était une grosse charge pour le budget qui, logiquement, aurait dû la supporter, par suite de l'augmentation progressive de la taille. Mais celle-ci servait désormais à bien d'autres choses qu'à l'entretien de l'armée. Aussi, le roi, après avoir consulté les États provinciaux pour faire approuver cette mesure, déci-da-t-il de percevoir une taxe nouvelle en addition à la taille[2]. On accordait en conséquence un relèvement sensible des soldes, pour les compagnies d'ordonnance comme pour la cavalerie légère : les gendarmes devaient recevoir 400 livres par an, au lieu de 180, et les autres à l'avenant. En revanche, il leur était interdit de rien exiger des populations en dehors du logement et du prêt des « ustensiles ».

Le taillon ainsi créé se percevait en même temps et d'après les mêmes méthodes que la taille. Son produit, qui était de 720.000 livres en 1551, s'éleva en même temps que celui de la taille. Il avait plus que doublé à la fin du siècle et correspondait à peu près au sixième du montant du principal de la taille.

Le taillon était administré à part, par les receveurs particuliers et le receveur général du taillon, sans passer par le Trésor de l'Épargne. Toutefois, en 1583, le receveur général fut supprimé et le produit de l'impôt versé aux recettes générales des finances, qui le transmettaient aux trésoriers des guerres.

---

1. Édit du 12 novembre 1549. FONTANON, III, 97.
2. Par révérence pour les principes, Henri II disait en passant que cette création avait été approuvée par les « subjects de chacune des provinces et pays ». Mais cette affirmation ne correspondait pas à la réalité, et la formule très imprécise le laisse d'ailleurs supposer.

Il semble d'ailleurs que le produit du taillon finit lui aussi par être détourné de son emploi légal. Dans le désordre budgétaire de la fin du siècle, il était normal que le principe des affectations de recettes ne fût plus respecté[1].

D'autres taxes accessoires complétaient ce système d'impositions directes : la *taxe sur les clochers* consistait dans le paiement d'une somme de 20 livres pour chaque église (1552), le *subside des procès* imposait à tous les plaideurs une taxe proportionnelle à la valeur du litige. Cette dernière imposition fut d'ailleurs intermittente : créée en 1563, elle disparut en 1568; rétablie de nouveau en 1580, elle fut bientôt transformée en une taxe dite du 5e denier ou « du tournois au parisis[2] ». L'imagination des financiers était toujours en éveil pour découvrir de nouvelles matières imposables.

Et encore faut-il ajouter au principal de ces impositions les suppléments perçus pour les frais de l'assiette, et les surtaxes locales qui variaient d'une ville ou d'une province à l'autre : réparations des fortifications, gages des lieutenants criminels, solde des compagnies de gens de pied, et autres impositions qui grossissaient les budgets locaux pour décharger d'autant celui du royaume[3].

Ainsi, la taille et ses accessoires ne cessèrent de croître au cours du XVIe siècle. Sous Louis XII, elle avait été sujette à de fréquentes variations déterminées par les guerres, passant de 1.500.000 l. en 1507, à 3.700.000 l. en 1514, ce qui ne justifie guère la réputation de parcimonie qu'on attribue volontiers à ce roi. Sous François Ier, le principal de la taille resta longtemps fixé à 2.400.000 l., mais le système des crues et des anticipations fut si constamment pratiqué que ce chiffre fut toujours dépassé dans la réalité. On décida, en 1542, de fixer à 4 millions le montant de l'impôt, mais les crues s'y ajoutèrent de nouveau ainsi

---

1. Les États de l'Agenais s'en plaignaient, en 1583, en ajoutant que « la noblesse privée de son droit tâche à s'en revancher sur ses sujets », en aggravant la perception des droits féodaux. THOLIN, Revue de l'Agenais, t. XIV.

2. Édits de novembre 1563 et du 1er avril 1568 (FONTANON, t. I, 3, 27), de juillet 1580 et février 1583 (Ibid., t. IV, pp. 705 et 706).

3. Voir en particulier l'histoire des finances de Lyon, dans NICOLAY, *Description générale de la ville de Lyon*, et R. DOUCET, *Finances municipales et crédit public à Lyon*.

que les taxes accessoires et le principal de la taille lui-même ne tarda pas à s'élever de nouveau avec l'administration désastreuse de Henri II. Il atteignit 6 millions en 1552, au grand mécontentement de l'opinion publique, qui ne cessait de réclamer le retour au système si populaire de Louis XII. L'ordonnance de 1561 lui donna une satisfaction de principe en prescrivant que la taille serait réduite au tarif de Louis XII (art. 121), mais cette concession était illusoire et la progression de l'impôt ne se ralentit pas.

La taille était de 7.500.000 l. en 1568, de 9.500.000 l. en 1571, de 12.500.000 l. en 1585. En 1594, à la veille des réformes de Sully, qui allait s'efforcer de remettre un peu d'ordre dans le budget, on percevait 9 millions pour la taille, 1.500.000 pour le taillon, 1.500.000 pour l'imposition des villes closes et pour les clochers, sans compter les crues extraordinaires. C'était le principal élément des recettes du Trésor, et c'est à cette ressource, d'ailleurs mal aménagée, que les gouvernements de l'avenir allaient recourir pour assurer l'équilibre des finances publiques.

Ainsi, dès le xvie siècle, la taille était pourvue de tous les caractères qu'elle conserva jusqu'à la fin de l'Ancien Régime. Impôt destiné à l'entretien de l'armée, levé sur ceux qui étaient soustraits à toute obligation militaire, elle devait rester limitée à une catégorie sociale, alors même que le gouvernement royal l'utilisait pour les fins les plus diverses. Cet impôt se trouvait ainsi restreint dans sa perception par des privilèges toujours étendus, gêné par des inégalités qui en rendaient la levée difficile et en limitaient le rendement. Les administrateurs des finances ne surent jamais faire de cet impôt une contribution nationale capable d'alimenter largement le Trésor. L'Ancien Régime devait toujours manquer de l'instrument fiscal qui lui était nécessaire.

Gabelle. Le terme de gabelle, qui s'appliquait encore au xvie siècle à toutes les variétés d'impositions, tendait toutefois à désigner exclusivement l'impôt du sel, qui constituait une des plus importantes ressources du Trésor royal.

C'était en même temps une des plus anciennes : l'impôt sur le sel remontait au début du XIVe siècle, et des ordonnances de 1341 et de 1343 établissaient son organisation dans l'ensemble du royaume : on constituait un monopole du sel destiné à assurer l'approvisionnement des consommateurs et des recettes au Trésor royal.

Ce monopole toutefois ne consistait pas à acheter le sel pour le revendre aux consommateurs. L'administration se contentait d'intervenir dans le commerce du sel, qui se faisait d'un bout à l'autre pour le compte du marchand, en réservant à celui-ci son bénéfice et au roi la perception d'un droit fiscal. C'est ce qu'on appelait le droit du marchand et le droit du roi. Il s'agissait ainsi d'un contrôle lucratif, plutôt que d'un véritable monopole d'État.

Cette organisation était dominée par ce fait que certaines régions du royaume produisaient du sel et exportaient leurs excédents, tandis que d'autres régions non productrices devaient en importer pour leur consommation. De là, la nécessité d'appliquer aux unes et aux autres ainsi qu'aux régions intermédiaires des régimes différents. Moins que jamais, et par la force des choses, l'uniformité ne pouvait être réalisée.

Nous serons contraints de distinguer plusieurs régions, et de décrire successivement le système appliqué à chacune d'elles.

La plus grande partie du royaume était soumise à un régime qui peut être considéré comme de droit commun, celui des autres provinces constituant des exceptions locales. Ce régime s'étendait, au début du XVIe siècle, sur les généralités de Normandie, d'Outre-Seine-et-Yonne, de Picardie et la plus grande partie de celle de Languedoïl. Dans la seconde moitié du siècle, après la réforme des généralités, cette zone comprenait celles de Rouen, Caen, Paris, Châlons, Amiens, Tours, Orléans, Bourges, Dijon, et le comté de Blois.

Cette circonscription était alimentée par le sel provenant de Guérande, des côtes et des îles du Poitou et de Saintonge, de Guyenne, de Languedoc et de Provence. Le sel était transporté par les voies fluviales, qui remontaient à l'intérieur du royaume, sur les bords desquelles étaient établis des greniers de transit, utilisés pour le contrôle, et la plupart des greniers de vente.

Les marchands de sel, qui se fournissaient dans les salins, faisaient mesurer le sel qu'ils transportaient lors de leur passage aux Ponts-de-Cé, à Angers ou à Rouen, de façon à rendre impossible toute soustraction en cours de route, après quoi ils le conduisaient dans les greniers de vente. Là, le sel était déchargé et mesuré par le mesureur, en présence du grenetier et du contrôleur. Des instructions strictes étaient données pour que ces opérations fussent faites par les officiers responsables, avec des mesures correctes, et sans rien exiger de l'intéressé en plus des taxes prescrites. C'étaient la *présentation* et la *descente* du sel.

Le sel ainsi emmagasiné devait rester au moins trois ans avant d'être vendu, de façon à être sec et consommable. La vente se faisait d'après l'ordre des arrivages.

Le prix était fixé par le général des finances de la généralité, par une lettre de prix, qui tenait compte du prix d'achat, des frais de transport, et du bénéfice raisonnable du marchand.

On vendait alors le sel à toute personne qui se présentait, pourvu qu'elle fût du ressort du grenier, et en telle quantité qui était demandée. Le prix exigé comprenait le droit du marchand et le droit de gabelle qui revenait au roi. Les acheteurs étaient soit des consommateurs, qui se procuraient du sel pour leur usage, soit des revendeurs qui achetaient le sel en gros pour le détailler : c'étaient les regratiers, dont le métier était soigneusement contrôlé par le grenetier. Contrôle aisé à pratiquer dans les villes, beaucoup moins dans les campagnes, où on essayait de limiter le trafic aux marchés.

Les choses se passaient de la même façon dans les *chambres à sel*, qui n'étaient que des succursales du grenier principal, surveillées par le grenetier.

Pour éviter les fraudes et le trafic du sel non gabelé, ce qui constituait le délit de *faux saunage*, toutes sortes de précautions étaient imposées. En premier lieu, les grenetiers et les contrôleurs devaient visiter les paroisses de leurs circonscriptions, pour enquêter sur les contraventions commises et avertir les consommateurs d'avoir à se fournir au grenier dont ils dépendaient. Ils devaient surtout, dans le cours de leurs opérations, connaître « ceulx qui auront pris sel en nosd. greniers, et ceulx qui n'y en ont pris[1] », en tenant registre par paroisse de ceux auxquels ils ont vendu du sel, et en le comparant avec le rôle des tailles qu'ils recevaient en communication.

Enfin, pour empêcher les trafics illicites, aux dépens du sel gabelé, on avait imaginé, dès le XIVᵉ siècle, le système du sel délivré par impôt, qui était appliqué dans la plupart des paroisses de Languedoïl, spécialement dans les régions voisines de la Bretagne et des provinces du Sud-Ouest, où la proximité des salins facilitait la contrebande. On l'appliquait aussi dans les généralités voisines, en Normandie et en Picardie, à proximité des rivières par où se faisait le trafic du sel.

La consommation du sel y était obligatoire et imposée d'après les mêmes modalités que la taille. La quantité attribuée à chaque paroisse était déterminée par un commissaire royal, par le grenetier ou par l'élu. A l'intérieur de la paroisse, la répartition entre les habitants était faite par les collecteurs élus, qui assuraient la distribution du sel et le recouvrement de l'argent. Cette répartition semble avoir été réglée sur la base d'un minot de sel (72 litres faisant environ 100 livres), par trimestre pour 100 habitants[2]. Le sel devenait ainsi un impôt de répartition au même titre que la taille, avec cette différence que le consommateur pouvait avoir besoin d'une quantité de sel supérieure à celle qui lui était assignée. Il pouvait alors acheter au grenier tout ce dont il avait besoin. Ce système, dès le XVIᵉ siècle, provoquait des protestations qui touchaient le roi : on jugea nécessaire d'en tenir compte, quelque préjudice qui en résultât pour le Trésor. En 1584, on supprima le sel d'impôt dans tous les greniers où il avait été nouvellement établi.

En principe, nul n'était exempt de la gabelle; nobles et ecclésiastiques devaient se fournir de sel gabelé, et c'est pour cette raison que les rôles de la taille communiqués aux grenetiers,

---

1. Ordon. de 1517, art. 29. Toutes ces prescriptions se retrouvent dans l'ordonnance de 1508, art. 51 à 72, dans celle du 30 juin 1517, art. 26 à 52. Le *Vestige des finances* décrit la situation à la date de 1523-24.

2. Tarif indiqué dans le règlement du 13 août 1579.

devaient contenir les noms de tous les habitants de la paroisse,
y compris ceux qui étaient exempts de la taille.

Il existait en réalité quelques privilégiés, nobles, gens d'Église
ou officiers royaux, qui pouvaient acheter du sel en payant
seulement le droit du marchand. On exigeait, pour authentifier
ce privilège de *franc salé*, un mandement du roi vérifié par la
Chambre des comptes. Mais le risque de fraude était plus grand
avec certains personnages qui jouissaient du droit de lever en
nature certaines rentes ou certaines redevances sur les péages
auxquels était soumis le sel. Il leur était possible de se constituer
des réserves de sel échappant à tout contrôle de la part du fisc,
et de disposer d'un excédent qui servirait à alimenter la contrebande. Pour éviter cet abus, il leur était prescrit de revendre aux
greniers du roi l'excédent qu'ils ne consommaient pas.

Le droit du roi était l'élément essentiel de la gabelle. Il ne
cessa de s'élever au cours du XVIᵉ siècle, avec les besoins gran-
dissants du Trésor. Au début du règne de François Iᵉʳ, il était
de 30 livres par muid, auxquelles s'ajoutaient certaines crues,
5 l. pour le paiement des gages du Parlement de Paris, 2 l. pour
la Cour des aides, et d'autres suppléments destinés aux fortifications des villes. En 1523, ces crues étaient groupées en une
crue unique de 15 livres, destinée au paiement des gages des
cours souveraines, ce qui portait le droit de gabelle total à
45 livres[1].

Il s'y ajouta dans la suite une nouvelle crue pour les gages des
officiers des présidiaux, et d'autres crues encore, générales ou
locales, destinées à financer telle dépense urgente, gages des
officiers des greniers, travaux de voirie, etc. Des emprunts
furent même contractés, dont la rente était assurée par une
nouvelle taxe mise sur le sel. En 1598, le droit du roi se montait
à 397 l. 12 s. par muid, dont 300 livres pour l' « imposition et
gabelle ordinaire », 19 l. 4 s. pour le supplément des gages des
cours souveraines, 36 l. accordées au duc de Guise, 36 l. pour
des emprunts contractés à l'occasion du siège d'Amiens, et

---

1. *Catalogue,* nº 1748. Des crues analogues étaient imposées dans les provinces
soumises à des régimes différents, pour le paiement des gages des cours souveraines locales.

6 l. 8 s. destinés à rembourser des offices supprimés. La gabelle était ainsi une source inépuisable, à laquelle on avait recours pour les besoins les plus divers[1].

Tel était, dans ses grandes lignes, le régime des *provinces de grandes gabelles*. Mais le gouvernement était encore hésitant, pendant tout le XVIᵉ siècle, quant à ses modalités d'application.

Au début, comme pendant les siècles précédents, la gabelle était administrée par les officiers du roi groupés dans le cadre des greniers. C'était le système réalisé par les ordonnances du XVᵉ siècle, reprises par celles de 1500, de 1508 et de 1517. François Iᵉʳ y apporta des modifications profondes par ses ordonnances du 1ᵉʳ juin 1541 et d'avril 1542, qui tendaient à unifier la perception de la gabelle dans tout le royaume, à faire porter le contrôle sur les salins où se fabriquait le sel, et à supprimer presque complètement l'activité du marchand qui, précédemment, s'exerçait parallèlement à celle des officiers royaux[2]. Les greniers, dans l'intérieur du royaume, étaient supprimés et le trafic du sel demeurait libre.

Ce bouleversement total de l'organisation établie ne dura pas. L'édit du 6 décembre 1544 rétablit les greniers et le système antérieur. Mais cette réorganisation ne put s'accomplir sans de nombreuses mises au point.

Finalement, le gouvernement s'orienta vers le procédé de l'affermage : des lettres patentes du 4 janvier 1548 concédèrent pour 10 ans la vente du sel dans les greniers à des adjudicataires, les officiers du roi devant se borner à exercer un contrôle. Le système s'étendit en 1559 à la vente du sel provenant des salines du royaume et destiné à être exporté à l'étranger[3].

Enfin, en 1578, on affermait tous les droits de gabelle perçus dans les greniers, dans une ferme générale, qui se substituait aux fermes particulières de 1548. Cette adjudication comprenait les généralités de toute la région qui était désormais connue sous

---

1. Bail des grandes gabelles du 3 décembre 1598. Le bail mentionnait encore des taxes de 30 l. 16 s. sur le sel passant par la Seine, et 30 l. pour celui de la Loire, sans compter quelques autres levées extraordinaires, perçues sur le sel en cours de transport, que le roi promettait de modérer.

2. Le droit de gabelle était lui aussi modifié et fixé à 24 l. par muid.

3. Voir le règlement du 10 décembre 1559. FONTANON, t. II, 3, 16.

le nom de région de grandes gabelles[1]. Le bail était concédé à un groupe de capitalistes qui s'engageait à racheter, pour le compte du roi, les rentes constituées sur les greniers. L'administration de la gabelle était désormais confiée à des hommes d'affaires qui allaient la gérer conjointement avec les officiers du roi. Ce nouveau système devait durer jusqu'à la fin de l'Ancien Régime.

A côté des provinces de grandes gabelles, il existait dans le royaume des régions où le monopole du sel était pratiqué de façon différente.

En premier lieu, les *pays de petites gabelles*, qui comprenaient le Languedoc et les pays avoisinants, Velay, Gévaudan, Rouergue, la Haute-Auvergne, le Lyonnais, le Beaujolais, le Forez, le Vivarais, le Mâconnais, la Provence et le Dauphiné, c'est-à-dire toutes les provinces du Sud-Est anciennement ou nouvellement rattachées au royaume.

L'organisation du commerce du sel dans ces régions était dominée par ce fait que la production des salins languedociens et provencaux était considérable et dépassait largement les besoins de la consommation dans les provinces côtières. Cette production était difficile à contrôler et, d'autre part, elle alimentait une vaste zone à l'intérieur du royaume, où il aurait fallu organiser un système de vente très rigoureux, que l'administration ne parvint jamais à mettre sur pied. De là les caractères particuliers de l'organisation de la gabelle dans les provinces du Sud-Est[2].

Sur la côte même, se trouvaient les salins, où avait lieu le mesurage, et où s'effectuait un premier contrôle. Mais, comme la production y était libre et la fraude facile, on avait établi, à quelque distance dans l'intérieur, des greniers destinés à assurer un contrôle plus exact. Le sel devait y être pris en compte et revendu, soit aux consommateurs, soit aux marchands, qui le transportaient dans l'intérieur. Le roi y percevait son droit de

1. Déclaration du 13 août 1579.
2. Cette organisation se réalisa progressivement au cours du xve siècle. Elle fut définitivement mise au point par une série d'ordonnances des 6 janvier 1498, 8 novembre 1498, 7 avril et 19 décembre 1499, et 17 janvier 1501.

gabelle. Les consommateurs étaient tenus de s'approvisionner de sel gabelé, mais ils pouvaient l'acheter, soit au grenier, soit dans une des villes où les marchands le débitaient, sans être astreints à se fournir dans un grenier déterminé.

Le rôle du grenier, dans cette organisation, se trouvait ainsi très différent de ce qu'il était dans les provinces du Nord, et c'est pour cette raison qu'on avait groupé les greniers dans une région très étroite, à proximité des côtes. Certains d'entre eux, ceux de Tarascon et de Beaucaire, avaient une importance spéciale : c'étaient les entrepôts d'où partait le sel qui remontait la vallée du Rhône, à destination des provinces septentrionales. Là intervenaient les fermiers du tirage du sel *à la part du royaume* et *à la part de l'Empire*. Ils recevaient le monopole du transport et de la fourniture du sel en Lyonnais, Mâconnais et Dauphiné. Dans ces provinces, le commerce du sel était libre, les droits de gabelle ayant été acquittés au départ.

Pour les autres provinces, celles qui étaient situées au Nord du Languedoc, le commerce du sel blanc gabelé provenant du Languedoc y était libre. Cette zone, exactement limitée d'un côté par la limite des greniers des pays de grande gabelle, confinait vers l'Ouest avec les provinces du Sud-Ouest, alimentées par le sel noir provenant des côtes atlantiques, et où était établi un système différent. La frontière entre ces deux zones ne fut fixée qu'après de longues contestations : elle passait entre la Haute et la Basse-Auvergne et suivait le cours de la Dordogne, laissant au sel languedocien la Haute-Auvergne et le Rouergue, tandis que le Limousin et le Quercy restaient rattachés au domaine atlantique.

Cette administration exigeait un personnel spécial en dehors du personnel habituel des greniers. Il y avait en Languedoc un *visiteur général* des gabelles, des lieutenants et des gardes chargés de la surveillance des voies par où se transportait le sel.

Un autre régime était en vigueur dans les provinces du Sud-Ouest, depuis le Poitou jusqu'à la frontière espagnole. Ces provinces, voisines des marais salants du Poitou, des îles de l'Atlantique, d'Aunis et de Saintonge, étaient fournies de sel noir, de qualité médiocre, mais dont le prix était peu élevé, et qui faisait une forte concurrence au sel blanc du Languedoc. Les vicissitudes auxquelles ces provinces avaient été soumises au temps de la domination anglaise avaient empêché le gouvernement d'y organiser la gabelle sur le même modèle que dans le Nord du royaume. De là, l'existence d'un système particulier, ou plutôt de plusieurs systèmes locaux, qui se caractérisaient par l'application de tarifs peu élevés et l'absence de greniers, ce qui équivalait à la suppression presque complète du contrôle.

Le sel y était frappé d'un droit qui était perçu à la vente. Il était fixé au quart de la valeur du sel (le cinquième seulement en Angoumois). Ces droits furent d'ailleurs élevés de moitié en 1537. C'étaient désormais le *quart et demi-quart*, le *quint et demi-quint*.

François Ier, à partir de 1540[1], essaya d'unifier le système de la gabelle dans tout le royaume, et de percevoir à l'origine les droits de quart et de quint, ainsi qu'un droit de 24 l. à la vente, qui aurait été substitué au droit de 45 l. alors en vigueur dans certaines provinces. Ce système comportait l'établissement de greniers dans les régions qui en étaient dépourvues, et par conséquent, en Anjou, Poitou, Saintonge, Angoumois, Limousin, Marche, Combrailles, Périgord, Haute et Basse-Auvergne, en même temps qu'un renforcement du système de protection au voisinage des pays de production.

Cette tentative n'aboutit pas. Les populations menacées de se voir soumises à la gabelle se révoltèrent, à La Rochelle, en 1543, et à Bordeaux, en 1548. Bien que ces soulèvements aient été rapidement réprimés, le gouvernement jugea nécessaire de se montrer conciliant : il négocia avec les représentants des provinces, qui rachetèrent le droit de gabelle. Une première convention, concernant le Poitou, la Saintonge et le gouvernement de La Rochelle, leur accorda la suppression des greniers et de la gabelle, en leur concédant le droit de lever à leur profit le quart et le demi-quart, moyennant le paiement de 450.000 livres et d'une rente de 80.000 l.[2].

En 1553, une convention plus large supprima les droits de

---

1. Spécialement par son édit d'avril 1542.
2. Édit de septembre 1549.

quart et de quint dans toutes les provinces du Sud-Ouest, Poitou, Saintonge, gouvernement de La Rochelle, Angoumois, Limousin, Marche, Combrailles, Périgord, Guyenne, Agenais, Bazadais, Quercy, Landes, Armagnac, Comminges, moyennant le versement d'une somme de 1.194.000 l. C'était à la fois la solution élégante d'un problème politique et fiscal, et la mise en œuvre du système d'aliénation des revenus publics, qui allait prendre dans la suite une extraordinaire extension. Cette région fut désormais désignée sous le nom de pays *rédimés*.

On pouvait y rattacher l'Auvergne, qui, nous l'avons vu, se partageait en deux régions appartenant, l'une au régime languedocien et l'autre à celui du Sud-Ouest. La Basse-Auvergne s'était rachetée moyennant une redevance minime, et la Haute-Auvergne, par des subtilités juridiques, échappait à la fois au paiement de la redevance et à celui de l'impôt.

Les *pays de salins* comprenaient le duché de Bourgogne, qui était alimenté par le sel venu des mines de la Franche-Comté, et dont le régime administratif, dans ses grandes traits, s'était constitué pendant la domination des ducs. De là, certaines particularités, qui la différenciaient des autres provinces. Il existait en Bourgogne des greniers où se percevait un droit de gabelle au profit du roi, mais ce droit était concédé par les États de la province, et les consommateurs étaient libres de se fournir au grenier de leur choix. Il n'y avait rien qui rappelât le système de contrainte établi dans les autres pays de greniers.

En Normandie, existait le pays de *quart bouillon*, qui correspondait à la Basse-Normandie, c'est-à-dire à la région de Bayeux, de Coutances et d'Avranches, ainsi qu'aux environs de Honfleur. On y récoltait le sel sur les côtes, non pas par le procédé habituel du desséchement, mais en recueillant le sable mélangé de sel qu'on dissolvait dans l'eau et qu'on traitait ensuite par ébullition. Sur ce sel ainsi obtenu, le roi percevait un droit du quart, d'où le nom de quart bouillon donné à la gabelle de cette région[1].

Certaines provinces, enfin, étaient complètement exemptes de la gabelle, provinces franches, dont la principale était la

---

1. Le revenu du quart bouillon était rattaché au système des aides.

Bretagne. Il en était de même pour le Boulonnais, et la Haute-Auvergne pouvait être considérée comme telle.

Dans l'ensemble, ce tableau présente une extrême diversité, encore accrue de ce fait que beaucoup de greniers étaient concédés par faveur à des princes, d'autres à des villes, pour que leur revenu fût consacré à des travaux d'utilité publique.

Le revenu des gabelles du royaume se montait, en 1523, à 483.000 livres, dont il fallait retrancher au moins 36.000 l. attribuées à différents donataires. Dans la suite, l'augmentation considérable du droit de gabelle éleva fortement ce produit, malgré les aliénations et tous les contrats d'engagement dont les greniers étaient l'objet. En 1597, on pouvait évaluer le rendement total à 3.312.000 livres[1].

A toutes les époques, la gabelle était donc d'un rendement important, mais plus que tout autre impôt, elle pesait lourdement sur les populations par les mesures minutieuses qui entouraient sa perception, par la diversité des régimes qui en rendaient l'administration difficile, et qui obligeaient à surveiller des frontières établies à l'intérieur du royaume. Nulle part, l'absence de vues générales dans l'organisation du royaume ne se faisait plus nettement sentir.

Traites. Ces droits perçus sur les marchandises importées ou exportées avaient des origines lointaines et diverses. Leurs caractères aussi étaient différents, et ils correspondaient à une conception plus ou moins évoluée de la vie économique. Ils s'étaient parfois confondus avec les péages perçus par les seigneurs sur les voies de communication qui traversaient leurs domaines, si bien qu'il était difficile de faire une exacte discrimination entre ces taxes diverses. C'est seulement dans le dernier quart du XVIe siècle que nous voyons s'organiser un véritable système de traites.

Les plus anciens de ces droits étaient d'origine domaniale,

---

1. Ce chiffre mériterait d'être soigneusement critiqué, et sans doute rectifié, pour pouvoir donner lieu à une comparaison rigoureuse. Nous ne le considérerons que comme une simple approximation, et il ne saurait en être autrement, étant donnée l'insuffisance des études d'histoire financière.

perçus sur les denrées et les marchandises qui sortaient du territoire de la seigneurie, et dont la perte constituait un appauvrissement, qu'il fallait compenser par le paiement d'une taxe. On en avait maintenu la perception à la sortie du royaume, lorsque celui-ci avait groupé un certain nombre de fiefs autour du domaine royal.

Les autres avaient été établis aux frontières du royaume déjà organisé par le roi, qui se considérait comme pouvant seul autoriser les exportations et comme ayant le droit d'en tirer profit pour accroître ses revenus. Il s'y joignait également une conception plus ou moins nette d'utilité publique. Le roi, en 1488, déclarait qu'il fallait « obvier que les marchandises de nostre royaume n'en soyent extraictes ».

Enfin, pour des motifs d'inspiration fiscale, mais également nuancés de préoccupations mercantilistes, on frappait de droits certaines marchandises entrant dans le royaume, marchandises de luxe qui troublaient l'économie générale, ou produits dont l'importation portait atteinte aux profits légitimes des travailleurs français.

Au premier groupe, se rattachaient les droits de *rève*, ou de *domaine forain*, et de *haut passage* ; au second, la *traite foraine*, ou *imposition foraine*, et au troisième, la *traite domaniale*.

Par un souvenir de leur origine lointaine, ces droits étaient administrés séparément : les premiers se rattachaient aux finances ordinaires, administrées par les baillis et les sénéchaux, les autres aux finances extraordinaires, qui dépendaient des élus.

Les uns et les autres avaient été établis ou réorganisés à une époque où le royaume n'avait pas acquis l'extension ni le degré d'activité qu'il atteignit au XVIᵉ siècle. Aussi, cette ceinture douanière était-elle peu homogène, coïncidant sur certains points avec les frontières politiques du royaume, et constituant par ailleurs un cordon de douanes intérieures entre des provinces également françaises. L'administration royale qui, au XVᵉ siècle, avait réorganisé le système financier, ne s'était pas préoccupée de mettre un peu d'uniformité ni de logique dans cette organisation fiscale, laissant subsister ces improvisations qui durèrent jusqu'à la fin de l'Ancien Régime.

Différents par leur origine et par certains caractères accessoires, l'imposition foraine, la rève et le haut passage, tous droits d'exportation, se percevaient simultanément et d'après les mêmes principes. Toutefois, une distinction était établie dans la comptabilité : on encaissait à part l'imposition foraine, dont le produit était remis au receveur des aides, tandis que la rève et le haut passage étaient versés dans la caisse du receveur du domaine.

Les provinces qui composaient le royaume étaient de deux sortes, celles où les aides « avaient cours », et celles où elles « n'avaient pas cours ». Une ceinture douanière existait à la limite des provinces où étaient perçues les aides, si bien que les provinces franches se trouvaient frappées d'une taxe compensatrice.

Les limites au passage desquelles les marchandises étaient redevables des droits d'imposition foraine, rève et haut passage étaient, au Nord et à l'Est, celles du royaume, au Sud et à l'Ouest, celles des provinces soumises aux aides[1].

La perception des droits ne se faisait pas à ces limites, mais dans toutes les localités de l'intérieur, au point de départ des marchandises, où on délivrait au transporteur une lettre de voiture. Celles qui étaient destinées à être revendues dans les provinces où les aides avaient cours n'en payaient pas moins les droits de sortie, mais on délivrait au transporteur un acquit-à-caution, et celui-ci en obtenait le remboursement, lorsque ses marchandises avaient été déchargées dans la localité prévue. Le contrôle s'exerçait ainsi pendant toute la durée du transport, et il n'y avait plus, au passage de la frontière fiscale, qu'une simple vérification : les marchandises étaient présentées à un bureau des *ports et passages*. Pour assurer l'efficacité de ce contrôle, des règlements sans cesse renouvelés interdisaient le transport des marchandises autrement que par les routes principales et par des itinéraires déterminés.

---

1. La liste des localités qui jalonnaient cette ligne est difficile à établir, par suite de la confusion des bureaux de passage avec les péages. Cette ligne correspondait en gros avec la limite méridionale des élections de Saintes, d'Angoulême, de Périgueux, du Bas-Limousin, de Saint-Flour, de Clermont, de Forez et de Lyonnais. A l'Ouest, c'était la limite occidentale du Poitou, de l'Anjou, du Maine et de la Normandie.

Les droits étaient affermés et perçus par les fermiers, dans leurs bureaux de l'intérieur. Le contrôle était assuré, sous la direction suprême d'un *maître général*, par les *maîtres des ports et passages*, assistés de *visiteurs* et de *gardes*.

Ce personnel, dont l'origine remontait au XIVᵉ siècle, fut fréquemment remanié dans la suite. Les réformes de 1549 et de 1551 donnèrent à ce service son organisation définitive, avec dix-huit bureaux ou *sièges généraux*, superposés à des *sièges particuliers*.

Au début du XVIᵉ siècle, l'imposition foraine était proportionnelle à la valeur des marchandises, au taux de 12 d. par livre. Ce taux était réduit exceptionnellement à 6 d., pour les marchandises venant de Paris. La rève était de 4 d. pour livre, ou de 5 s. par queue de vin, et le haut passage de 7 d., ce qui faisait au total 1 s. 11 d. par livre, soit 9,5 % du prix des marchandises transportées. Toutefois, le haut passage ne se percevait que sur certaines marchandises et dans certaines localités.

Ces taxes étaient levées sur la plupart des marchandises, grain, vin, bétail, graisses, huiles, poisson, épiceries, métaux, draps, tapisseries, laine, teintures, peaux, cuirs, mercerie, papier. C'étaient, pour la plupart, les marchandises soumises aux aides.

Telles étaient les modalités de la perception des droits de traite au début du XVIᵉ siècle. Mais cette organisation était encore très imparfaite : elle subit dans la suite de nombreuses retouches destinées à supprimer les fraudes[1].

En 1540, le régime de l'affermage fut supprimé; le roi ayant décidé de percevoir directement par ses agents l'imposition foraine. Le système de l'acquit-à-caution était assoupli et son usage supprimé dans certains cas. En 1542, on publiait, pour éviter les contestations, un tableau d'évaluation des marchandises sujettes à l'imposition. Les évaluations étaient très modérées et rendaient cette imposition plus légère encore que son taux ne le laissait prévoir. Il faut noter, par contre, que ce tarif comprenait 450 sortes de marchandises.

En 1551, Henri II essaya d'unifier ces différentes taxes, tout

---

1. Édits des 25 novembre 1540, 10 juin 1541, 20 avril 1542, septembre 1549, 14 novembre 1551, et 3 octobre 1581.

en modérant les tarifs : il ne maintenait plus que deux droits, le *domaine forain*, au taux de 8 d., substitué à la rève et haut passage, et l'*imposition foraine*, dont le taux restait fixé à 12 d., soit au total 20 d. par livre. Mais cette réforme fut, semble-t-il, mal accueillie et considérée comme une aggravation de la fiscalité, ce qui était réel là où le haut passage n'était pas applicable. Aussi, cette réforme fut-elle supprimée en 1556, pour revenir à la situation antérieure, qui comportait l'imposition foraine à 12 d., la rève et domaine forain à 4 d., et le haut passage à 7 d., soit, au total, 23 d. par livre, ce qui était une aggravation de l'impôt.

Henri III compléta cette mesure par l'établissement d'un nouveau tarif d'évaluation des marchandises beaucoup plus élevé que celui de 1542. Il y avait là le désir de suivre la progression des prix, et, en même temps, d'accroître le rendement de l'impôt.

D'ailleurs, le système de la régie directe fut également remplacé par celui de l'affermage, qui, à la fin du siècle, se prêtait mieux aux anticipations et aux arrangements conclus avec les capitalistes, pour subvenir aux besoins urgents du Trésor.

Ce système laissait intacts certains droits de transit locaux, qui s'incorporaient dans cet ensemble. Le plus important peut-être était celui que l'on désignait sous le nom de *traite d'Anjou* et *trépas de Loire*. La traite d'Anjou s'appliquait aux vins et autres marchandises sortant de la région où les aides avaient cours, pour entrer en Bretagne. C'était en réalité une des formes de l'imposition foraine, perçue au taux habituel de 12 d. pour livre et de 20 s. par pipe de vin. Le trépas de Loire était quelque chose de différent : cette taxe était perçue sur toutes les marchandises montant, descendant ou traversant la Loire, depuis Candes jusqu'à Ancenis, au tarif de 2 d. ob. pour livre.

A côté de ces taxes d'exportation, nous voyons se constituer un nouveau système de taxes qui atteignaient les marchandises importées dans le royaume, et dont la création, inspirée surtout de préoccupations fiscales, était aussi justifiée accessoirement par quelques principes économiques rudimentaires : désir de limiter l'exportation des métaux précieux et de protéger le travail national.

C'étaient originellement des droits domaniaux assimilables aux péages, dont certains subsistaient comme tels au XVIᵉ siècle, la *coutume de Bordeaux* et celle de Bayonne. C'était depuis le XVᵉ siècle que de véritables taxes d'importation avaient été établies, de préférence sur les denrées de luxe, mais on avait conservé l'habitude d'en concentrer le commerce sur certaines routes aboutissant à quelques bureaux de douane, où les taxes étaient perçues.

La première en date de ces impositions portait sur les marchandises de prix qu'on importait d'Italie, d'Espagne ou du Comtat Venaissin, draps d'or, d'argent et de soie, rubans, soie filée, brute ou teinte, dont on désirait limiter le trafic, tout en y trouvant profit. C'était la taxe de 5 % sur les soieries, dont l'origine remontait à Louis XI, et qui fut soumise à des règlements plus précis par François Iᵉʳ[1]. Lyon était la seule voie d'accès autorisée, et c'était là que se percevaient les droits, auxquels s'ajoutaient des taxes spéciales sur les velours de Gênes.

Un régime analogue avait été organisé pour les épiceries et drogueries exotiques, dont Charles VIII et Louis XII avaient interdit l'entrée par d'autres voies que celle des ports maritimes, tout en les soumettant au paiement de certaines taxes. François Iᵉʳ, par une série d'ordonnances, unifia ces règles, en imposant un tarif unique et certaines voies d'accès, sur lesquelles une surveillance active pouvait s'exercer. Par mer, les épiceries devaient entrer par Rouen ou par Marseille. Par terre, elles devaient passer par certains bureaux situés aux extrémités du royaume, et de là, être dirigées sur Lyon. Le droit d'entrée, qualifié de *gabelle des épiceries*, s'élevait à 2 écus par quintal pour les denrées les plus rares, et à 4 % de leur valeur pour les autres. Cette taxe fut en général affermée, à partir de 1544.

Parallèlement, une imposition sur l'alun importé pour la fabrication des draps était l'objet d'une réglementation spéciale.

Il y avait là l'embryon d'un système douanier, encore dominé par des préoccupations domaniales et fiscales, mais où on dis-

---

1. Édits du 3 mai 1536 et du 18 juillet 1540 (*Catalogue*, nᵒˢ 8429 et 11586).

cerne les premiers éléments d'une politique mercantiliste, qui se développa pendant les règnes suivants.

Parmi les impositions qui atteignaient les denrées en cours de transport, il faut encore mentionner celle qui était levée sur le vin, différente des aides en ce qu'elle portait sur les transports et non sur la vente. C'était une taxe de 5 sous par muid de vin entrant dans les villes closes, bourgs et bourgades du royaume, sans aucun privilège ni exception. Cette taxe, établie en 1561, pour six années, devint peu à peu perpétuelle. En 1581, on la porta à 20 sous, mais l'excès de cette hausse fut reconnu, et une réduction de 10 sous fut consentie. Il ne restait plus que deux taxes de 5 s. chacune, qui furent appelées les *anciens* et les *nouveaux cinq sous*, et qui subsistèrent jusqu'en 1789[1].

Ces divers droits de traite étaient le plus souvent affermés. Des groupes de capitalistes, de banquiers italiens, qui pouvaient avancer au Trésor de grosses sommes, se faisaient adjuger ces fermes, sauf lorsque le roi, inquiet des profits réalisés à ses dépens, se décidait à rétablir le système de la régie.

Ce régime douanier subit quelques retouches à partir du milieu du siècle.

Plus tard, en 1581, le gouvernement fixa un tarif général pour les *grosses denrées*, tant à l'importation qu'à l'exportation.

Un nouveau progrès eut lieu en 1584. Les besoins croissants de l'État et la nécessité de libérer d'importantes ressources susceptibles de gager des emprunts amenèrent le gouvernement à élargir le système de l'affermage. Jusqu'alors, des baux avaient été conclus dans des cadres relativement étendus. On jugea avantageux de rompre ces contrats partiels, pour faire une adjudication d'ensemble des principaux droits de traite; c'étaient 1º la douane de Lyon, 2º l'imposition foraine, 3º la traite domaniale, 4º l'imposition du sou pour livre sur la draperie[2], 5º le droit de 5 sous par muid de vin.

Le bail fut conclu pour huit ans (1584-1592), mais, dans la suite, Henri IV, frappé des profits exagérés des fermiers, revint

---

1. Let. pat. des 22 septembre 1561 et 18 juillet 1581.
2. Il s'agissait là d'un droit d'aide qu'on associait aux droits de traite, sans tenir compte des différences de nature de ces diverses impositions.

encore une fois au système de la régie. Dans le désordre des
guerres civiles, on cherchait dans divers sens une solution
définitive, en s'orientant peu à peu vers la méthode de l'affermage de ces cinq impositions, désormais connues sous le nom
des *cinq grosses fermes*.

Ces diverses impositions, si disparates, doivent en définitive
être considérées comme des expédients de trésorerie, plutôt que
comme une catégorie bien définie, comparable à celle des aides,
des tailles et des gabelles. La preuve en est dans les documents
de comptabilité, où les traites sont dispersées dans des chapitres
différents, sans qu'il soit toujours facile de les grouper pour
considérer à part leur produit.

Le plus souvent, ces recettes n'apparaissent pas dans les
États des finances. Les contrats d'affermage se traduisaient en
effet par quelques combinaisons financières, en marge des budgets réguliers.

En 1523, nous ne trouvons que 15.166 l. de recettes provenant
des traites, et, à la fin du siècle, malgré les augmentations sensibles des tarifs et du trafic commercial, elles ne représentaient
encore qu'une faible partie du budget apparent. Les cinq grosses
fermes, après 1584, produisaient environ 375.000 livres. Sully,
en 1597, les évaluait à 480.000. Mais ces chiffres sont ceux sur
lesquels un effort de critique serait particulièrement nécessaire,
et nous ne pourrions pas affirmer l'exactitude de ces estimations
incomplètes et tendancieuses.

BIBLIOGRAPHIE

Les documents d'archives concernant les impositions extraordinaires sont abondants et répartis entre les fonds les plus divers.
Des recherches fructueuses peuvent être entreprises dans toutes les
séries C des archives départementales et communales. Les archives
des Bureaux de finances, celles des élections et des greniers à sel
possèdent des rôles d'impositions, des contrats d'affermage des
droits d'aide, des procédures relatives à la perception, mais ces séries
sont trop souvent fragmentaires pour les impositions perçues dans
les communautés rurales. Les archives municipales sont beaucoup
plus riches : certaines villes, comme Lyon, ont conservé intégralement leurs archives fiscales.

Aux Archives nationales, il n'existe guère que quelques recueils de comptes, dans la série KK. A la Bibliothèque nationale, des collections de pièces sur les tailles, rôles et comptes, ms. 21421-8, 23897-916, nouv. acq. 4704, 6563, et une série sur les fouages, ms. 25923-43.

Sur les impositions en général : ordonnances des 11 novembre 1508 et 30 juin 1517, d'Orléans, de 1561 (art. 121-36), de Blois, de 1579 (art. 341-7). — Sur les tailles : Instruction non datée de 1495-1500. — Édit du 12 novembre 1549. — Édits de juillet 1560, du 29 novembre 1565, du 25 août 1570, de septembre 1575, de juillet 1578, de mars 1583, du 13 avril 1590, de mars 1600. — Sur la gabelle : Édits du 6 janvier 1498, du 8 novembre 1498, du 7 avril 1499, du 19 décembre 1499, du 17 janvier 1501, de juillet 1544. — Sur les traites : Édits du 18 juillet 1540, du 25 novembre 1540, du 10 juin 1541, du 20 avril 1542, de septembre 1549, du 14 novembre 1551, du 3 octobre 1581. (Toutes ces ordonnances se trouvent dans les recueils de FONTANON, t. II, ou de JACQUETON, *Documents*.)

FONTANON, *Les édicts et ordonnances*, t. II, 2, 14-6, et 3, 10-6. — CHARONDAS LE CARON, *Recueil des édicts concernans le règlement des tailles*. — JACQUETON, *Documents relatifs à l'administration financière*.

NICOLAY, *Description générale de la ville de Lyon*. — J. COMBES, *Traicté des tailles et aultres charges et subsides*. — HENNEQUIN, *Guidon général des financiers*. — GARRAULT, *Traitté des finances de France*, 1580 (Arch. curieuses, t. IX). — LA BARRE, *Formulaire des esleuz*. — DESPEISSES, *Traicté des tailles et autres impositions*. — POULLIN DE VIÉVILLE, *Nouveau code des tailles*. — MOREAU DE BEAUMONT, *Mémoires concernant les impositions et droits*, t. II, III.

CLAMAGERAN, *Histoire de l'impôt en France*. — E. MEYNIAL, *Études sur l'histoire financière du XVI*e *siècle* (N. rev. histor. de droit, 1920-1). DUPONT-FERRIER, *Études sur les institutions financières de la France*, t. II. — FRÉMY, *Premières tentatives de centralisation des impôts indirects* (Bibl. Éc. des chartes, 1911). — DOGNON, *La taille en Languedoc* (Ann. du Midi, 1891). — SPONT, *La taille en Languedoc* (Ann. du Midi, 1890-1). — *L'équivalent aux aides* (Ibid.). — *La gabelle du sel* (Ibid.). — MEYNIAL, *Études sur la gabelle du sel avant le XVII*e *siècle* (Tijdschrift voor Rechtsgeschiednis, 1922-3). — CALLERY, *Histoire du système général des droits de douane* (Rev. hist. 1882). — G. ZELLER, *De quelques institutions mal connues du XVI*e *siècle* (Rev. hist., 1944). — *Les premières taxes à l'importation* (Pub. Fac. des let. de Strasbourg, 1947). — R. DOUCET, *Finances municipales et crédit public à Lyon au XVI*e *siècle*. — DE LAIGUE, *La noblesse bretonne aux XV*e *et XVI*e *siècles*. — THOLIN, *Des tailles et des impositions au pays d'Agenais* (Rec. des trav. soc. d'agr. d'Agen, 1875). — QUANTIN, *Histoire des impôts aux comté et élection d'Auxerre au XVI*e *siècle*.

CHAPITRE V

L'ADMINISTRATION DES REVENUS ROYAUX

L'ADMINISTRATION AU DÉBUT DU XVIe SIÈCLE. — LES RÉFOR-MES DE L'ADMINISTRATION FINANCIÈRE.

L'administration au début du XVIe siècle. L'étude du système des impositions nous montre un des aspects de l'administration financière. Il reste à se rendre compte des méthodes suivant lesquelles ces ressources étaient utilisées et du fonctionnement de cette administration, chargée de pourvoir aux besoins du gouvernement et de la Maison royale.

On peut considérer les réformes de Charles VII comme le point de départ d'une organisation qui subsista « sans modification essentielle », jusqu'en 1523, date à laquelle la création du Trésor de l'Épargne fut l'origine d'un système nouveau, qui fonctionna jusqu'au XVIIe siècle[1]. Cette vue est, dans son ensemble, exacte, sans qu'il faille toutefois considérer les réformes de 1523 et des années suivantes comme ayant amené une véritable révolution dans les méthodes de l'administration financière.

Le système qui était appliqué au début du XVIe siècle subsista donc dans ses grandes lignes pendant les siècles suivants.

Les différents revenus du roi, revenus domaniaux et produits des impositions, étaient administrés séparément et ces derniers, qui comprenaient plusieurs catégories de recettes distinctes, aides, tailles, gabelles, traites, étaient également répar-

[1]. Jacqueton, *Documents relatifs...*, Introduction.

tis entre des organismes distincts. Ces recettes arrivaient entre les mains de différents receveurs locaux, receveurs ordinaires des bailliages et sénéchaussées ou receveurs du domaine, receveurs des aides, receveurs des tailles et grenetiers.

Les receveurs ordinaires devaient verser leurs recettes au changeur du Trésor, tandis que les autres receveurs devaient remettre les leurs aux receveurs généraux, soit ceux des quatre grandes charges, soit ceux des provinces où étaient établies des recettes générales secondaires. Les recettes demeuraient ainsi réparties entre une dizaine de caisses distinctes, sans qu'une caisse unique assurât la centralisation effective des recettes et l'unité de comptabilité.

Cette centralisation des recettes existait d'autant moins que les recettes particulières étaient déjà un organe de distribution en même temps qu'un organe de recette.

Le receveur du domaine portait immédiatement en dépense les sommes correspondant à certaines catégories de paiements : fiefs, aumônes et rentes à héritages, c'est-à-dire les donations assises sur les terres domaniales, les gages d'officiers, baillis, prévôts et autres officiers des administrations bailliagères, qui étaient immédiatement assignés sur les deniers de la recette, les travaux et réparations exécutés dans les domaines royaux, les frais de justice, tant pour les procès civils engagés pour le compte du roi que pour la poursuite des criminels, enfin les donations temporaires ou permanentes accordées par le roi.

Sur les produits des recettes extraordinaires, on acquittait également les dépenses correspondant aux gages des officiers, officiers du grenier à sel ou de l'élection, les frais de voyages et de transport, les donations.

Dans la suite, lorsque les revenus royaux furent engagés pour le remboursement des prêts consentis au roi, les receveurs en versaient directement le produit aux ayants droit, et le plus clair de la recette sortait alors immédiatement des caisses royales, sans figurer dans le budget général de l'État. On arrivait ainsi, en généralisant ce système, à créer des impositions, dont le rendement était parfois considérable, pour les engager aussitôt à des créanciers de l'État, sans que leur produit apparaisse jamais dans la comptabilité publique.

Le résidu des recettes effectuées par les receveurs particuliers était seul versé dans les caisses des receveurs généraux, ou tenu à leur disposition pour être utilisé suivant les prescriptions de l'administration centrale.

Ce budget du royaume, réparti entre les caisses d'une dizaine de comptables, avait son unité fictive dans l'*État général des finances* établi pour chaque exercice par le roi et « Messieurs de ses finances », c'est-à-dire par les quatre trésoriers de France et par les quatre généraux des finances. On y portait en recette tous les revenus du domaine royal, et le produit de toutes les impositions extraordinaires, en laissant de côté, ou en mentionnant parfois pour mémoire, les revenus aliénés ou abandonnés à des donataires. On avait ainsi une vue sommaire des ressources générales de l'État et de chacune des caisses entre lesquelles elles se répartissaient.

Restait à prévoir les dépenses et à en assurer le paiement.

L'État général mentionnait, sous certains chapitres, les sommes attribuées aux différents services : aumônes et fondations, dons et pensions, garde des forêts, ordinaire des guerres, correspondant à un certain effectif des compagnies d'ordonnance, extraordinaire des guerres, pour la levée des compagnies de mercenaires, garde des places, solde des compagnies de la garde du roi, réparations et ravitaillement des places, gages des cours souveraines, Chambre aux deniers, argenterie et autres services de l'Hôtel, etc.

A chacun de ces services correspondait l'indication des recettes générales sur lesquelles ces sommes devaient être prélevées.

L'État général devait donc aboutir à équilibrer recettes et dépenses et assurer l'acquittement des unes par une exacte répartition des autres. Et il en aurait été ainsi, si l'État général avait été établi avec méthode, et si les recettes prévues avaient toujours été exactement encaissées[1].

---

1. Pour l'établissement de l'État général, voir le *Vestige des finances*, dans JACQUETON, *Documents...* et R. DOUCET, *L'État des finances de 1523.*

Pour assurer le paiement de ces sommes, les trésoriers et généraux établissaient un état spécial pour chacune de leurs charges, sur lequel étaient portées les recettes de cette charge et les dépenses auxquelles elles étaient affectées. Ces états, remis au receveur de chaque charge, servaient de base aux paiements.

Les dépenses étaient acquittées d'après deux méthodes différentes. Celles qui étaient inscrites dans l'État général étaient acquittées sans formalités par le changeur du Trésor ou par le receveur général qui en avait été chargé. Il lui suffisait de produire à l'appui une quittance de la partie prenante.

Pour les dépenses non prévues dans l'État général, il fallait justifier de la volonté du roi, ce qui se faisait sous la forme de lettres patentes, qualifiées de *mandements patents et acquits* ou *acquits patents*[1]. Ces mandements patents prescrivaient au changeur du Trésor ou au receveur général auquel ils étaient adressés, de fournir au bénéficiaire une décharge adressée à un receveur particulier, qui acquittait effectivement la dépense. D'autres fois, on établissait un *acquit* adressé de même au changeur du Trésor ou aux receveurs généraux, en leur prescrivant de payer comptant et en espèces la somme indiquée. Les parties payées ainsi sous la forme d'*acquits du roi* correspondaient le plus souvent à des remboursements d'emprunts[2].

Ces ordres de paiement n'étaient exécutoires qu'après avoir été vérifiés par les ordonnateurs, qui les complétaient par une *attache* d'entérinement.

Les sommes ainsi ordonnancées étaient payées le plus souvent par le moyen de décharges adressées à un receveur particulier qui en fournissait le montant en espèces. Le résultat, c'est que les receveurs particuliers distribuaient ainsi le plus clair de leur recette aux créanciers du roi, ne reversant aux caisses centrales que le résidu qui demeurait entre leurs mains à la fin de chaque trimestre.

Ce système avait l'avantage de réduire au minimum le transport des espèces, inutile et toujours périlleux. La vérification des

1. Voir la formule dans le premier formulaire publié par JACQUETON, *Documents...*, p. 247.
2. Pour la formule des acquits, *ibid.*, p. 250.

comptes s'opérait en tenant compte des décharges, comme si des mouvements de fonds avaient été opérés effectivement d'une caisse à l'autre.

Certains de ces paiements étaient faits directement à ceux qui devaient en bénéficier. C'était le cas pour ceux qui étaient inscrits nominativement sur l'État général. Mais souvent aussi, on versait les sommes destinées à assurer la marche d'un service à un officier comptable, chargé d'en faire la répartition entre tous les bénéficiaires. Il y avait ainsi un grand nombre de trésoriers, dont l'effectif alla sans cesse en s'accroissant au cours du siècle.

Les différents services de l'Hôtel du roi avaient des payeurs distincts : trésorier des offrandes, payeur des officiers domestiques, maître de la Chambre aux deniers, argentier, trésorier de la vénerie et de la fauconnerie, trésorier de l'écurie, payeur des bâtiments, commis aux réparations des résidences royales. Il en était de même pour les différents services de l'armée : payeurs des compagnies de la garde, trésoriers de l'extraordinaire des guerres, de l'artillerie, de la marine, payeurs des chevau-légers, des mortes-payes, trésoriers des salpêtres. Il y avait enfin d'autres comptables, chargés de caisses particulières, comme le trésorier de la Sainte-Chapelle, les payeurs des gages des cours souveraines, le trésorier des Ligues suisses, ce dernier maniant des sommes considérables[1].

D'ailleurs, à côté de ces trésoreries, alimentées par l'État général, et dont la comptabilité n'était qu'une dépendance de la comptabilité des caisses centrales, il existait d'autres trésoreries pourvues de recettes particulières, impositions créées spécialement en vue de telle ou telle dépense, et dont le produit ne se confondait pas avec les autres revenus de l'État. Telles étaient les caisses destinées au paiement des gages des cours souveraines, lorsqu'une crue de la gabelle fut imposée pour cette dépense particulière. Il en fut de même pour celles qui étaient alimentées par la vente des offices.

---

1. Une liste des comptables se trouve dans la liste des comptabilités vérifiées par la Chambre des comptes en 1558. Voir HENNEQUIN, *Guidon général des financiers*, 1 appendice.

Ce système, malgré sa complication apparente, ne manquait pas de précision et pouvait se prêter à des vérifications exactes. Mais, il était appliqué avec une grande irrégularité : l'unité budgétaire était inconnue, tant pour les recettes que pour les dépenses; les encaissements de chaque trimestre et de l'année tout entière se prolongeaient sur les trimestres et sur les exercices suivants, tandis que les dépenses en souffrance étaient rejetées sur d'autres exercices, sans être reportées en compte comme dépenses à acquitter. A tout instant, des dépenses imprévues détournaient de leur destination une partie des recettes inscrites à l'État général, et imposaient des expédients destinés à rétablir l'équilibre. De tout cela, résultait une extrême confusion, qui rendait difficile la tâche de la Chambre des comptes chargée de la vérification, et qui suggérait au roi la conviction, parfois un peu simpliste, que ses finances étaient pillées par les administrateurs.

Les réformes de l'administration financière. De là, les réformes qui furent réalisées à partir de 1523 et qui accompagnèrent la création du Trésor de l'Épargne.

Par lettres patentes du 18 mars 1523, on créait un trésorier de l'Épargne, receveur général des parties casuelles et inopinées des finances, qui devait recevoir dans sa caisse toutes les recettes exceptionnelles, décimes, contributions extraordinaires, produits des emprunts et des amendes. Cette caisse devait constituer un fonds de réserve, dont le projet fut toujours une des principales préoccupations de François Ier. Ce Trésor de l'Épargne était administré à part, le trésorier recevant directement les fonds qui lui étaient attribués et les utilisant d'après les ordres du roi, consignés dans ses mandements ou dans les rôles signés par lui.

Le 28 décembre de cette même année 1523, ce système était étendu à toutes les recettes de l'État, revenus du domaine, aides, tailles, gabelles, qui devaient être versées dans une caisse unique superposée aux caisses qui existaient précédemment. Le Trésor de l'Épargne encaissait les recettes du changeur du

Trésor et celles des receveurs généraux, qui devenaient de simples organes de transmission. Les fonds devaient être remis effectivement à l'Épargne, où on les distribuait soit d'après les indications de l'État général, soit d'après les rôles et mandements patents signés du roi et contresignés d'un secrétaire des finances. Ce système avait l'avantage de réaliser effectivement l'unité de l'administration financière, qui, jusqu'alors, n'avait existé qu'en écritures.

Cette unité ne devait d'ailleurs pas subsister longtemps dans son intégrité. Les recettes exceptionnelles, désignées sous le nom de « finances extraordinaires et parties casuelles », ne furent pas versées au Trésor. Elles formèrent une caisse particulière, pourvue de son administration distincte et de sa comptabilité.

D'autre part, le principe du versement effectif des espèces dans la caisse de l'Épargne, qui avait été posé dès le début, ne fut jamais respecté : dans la plupart des cas, le trésorier de l'Épargne délivrait aux parties prenantes des *mandements portant quittance* adressés au changeur du Trésor ou aux receveurs généraux, qui délivraient à leur tour des assignations sur les recettes particulières.

De toutes ces réformes, qui semblaient fondamentales, il ne résultait guère qu'un progrès, d'ailleurs sensible, vers l'unification de la comptabilité publique.

Cette première réforme fut suivie de plusieurs autres qui, pendant le règne de François Iᵉʳ, achevèrent de préciser le fonctionnement de l'Épargne. L'édit du 7 février 1532 prescrivait notamment que la caisse de l'Épargne serait établie au Louvre, sous la surveillance de contrôleurs et des présidents de la Chambre des comptes. Mais ces prescriptions ne furent pas longtemps observées : le Trésor de l'Épargne redevint ambulant et suivit la cour dans ses déplacements, tandis qu'il échappait à tout contrôle. On s'efforça surtout d'appliquer des règles toujours plus strictes, pour accélérer le versement des espèces provenant des caisses des receveurs particuliers dans celles des receveurs généraux et à l'Épargne.

Celle-ci tendait en même temps à se développer aux dépens des Parties casuelles, dont elle absorba la plupart des recettes.

A partir de 1542, la trésorerie des Parties casuelles fut même rattachée définitivement à l'Épargne, au même titre que les autres recettes générales. Ce n'était plus qu'un organisme secondaire, chargé de recevoir les deniers provenant de la « taxe et composition des offices », qui étaient principalement destinés aux dépenses de la Maison du roi.

Les réformes de 1532 furent complétées par une série d'édits destinés à imposer des règles de comptabilité précises. Ces édits faisaient partie du plan général de réformes qui s'élaborait à ce moment, et ils avaient été publiés au « Conseil de la Tour carrée », qui semble avoir été chargé de réformer l'administration en même temps que de poursuivre les financiers coupables[1].

Cette organisation financière fut mise au point pour un temps par Henri II, dont le règne marque une étape dans le développement des institutions financières. Ces prescriptions sont surtout contenues dans les deux édits du 12 avril 1547 et du mois de décembre 1557.

On établissait nettement la distinction entre les deniers qui devaient être versés sur place par les receveurs particuliers ou par les receveurs généraux, et ceux qui devaient être envoyés au Louvre, dans les caisses de l'Épargne, sous le contrôle de trois commissaires royaux et de deux contrôleurs. Les paiements devaient être faits, soit au Louvre, en vertu des mandements patents du roi, soit dans les caisses secondaires, par les mandements portant quittance émis par le trésorier de l'Épargne. Ce dernier mode de paiement était surtout destiné aux comptables chargés de payer les dépenses de l'Hôtel du roi, auxquels on faisait ainsi supporter les frais de transport et de recouvrement.

Il était prescrit de dresser de nombreux états destinés à assurer la vérification des comptes : *état général par estimation* et *état général au vrai*, établis au début et à la fin de chaque exercice, *états trimestriels* établis tant à l'Épargne que dans les recettes générales, pour faire ressortir la situation de ces caisses et assurer le versement régulier des restes dans la caisse centrale.

1. Édits des 19 avril, 16 mai, 8 et 14 juin 1532. *Catalogue*, nᵒˢ 4516, 4549, 4625, 4635.

Ce système ne fonctionna pas sans à-coups et en se conformant rigoureusement aux principes : à la fin du siècle, la centralisation effective des fonds dans les caisses du Louvre devint exceptionnelle, l'argent reçu pour le compte du roi étant en général dépensé sur place. Mais le trésorier de l'Épargne centralisait au moins en écritures toutes les finances de l'État, ordinaires et extraordinaires, sauf le produit du taillon et les crues des gabelles destinées aux gages des cours souveraines.

Tel quel, ce système eût assuré la centralisation et le contrôle des finances royales. Mais la période des guerres civiles introduisit le désordre dans l'administration financière. Le déficit, qui imposait le recours à des expédients de toutes sortes, l'anarchie politique, qui empêchait la levée normale des impôts et toute comptabilité régulière, l'absence de contrôle, qui permettait aux caissiers d'utiliser à leur profit les fonds publics et de spéculer sur les monnaies, tout cela mit à néant les principes édictés par François Iᵉʳ et par Henri II[1].

Il peut sembler surprenant que les grandes ordonnances de réforme, celles de 1561 et de 1579, n'aient contenu aucune prescription relative à l'administration financière[2]. C'est que les détails de cette administration, inconnus du public, ne donnaient pas lieu à l'intervention des États. C'était affaire de gouvernement de s'appliquer à la réfection du système fiscal.

La fin du siècle, d'après certains témoignages, aurait été marquée par une réforme profonde de l'administration financière, qui aurait associé à une refonte de l'administration centrale des finances une réorganisation de la fiscalité royale. Il s'agit de la création du *Conseil de raison*, dont Sully fait l'exposé dans les *Économies royales*.

1. Ces irrégularités étaient signalées dans le préambule de l'édit de janvier 1552 : « N'avons nous point en nostre Espargne les deniers qui y doivent entrer aux temps et termes..., mais encores, les deniers qui se reçoivent ne sont apportez et fournis en mesmes espèces qu'ils sont receus par les receveurs, tant particuliers que généraux... En outre, les receveurs généraux de nos finances envoient ordinairement estats par lesquels ils font grands restes, et s'excusent, disans qu'ils ne sont payez de nos receveurs particuliers..., dont nosd. deniers sont grandement retardez ». FONTANON, t. II, 2, 2.
2. Il faut excepter l'art. 140 de l'ordonnance d'Orléans, sur le versement des espèces encaissées, et l'art. 335 de l'ordonnance de Blois, sur le paiement des pensions assignées sur l'Épargne.

Si nous considérons la deuxième partie de ce projet, le budget de l'État devait être divisé en deux parties presque égales, l'une qui aurait été consacrée au paiement des gages des officiers, aux fiefs et aumônes, aux rentes et au remboursement des dettes publiques. Cette première part aurait été confiée au Conseil de raison. L'autre part était destinée aux dépenses personnelles du roi, menus plaisirs et bâtiments, à la guerre, à l'artillerie, aux fortifications et aux ambassades. Le roi pouvait en disposer librement. C'était, somme toute, réserver aux représentants de la nation les ressources nécessaires pour les dépenses afférentes aux principaux services, de façon que le roi, même s'il se laissait entraîner à des dépenses exagérées pour ses fantaisies personnelles ou pour des guerres inconsidérées, ne pût détruire l'équilibre des finances publiques. Il y avait là un principe complètement nouveau, qui mettait fin au système pratiqué avec le Trésor de l'Épargne.

Nous avons déjà entrevu tout ce qu'il y a d'imaginaire dans le récit de Sully[1]. La réalité est tout autre et moins ambitieuse.

Les Notables de Rouen proposèrent en effet au roi un partage des revenus publics, soit 5 millions d'écus destinés à l'entretien du roi et des armées, et 4.876.000 é. pour les gages des officiers, les rentes, les charges ordinaires et les dettes; mais, il s'agissait là d'une simple répartition budgétaire, sans qu'il fût question de confier ces fonds à tel ou tel administrateur.

Le roi, de son côté, ne consentit pas, sur le moment, à accepter cette réforme; quelques mois plus tard, il créa une commission, qui devait étudier cette question du « manyement séparé » des finances royales, pour y établir « meilleur ordre ». Et encore ce projet ne reçut-il aucun commencement d'exécution. Le système de l'Épargne subsistait intact, sans que Sully ait rien fait pour son maintien ou son rétablissement.

Le système financier du XVIe siècle qui, sous sa dernière forme, du moins, n'était dépourvu ni d'unité ni de clarté, souffrait toujours de certains défauts, d'où résultait le désordre inévitable de l'administration financière. Sous l'unité apparente de

---

1. Voir plus haut ce qui est dit du *Conseil de raison,* 2e partie, ch. IV.

la comptabilité, se dissimulait un désordre extrême, provenant de ce que le principe d'unité d'exercice n'était pas respecté. La pratique des anticipations englobait dans un budget une partie des recettes de l'année suivante, tandis que le retard des paiements y rattachait une partie des dépenses de l'année précédente, si bien que les budgets successifs empiétaient les uns sur les autres.

D'autre part, les prévisions de dépenses n'avaient rien de rigide. Les crédits prévus n'étaient point des limites infranchissables : sans cesse, on les dépassait par des acquits royaux, qui ordonnaient des paiements imprévus. On peut dire que tout ce qui concernait les dépenses de la Maison royale et celles de l'armée, c'est-à-dire l'essentiel du budget, n'était qu'une évaluation incertaine de dépenses en fait illimitées. Et il ne fallait pas espérer que la Chambre des comptes remettrait de l'ordre dans ces pratiques. Son contrôle portait seulement sur la correction de la comptabilité établie par les officiers royaux, sans tenir compte de leur conformité avec les prévisions de l'État général. C'était l'origine du désordre et du déficit chroniques. Les plus illustres réformateurs des finances royales, dans la suite, rétablirent pour un temps l'équilibre du budget, par d'heureux expédients, sans parvenir à guérir les finances royales de ces maux invétérés.

BIBLIOGRAPHIE

En l'absence des archives de la Chambre des comptes de Paris, celles des chambres provinciales, celles des Conseils des finances (dans la mesure où elles subsistent), des Bureaux des finances et des élections suffisent pour étudier le mécanisme de l'administration financière. On peut sur ce point se reporter aux indications bibliographiques qui ont été données en tête des chapitres XII et XIII de la IIᵉ partie.

Édit du 18 mars 1523 (DE BOISLISLE, *Semblançay*). — Édits du 28 décembre 1523 et du 7 février 1532 (*Ordonnances*, nᵒˢ 365 et 584). — Édits du 12 avril 1547, d'octobre 1554 et de décembre 1557 (FONTANON, t. II, 2, 20 et 2, 2).

Fontanon, *Les édicts et ordonnances*, t. II, 2, 20. — *Ordonnances sur l'estat des trésoriers et manyment des finances* (Bibl. nat. R. F. 1894). — Jacqueton, *Documents relatifs à l'administration financière*.

Le vestige des finances (Jacqueton, *Documents*). — *Premier formulaire* (*Ibid.*). — Hennequin, *Guidon général des financiers*. — La Barre, *Formulaire des esleuz*. — *L'instruction générale des finances* (J. Lescuyer, *Le nouveau stille de la chancellerie*).

Spont, *Semblançay*. — Jacqueton, *Le trésor de l'Épargne sous François I*er (Rev. hist., 1894). — N. Valois, *Le Conseil de raison de 1597* (Ann. bull. soc. hist. de France, 1885). — Chamberland, *Le Conseil des finances en 1596 et 1597* (Rev. Henri IV, 1905-6).

CHAPITRE VI

L'ARMÉE — LE BAN ET L'ARRIÈRE-BAN

*LES PRINCIPAUX ÉLÉMENTS DE L'ARMÉE. — LE BAN
ET L'ARRIÈRE-BAN.*

Les institutions militaires se transformèrent plus complètement au cours du XVIe siècle que les autres parties de l'administration. Aux causes de transformation générales, qui se rattachaient à l'évolution de la société et des méthodes administratives, s'ajoutait l'influence des progrès techniques réalisés dans le domaine de l'art militaire. Le fait essentiel que constituait le perfectionnement des armes à feu et, en particulier, l'usage plus efficace de l'artillerie, devait rénover avec les méthodes de combat l'art de la fortification, rendre désuètes les formations militaires précédemment en usage, et disqualifier certaines catégories de combattants auxquels on avait fait appel jusqu'alors pour servir dans les armées.

Indirectement, les progrès de l'administration monarchique, l'extension du domaine royal et des ressources tant humaines que fiscales dont disposait le roi, amenaient le gouvernement, de même que les pays étrangers, où s'accomplissaient des transformations analogues, à mettre sur pied des armées toujours plus nombreuses, et, par suite, à élargir leur recrutement. La course aux effectifs date, en Europe, du XVIe siècle. De là, l'appel à de nouvelles classes sociales qui, assurément, n'avaient jamais été négligées, mais qui constituèrent désormais la partie la plus agissante et la plus efficace de l'armée. De l'usage du service féodal au service rétribué des compagnies d'ordonnance, le passage était peu sensible. Par contre, la transformation des bandes de mercenaires en régiments permanents marquait le début d'une ère nouvelle, l'avènement de méthodes qui restèrent en usage jusqu'à l'application du service obligatoire, des milices et de la conscription.

Cet effort de perfectionnement avait pour effet de juxtaposer dans l'armée du xvie siècle des éléments hétérogènes, les uns appelés à se développer dans l'avenir, les autres ne représentant plus qu'une tradition lointaine. A ces différents groupes correspondaient des administrations distinctes, qui se rattachaient aux organes de l'administration financière et qui nous servent de base pour un essai de classification des différents corps de troupe qui constituaient l'armée.

Les principaux éléments de l'armée. Les corps les plus anciens se rattachaient à l'administration de l'*ordinaire des guerres*, pourvue de ses ressources propres et de son corps de trésoriers : ce premier groupe comprenait le ban et l'arrière-ban, les compagnies d'ordonnance et les francs-archers; les services de la prévôté s'y ajoutaient également. Tout cela constituait l'élément le plus stable de l'armée.

Les corps qu'on recrutait temporairement et qui, dans la suite, finirent par devenir eux aussi permanents, formèrent l'*extraordinaire des guerres*, pourvu de ressources exceptionnelles et d'un personnel spécial pour l'administrer. C'étaient les compagnies de mercenaires, gens de pied et de cheval, français et étrangers, Suisses, lansquenets et reîtres. Les légionnaires eux-mêmes s'y rattachaient, et les régiments, à la fin du siècle, firent partie de ce groupe.

A ces corps de troupe était superposé un commandement unique qui, lui aussi, comprenait des éléments stables et d'autres improvisés. En réalité, l'absence d'une véritable technique militaire n'exigeait pas l'intervention d'un état-major spécialisé dans l'étude de ces problèmes.

En principe, le roi, chef suprême de l'armée, en exerçait le commandement, lorsqu'il entrevoyait quelque succès. A sa place, le connétable et les maréchaux étaient désignés pour cet emploi, comme cela se produisit à plusieurs reprises au cours de la carrière de Montmorency. Plus souvent, le commandement était confié à un lieutenant général, délégué par le roi dans une région et pour une période déterminées. Ce lieutenant général était choisi parmi les gouverneurs de provinces, les grands officiers de la Couronne, sans rapport avec les charges militaires dont ceux-ci étaient normalement investis. Ce fut dans ces conditions que des hommes de guerre comme Strozzi, François de Guise, ou même des ecclésiastiques comme le cardinal Du Bellay se trouvèrent pourvus de commandements militaires. Et ce système, progressivement étendu, finit par soustraire aux offices spécifiquement militaires, au connétable et aux maréchaux, le commandement des armées, pour leur laisser seulement des fonctions administratives, le contrôle des montres et des revues.

Le ban et l'arrière-ban. C'était là l'élément primitif de l'armée, celui dont les traditionalistes célébraient les mérites, et dont ils s'efforçaient de prolonger l'existence.

Le ban et l'arrière-ban étaient composés de tous ceux qui devaient le *service d'ost* au roi, considéré comme leur suzerain. Le nom même de ban évoquait la « proclamation publique faite à tous vassaux de se trouver au lieu assigné par le roi, pour servir dans l'armée, à proportion de la valeur et de la qualité de leurs fiefs[1] ».

Primitivement, ban et arrière-ban avaient eu des significations distinctes : le *ban* comprenait les vassaux directs du roi, et l'*arrière-ban* ses arrière-vassaux. Mais ces distinctions juridiques avaient perdu leur ancienne rigueur au XVIᵉ siècle, et les deux termes désignaient simultanément tous ceux qui étaient astreints à l'obligation militaire, comme possesseurs de fiefs.

Ce service était dû, en effet, par tout possesseur de fief, même lorsque celui-ci consistait simplement dans la possession d'une

---

1. DE LA ROQUE, *Traité du ban et arrière-ban.*

rente noble. Il s'imposait également aux nobles et aux roturiers, avec toutefois des modalités différentes.

Pour les gentilshommes, c'était un service personnel : tous
ceux qui possédaient un fief devaient servir en personne, ceux
qui étaient incapables de porter les armes étant autorisés à
fournir un remplaçant apte au service. Ceux qui possédaient
plusieurs fiefs devaient se présenter au bailliage de leur résidence principale. Pour les roturiers, le service était réel et consistait dans une taxe de remplacement prélevée sur le revenu des
fiefs. Mais, avec le temps, il avait été admis que les roturiers
pouvaient eux aussi servir en personne ou se faire remplacer,
à défaut de quoi le paiement de la taxe était exigé, ce qui était
toujours pratiqué pour les fiefs possédés par des communautés
ou par des ecclésiastiques.

Ceux qui devaient payer cette taxe, nobles ou roturiers, la
payaient dans tous les bailliages où ils possédaient des fiefs[1],
si bien qu'au XVIe siècle, la législation n'établissait plus de différence entre les tenanciers de fiefs, et que la distinction entre le
service personnel et le service réel n'était plus qu'une subtilité
juridique[2].

Cette obligation générale était restreinte par de nombreuses
exceptions : les grands officiers de la Couronne, les commensaux du roi, les officiers des cours souveraines, les trésoriers de
France et les généraux des finances, les bourgeois des principales
villes du royaume (au total, une quarantaine de localités), étaient
depuis longtemps exempts du service de ban. Ces privilèges
se multiplièrent au cours du XVIe siècle, s'étendant aux capitaines des villes, aux légionnaires, aux chevaliers de l'Ordre
et aux hommes des compagnies d'ordonnance, qui ne pouvaient
pas, raisonnablement, être astreints à servir dans deux corps
de troupe différents[3]. Tout cela amenuisait singulièrement les

---

1. Édits du 23 mai 1545, art. 4 et 5, et du 9 février 1548, art. 1 et 2.

2. Toutefois, l'édit de 1548 (art. 21) prescrivait que les roturiers contribueraient
dans tous les bailliages où ils possédaient des fiefs, même s'ils servaient en personne.
C'était une dernière affirmation du principe de la réalité du service.

3. Pour se rendre compte de la nature des exemptions et de leur importance
dans les effectifs du ban, on peut se reporter aux rôles du ban qui ont été publiés.
Voir notamment TRAVERS, *Rôle du ban et de l'arrière-ban du bailliage de Caen, en 1552*

effectifs; aussi ces faveurs furent-elles révoquées à plusieurs reprises; en 1534, 1553, 1557, des ordonnances annulèrent ces exemptions, mais celle de 1558 restaura les privilèges traditionnels. De nouveau, l'ordonnance de 1579 imposa à tous les nobles l'obligation de servir, sous peine de privation de la noblesse et de la perte du fief, mais ce n'était que l'affirmation d'un principe désuet et les formations du ban restèrent désormais peu nombreuses.

L'organisation du ban et de l'arrière-ban exigeait une connaissance très exacte des fiefs et de leur valeur. L'administration royale fut plus d'une fois tentée d'en faire le recensement. En 1503, le maréchal de Gié s'engagea dans cette entreprise; il aboutit au dénombrement des fiefs de la sénéchaussée de Carcassonne et du bailliage d'Auvergne, après quoi le projet fut abandonné. François Iᵉʳ prescrivit à plusieurs reprises des déclarations détaillées, mais elles furent toujours tardives et inexactes. Henri II, en 1553, ordonna aux élus de procéder à une enquête; il échoua une fois de plus, et les désordres de la fin du siècle s'opposèrent au renouvellement de cette tentative.

Il fallait se contenter des rôles établis dans chaque bailliage à l'occasion des montres, qui devaient contenir la liste des fiefs, leur appellation, leur valeur locative. En fait, les rôles ne mentionnaient guère que le service imposé à chacun d'eux, ce qui, à défaut d'un dénombrement méthodique, était suffisant pour assurer le contrôle de la levée suivante[1]. Aussi, les conservait-on à la Chambre des comptes, pour établir d'une façon aussi exacte que possible les droits du roi.

Le ban et l'arrière-ban étaient un service féodal dont l'origine remontait aux débuts de la monarchie capétienne. Aussi, son organisation se rattachait-elle aux organes les plus anciens de

et DE LA ROQUE, *Traité du ban et arrière-ban*, où est publié le rôle du Poitou de 1557 : on y remarque que, pour 94 comparants, 230 tenanciers de fiefs se déclaraient exempts.

1. Il existe des rôles du ban et de l'arrière-ban antérieurs au XVIᵉ siècle. Nous en possédons un certain nombre du XVIᵉ siècle, notamment à la Bibl. Nat. Certains ont été publiés dès le XVIIᵉ siècle. Voir une liste très incomplète de ces rôles dans l'ouvrage de DE LA ROQUE, p. 132. Nous indiquons ci-dessus quelques-uns de ceux qui ont été publiés et qui peuvent offrir de l'intérêt pour la description féodale du royaume.

l'administration royale, aux bailliages et aux sénéchaussées. Baillis et sénéchaux conservèrent toujours la haute main sur la levée de cette troupe.

La levée était prescrite par des lettres patentes adressées aux baillis, aux sénéchaux et même aux prévôts, fixant le lieu et la date de la convocation, qui se faisait en général au siège principal du bailliage[1].

Là se faisait la *montre*, qui consistait dans une revue d'effectifs.

Il y avait en réalité deux montres successives, la *montre en robes*, qui était une revue préliminaire, et la *montre en armes*, qui précédait le départ.

Pour la montre en robes, les tenanciers de fiefs venaient faire constater leur présence. La montre avait lieu sous la présidence du bailli ou de son lieutenant. Depuis 1548, on lui adjoignit un commissaire et un contrôleur de l'ordinaire des guerres. Plus tard, le commissaire fut un gentilhomme élu par ses pairs.

Là, les tenanciers astreints au service présentaient leurs remplaçants, faisaient valoir leurs cas d'exemption. Les cas litigieux étaient examinés et les sentences prononcées contre les défaillants. La saisie du fief était généralement prescrite. On établissait alors le rôle du bailliage, comprenant la liste de tous ceux qui étaient retenus pour servir lorsqu'ils en seraient requis[2]. Les non-servants étaient taxés, les taxes devant être versées à un receveur élu par les comparants.

Après cette première montre, avait lieu la montre en armes, lorsque le roi décidait de faire marcher le ban. Pour cela, il adressait au capitaine général des lettres de commission fixant la date de la convocation. Là, les comparants inscrits sur le rôle se présentaient avec l'armement prescrit. La revue était passée par le bailli faisant fonction de capitaine de la compagnie, assisté du commissaire et du contrôleur. Le receveur payait les soldes, et la troupe partait pour le point de ralliement, sous la conduite

---

1. On trouve le texte d'une de ces convocations dans les *Ordonnances de François Ier*, n° 311, Mandement du 22 mai 1522.

2. Ordon. du 9 février 1548, art. 6, 8 et 13. Voir notamment une commission pour la convocation du ban du 26 févr. 1554, dans FONTANON, t. III, 8.

du bailli, s'il était présent, ou d'un gentilhomme désigné par le gouverneur.

Les fiefs imposaient à leurs possesseurs des obligations différentes suivant leur nature. Des règlements du xvᵉ siècle avaient distingué plusieurs catégories de fiefs, auxquelles correspondait le service d'un chevalier pourvu d'un armement plus ou moins complet : c'étaient les fiefs de banneret, les fiefs de haubert et les fiefs d'écuyer.

Au xvIᵉ siècle, les fiefs étaient distingués d'après leur revenu. L'ordonnance du 9 février 1548 prescrivait que le fief de 500 l. de revenu devait fournir un homme d'armes, ou un homme de pied, accompagné de deux serviteurs, un piquier et un arquebusier, celui de 300 l. un archer ou un homme de pied, accompagné d'un serviteur, piquier ou arquebusier[1]. Les fiefs de moindre valeur étaient associés pour fournir un archer. Il y avait ainsi des fiefs qui figuraient dans les rôles pour 1/4, 1/8 d'archer, ce qui se réalisait par le moyen de la taxe de remplacement.

La taxe imposée à tous ceux qui ne servaient pas en personne était assez élevée : au début du xvIᵉ siècle, elle se montait, pour les nobles, à 12 ou 15 % du revenu du fief, et, pour les roturiers, à 15 ou 20 %. Cette différence disparut en 1555 et, dans la suite, cette contribution fut uniformément de 20 %. C'était une lourde charge, et il faut en tenir compte, lorsqu'on cherche à se représenter la situation des nobles, déjà grandement atteints par la dépréciation monétaire. Aussi, cette taxe était-elle d'une perception difficile, malgré les menaces de saisie du fief.

Les tenanciers qui servaient en personne ou leurs remplaçants devaient se présenter avec un équipement déterminé : l'homme d'armes devait avoir deux chevaux, une salade, un corps de cuirasse complet, une lance, une épée ou une dague; l'archer, un seul cheval, un corselet, un épieu et un pistolet.

Les hommes du ban et de l'arrière-ban étaient groupés en enseignes de 300 hommes, lorsqu'ils servaient à pied, ou par compagnies de 50 hommes d'armes et de 100 archers, lorsqu'ils

1. Ces chiffres furent modifiés en 1551 : les fiefs de 900 l. devaient fournir un homme d'armes, et ceux de 450 l. un archer.

servaient à cheval. Ces effectifs n'avaient d'ailleurs rien de strict, et variaient d'un règlement à l'autre, sans doute aussi d'une unité à l'autre. Les bailliages dont l'effectif était insuffisant se groupaient pour former une enseigne ou une compagnie.

L'encadrement était assuré de la façon suivante : un capitaine et un lieutenant, un porte-enseigne, un cornette, un guidon, un maréchal des logis et un fourrier. Dans les formations de gens de pied, outre le capitaine, lieutenant et porte-enseigne, il existait trois centeniers, deux sergents de bande, sans compter les tambourins et fifres chargés de la transmission des ordres.

Le commandement suprême est plus difficile à définir. A la tête de toutes les formations du ban et de l'arrière-ban, il y avait un *capitaine général*, auquel on donnait parfois le titre de *colonel général*, sans qu'on puisse préciser l'origine de cette fonction. Dunois, au xve siècle, peut-il être considéré comme le plus ancien des capitaines généraux ? Il est vraisemblable que cette fonction existait alors mais sans être pourvue de son titre, et sans doute, d'une façon intermittente jusqu'au milieu du xvie siècle. En 1542 seulement, cette charge apparaît sous sa forme définitive avec J. de Montgommery, dont les successeurs forment une série régulière. La charge fut supprimée en 1579[1]. Mais le capitaine général avait toujours eu un lieutenant général, auquel on ajouta, en 1548, un maître de camp général.

Il était normal et conforme à l'esprit des institutions féodales que le service du ban et de l'arrière-ban fût gratuit. C'était une obligation liée à la possession des fiefs que les tenanciers avaient reçus de leurs suzerains, à la charge de rendre certains services. Et il en était encore ainsi au xve siècle. Mais, avec le temps, la nature du contrat féodal s'était oblitérée : l'obligation du ban s'assimilait aux autres services militaires normalement rétribués, et les États généraux de 1484 reconnurent le principe de cette rétribution.

Le taux fut modifié à plusieurs reprises pendant le xvie siècle. Les édits de 1545 et de 1548 octroyaient aux capitaines des compagnies une solde mensuelle de 100 l., aux lieutenants,

1. Ordon. de Blois, art. 317.

50 l., aux enseignes, 40 l., aux hommes d'armes, 20 l., et aux archers, 10 l. Dans les troupes à pied, le piquier et le hallebardier recevaient 6 l. 13 s. 4 d. et l'arquebusier 8 l.

Le service féodal avait toujours été limité quant à sa durée. Dans l'ordonnance de 1545, il était fixé à trois mois, à l'intérieur du royaume, et à quarante jours au dehors. En 1548, Henri II restreignit cette dernière obligation en prescrivant que les troupes du ban ne combattraient hors du royaume que pour poursuivre l'ennemi. Mais, en 1557, on revint à la réglementation précédente.

Cette organisation du ban et de l'arrière-ban n'était d'ailleurs pas uniforme dans tout le royaume. En Bretagne et en Normandie, des ordonnances locales maintenaient un régime différent de celui des autres provinces. Dans la première, les principes généraux de l'institution s'étaient conservés plus intacts, par suite du grand nombre de nobles qui fournissaient des remplaçants, sans porter atteinte au caractère aristocratique de ce corps. La Normandie avait son capitaine général spécial, et les effectifs étaient groupés suivant des règles particulières.

Pour adapter cette institution du ban et de l'arrière-ban aux nécessités présentes, des réformes furent tentées, spécialement pendant le règne de Henri II, si fécond en tentatives de toutes sortes.

Déjà François Iᵉʳ avait essayé d'organiser le service à pied à côté du service à cheval, qui était jusque-là uniformément imposé[1]. Les règlements de 1541 et de 1545 généralisèrent cette mesure, et il était prescrit que les tenanciers de fiefs de 200 l. serviraient à pied. En 1554, les archers étaient remplacés par des chevau-légers, et l'édit du 23 janvier 1555, élargissant encore ce système, prescrivait que le ban et l'arrière-ban serviraient seulement sous la forme de chevau-légers. Cette transformation semble bien avoir été définitive, quoiqu'en réalité, le service à pied n'ait jamais été complètement aboli.

Malgré ces imperfections, le gouvernement royal ne négligeait pas l'utilisation du ban et de l'arrière-ban, dont l'effectif

---

1. Mandement du 2 juin 1536. *Catalogue*, n° 8490.

était encore important au milieu du XVIᵉ siècle : 2.000 cavaliers en 1553. Aussi les levées étaient-elles fréquentes : il y eut, dans la première partie du siècle, 11 levées générales et 79 levées locales limitées à l'étendue d'une province, plus particulièrement aux provinces maritimes[1]. Ces levées se firent plus rares à partir de 1570. On ne compte que deux levées générales pour le règne de Henri III, et il n'en fut plus question sous Henri IV. Ce n'est pas que les convocations du ban et de l'arrière-ban aient cessé complètement, mais on les convoquait seulement pour les montres, afin de faire payer aux gentilshommes les taxes de remplacement, si bien que cette organisation militaire était transformée en un système fiscal applicable à la noblesse et aux possesseurs de fiefs, quoiqu'ils fussent en principe exempts d'impôts.

Du point de vue militaire, le XVIᵉ siècle vit la décadence définitive du ban et de l'arrière-ban. Cette troupe féodale formait en réalité un corps de caractère archaïque, qui se survivait à lui-même dans l'armée royale organisée d'après des principes tout différents. A mesure que les gentilshommes en état de servir passaient dans les compagnies d'ordonnance, ces corps de troupe ne comprirent plus que des vieillards inaptes au service ou des remplaçants soudoyés aux moindres frais. Et ces éléments de médiocre qualité s'accroissaient constamment, à mesure que les fiefs passaient aux mains des marchands et des officiers, peu soucieux de servir en personne, même lorsqu'ils étaient admis à le faire.

Il est vrai que les avis des contemporains différaient à ce sujet, sous l'influence de préjugés explicables par un souci de conservatisme étroit. Même au temps de François II, alors que la décadence était incontestable, il se trouvait encore des témoins qui considéraient cette troupe comme une force « assurée

---

1. Une statistique de LEBEURIER, *Rôle des taxes de l'arrière-ban...*, donne des chiffres différents : il y aurait eu 4 convocations générales sous Louis XII, 5 sous François Iᵉʳ, 7 sous Henri II, 4 sous Charles IX, 2 sous Henri III. Il est difficile, sans une étude minutieuse, de distinguer les levées générales des levées locales. Sous François Iᵉʳ, il semble que les levées de 1534, de 1536, de 1537, de 1538 et de 1545 furent générales, mais nous sommes incertains sur celles de 1525 et de 1543.

et certaine ». Mais, les appréciations défavorables dominaient. Fourquevaux, en 1548, déplorait que l'arrière-ban fût « venu fort bas, et le tout procède de ce que chacun veult estre des ordonnances, pour s'exempter du rière-ban ». Les gouverneurs qui, anciennement, réunissaient de 500 à 600 hommes, en réunissent difficilement 100, « et c'est une dérision de les voir, tant ils sont pauvrement équippez ».

La Noue déplorait de même cette décadence, dont il faisait un tableau pittoresque : les capitaines, mal choisis, parmi des gentilshommes inexpérimentés qui ne bougent de leur pays, reçoivent sans discernement tous ceux qui se présentent aux montres, et si ces derniers sont relativement bien équipés, ils se font remplacer pour le service par de « gros valets barbus ». Les montures sont aussi insuffisantes : sur soixante chevaux, dix à peine sont passables, et quelle diversité d'armements, lanciers, pistoliers, arquebusiers cuirassés ou non, arbalétriers à pied, d'autres armés d'une cotte de mailles et d'une javeline rouillée, les uns et les autres également inutilisables. La Noue remarquait qu'une administration soigneuse pourrait astreindre au service tous les tenanciers obligés de fournir un homme d'armes complet, et solder les autres avec les taxes payées par les fiefs de moindre importance. Cette troupe serait armée à la moderne, des pistoliers étant substitués aux hommes d'armes, et on aurait ainsi un corps de 2.500 cavaliers, dont la valeur combattive accroîtrait singulièrement la force de l'armée royale[1].

Les ambassadeurs vénitiens, eux aussi, signalaient les défauts du système. Le ban et l'arrière-ban ne servaient qu'à faire nombre, incapables de servir utilement en temps de guerre, et cette incapacité tenait surtout à la mauvaise qualité des chevaux, les meilleures montures étant réservées aux compagnies d'ordonnance[2].

Toutes ces observations étaient exactes, et elles sont confirmées par la lecture des mémoires militaires du XVIe siècle.

---

1. *Discours politiques et militaires*, XI.
2. *Relations* de Michiel et de Suriano, 1561. Voir, à la fin du siècle, des appréciations analogues de DALLINGTON, *The view of Fraunce* (1598).

Du Bellay, Monluc passent toujours sous silence cette troupe qui n'était plus faite pour figurer honorablement sur les champs de bataille.

BIBLIOGRAPHIE

Les archives militaires sont peu abondantes. On peut se reporter aux documents de comptabilité et aux rôles des montres qui figurent dans certains fonds d'archives. La Bibliothèque nationale possède des séries de rôles de montres du ban et de l'arrière-ban, ms. 24115-9, et nouv. acq. 10642.

Édits du 19 mars 1541 (FONTANON, t. II), des 3 et 20 janvier 1544 (*Ibid.*, t. IV), du 23 mai 1545, du 9 février 1548, du 20 septembre 1551, du 21 juin 1553, du 25 février 1554, du 23 janvier 1555, du 15 janvier 1558 (FONTANON, t. III). — Ordonnance de Blois, de mai 1579 (art. 316-50).

FONTANON, *Les édicts et ordonnances*, t. III, 8. — TOMMASEO, *Relations*, Michiel, 1561, Suriano, 1561. — DE LA MORINERIE, *Rôle du ban et de l'arrière-ban de la vicomté et prévôté de Paris*, en 1545. — CARRIÈRE, *Rôles et taxes des fiefs de l'arrière-ban du bailliage de Provins*, en 1587 (Bull. confér. d'hist. de Meaux, 1902). — ROY, *Le ban et l'arrière-ban du bailliage de Sens*. — TRAVERS, *Rôle du ban et de l'arrière-ban du bailliage de Caen, en 1552*. — LEBEURIER, *Rôle des taxes de l'arrière-ban du bailliage d'Évreux en 1562*. — NICOLAY, *Description générale de la ville de Lyon*. — AUDIERNE, *Ban et arrière-ban de la sénéchaussée de Périgord, en 1557*.

FOURQUEVAUX, *Instructions sur le faict de la guerre*. — LA NOUE, *Discours politiques et militaires*. — DANIEL, *Histoire de la milice française*. — G. DE LA ROQUE, *Traité du ban et arrière-ban*. — PINARD, *Chronologie historique militaire* (t. I et II).

D'ESPEZEL, *Étude sur les institutions militaires de la France, de 1480 à 1560* (Ms. déposé à l'Acad. des inscr.). — *L'organisation militaire de la France pendant la première partie du XVI*e *siècle* (Pos. th. Éc. des chartes, 1916). — DE MACÉ DE GASTINES, *Le ban et l'arrière-ban, de la création des compagnies d'ordonnance au XVIII*e *siècle* (Ibid., 1917). — MAGEN, *Deux montres d'armes au XVI*e *siècle* (Rev. de l'Agenais, 1882).

CHAPITRE VII

COMPAGNIES D'ORDONNANCE
ET FRANCS-ARCHERS

LES COMPAGNIES D'ORDONNANCE. — LES FRANCS-ARCHERS.

Les compagnies d'ordonnance. La grande réforme réalisée au temps de Charles VII, en s'inspirant des enseignements retirés de la guerre de Cent ans, avait consisté dans la création d'une force permanente soldée par le roi, les *compagnies d'ordonnance*, complétées par une infanterie sommairement organisée, celle des *francs-archers*. Cette institution ou, plus précisément, celle des compagnies d'ordonnance dota le royaume d'une force dont on fit grand usage pendant un siècle, qui procura aux rois quelques succès éclatants, et qui resta le noyau de l'armée royale jusqu'au jour où de nouveaux armements et de nouveaux procédés tactiques révélèrent son insuffisance.

L'organisation des compagnies d'ordonnance, ou de la *gendarmerie*, avait été fixée dans ses grandes lignes par les textes législatifs de Charles VII. Elle se présentait à peu près sans changement au début du XVIe siècle.

La gendarmerie était composée de volontaires qui s'engageaient au service du roi. On exigeait d'eux la qualité de gentilhomme et l'âge minimum de 19 ou 20 ans, pour les hommes d'armes, et de 17 ou 18 ans, pour les archers[1]. Toutefois, bien que l'ordonnance de Blois ait maintenu cette condition, un règlement de 1584 ouvrait l'accès des compagnies aux roturiers ayant servi déjà dans l'infanterie[2].

---

1. Édit du 12 nov. 1549, art. 35 et 36.
2. Règlement du 9 févr. 1584, art. 40.

L'afflux de la noblesse dans les armées royales avait d'ailleurs de profondes répercussions sur la société tout entière : assujettissement plus complet d'une caste féodale jadis indisciplinée, dépaysement des gentilshommes arrachés à la vie terrienne, amoindrissement de ses effectifs épuisés par des guerres meurtrières. Cet appel des rois aux forces de la noblesse devait se traduire par la domestication de celle-ci, mais aussi par sa destruction, et le XVIe siècle nous révèle déjà certains aspects de cette décadence.

Les gendarmes des compagnies étaient groupés en *lances*, c'est-à-dire en petits groupes de combattants réunis autour de l'homme d'armes pourvu de la lance.

Primitivement, la lance comprenait un homme d'armes et deux archers, auxquels s'ajoutaient un coutilier et un certain nombre de « suivants », valets ou pages, qui escortaient l'homme d'armes avec un armement sommaire, capables à l'occasion de combattre et se préparant à figurer plus tard dans l'effectif, en qualité d'archers ou d'hommes d'armes. L'ordonnance de 1515 prescrivait à chaque homme d'armes de leur apprendre à tirer de l'arc, pour qu'ils puissent servir plus tard dans les compagnies. Le nombre de ces auxiliaires était assez élevé, puisqu'il arrivait qu'une compagnie de 100 hommes d'armes comptât plus de 1.200 hommes au total[1].

Il est vrai que la réalité n'était pas toujours conforme aux définitions. Si les suivants, sans rôle bien déterminé, étaient nombreux, l'existence des coutiliers, dans les compagnies du XVIe siècle, reste douteuse et pose un problème difficile à résoudre[2].

---

1. *Mémoires* de FLORANGE.
2. La plupart des historiens (notamment M. Courtaux, dans sa préface à F. VINDRY, *Dictionnaire de l'Etat-major...*), reprenant sans discussion le texte des ordonnances du XVe siècle, définissent la lance comme comprenant 6 hommes, un homme d'armes, un page, un coutilier, deux archers et un valet. La réalité était peut-être différente et moins rigoureusement conforme aux prescriptions réglementaires. Si la présence de coutiliers est constatée dans les compagnies du XVe siècle, elle devient plus douteuse au XVIe. Bien qu'il en soit encore fait mention dans l'ordonnance de 1515, ils ne sont jamais mentionnés dans les procès-verbaux des montres qui, pourtant, énumèrent tous les présents. On pourrait en conclure qu'ils avaient cessé d'exister, si une statistique de 1520 n'indiquait pas la présence, dans les compagnies, de 3.000 hommes d'armes, de 6.000 archers

Les éléments les plus stables de la lance ne tardèrent pas eux-mêmes à se modifier. L'effectif des archers par rapport à celui des hommes d'armes ne resta pas toujours le même[1] : l'édit de 1534 consacra un état de choses existant, en réduisant les archers à 150 pour 100 hommes d'armes, ce qui avait pour résultat de disloquer l'unité de la lance[2]. Et dans la suite, la réalité fut bientôt différente de cette fixation théorique[3].

Il est vrai que l'édit du 12 nov. 1549 rétablit l'effectif normal, mais en fait, la tendance s'accentuait encore, dans la deuxième partie du siècle, à transformer les archers en chevau-légers, formant un groupe distinct du reste de la compagnie, désormais réduite à un petit groupe d'hommes lourdement armés et qui avait perdu presque toute sa valeur tactique.

A ces catégories correspondaient des armements différents. L'homme d'armes portait l'armure complète, avec le casque fermé; il était armé d'une grande lance et pouvait, dans la seconde moitié du siècle, utiliser le pistolet. L'archer n'avait qu'une armure légère, avec le casque découvert et la lance. Primitivement, il se servait effectivement de l'arc, et la compagnie comprenait ainsi un groupe d'archers et d'arbalétriers, capables de tirer à cheval ou à pied[4]. Plus tard, les archers furent eux aussi pourvus du pistolet. En 1584, l'homme d'armes et l'archer furent l'un et l'autre pourvus d'une épée d'armes.

La question des montures était de grande importance : il était nécessaire que chacun disposât pour le combat de forts chevaux de bataille. La lance devait en posséder huit, quatre pour l'homme d'armes, et deux pour chaque archer. On restreignit cet effectif dans la suite, lorsque les compagnies eurent perdu de leur valeur militaire : l'homme d'armes n'eut plus dès

et de 4.000 coutiliers, ce qui nous donne une idée de leur répartition dans les lances. Nous pouvons en conclure que les coutiliers n'étaient plus désormais compris dans la lance comme un élément fixe, et dont le rôle fût nettement défini. Ils se confondaient sans doute de plus en plus avec les « suivants ».

1. Du Bellay, en 1522, signale la situation de compagnies comprenant 50 archers pour 30 hommes d'armes.

2. Les contemporains observaient que les archers n'étaient plus sous la dépendance de l'homme d'armes.

3. En 1544, Monluc remarquait l'égalité qui existait entre l'effectif des hommes d'armes et celui des archers.

4. Ordon. du 20 janvier 1515, art. 36.

lors que deux chevaux de combat et un de bagages, l'archer, un de combat et un de bagages. Les chevaux étaient également pourvus de défenses : celui de l'homme d'armes portait à l'avant une armure de fer, et, sur les flancs, des bandes de cuir.

Les lances ainsi constituées étaient groupées en compagnies, sous le commandement d'un capitaine. L'effectif en était très variable : les mieux fournies comprenaient 100 lances, mais le plus grand nombre n'était que de 50 ou de 60, et on rencontrait même des compagnies de 20 ou 25 lances. Cette organisation fut complètement transformée, lorsque la proportion des archers fut modifiée, à partir de 1534. La compagnie comprit alors un groupe d'hommes d'armes atteignant au maximum la centaine et un groupe d'archers plus nombreux d'environ moitié.

Le commandement des compagnies était confié aux personnages les plus éminents du royaume, aux princes du sang, aux grands officiers, aux maréchaux ou à quelques hommes de guerre de grande réputation, mais aux premiers étaient réservées les compagnies les plus nombreuses. Peut-être certains avaient-ils même le privilège de commander plusieurs compagnies[1]. Pour les uns et les autres, ces charges étaient d'ailleurs surtout honorifiques, la pratique du cumul les empêchant d'exercer effectivement le commandement de leur compagnie.

Plus d'une fois, on avait tenté de remédier aux abus qui en résultaient. L'ordonnance de Blois imposait des conditions strictes pour le choix des capitaines, qui devaient être âgés de vingt-cinq ans et avoir exercé d'autres commandements, comme capitaines de chevau-légers ou de gens de pied, ou être passés par les grades de guidon ou d'enseigne dans une compagnie. Mais cet essai pour réformer le commandement ne fut jamais appliqué aux personnages les plus éminents, qui accédaient d'emblée à la charge de capitaine.

Les compagnies comprenaient un cadre subalterne : un lieutenant, qui, le plus souvent, exerçait le commandement

---

1. Florange (*Mémoires*, I, p. 136) nous dit que le connétable avait sous son commandement direct 400 hommes d'armes et qu'il en avait lui-même commandé 200; mais ces cas étaient exceptionnels, et la règle est confirmée par tous les états d'effectifs que nous connaissons.

effectif de la compagnie, un enseigne, un guidon, un maréchal des logis et un fourrier.

Tous les hommes de la compagnie portaient une saie de livrée, ou tout au moins une manche de leur casaque, aux couleurs de leur commandant, ce rudiment d'uniforme ayant pour objet d'attester l'origine de chacun et d'assurer le maintien de la discipline.

L'organisation de la compagnie reposait sur le système des montres trimestrielles, nécessaires pour le contrôle des effectifs et pour le paiement de la solde. Les montres avaient lieu en février, mai, août, novembre, celle de mai, préparatoire à l'entrée en campagne, devant être faite en armes et les trois autres en robes.

Les montres se faisaient en présence des *commissaires ordinaires des guerres*, représentants des maréchaux, et des *contrôleurs ordinaires*, commis du contrôleur général. Tous les hommes de la compagnie devaient s'y présenter avec leurs montures : on vérifiait leur identité, et, le cas échéant, l'état de leur armement; on examinait les motifs d'absence, on enregistrait les mutations, qui ne pouvaient se faire qu'à cette occasion, changements de compagnie, incorporation de nouveaux venus. On comparait l'état de l'effectif avec celui de la montre précédente et on établissait alors le rôle de la compagnie en quatre exemplaires. On procédait enfin au paiement de la solde, ce qui était fait par le payeur de la compagnie, d'après le rôle qui était clos et acquitté.

De minutieuses précautions étaient prises pour éviter les irrégularités : les fraudes de la part des hommes cherchant à dissimuler une absence illégitime, à se faire remplacer par un passe-volant, à emprunter temporairement une partie de leur équipement, entraînaient l'exclusion du coupable. D'autre part, on tenait compte exactement des deniers revenant bons sur la solde, lesquels devaient être reversés à l'Épargne. Cette comptabilité était finalement centralisée par le trésorier de l'ordinaire des guerres et soumise à l'examen du Conseil du roi.

Tous les hommes de la compagnie avaient droit à une solde en argent et en nature. Les hommes d'armes recevaient annuel-

lement 180 livres, et les archers 90, le capitaine, 800, le lieutenant, 500, l'enseigne et le guidon 400, les soldes des officiers
étant accrues du montant de la solde d'un homme d'armes.
Chacun avait droit en outre à la nourriture de ses chevaux, à un
logement pourvu des meubles essentiels, au bois, à la chandelle,
au vinaigre et au sel, toutes ces fournitures en nature devant être
faites par les villes de garnison. Tout le surplus devait être
acheté aux prix déterminés par la taxe et payé comptant; mais,
malgré les ordonnances sans cesse renouvelées et les précautions
prises, les exactions étaient fréquentes : l'armée vivait sur le
pays et usait de sa force pour piller les bonnes gens.

Le gouvernement de Henri II finit par réfléchir sur l'origine de ces désordres, et, dans son désir de rénovation des
institutions militaires, il édicta une mesure qui devait mettre
fin à ces excès. En 1549, il releva toutes les soldes, en fixant celle
de l'homme d'armes à 400 livres et celle de l'archer à 200, ce
supplément devant être fourni par l'impôt supplémentaire du
taillon, moyennant quoi toute fourniture gratuite était interdite,
en dehors de celles qui étaient strictement prescrites par les
ordonnances.

D'autres précautions étaient prises contre les excès que
pouvaient commettre les gendarmes courant la campagne et
pillant les paysans désarmés. Les déplacements des compagnies
étaient l'objet de règlements très stricts. Elles devaient suivre
un itinéraire fixé par le gouverneur de la province ou par le
bailli, ne cantonner que dans les villes d'étapes, et sans y demeu-
rer plus de vingt-quatre heures. Tout cela se faisait sous la surveillance d'un commissaire désigné par le roi, des prévôts des
maréchaux et des juges locaux, qui pouvaient intervenir pour
protéger leurs justiciables.

Mais les abus ainsi prohibés n'en subsistèrent pas moins.
Nous en avons la preuve dans la succession des ordonnances
qui renouvellent les mêmes interdictions, apparemment sans
résultat. D'ailleurs, tous les témoignages contemporains, et surtout ceux des dernières décades, prouvent abondamment que cette
indiscipline, contre laquelle protestaient les ordonnances, était
aussi irrémédiable que la brutalité des mœurs aristocratiques.

Les compagnies de gendarmes constituaient ainsi un corps permanent, mais dont l'activité passait au cours de l'année par différentes étapes. Un système de congés réguliers permettait aux hommes de s'absenter successivement, le quart de l'effectif étant libéré pendant un trimestre. Les trois principaux chefs devaient être présents pendant quatre mois chacun, la présence du capitaine devant coïncider avec la période des campagnes, du mois de mai au mois d'août[1]. Dans les années de paix, la durée de ces congés pouvait être étendue : il arrivait que la moitié seulement des effectifs fût retenue dans les garnisons. En 1549, il n'y en eut plus que le tiers. Ces congés étaient naturellement révoqués lorsque la compagnie devait entrer en campagne.

Ce système de congés diminuait temporairement les effectifs, sans réduire les obligations du roi, puisque les absents continuaient de recevoir leur solde. Mais, dans les périodes de paix, on procédait à une réduction des effectifs plus réelle, en cassant une partie des lances de chaque compagnie. On donnait ainsi aux gendarmes un congé définitif, sans solde, avec la possibilité de les rappeler à l'activité lorsque la guerre était de nouveau menaçante.

Les compagnies d'ordonnance constituaient une force imposante, l'élément le plus puissant des armées de Louis XII et de François Iᵉʳ. Leur effectif était le plus souvent calculé en lances, plutôt qu'en compagnies, le nombre de celles-ci étant variable avec les circonstances et la faveur dont jouissaient les capitaines.

L'effectif normal au xvᵉ siècle était d'environ 3.000 lances, et les chiffres que nous rencontrons çà et là au cours du xvIᵉ siècle ne diffèrent guère du précédent. Il en existait encore 3.000 en 1520, 3.500 en 1523, lorsque la guerre semblait imminente contre Charles-Quint. Ce nombre baissait sensiblement lorsque revenait la paix, avec la nécessité des économies. En 1551, on

—————————

1. Ce règlement était d'ailleurs rarement appliqué, comme le prouvent tous les récits de campagne. Ainsi, en 1528, dans l'armée d'Italie, commandée par Lautrec, presque toutes les compagnies étaient commandées par des lieutenants. DU BELLAY, *Mémoires*, t. II, p. 50.

n'entretenait plus que 2.410 lances, et, en 1559, après la paix du Cateau, les effectifs furent aussitôt ramenés de 3.520 à 2.400. Le nombre des compagnies était alors de 60 à 70.

Il semble d'ailleurs que les effectifs réels étaient sensiblement inférieurs à ces fixations. Les récits de guerre font toujours remarquer qu'en dépit des règlements, maladies et excuses réduisaient souvent d'un tiers ou d'un quart le nombre des combattants présents à la compagnie[1]. On les remplaçait par des volontaires accourus à l'armée à l'approche des hostilités, et dont on pouvait faire des guerriers improvisés.

L'effectif total des compagnies resta sans changements importants jusqu'à la fin du siècle, mais la gendarmerie avait alors perdu sa valeur et son prestige. Les guerres de religion avaient porté atteinte à l'entraînement et à la discipline. La misère du Trésor s'opposait aux paiements réguliers et favorisait les désordres. Mais surtout, les progrès de l'armement donnaient l'avantage à la cavalerie légère, pourvue d'armes modernes, sur l'homme d'armes qui, malgré certains essais d'adaptation, demeurait le combattant du passé, cuirassé des pieds à la tête et réduit à l'usage de la lance. Cette troupe, irrésistible au temps des campagnes d'Italie, dépérit avec la fin de celles-ci. Dans les dernières décades, les compagnies perdaient toujours davantage de leur stabilité. C'étaient des cadres, à peu près vides en temps normal, auxquels on redonnait une existence passagère, en grossissant leurs effectifs. Ce système de convocations par quartiers ne rappelait que de loin l'ancienne cavalerie permanente des époques antérieures[2].

Les compagnies d'ordonnance, à la fin du XVIe siècle, n'étaient plus qu'un élément de second ordre, qui subsista obscurément jusqu'au milieu du XVIIe siècle.

Contemporaines des compagnies d'ordonnance et organisées sur le même modèle, quelques compagnies d'élite constituaient la *Maison du roi*.

---

1. MONLUC, *Commentaires*, I, 243.
2. Voir le texte des mandements de convocation pour 1580, 1584, 1585, publiés dans FONTANON, t. III, 11.

Nous voyons les premières apparaître depuis la fin du xvᵉ siècle : c'était la compagnie des archers écossais composée à peu près par moitié d'Écossais et de Français, les uns dits « archers du corps » et les autres « archers de la garde ». L'effectif était de 102 hommes, auxquels s'ajoutaient un grand nombre de valets et de suivants. Ils assuraient la garde de la porte du roi pendant la nuit.

La troupe des Cent gentilshommes comprenait deux compagnies de 100 hommes chacune. Troupe d'élite, composée de « gens espérimentés et hommes qui ont bien servi es bandes ». Ils portaient une hache et gardaient le roi de nuit et de jour. Leur solde était de 20 é. par mois sous François Iᵉʳ. C'était là qu'affluaient, en temps de guerre, les gentilshommes sans emploi qui grossissaient l'effectif jusqu'au chiffre de 1.400 ou 1.500 hommes.

La compagnie des archers français, dont le recrutement était plus abondant, fut scindée à plusieurs reprises, pour donner naissance à d'autres compagnies : on en créa une seconde sous Louis XII, une troisième en 1515, une quatrième en 1545. Les hommes étaient richement habillés, de sayons d'orfèvrerie et de hocquetons aux couleurs du roi[1].

La compagnie des Cent Suisses, créée vers 1497, était effectivement composée de Suisses, sous les ordres d'officiers français, le capitaine étant toujours choisi dans la famille de La Mark. Cette dernière troupe, comme toutes les troupes suisses, était à pied.

Enfin, la cornette du roi était un corps qui apparaissait seulement en temps de guerre. Elle était elle aussi composée de gentilshommes volontaires, qui accouraient pour servir sous la cornette blanche du roi.

Toutes ces compagnies qui, moins que les autres avaient à s'adapter aux conditions de la guerre moderne, subsistèrent sans changement pendant tout le xvıᵉ siècle, et nous les retrouverons dans la Maison du roi des siècles suivants.

---

1. On trouve sur ces différents corps des détails précis dans l'appendice des *Mémoires* de FLORANGE, t. II.

Les francs-archers. A ces corps de cavalerie, qui devaient constituer le principal élément de l'armée royale, les rois du XVe siècle avaient voulu ajouter une troupe d'infanterie abondamment recrutée dans les classes bourgeoises et populaires. Cette infanterie, d'un type spécial, était celle des francs-archers, dont la décadence fut prompte, mais dont les traces subsistent jusqu'au début du XVIe siècle.

Les francs-archers avaient été créés en 1448, et le système établi par cette première ordonnance subsista pendant trois quarts de siècle, retouché dans ses détails par les ordonnances ultérieures. Chaque paroisse et, dans la suite, chaque groupe de 50 feux devait choisir un homme auquel il fournissait son habillement et ses armes. Celui-ci devait se tenir prêt à servir quand il serait convoqué, et s'exercer constamment à la pratique de l'arc ou de l'arbalète. Plus tard, les fournitures en nature furent remplacées par une somme forfaitaire de 9 livres, payables chaque année.

L'archer était exempt de taille, d'où son nom de franc-archer, mais il était assujetti à la gabelle et aux aides. En campagne, il devait recevoir 4 l. par mois.

Les francs-archers étaient répartis en diverses catégories, d'après leur armement; il y avait des archers, des arbalétriers, des vougiers et des piquiers.

Cette troupe était organisée en bandes de 500 hommes, commandées par un capitaine et un lieutenant. Pour l'ensemble du royaume, il y avait quatre capitaines généraux, qui devaient commander chacun 4.000 hommes, ce qui donnait un effectif total de 16.000 hommes pour cette milice nationale.

Cette organisation ne s'étendait pas d'ailleurs à l'ensemble du royaume : certaines provinces restèrent soumises à des régimes différents, Languedoc, Dauphiné, Picardie, Bourgogne, Bretagne et Provence, qui fournissaient à part des contingents d'infanterie.

A diverses reprises, jusqu'à la fin du règne de Louis XI, on fit des levées générales de francs-archers, dans toute l'étendue du royaume. Ils sont encore mentionnés çà et là, en 1485, mais on essayait alors de les remplacer par des troupes mercenaires, étrangères ou françaises, qui apparaissent régulièrement dans les armées depuis 1480.

On entreprit de réorganiser les francs-archers au début du règne de Charles VIII, d'après le système de 1448, mais il semble que cette nouvelle expérience fut abandonnée après 1492.

Toutefois, les francs-archers ne disparurent pas définitivement, puisque d'autres levées eurent lieu dans la suite, auxquelles les contemporains attribuèrent encore la qualification de francs-archers. Il y eut des levées partielles sous Louis XII, en Auvergne, en 1507, d'autres en Bretagne, en 1508 et en 1513. Ils reparurent encore à partir de 1521[1]. On en convoqua 24.000, en 1522. Il y eut également quelques levées pendant les années suivantes, où il était nécessaire de recourir à toutes les forces du royaume quelles qu'elles fussent. Ceux de l'élection de Valognes furent appelés en 1523, pour protéger la province contre une invasion anglaise. Il semble bien que les francs-archers soient mentionnés pour la dernière fois en 1525. Leur suppression définitive fut prononcée le 24 décembre 1535[2].

Cet appel aux forces de la nation armée s'était révélé inefficace, tel qu'il avait été organisé sous cette forme des francs-archers; mais l'idée n'était pas abandonnée pour cela, et, dès 1534, on avait mis sur pied une institution analogue, celle des légions.

BIBLIOGRAPHIE

A la Bibliothèque nationale, quelques séries de montres de compagnies d'ordonnance, ms. 21503-38, 25782-834, nouv. acq. 8611-35.

Ordonnances du 20 janvier 1515 et du 15 juillet 1530 (*Ordonnances*, nᵒˢ 17 et 540). — Édits du 12 février 1534, 9 février 1535, 20 août 1539,

---

1. Florange commandait un corps de 2.500 francs-archers en 1521. Il mentionne encore leur présence en 1523 et 1524, mais il n'est pas certain qu'il s'agit bien réellement de francs-archers. L'hésitation vient de ce fait que les contemporains, même dans les documents officiels, qualifiaient au hasard les compagnies levées occasionnellement, sans se préoccuper de savoir si c'étaient bien des francs-archers.

2. *Catalogue*, nᵒ 8242.

4 janvier 1546, 12 novembre 1549, 12 février 1566, 13 janvier 1567, 1ᵉʳ février 1574, 1ᵉʳ juillet 1575, 9 février 1584 (FONTANON, t. III). — Ordonnance de Blois, de mai 1579 (art. 286-315).

FONTANON, *Les édicts et ordonnances*, t. III, 11. — TOMMASEO, *Relations*, Michiel, 1561, et Suriano, 1561. — F. VINDRY, *Dictionnaire de l'État-major français au XVIᵉ siècle.*

Mémoires de FLORANGE, *Mémoires* de DU BELLAY, *Commentaires* de MONLUC. — FOURQUEVAUX, *Instruction sur le faict de la guerre.* — DANIEL, *Histoire de la milice française.*

D'ESPEZEL, *Étude sur les institutions militaires de la France, de* 1480 *à* 1560. — *L'organisation militaire de la France, pendant la première partie du XVIᵉ siècle* (Pos. th. Éc. des chartes, 1916). — CHOPPIN, *Les origines de la cavalerie française.* — SPONT, *La milice des francs-archers* (Rev. quest. hist., 1897). — DE BONNAULT D'HOUET, *Les francs-archers de Compiègne.*

CHAPITRE VIII

COMPAGNIES DE MERCENAIRES
LÉGIONS ET CAVALERIE LÉGÈRE

*LES COMPAGNIES DE MERCENAIRES. — LES LÉGIONS. —
LES RÉGIMENTS. — LE COMMANDEMENT. — LA CAVALERIE
LÉGÈRE. — ARTILLERIE ET CORPS AUXILIAIRES. — LES
SERVICES DE L'ARMÉE. — LES ARMÉES.*

Les compagnies de mercenaires. A côté des troupes permanentes et de cette sorte de réserve territoriale que constituaient les compagnies de gendarmes et les francs-archers, la nécessité d'accroître les effectifs avait amené depuis longtemps les rois à prendre à leur service, pour un temps, des troupes de mercenaires, fantassins et cavaliers. Cet usage était d'autant plus en honneur que les troupes ainsi recrutées, dégagées des méthodes traditionnelles imposées par les règlements, s'adaptaient mieux que les autres aux transformations de l'armement.

Ce fut par l'intermédiaire de ces compagnies que pénétrèrent, dans l'armée du xvie siècle, les perfectionnements matériels qui modifièrent si profondément l'organisation militaire. A côté des armes désuètes, on vit ainsi s'introduire l'usage des armes à feu portatives : l'arquebuse semble avoir fait son apparition dès 1509, et, en 1529, on avait fini par constituer des groupes spéciaux d'arquebusiers au sein des bandes. Bientôt, des arquebusiers à cheval se substituèrent aux arbalétriers à cheval. Leur présence est mentionnée à la bataille de Cérisoles, et dans l'ordonnance du 3 janvier 1544. L'arquebuse elle-même se perfectionnait : Du Bellay date de 1521 l'emploi de l'arquebuse à fourchette.

Les armes à feu devinrent dans la suite de plus en plus légères et mobiles. L'usage du pistolet, qui avait été introduit par
les troupes allemandes, se substituait, dans les combats de cavalerie, à celui de la lance. Sous Henri II, des troupes de pistoliers
furent constituées, qui, vers 1570, marquèrent définitivement
leur supériorité sur celles qui combattaient à l'arme blanche.
C'était une révolution, qui donnait la prépondérance aux troupes
les mieux armées et qui, par répercussion, allait bouleverser
l'organisation même de l'armée.

Les troupes de fantassins mercenaires, routiers, aventuriers,
d'effectifs et d'armements variables, avaient toujours été utilisées
dans les armées françaises, au moins depuis le XIVe siècle.
Louis XI et ses successeurs, dans les armées d'Italie, y firent
toujours plus largement appel, sans qu'on sache exactement
si elles différaient des francs-archers en voie de disparition.
C'était l'essai plus ou moins systématique d'une infanterie
nationale. En 1513, on levait 22.000 hommes dans les villes
frontières, groupés en enseignes de 500 hommes chacune.

Progressivement, cette infanterie vit ses effectifs s'accroître
par rapport à ceux de la cavalerie : elle comptait 16.000 hommes
à Agnadel, en 1509, contre 14.000 cavaliers. En 1542, il y en
avait 40.000 contre 4.000. En 1552, l'armée qui marchait vers
Strasbourg avait environ 32.000 fantassins à côté de 4.500 cavaliers[1]. Et cette progression ne devait pas cesser jusqu'à la fin
du siècle.

Les bandes de mercenaires étaient levées par commission du
roi, adressée au capitaine, avec qui il traitait directement. Il
était interdit à celui-ci de lever plus d'hommes qu'il n'était
prescrit, parce que ces derniers auraient dû vivre sur le pays
sans recevoir de solde, et d'en lever un moindre nombre,
parce qu'alors le capitaine aurait retenu pour lui-même une partie
de la solde.

Le choix des capitaines n'était pas toujours heureux, si nous
en croyons Monluc, qui faisait grief au roi de les « créer aussi
facilement... comme vous feriez un sergent du Chastellet ».

1. DE BEAUREPAIRE, *État de l'armée française en 1552*. Bull. de la soc. de l'hist.
de Normandie, t. III.

Il critique les choix qui ne tenaient pas un compte suffisant de la naissance, et dénonce les profits illicites que, malgré les prescriptions, les chefs des compagnies réalisaient couramment « seulement sur la paye des soldats ». Déjà, le système des passe-volants était général, ainsi que les pilleries commises à la suite d'ententes avec les commissaires des vivres[1].

Les hommes étaient enrôlés après avoir été présentés aux commissaires et aux contrôleurs de l'extraordinaire des guerres. Ils étaient d'origines variées, français des différentes provinces, mais originaires surtout de Picardie ou de Gascogne, étrangers provenant d'Italie, de Suisse ou d'Allemagne. Chaque capitaine devait recruter sa bande dans une province et dans un pays déterminé, sous la surveillance des gouverneurs, des baillis et des sénéchaux. Les troupes de recrues gagnaient leur destination définitive sous la conduite de commissaires spéciaux.

Les compagnies étaient d'effectif variable : 500 hommes environ, jusque vers 1527, où on les réduisit à 300 ou 400. A partir de 1553, les bandes furent même réduites à 270 ou 280 hommes, et on prévoyait encore la possibilité de les ramener à 200. Cependant, l'ordonnance de Blois imposa de nouveau le chiffre de 300 hommes.

Les compagnies comportaient un personnel d'encadrement : capitaine, lieutenant, enseigne, deux sergents, un fourrier, 5 caporaux, 15 lanspessades, sans compter les musiciens, fifres et tambourins[2]. Mais ici, les abus que nous avons notés dans les compagnies de gendarmes, n'avaient pas cours : le capitaine était toujours un homme de guerre, gentilhomme parfois, mais souvent de modeste origine, qui commandait effectivement sa compagnie[3].

De même que la gendarmerie, les gens de pied avaient leurs montres, auxquelles s'appliquaient des règlements analogues, et qui servaient à constater moins l'identité des comparants que l'état de l'effectif, en vue du paiement de la solde. Ces

1. MONLUC, *Commentaires*, t. III, pp. 385 et 417.
2. Règlement du 23 décembre 1553.
3. Monluc débuta au service comme capitaine de gens de pied et il manifesta toujours une véritable prédilection pour ces troupes.

montres avaient lieu tous les mois, en présence de commissaires
et de contrôleurs.

L'armement était plus hétéroclite que celui des gendarmes.
Les armes défensives étaient peu compliquées : un armement
de corps sommaire, corselet, hallecret, et un casque léger,
cabasset, morion, bourguignotte ou salade.

Les armes offensives étaient moins rudimentaires; c'étaient
la pique, la hallebarde, la hacquebutte, pièce d'artillerie légère
portative, et l'arquebuse, arme légère qu'on pouvait épauler.

L'usage de ces différentes armes dans des proportions variables eut pour résultat la constitution, au sein de la compagnie,
de groupes spécialisés, où l'utilisation des armes à feu alla sans
cesse en se développant.

Une ordonnance de 1537 fixait l'effectif des arquebusiers
au quart du total. En 1548, cette proportion était du tiers. En
1553, les vieilles bandes de 270 hommes comprenaient 97 arquebusiers et 164 piquiers, dont 10 hallebardiers. Les nouvelles
bandes, de 280 hommes, comprenaient 60 arquebusiers contre
211 piquiers. Dix ans plus tard, pour un effectif normal de
300 hommes, cette proportion du tiers était encore prescrite.

La solde des gens de pied était sensiblement inférieure à
celle de la cavalerie, du moins pour les simples soldats. Cette
solde, calculée par mois, était de 106 livres pour le capitaine,
de 56 pour le lieutenant, de 20 pour les sergents et les caporaux,
de 6 à 9 livres pour les piquiers et de 7 à 9 pour les arquebusiers.

On distinguait plusieurs catégories de compagnies de gens
de pied, suivant l'origine de leurs recrues. Parmi les Français,
on avait, dès le règne de Louis XII, pris l'habitude de recruter
des Picards, tandis que d'autres bandes, destinées à guerroyer
en Italie, étaient désignées sous le nom de bandes de Piémont.
Désormais, l'administration de l'infanterie française se répartit
en deux groupes, bandes de Picardie et bandes de Piémont,
appelées parfois bandes de deçà et de delà les monts.

Plus tard, une nouvelle distinction s'opéra entre les bandes
qu'on entretenait en permanence et celle qu'on levait lorsqu'elles étaient nécessaires, pour les casser à la fin de la campagne.
En 1558, Henri II parlait des « vieilles bandes françaises d'ordi-

naire ». C'est ainsi que, vers le milieu du siècle, l'usage s'était établi de distinguer les *vieilles bandes* des nouvelles, auxquelles l'ordonnance de 1553 imposait des effectifs et des compositions différentes. On était ainsi arrivé à créer, à côté de la gendarmerie, une infanterie permanente, qui se serait trouvée rattachée à celle-ci, si son administration n'avait pas été qualifiée d'extraordinaire et alimentée par des ressources également considérées comme exceptionnelles.

A côté des compagnies de gens de pied français, le roi recrutait des compagnies à l'étranger, en Suisse, en Allemagne et en Italie.

Avec la Suisse, des traités avaient été conclus dès le règne de Louis XI, et renouvelés par Louis XII, qui avait utilisé ce recrutement jusqu'en 1510. Après la grave crise qui était survenue entre le roi de France et les Cantons, François Iᵉʳ avait conclu un nouveau traité, celui de 1516, qui avait rétabli la paix entre les deux pays, ce qui permettait au roi de reprendre le recrutement de soldats en Suisse. Et ce traité, confirmé en 1521[1] et en 1549, resta en vigueur jusqu'à la fin de l'Ancien Régime.

La France se trouvait ainsi autorisée à recruter d'importants contingents dans les Cantons. Ils s'élevaient à 10.000 et même 15.000 hommes pendant les périodes de guerre. En 1543, il y avait 19.000 soldats suisses dans le royaume. Le traité de 1549 réduisit quelque peu ce recrutement, en décidant que cet effectif serait toujours compris entre 6.000 et 16.000 hommes.

Pour les levées, le roi donnait commission à un de ses représentants auprès des Cantons. La demande était examinée par la Diète, après quoi une capitulation était conclue avec des capitaines suisses. Les compagnies ainsi recrutées formaient des enseignes de 300 à 500 hommes, avec un capitaine, lieutenant et enseigne. Elles comprenaient 10 % d'arquebusiers, le reste étant armé de la pique et de la dague. 20 % de l'effectif constituait une élite à double paie. La solde fut constamment de 3 é. sol. par mois. Les enseignes, groupées par 20, formaient

---

1. Le traité du 7 mai 1521 indiquait les conditions dans lesquelles devait se faire le recrutement des troupes suisses. *Ordonnances,* nº 282.

un régiment commandé par un colonel ou capitaine général. A la tête de tous ces corps suisses, il y eut, au moins temporairement, un *général des Suisses*[1]; cette charge devint permanente sous le titre de *colonel général des Suisses*, à partir de 1571.

Ce système procurait au roi de forts contingents, dont la valeur militaire était bien connue, mais il ne fonctionnait pas sans incidents provoqués par l'irrégularité des paiements. Les relations franco-suisses, souvent tendues, laissaient prévoir une rupture qui fut heureusement toujours évitée.

Du côté de l'Allemagne, les rois, depuis Louis XII, recrutèrent régulièrement des lansquenets, Maximilien ayant pris l'habitude, pendant les guerres d'Italie, de fournir des troupes au roi de France. Il y en avait 15.000 à Marignan, et le contingent, dans la suite, varia de 6.000 à 10.000. En 1558, il y avait 64 enseignes, groupées en trois régiments.

Là, les conditions du recrutement n'étaient pas fixées comme en Suisse, par une convention générale. Le roi était beaucoup plus libre, pour solliciter tel ou tel chef d'État, avec lequel il était en bonnes relations, après quoi, il faisait un accord avec les chefs qui recrutaient les compagnies.

Ces compagnies étaient du même type que les compagnies suisses : c'étaient des enseignes ou bandes de 250 à 500 hommes, comprenant des piquiers et des hallebardiers, avec 1/10, puis 1/3 d'arquebusiers. La solde était de 6 livres pour les premiers et de 8 pour les seconds. Le commandement des régiments était assuré par des capitaines généraux ou par des colonels.

Enfin, quelques bandes étaient formées d'Italiens, mais elles étaient beaucoup moins nombreuses que les autres troupes étrangères. Il y avait toutefois pour ce contingent des colonels et des colonels généraux.

On remarque même l'existence de compagnies corses, mais leur importance était encore moindre.

Ces troupes constituaient une fraction importante de l'armée royale, mais leur recrutement était soumis à toutes sortes

---

1. Florange reçut cette charge en 1524.

d'aléas. Il eût été utile de disposer d'un recrutement national abondant et régulier, comme celui qu'on avait espéré trouver en créant les francs-archers. Le roi, dit Du Bellay, voyant qu'il ne pouvait « rien tirer des étrangers », voulut « se fortifier de sa nation[1] ».

Les légions. L'ordonnance du 24 juillet 1534 créait sept légions de gens de pied de 6.000 hommes chacune, dans les provinces ou groupes de provinces suivants : Normandie, — Bretagne, — Picardie, — Bourgogne, Champagne et Nivernais, — Dauphiné, Provence, Lyonnais et Auvergne, — Languedoc, — Guyenne.

Tous les éléments de ces légions, y compris les officiers, devaient être originaires de la province.

Des avantages matériels étaient consentis aux légionnaires : les roturiers étaient exempts de taille, mais seulement dans la limite de 20 sous par an; les gentilshommes étaient déchargés du service de ban et d'arrière-ban.

La légion, comme les compagnies de gens de pied, comprenait des éléments divers, mais la proportion des arquebusiers, des piquiers et hallebardiers n'était pas la même dans toutes les légions. Il devait y avoir au total 12.000 arquebusiers pour les 42.000 légionnaires.

La légion était partagée en bandes de 1.000 hommes. Le commandement de chacune était confié à un capitaine, l'un d'entre eux, avec le grade de colonel, étant le chef de la légion. Dans chaque bande, il y avait en outre 2 lieutenants, 2 porte-enseignes, 10 centeniers, 40 caps d'esquadre, 4 fourriers et 6 sergents de bataille. Tous ces gradés recevaient des gages mensuels, qui étaient, pour le capitaine, de 50 livres en temps de paix et de 100 en temps de guerre. Les simples soldats ne recevaient de paie qu'en temps de guerre, 5 l. pour les piquiers et hallebardiers, 6 l. pour les arquebusiers.

Dans la légion, en effet, les cadres seuls étaient permanents. Les soldats constituaient une sorte de réserve, qui devait être

1. DU BELLAY, *Mémoires*, t. II, p. 289.

toujours disponible et qu'on appelait au service actif suivant les besoins. La légion était mise sur pied deux fois par an, pour deux montres, auxquelles assistaient les commissaires et contrôleurs des guerres. Les présents avaient droit à une indemnité de 2 l. par montre. Ces revues terminées, la légion entrait en campagne, s'il était nécessaire, ou elle était libérée jusqu'à la prochaine montre.

Cette organisation, qui évoquait dans ses grandes lignes les souvenirs de l'antiquité classique, fut mise sur pied avec le plus grand soin. Dès 1535, toutes les légions avaient été convoquées et inspectées par le roi, dans les camps où elles devaient s'assembler. Une seule modification avait été imposée aux prescriptions de l'ordonnance : il n'y eut pas de légion de Bretagne, mais celle de Bourgogne et Champagne fut scindée en deux unités, ce qui ne changea rien à l'ensemble.

Les légions ainsi constituées à la veille d'une grande guerre ne tardèrent pas à être utilisées. Elles fournirent aussitôt des garnisons pour les places du Languedoc, à Narbonne et à Leucate, et des détachements pour les opérations de guerre. En 1536, Du Bellay mentionne, dans l'armée qui fut confiée à Philippe Chabot, 12.000 légionnaires, provenant de six légions différentes, et, à l'armée de Piémont, 6.500 autres.

Il en fut de même dans les campagnes suivantes, en 1537, et pendant la guerre de 1543-45, les légions n'étant jamais utilisées comme unités combattantes, mais comme des réserves, auxquelles on empruntait des bandes de 1.000 ou 2.000 hommes, commandés par leurs propres capitaines[1].

Ce premier essai des légions provoqua l'admiration des contemporains : Monluc, Du Bellay, l'ambassadeur Giustiniano étaient d'accord pour féliciter le roi de ce début; mais l'institution ne tarda pas à péricliter. Fourquevaux y trouvait plusieurs défauts, dont le principal était qu'on faisait appel seulement aux volontaires et que les honnêtes gens ne voulaient pas s'enrôler. La discipline militaire se relâchait, et il se peut aussi que l'entraînement au combat de ces troupes improvisées ait été insuffisant.

1. Nous trouvons tous ces détails dans le récit des campagnes de Du Bellay, *Mémoires*, t. II, p. 326, t. III, pp. 65, 305, 354, t. IV, pp. 131, 167, 307.

Dès 1540, le rôle des légions se limitait à la garde des places fortes. Sous Henri II, on mentionne toujours plus rarement leur présence aux armées.

Il fallait les supprimer définitivement ou les réorganiser. C'est ce qui fut fait par l'ordonnance du 22 mars 1558. Cette ordonnance reprenait les grandes lignes de celle de 1534, en modifiant seulement la composition de la légion, qui devait comprendre désormais 15 enseignes de 400 hommes, sur lesquels il devait y avoir 150 arquebusiers et 240 piquiers. Comme chefs, 13 capitaines et un colonel qui commandait pour son compte deux enseignes. Les soldes étaient légèrement modifiées, les piquiers devant recevoir chaque mois 6 l. et les arquebusiers 7, avec une certaine proportion de soldats bénéficiant d'une haute paie.

Cette résurrection des légions semble n'avoir eu que peu de succès. Monluc, en 1559, mentionne bien les légionnaires de Guyenne[1]; les ambassadeurs vénitiens nous parlent de 50.000 légionnaires levés par le roi, chiffre évidemment exagéré et dont nous ne pouvons pas tenir compte[2].

Il semble que certaines légions aient été mises sur pied depuis 1558, qu'elles aient disparu et réapparu à plusieurs reprises jusque vers 1568. Le P. Daniel affirme que plusieurs d'entre elles, celles de Picardie, de Champagne et de Languedoc ont eu une existence durable, et qu'en 1570, il existait même une légion « delà les monts ». Mais il est évident qu'il ne subsistait plus des anciennes légions que des bandes, qui ne présentaient plus les caractères distinctifs des corps primitifs[3].

Cette organisation, qui demandait un effort administratif continu et des ressources financières importantes, pour des résultats médiocres, disparut avec le développement des guerres civiles. Ce système, bien qu'il fût réalisé avec un encadre-

1. *Mémoires*, t. II, p. 381.
2. La relation de Suriano (1561), en ce qui concerne les légions, est manifestement inexacte.
3. Les affirmations du P. Daniel sont à considérer, parce qu'elles reposent, affirme-t-il, sur les informations recueillies dans les comptes de l'extraordinaire des guerres. Mais ces références sont insuffisantes, et les problèmes ne sont jamais présentés avec netteté, en distinguant avec précision ce qui concerne les légions, les bandes et les régiments.

ment permanent plus solide et un armement plus puissant que celui des francs-archers, n'aboutit pas à des résultats plus satisfaisants.

Les régiments. La disparition des légions laissait subsister le problème de l'organisation des masses d'infanterie toujours plus considérables que comprenaient les armées. Il semblait difficile pour un chef d'armée d'avoir à diriger un grand nombre d'unités d'effectif réduit : Monluc déplorait cet éparpillement, lorsqu'il fut prouvé que les légions ne pouvaient tenir leur rôle, et il concluait qu' « à présent, c'est un grand désordre[1] ».

Ce fut pour répondre à cette nécessité que furent créés les régiments, dont l'origine est à peu près contemporaine de la disparition des légions.

Cette simultanéité laisse d'ailleurs entrevoir un rapprochement et une explication, d'après laquelle les régiments seraient directement issus des légions[2]. Il n'en est rien en réalité, et une analyse exacte des faits qui concernent l'origine des régiments montre que ce sont là deux solutions différentes d'un problème qui se posait alors dans tous les grands États, et pour lequel la création des *tercios* espagnols servit de modèle aux autres armées.

Déjà, le terme de « régiment » était apparu sous François Ier, mais pour désigner l'autorité attribuée à un chef de troupe et non cette troupe elle-même.

Vers 1560, nous le trouvons appliqué à des bandes de gens de pied groupés sous l'autorité d'un chef supérieur au capitaine. Brantôme y fait allusion dès 1561, mais sans préciser sa signification. En 1562, le fait est incontestable : Monluc lève un régiment, et, au mois d'août de cette même année, des commissions sont délivrées pour en organiser trois autres. On voit apparaître le régiment de Brissac, composé du groupe des vieilles

1. *Commentaires*, III, p. 390.
2. Dallington écrivait, en 1598, que les régiments avaient été organisés à la place des légions, mais sans en apporter la moindre preuve. C'est l'observation superficielle d'un auteur qui écrivait trente ans après les événements auxquels il faisait allusion.

bandes de Piémont. Les noms mêmes de régiments de Piémont, de Picardie, de Navarre et de Champagne apparaissent, dès ce moment. En 1563, les régiments de Richelieu, de Brissac et de Sarlabous sont cités, composés chacun de 2.000 à 3.000 hommes des anciennes bandes. Tous furent supprimés à la fin de la guerre, comme s'il se fût agi de formations temporaires, mais le système était connu, et dès le commencement de la guerre suivante, en 1567, trois nouveaux régiments furent constitués, sous le commandement de mestres de camp.

Cette organisation était désormais définitive, et les bandes permanentes devaient être groupées en régiments plus ou moins stables, mais suivant un modèle déterminé. Il semble qu'en 1569, il en existait déjà huit, avec un effectif de 15.000 hommes, et cette infanterie allait se développer, malgré les vicissitudes imposées par les guerres de religion.

Un état de 1588 nous indique l'existence d'un régiment de la garde du roi et de huit autres régiments composés de 12 à 17 enseignes de 100 hommes, ou de 8 à 12 compagnies de 200. D'autres régiments existaient sans doute, non mentionnés dans cette liste, où nous trouvons déjà les plus anciens régiments permanents de l'infanterie française, Picardie et Piémont, sans compter ceux de Navarre et Champagne, dont les origines sont au moins aussi anciennes[1].

Malgré les différences provenant des tâtonnements inévitables, le principe du groupement des simples bandes de gens de pied en unités plus nombreuses et plus complexes, sous un commandement unique, était désormais appliqué.

Le commandement. Depuis qu'on cherchait à organiser ces groupements, le problème du commandement avait également provoqué diverses solutions.

Nous avons déjà signalé, dans les corps d'infanterie étrangère, l'existence de colonels généraux, colonel des Suisses,

---

1. Règlement du 12 août 1588. FONTANON, t. III, 11. En 1598, Dallington signale l'existence de 5 régiments, et il ajoute que leur effectif était de 12.000 hommes pour chacun d'eux. Ce détail est très exagéré.

des lansquenets, des Italiens. Pour les gens de pied français, la solution fut plus tardive.

Dès le règne de François Ier, il existait des colonels des gens de pied, dont l'autorité s'étendait sur toutes les bandes de mercenaires français. C'était le colonel qui donnait les commissions nécessaires pour leur levée. En 1523, de Lorges était colonel de 6.000 gens de pied. A la scission de cette infanterie en deux groupes principaux correspondait parfois l'existence de deux colonels; c'est ainsi qu'en 1542, de Brissac était nommé colonel général de l'infanterie « delà des monts[1] », tandis qu'en 1543, J. de Taix réunissait ces deux charges avec le titre de *colonel général de l'infanterie de France*.

En même temps que le colonel apparaissaient les *mestres de camp*, ses subordonnés, qui commandaient des groupes de bandes et servaient d'intermédiaires entre le colonel et les capitaines. Leur importance était grande dans la conduite des opérations, et elle justifiait l'existence de ces groupements de compagnies. Les mestres de camp devaient reconnaître l'armée ennemie, rapporter aux chefs tout ce qui concernait le combat et l'état du terrain, si bien que toutes les décisions du chef suprême dépendaient de leurs rapports[2].

Après François Ier, les deux charges de colonel reparurent, amoindries du fait de cette division, sans doute pour restaurer l'autorité de Montmorency en tant que connétable. Mais, en 1569, après la disparition des deux titulaires, il ne subsista plus qu'une seule charge de colonel général de l'infanterie française, et cette solution fut définitive. En 1584, cette charge devint office de la Couronne, pour rehausser la situation du duc d'Épernon, grand favori du moment. Le colonel avait alors le commandement suprême de tous les régiments et de toutes les bandes d'infanterie. Il commandait directement une compagnie dans chaque régiment, et nommait à tous les emplois, sauf dans les vieilles bandes. A la tête de chaque régiment, était un mestre de camp.

---

1. Cette nomination était en rapport avec la déclaration du 21 mai 1542 suspendant les grands officiers. Cette création, à laquelle s'ajoutaient celles d'un colonel général des Suisses et d'un colonel général des Italiens, était destinée à restreindre les pouvoirs du connétable de Montmorency.

2. MONLUC, *Commentaires*, t. III, pp. 386-7.

Ainsi s'était établie une hiérarchie qui tenait compte, moins de considérations logiques que de la faveur ou de la disgrâce des puissants du jour; mais, après ces diverses retouches, on aboutit à des créations stables qui donnèrent à l'état-major une forme durable.

La cavalerie légère. A côté des formations d'infanterie plus ou moins permanentes, des corps de cavalerie étaient juxtaposés aux compagnies d'ordonnance, moins stables, pourvus d'une organisation moins régulière, mais utilisant un armement plus perfectionné et gagnant par suite en importance, à mesure que s'accentuait la décadence de la gendarmerie.

Toute cette cavalerie, plus simplement armée que celle des compagnies d'ordonnance, était désignée sous le nom de cavalerie légère ou de chevau-légers. On y comprenait toutes les compagnies d'origines variées, italiennes ou françaises, créées et supprimées suivant les circonstances, que Louis XII et François Ier incorporaient dans les armées d'Italie ou du Nord.

Mais, dans la suite, une certaine régularité fut imposée à ces formations : les chevau-légers formaient un corps spécial de 2.000 hommes, en 1542. Il y en avait encore 2.000 en 1551, et 2.940 en 1553, répartis en 36 bandes.

Ces bandes, dont l'effectif variait de 100 à 200 hommes, étaient commandées, comme les bandes d'infanterie, par des capitaines. L'armement était relativement simple : il comprenait un hallecret avec quelques pièces accessoires et une salade; comme armes offensives, l'épée, la masse d'armes ou la lance.

La solde était presque égale à celle des archers des compagnies d'ordonnance. Sous François Ier, le simple cavalier recevait 10 livres par mois, 1/10 de l'effectif recevant une double paie. En 1548, ils étaient complètement assimilés aux archers, du point de vue de la solde. En 1553, il y eut encore un relèvement de la solde, qui fut de 16 l. 13 s. 4 d., de 20 et de 25 livres pour les différentes catégories de cavaliers qui constituaient les bandes.

Ces chevau-légers n'étaient pas les seuls éléments de la cava-

lerie légère. Il y avait également d'autres corps plus spécialisés.
Des arquebusiers à cheval figuraient dans les armées depuis
1544. Il y en avait 2.000 en 1551. Nous les trouvons tantôt
constituant des unités spécialisées, tantôt en groupes de 10,
20 ou 50 hommes, adjoints aux compagnies d'ordonnance ou
aux bandes de chevau-légers.

Sous Henri II, apparurent des cavaliers allemands armés
d'un pistolet; ce furent les pistoliers, dont il existait en 1558
un important contingent de 8.000 hommes, répartis en 26 cornettes. Ils furent, dans la suite, remplacés par les reîtres, allemands eux aussi, dont le rôle fut important dans les guerres
de la fin du siècle.

Les estradiots étaient des soldats grecs ou albanais, utilisés
depuis la fin du XVe siècle, à l'occasion des guerres d'Italie. Ils
subsistèrent jusqu'au XVIIe siècle, plus ou moins fondus dans
les bandes de chevau-légers.

Il faut encore mentionner les argoulets, d'origine italienne,
armés à la fois de la lance et de l'arquebuse.

Tous ces corps de cavalerie légère, bien que leur organisation
fût dépourvue de fixité, furent néanmoins l'objet d'un essai
de groupement. Sous François Ier, on réunissait plusieurs bandes
en cornettes sous un commandement unique : de Brissac fut
colonel de 1.800 chevau-légers. L'ordonnance de 1553 instituait
un colonel et un mestre de camp de la cavalerie légère, qui
subsistèrent dans la suite.

**Artillerie
et corps auxiliaires.**
L'artillerie avait elle aussi sa place
dans les armées royales, et le XVIe siècle vit son extension rapide. Il s'agissait d'ailleurs moins d'un corps de
troupe spécialisé que d'une administration prenant en charge
une partie des services de l'armée. Son personnel demeurait
en dehors des cadres de l'armée et sa transformation en unités
combattantes devait demander de nombreuses années.

On entendait par artillerie tout le matériel destiné à un usage
militaire. Ce matériel avait été jusqu'alors confié aux grands
maîtres des arbalétriers, qui se succédèrent régulièrement

jusqu'en 1527. Après un intervalle de sept années, Cl. Gouffier fut pourvu de cette charge et n'eut pas de successeur. Le grand maître commandait les arbalétriers et cranequiniers, ainsi que les « artilleries et engins ». Cette fonction devait forcément disparaître ou se transformer, lorsque les arquebusiers se substituèrent aux arbalétriers.

Elle se transforma pour s'adapter exclusivement au service de l'artillerie, dont l'abondance et la qualité contribuaient pour une large part au prestige des armées royales. Il y eut désormais un grand maître et capitaine général de l'artillerie, qui avait surintendance du personnel et le contrôle du budget de tous les services, avec une juridiction appropriée[1].

Un lieutenant général était chargé de suppléer le grand maître. Le contrôleur général, assisté d'un personnel de gardes, de contrôleurs et de comptables, surveillait le matériel et les dépenses, passait les marchés, enregistrait les fournitures, faisait les inventaires. Un garde général était chargé des fabrications et réparations; il dirigeait onze magasins servant d'entrepôts aux « pièces, bâtons et munitions ». Il y avait encore des commis, des commissaires ordinaires et enfin, pour le service des pièces, un corps de conducteurs de charroi et de canonniers, au nombre de 200 à 250, qui étaient presque les seuls à exercer une fonction vraiment militaire.

Ce personnel était celui de l'*ordinaire de l'artillerie*, auquel s'ajoutait en temps de guerre l'extraordinaire, qui employait de nombreux auxiliaires : ils étaient affectés au transport et au service des pièces d'artillerie, ce qui « est une merveilleuse dépense » pour le roi, disait Florange, et « ni a prince au monde qui la manie comme luy ».

A ces services se rattachait celui des salpêtres, qui occupait un personnel destiné à la fabrication des poudres, organisée sous la forme d'un monopole d'État.

Enfin, des pionniers levés en temps de guerre étaient employés à tous les travaux qui relèvent actuellement du génie, charpentiers, terrassiers utilisés à l'occasion des sièges, dont le rôle

1. Galiot de Genouilhac fut pourvu de ce titre, et eut pour successeur J. de Taix, en 1545. *Catalogue*, n° 25247.

était considérable dans les guerres où la conquête des places fortes avait une importance essentielle. Rien ne met mieux en valeur l'importance de ce service que les récits de guerre de Monluc, où le rôle du combattant est subordonné à celui du travailleur qui a préparé l'attaque. Ce corps de travailleurs était important, si nous considérons que 2.600 pionniers figuraient dans l'armée de Marignan et que 4.000 étaient employés en 1558.

Quant aux charrois, dont l'importance répondait aux immenses efforts qu'imposaient le mauvais état des routes et le faible rendement des véhicules, ils étaient effectués par réquisition, sous la direction des capitaines du charroi, et constituaient un service civil plutôt qu'une activité proprement militaire.

L'armée comprenait enfin un personnel chargé de la défense des places fortes. A leur tête étaient placés les capitaines des places, dont certains portaient le titre de gouverneur, et dont la fonction était plus honorifique que réelle. Le cumul aidant, on peut dire que, d'une façon générale, le commandement était exercé par un lieutenant. Sous ses ordres, étaient placés des soldats d'un type spécial, les *mortes-payes*. C'étaient d'anciens soldats blessés ou incapables de faire un service actif, qu'on utilisait comme combattants sédentaires, arquebusiers, hallebardiers ou canonniers. On leur payait une solde réduite, de 5 l. par mois[1].

Cette troupe, créée au xve siècle, n'avait pas tardé à tomber en décadence : les mortes-payes, répartis par petits groupes dans des places isolées, sans surveillance, échappaient à toute discipline. Au total, les effectifs étaient assez importants. On les rassemblait, du point de vue administratif, par provinces, et celles qui étaient le mieux organisées pour la défense du royaume étaient assez bien pourvues : il y avait 520 mortes-payes en Bourgogne, et 332 en Picardie. A ces garnisons, bonnes tout au plus pour le temps de paix, s'ajoutaient, en temps de guerre, des contingents de troupes régulières.

1. Ordon. du 22 mai 1551.

**Les services
de l'armée.**
L'organisation militaire était complétée
par quelques administrations très sommaires,
mais nécessaires pour assurer la vie matérielle
et la discipline de l'armée.

L'entretien de l'armée avait été le point de départ de l'organisation financière du royaume, mais aucune conception d'ensemble n'avait inspiré l'établissement d'une organisation logique; les mesures de détail s'étaient succédé et, au xvıᵉ siècle, on continuait de procéder ainsi, en créant des ressources nouvelles chaque fois qu'une dépense s'imposait pour le renforcement de l'armée.

Nous avons vu que, dans l'ensemble, cette administration comprenait deux groupes de fonctionnaires, disposant chacun de ressources particulières; d'une part, les recettes de l'*ordinaire des guerres*, dont l'essentiel était fourni par la taille complétée par le taillon[1]; d'autre part, les recettes de l'*extraordinaire des guerres*, constituées par les ressources les plus variées, improvisées au hasard des événements.

A la tête des finances ordinaires étaient les deux trésoriers de l'ordinaire des guerres, qui recevaient des receveurs généraux et des receveurs du taillon les sommes qui étaient ensuite remises aux payeurs des compagnies de gendarmes. Le budget de ce service était relativement stable. Il était de 846.000 livres à la fin du xvᵉ siècle, et de 1.876.000, à la fin du règne de Henri II (dont 695.000 provenant du taillon).

Pour les finances extraordinaires, il y avait primitivement un seul trésorier, puis deux, à partir de 1547, dont les attributions se répartissaient entre les bandes de Picardie et celles de Piémont. Les fonds leur parvenaient de l'Épargne, sous forme de mandements portant quittance adressés aux recettes générales. Au début, ces fonds étaient distribués aux compagnies

---

1. Il faut toujours se rappeler que la taille, qui alimentait l'ordinaire des guerres, avait été, lorsqu'elle fut établie, et même encore au xvıᵉ siècle, considérée comme un impôt extraordinaire. Avec le temps, elle était devenue une ressource ordinaire, par rapport à celles qui alimentaient l'extraordinaire des guerres. Ces notions d'impôt ordinaire et extraordinaire, essentiellement transitoires, doivent être considérées en rapport avec les réalités auxquelles elles s'appliquent et s'expliquent seulement par leurs origines anciennes.

par de simples commis; à partir de 1553, il exista des offices de payeurs des compagnies.

D'autres trésoriers s'ajoutèrent d'ailleurs aux précédents. C'était une administration foisonnante, qui se développait sans souci de la simplification ni de la logique. Il y eut bientôt des trésoriers des chevau-légers, des trésoriers des mortes-payes, des trésoriers de l'artillerie, ces derniers se divisant à leur tour en trésoriers de l'ordinaire et de l'extraordinaire.

Ce budget s'accrut démesurément avec les besoins. Il était d'ailleurs très variable, des années de paix aux années de guerre. Il atteignait 12 millions de livres en 1555.

Le ravitaillement des armées n'exigeait pas une administration très spécialisée. Normalement, c'étaient les municipalités qui devaient veiller à l'approvisionnement des marchés, où les gens de guerre faisaient leurs achats isolément, comme les autres consommateurs, en plus des fournitures qui leur étaient délivrées gratuitement. En campagne, il y avait des commissaires des vivres, chargés d'acheter et de répartir les vivres nécessaires pour les armées. Tout cela se faisait par des moyens très simples, et sans l'intervention de services organisés de façon permanente.

Quant à la discipline, elle relevait au degré suprême du connétable et des maréchaux, représentés par le tribunal de la connétablie et maréchaussée de France. Plus voisins des armées, les prévôts des maréchaux, avec leurs compagnies d'archers, assuraient le bon ordre, leur compétence s'étendant d'ailleurs aux délits commis par tous les gens suspects et sans aveu, aussi bien qu'aux crimes des gens de guerre.

Les armées. Les rois avaient ainsi à leur disposition des corps de troupe adaptés aux diverses nécessités de la guerre, et ce résultat avait déjà exigé des efforts considérables. L'organisation militaire n'en était pas encore à la création d'unités tactiques constituées par le groupement de différentes armes. Ce sera le résultat très tardif d'un long perfectionnement de l'art militaire.

Les groupements de corps de troupes utilisés dans les armées en campagne étaient des assemblages hétéroclites, dont nous trouvons de nombreuses énumérations dans les récits de guerre ou dans les états administratifs.

C'est ainsi qu'en 1536, l'armée commandée par Philippe Chabot comprenait 12 compagnies d'ordonnance, avec 810 lances et 1.000 chevau-légers, pour la cavalerie, 12.000 légionnaires et 2.000 gens de pied français, 6.000 lansquenets et 3.000 hommes d'infanterie italienne, avec un corps d'artillerie et 800 pionniers[1].

L'armée qui marcha sur Strasbourg en 1552, comprenait, sous le commandement du roi et du connétable, 22 compagnies d'ordonnance, avec 1.260 lances, et plusieurs compagnies de la Maison du roi, fortes de 600 cavaliers, 2.700 chevau-légers et arquebusiers à cheval, 18.700 gens de pied français, et 13.500 lansquenets, tous ces corps répartis en deux groupes, l'avant-garde et la bataille[2]. A défaut d'une organisation stable comportant différents éléments associés dans une proportion déterminée, il y avait dans toutes ces armées des corps de toutes sortes, dont le commandement usait à son gré suivant les circonstances.

Il n'en fut pas toujours ainsi jusqu'à la fin du siècle. Les guerres de religion, faites avec des moyens plus réduits, nous montrent les chefs de parti disposant de troupes moins spécialisées. On utilisait pour chaque opération les éléments qu'on avait sous la main, sans se soucier des principes de l'art militaire. Ces armées étaient celles des coups de surprise et des opérations de détail. L'armée royale elle-même n'était guère mieux outillée et perdait la pratique des belles manœuvres tactiques d'autrefois. Tout était à reprendre lorsque Henri IV s'appliqua à la restauration du royaume.

BIBLIOGRAPHIE

La pauvreté des sources d'archives est plus grande encore que pour les chapitres précédents : certains documents de comptabilité, dispersés çà et là, donnent quelques indications sur les effectifs et

1. Du Bellay, *Mémoires*, t. II, p. 326.
2. De Beaurepaire, *État de l'armée française en 1552*. Bull. de la soc. de l'hist. de Normandie, t. III.

l'organisation des compagnies. Les documents sur les compagnies suisses sont plus abondants, notamment les quittances des paiements. Bibl. nat., ms. 25950-9.

Ordonnances du 24 juillet 1534, du 12 novembre 1549, des 12 et 23 décembre 1553, du 22 mars 1558, du 29 décembre 1570, État des compagnies retenues par le roi, du 12 août 1588 (FONTANON, t. III). — Ordonnance de Blois de mai 1579 (art. 307-15).

FONTANON, *Les édicts et ordonnances*, t. III, 12-6. — TOMMASEO, *Relations*, Giustiniano, 1535, Michiel, 1561, Suriano, 1561.

Mémoires de FLORANGE, *Mémoires* de DU BELLAY, *Commentaires* de MONLUC. — FOURQUEVAUX, *Instructions sur le faict de la guerre.* — LA NOUE, *Discours politiques et militaires*, XIII et XIV. — DANIEL, *Histoire de la milice française.*

D'ESPEZEL, *Étude sur les institutions militaires de la France, de 1480 à 1560.* — *L'organisation militaire de la France pendant la première partie du XVIᵉ siècle* (Pos. th. Éc. des chartes, 1916). — BELHOMME, *Histoire de l'infanterie en France.* — CHOPPIN, *Les origines de la cavalerie française.* — SPONT, *Marignan et l'organisation militaire sous François Iᵉʳ* (Rev. quest. hist., 1899). — VIOLLET, *Le colonel général de l'infanterie en France* (Journal des savants, 1909). — JOURDA DE VAUX DE FOLE-TIER, *Galiot de Genouillac, maître de l'artillerie de France* (Pos. th. Éc. des chartes, 1917). — DES MONSTIERS-MÉRINVILLE, *Un évêque ambassadeur, Jean des Monstiers.* — ZELLER, *De quelques institutions mal connues du XVIᵉ siècle* (Rev. hist., 1944).

CHAPITRE IX

L'ARMÉE DE MER

L'organisation de l'armée de mer était conditionnée par deux nécessités, qui en expliquent les particularités, jusqu'aux réformes fondamentales qui furent accomplies au xviie siècle, par Richelieu et par Colbert.

En premier lieu, la marine exigeait un matériel abondant et compliqué, qu'il était impossible d'improviser au début d'une campagne. La construction d'une flotte, la fourniture des agrès et des vivres de conserve exigeaient de longs préparatifs et des dépenses considérables, alors qu'une armée de terre se recrutait en l'espace de quelques semaines.

Il eût fallu au gouvernement royal du xvie siècle une continuité de vues, une persévérance dans l'effort financier dont il était incapable, pour mener à bien cette tâche. Aussi voyons-nous le plus souvent cette politique maritime se borner à quelques efforts incohérents, à quelques tentatives d'organisation, après lesquels on revenait au système des improvisations. L'armée de mer, au xvie siècle, ne consistait la plupart du temps qu'en une hiérarchie d'officiers, presque dépourvus de moyens d'action.

Il faut aussi tenir compte de ce fait que l'armée de mer du xvie siècle n'était pas un corps aussi spécialisé du point de vue technique qu'elle le fut dans la suite. Le combat maritime, s'il comportait l'emploi de navires et de matelots, s'il utilisait une tactique particulière, était, pour une bonne part, un combat terrestre, mené par des soldats et avec les méthodes de l'armée de terre. La tactique consistait à aborder le navire ennemi, pour combattre sur le pont à coups de piques et d'arquebuses, comme on l'eût fait sur les remparts d'une forteresse.

Aussi, l'armée de mer comprenait-elle une forte proportion de fantassins prélevés sur l'armée de terre, tandis que la flotte était préparée à servir comme organe de transport tout autant que comme instrument de combat.

La hiérarchie maritime comportait certaines particularités. En principe, le chef suprême était l'amiral de France, dont l'autorité fut confirmée, au cours du xvie siècle, par une série d'ordonnances. Elles affirmaient expressément que son commandement s'exerçait sur toutes les armées et expéditions navales, comme chef et lieutenant général du roi, ce qui semblait exclure toute délégation particulière. L'amiral devait choisir tous les officiers, et les navires de l'obéissance du roi devaient porter sa bannière et son enseigne.

Malgré cela, l'amiral rencontrait des concurrents parmi les autres officiers de la marine. Il existait des amiraux provinciaux, de Guyenne, de Bretagne et de Provence, sans compter l'amiral de Naples et de Jérusalem, qui existait sous Louis XII, des vice-amiraux de Normandie, de Languedoc, de Bretagne, qui empiétaient sur ses attributions. En Provence, l'amiral provincial était lui-même en concurrence avec le *général des galères*, qui exerçait le plus souvent le commandement des escadres. Cette dernière fonction apparaît d'ailleurs sous des titres divers, « capitaine général de l'armée de mer du Levant », « lieutenant général des galères », « lieutenant général et surintendant des galères ».

En réalité, le commandement des escadres n'appartenait qu'exceptionnellement à l'amiral de France et aux amiraux des provinces. Le détail des ordonnances, en précisant les pouvoirs inhérents à ces charges, montre bien qu'il s'agissait d'une autorité administrative plutôt que d'un commandement militaire.

Nous en avons la preuve, en 1545, lorsque le roi publia des lettres patentes pour donner à l'amiral d'Annebaut le commandement de l'armée de mer équipée contre l'Angleterre[1]. Il

1. De même, en 1534, lorsque l'amiral de Provence reçut le commandement de l'armée navale du Levant.

ressort clairement de toute l'histoire navale du XVIᵉ siècle que les expéditions maritimes posaient un problème dont la solution n'était jamais acquise, le commandement étant donné tantôt à l'amiral, tantôt à quelque homme de guerre pourvu d'une commission temporaire, qui était qualifié de lieutenant général du roi. On vit même, en 1582, une flotte organisée sur le modèle d'une armée de terre, sous le commandement du colonel général Philippe Strozzi, avec un lieutenant général, un maréchal de camp et des mestres de camp, chacun d'eux ayant sous ses ordres un ou plusieurs vaisseaux.

Chaque vaisseau était commandé par un capitaine assisté d'un maître, d'un contre-maître, de canonniers, de pilotes, de charpentiers. Il y avait aussi l'écrivain, chargé de tenir les écritures et la comptabilité du bord. Le reste de l'équipage se composait de mariniers.

A côté de ce personnel navigant, on avait créé une administration, toujours plus nécessaire par suite de l'augmentation du matériel et des approvisionnements. En 1517, furent créés des commissaires de la marine, en 1525, des contrôleurs pour les dépenses, et nous savons qu'en 1519, il existait déjà un trésorier de la marine du Levant, dont le titre alla en s'amplifiant par la suite. Enfin, dans les ports où séjournaient les navires du roi, il existait des magasins, auxquels on attribuait déjà le nom d'arsenaux, sous la direction des gardes de l'arsenal.

La flotte comprenait une grande variété de navires, qui se compliquèrent et se perfectionnèrent avec les progrès de la technique navale.

Pour la navigation en Méditerranée, le type le plus courant était la galère, caractérisée par ses proportions, sa forme allongée, la présence de deux châteaux, à l'avant et à l'arrière. Presque toujours, la galère était mue à la rame en même temps qu'à la voile, ces rames étant disposées sur plusieurs rangées superposées, dans les bâtiments de grandes dimensions. Il y avait en général 20 à 25 rames sur chaque rang, ce qui donnait au total 40 rames sur les petits navires et jusqu'à 180 sur les plus grands. Les galères étaient pourvues de mâts et de voiles auxiliaires, la rame n'étant utilisée que pour les temps de calme et pour les manœuvres précises.

La galère était un type de navire qui comportait des variétés, la galéasse ou grosse galère, qui correspondait aux bâtiments les plus lourds, et qui, parfois, était dépourvue de rames, la galère subtile, plus légère et de formes plus fines, la galiote, de dimensions plus réduites, pourvue de deux mâts, avec 16 ou 17 bancs de rameurs, de trois hommes chacun. Comme bâtiment léger, le brigantin, qui était une petite galère à un seul mât et une seule voile, et ne disposant que de 16 à 32 rames. La fuste était également un navire à rames. Il y avait enfin la frégate, légère et rapide, dont les dimensions étaient celles d'une simple chaloupe, avec un seul mât et 6 ou 12 rames.

Les navires qui étaient construits en vue de la navigation océanique étaient désignés sous le nom de vaisseaux ou de vaisseaux ronds, caractérisés par des formes plus courtes, des châteaux très surélevés à l'avant et à l'arrière. Ils étaient mus seulement à la voile, avec un ou deux mâts, quelquefois trois, et pourvus d'une artillerie puissante, logée dans les sabords, en plusieurs étages superposés. Leur puissance de feu était beaucoup plus considérable que celle des galères.

A ce type se rattachaient les carraques, les galions, dont les proportions étaient celles des galères, mais qui rappelaient les vaisseaux ronds par leur structure générale et par l'usage exclusif de la voile. Ces navires, qui commencèrent à être en usage sous François Ier, étaient aussi désignés sous le nom de nefs galées. Enfin, dans la deuxième partie du siècle, on vit apparaître les roberges, navires très perfectionnés, construits sur le modèle des navires anglais, remarquables par leur rapidité et leur artillerie, qui comprenait des couleuvrines accouplées.

Pour tous ces bâtiments, les dimensions s'accrurent au cours du siècle, et certains arrivèrent à recevoir des effectifs qui peuvent sembler hors de proportion avec l'espace dont on disposait à bord. A côté des navires de 80 et de 100 tonneaux, qui restèrent couramment utilisés, on vit construire de gros navires de 700 et 800 tonneaux, et déjà, sous François Ier, la *Cordelière*, de 1.500 tonneaux, qui portait 2.000 hommes d'équipage. De telles unités, exceptionnelles au début du siècle, devinrent d'un usage courant dans les dernières années.

Il faut d'ailleurs remarquer que ces types de navires, galères ou vaisseaux ronds, conçus en principe les uns pour la navigation en Méditerranée et les autres pour l'Océan, n'y étaient pas confinés. Fréquemment, galères et navires à rames passaient dans les mers du Ponant, tandis que les bateaux ronds venaient combattre en Méditerranée, ce mélange de navires, de modèles et d'aptitudes diverses n'étant pas fait pour donner aux flottes l'homogénéité qui eût été nécessaire pour un bon emploi tactique.

Les flottes étaient en effet composées d'éléments disparates : vaisseaux, galères de toutes sortes, frégates et hourques, ces dernières servant au transport des troupes de terre.

Le personnel de l'armée de mer n'était pas moins mélangé. A côté de l'équipage proprement dit, qui était de 60 à 100 hommes pour les galères, de 250 pour une nef de 500 tonneaux, il y avait les combattants, et, parmi ceux-ci, les artilleurs, bombardiers et canonniers, presque aussi nombreux. Sous Louis XII, le *Saint-Michel* avait 100 matelots et 120 artilleurs. Il y avait enfin les troupes qui devaient combattre de bord à bord, lesquelles ne différaient en rien des bandes d'infanterie de l'armée de terre, archers, arquebusiers et piquiers, parmi lesquelles nous rencontrons même des compagnies de gentilshommes qui, exceptionnellement, se trouvaient combattre à pied.

Enfin, on embarquait sur les galères un équipage de rameurs, les galériens, condamnés de droit commun fournis par les tribunaux[1]. Certains rameurs étaient des esclaves turcs qui appartenaient aux capitaines des navires. Il existait même des rameurs libres soldés par l'administration.

L'artillerie se composait d'un grand nombre de pièces de calibres variés. Vers 1515, une nef de 500 tonneaux était armée de 16 grosses pièces et de nombreux petits canons, pierriers,

---

1. L'administration de la marine se préoccupa toujours d'entretenir l'effectif des galériens. De nombreux mandements étaient adressés aux parlements pour prescrire d'accroître le nombre des condamnations, lorsque la nécessité se faisait sentir d'armer de nouveaux navires.

passevolants, arquebuses à croc, quelquefois au nombre de plusieurs centaines.

La marine royale était composée pour une partie seulement de navires appartenant au roi. Celui-ci fournissait en général le bois de charpente, qu'il faisait transporter dans les chantiers navals, et il payait les salaires des charpentiers. Dans d'autres cas, il payait les frais de la construction aux capitaines qui agissaient comme de véritables entrepreneurs.

Pour réduire ses dépenses, le roi s'adressait souvent à ses sujets, auxquels il imposait la charge des constructions navales; c'étaient des villes ou des provinces maritimes, intéressées à la défense des côtes : Saint-Malo, Brest, La Rochelle, la Bretagne, la Normandie ou la Provence furent fréquemment sollicitées, ces dernières d'autant plus que les États provinciaux étaient en mesure de fournir les fonds nécessaires. Il arrivait même que le gouvernement s'adressât à de simples particuliers : de grands personnages, comme Montmorency, des gens de mer faisaient construire des navires dont ils restaient propriétaires, même lorsqu'ils les mettaient au service du roi, et ces bâtiments d'emprunt constituaient parfois la plus grande partie des flottes royales.

Dans tous les cas, c'était le roi qui payait l'équipement, c'est-à-dire les fournitures nécessaires pour mettre le navire en état de prendre la mer.

Quant à son entretien pendant les campagnes en mer, l'administration royale n'avait pas, semble-t-il, de méthode fixe. Tantôt, elle concluait avec le capitaine une sorte de forfait, par lequel celui-ci se chargeait d'entretenir le bâtiment et de payer la solde de l'équipage. Ainsi voyons-nous payer sous François Ier 400 écus par mois pour chaque galère en service. Il semble que, pour les vaisseaux ronds, cette prime d'entretien ait été calculée d'après le tonnage, sur la base de 35 s. par tonneau et par an. Dans d'autres cas, le roi fournissait lui-même les vivres et payait la solde de l'équipage[1].

---

1. Peut-être ces fournitures et cette solde concernaient-elles les troupes d'infanterie embarquées sur les navires, l'équipage restant à la charge du capitaine. Ce serait un point à élucider, entre tant d'autres que comporterait une étude détaillée de l'administration navale.

Sitôt les campagnes terminées, les navires étaient désarmés et réduits à un équipage de paix, comprenant quelques mariniers et les forçats des galères, le reste du personnel demeurant disponible avec une solde réduite.

Telle était la situation de la marine royale, mais elle se trouvait toujours, même dans les temps de prospérité, au-dessous de ses besoins, lorsqu'il s'agissait d'entrer en campagne. Aussi le roi était-il obligé d'affréter des navires de toutes sortes, navires de guerre appartenant à des puissances neutres, navires de commerce, qui pouvaient facilement recevoir l'artillerie et les équipages de combat qui les transformaient en navires de guerre. Il n'y avait en effet aucune différence fondamentale de structure entre tous ces bâtiments. C'est ainsi que les flottes qui furent employées pour les campagnes d'Italie étaient composées, pour la plus grande partie, de galères louées à des armateurs génois ou pisans, de navires de commerce empruntés à la flotte marseillaise, bretonne ou normande[1]. Chacun sait quel fut le rôle des navires d'André Doria, dans les guerres maritimes de François Iᵉʳ, et les graves conséquences de la rupture si légèrement provoquée par le roi.

Il fallait d'ailleurs tenir compte, à côté des navires affermés par le roi, de l'action des corsaires, agissant pour leur propre compte, mais sous le contrôle du roi et de l'amiral, et conformément aux ordonnances, qui réglaient strictement les conditions dans lesquelles on pouvait armer en course[2].

L'entretien de la flotte subit toutes sortes de vicissitudes au cours du XVIᵉ siècle, en rapport avec la situation des finances royales. Les expéditions d'Italie avaient imposé, dès le règne de Charles VIII, de gros efforts, et une réorganisation de l'armée de mer. Celle-ci comprenait alors une division normande et une division bretonne pour le Ponant, sous le commandement d'un lieutenant général, et une division provençale associée à deux divisions génoises commandées par le gouverneur de Gênes. Cet effort s'était maintenu sous Louis XII, sous la pres-

---

1. Ainsi, en 1522. Voir la commission adressée à P. de Bidoux. *Catalogue*, nᵒ 17466.
2. Ordon. de 1584, art. 30. Voir aussi celle de 1543.

sion des mêmes nécessités. Une ordonnance de 1507 avait prescrit la réorganisation de la flotte, augmentée de nombreuses
constructions neuves, dont le tonnage allait sans cesse en augmentant.

Avec François Ier, les périodes de prospérité alternèrent avec
celles de misère, chaque guerre se traduisant par un effort de
construction subventionné par un accroissement de la taille.
Malgré cela, le désordre était extrême, par suite de l'incompétence de l'amiral Chabot, de son successeur d'Annebaut, et du
vice-amiral Lartigue. Le pillage et les concussions rendaient
vains tous les efforts, si bien qu'en 1544, la flotte du Ponant
était réduite à rien, celle du Levant comprenant 32 galères,
quelques frégates, 2 galéasses, 1 galion et 22 petits navires sans
valeur militaire.

Dans la marine comme ailleurs, le règne de Henri II se signala
par un essai de réorganisation. D'abord, le système des secrétaires d'État aboutit à centraliser toute cette administration
entre les mains d'un unique secrétaire, qui fut Clausse.

Plusieurs ordonnances furent publiées. Celle du 12 juillet 1548 fixait les effectifs qui devaient être entretenus en permanence : pour le Ponant, 10 galères et une frégate, pour le Levant,
30 galères, 1 galiote, 1 fuste et 2 frégates. Une flotte de réserve
était prévue, qui devait porter le total des galères à 20 pour le
Ponant et à 42 pour le Levant. Une autre ordonnance (de 1547 ?)
prescrivait de maintenir en permanence cette flotte de 40 galères,
avec Nantes et Marseille comme ports d'attache, sans compter
les bateaux ronds du Ponant. Les capitaines devaient entretenir
les équipages prêts à prendre la mer et à se transporter d'une
mer dans l'autre, dans le délai de quarante jours. Une autre
ordonnance fut aussi publiée pour régler le statut des galériens.

Cet effort administratif fut accompagné d'un programme
de constructions neuves. Aux galères mises en chantier s'ajoutèrent une vingtaine de roberges qui correspondaient aux derniers progrès de la technique navale. L'effectif total des équipages finit par atteindre 10.000 hommes.

Cette activité, qui correspondait au développement de la
politique belliqueuse du moment, eut pour résultat la consti-

tution d'escadres relativement homogènes et diminua la proportion des bâtiments empruntés pour compléter les escadres
royales.

Mais cette politique était trop dispendieuse et exigeait trop
de persévérance pour se maintenir au milieu des agitations des
règnes suivants.

Dès 1560, les ambitions se limitèrent et l'effectif des galères
fut réduit à 20. En 1561, on descendit à 13 et même au-dessous,
et la décadence ne fit que s'accentuer dans la suite, sauf dans
quelques circonstances extraordinaires, où on réussit, par des
moyens de fortune, à constituer des escadres en vue d'une expédition lointaine.

En 1580, le comte d'Angoulême, lorsqu'il prit possession
de sa charge d'amiral, résuma ses impressions sur la flotte qu'il
devait commander, en disant que mieux valait « casser entiè-
rement les galères que de les plus permettre en la pauvreté,
désordre et misérable état auquel elles sont ».

Les années suivantes n'apportèrent aucune amélioration :
l'ordonnance de 1584 sur l'amirauté ne faisait que codifier,
d'après les ordonnances précédentes, les pouvoirs administratifs
de l'amiral. Il en fut ainsi jusqu'au règne de Henri IV, qui, là
encore, se trouva en face d'une reconstitution totale à entre-
prendre. Il fallut attendre l'avènement de Richelieu, pour aboutir
à des réalisations.

BIBLIOGRAPHIE

Les sources de l'histoire des institutions de la marine royale sont
rares et mal repérées.

Règlement des galères, du 15 mars 1549, édit du 6 mai 1557
(FONTANON, t. IV).

DE LA RONCIÈRE, *Histoire de la marine française*, t. II. — JAL,
Documents inédits sur l'histoire de la marine (*XVIe siècle*) (Ann. maritimes et coloniales, 1842). — LE HÉNAFF, *Étude sur l'organisation
administrative de la marine sous l'Ancien Régime*. — BUSQUET, *Histoire
des institutions de la Provence*.

V

LES INSTITUTIONS ECCLÉSIASTIQUES

CHAPITRE PREMIER

LES CADRES
DE L'ADMINISTRATION ECCLÉSIASTIQUE

L'administration ecclésiastique reposait au XVIᵉ siècle sur l'existence de circonscriptions, dont l'origine remontait aux premiers siècles de l'ère chrétienne, et qui, le plus souvent, reproduisaient elles-mêmes les circonscriptions administratives de l'Empire romain.

C'est ainsi que les provinces ecclésiastiques se confondaient avec les anciennes provinces gallo-romaines, et les diocèses avec les territoires des cités. A l'intérieur des diocèses, les archidiaconés existaient eux aussi dès l'époque franque, correspondant le plus souvent aux *pagi* gallo-romains[1].

Sous les archidiaconés, les archiprêtrés, ou doyennés ruraux, comprenaient des groupes de paroisses. Ces dernières représentaient les ultimes subdivisions, groupées autour d'églises d'origines et de conditions diverses, cures, prieurés-cures, etc...

Toutes ces circonscriptions étaient demeurées presque sans changement pendant le Moyen Age. Les évêchés étaient restés pour la plupart extrêmement stables, si on excepte de

---

1. Par exemple, la province ecclésiastique de Sens était identique à la quatrième Lyonnaise; aux sept cités correspondaient 7 diocèses (le huitième ayant été créé à Nevers au Vᵉ siècle). Le diocèse de Sens conserva son territoire sans changement du IIIᵉ jusqu'au XVIIIᵉ siècle : aux 5 *pagi* correspondaient dès l'époque franque les 5 archidiaconés du diocèse. On pourrait faire les mêmes observations pour tous les autres diocèses de la province. L'étude critique des pouillés, si remarquablement poursuivie par A. Longnon, dans le *Recueil des historiens de la France*, conduit partout à des conclusions identiques.

nombreux remaniements qui avaient eu lieu en Bretagne au
cours du IXᵉ siècle et quelques créations effectuées dans
le reste du royaume pendant le XIVᵉ siècle. C'étaient surtout
les circonscriptions inférieures qui avaient été transformées
par des créations et des subdivisions. D'autre part, archiprêtrés et archidiaconés s'étaient stabilisés depuis les XIIᵉ et
XIIIᵉ siècles.

Au début du XVIᵉ siècle, le royaume comprenait 14 provinces ecclésiastiques. La plupart étaient complètement incorporées dans la partie la plus ancienne du royaume, celle qui
était soumise au régime de la Pragmatique et du Concordat.
Les autres s'étendaient, au moins pour une part, sur les provinces nouvellement acquises, qu'on appelait les provinces
d'obédience.

Province de Lyon,		4 évêchés suffragants.			
—	Rouen,	6	—	—	
—	Tours,	11	—	—	(dont 9 en Bretagne, pays d'obédience).
—	Sens,	7	—	—	
—	Bourges,	11	—	—	
—	Bordeaux,	9	—	—	
—	Auch,	10	—	—	
—	Toulouse,	7	—	—	
—	Narbonne,	9	—	—	
—	Aix,	5	—	—	(dont 4 en Provence, pays d'obédience).
—	Embrun,	5	—	—	(dont 3 en Provence).
—	Vienne,	3	—	—	
—	Arles,	3	—	—	(dont 2 en Provence).
—	Reims,	10	—	—	

Au total, 14 archevêchés et 100 évêchés, soit 114 diocèses,
dont 96 concordataires.

D'ailleurs, la situation politique du royaume et les événements qui l'affectèrent pendant le XVIᵉ siècle créèrent des situations particulières, qui modifièrent cette répartition.

Certaines provinces, françaises par leur métropole, se trouvaient partagées entre la France et les pays voisins : d'Embrun dépendait l'évêché de Nice, et de Vienne ceux de Genève et de Saint-Jean-de-Maurienne, tous les trois rattachés au duché de Savoie. De Narbonne, celui d'Elne, qui correspondait au Roussillon, rattaché à l'Espagne. De Rouen, celui de Cambrai, qui fut toujours extérieur au royaume.

A Arles se rattachait Orange, que le roi considérait comme incorporé au royaume, qui le fut effectivement lorsqu'on saisit la principauté, et qui en fut détaché définitivement, lorsque celle-ci fut restituée aux princes d'Orange, en 1559.

Les modifications qui affectèrent les destinées du royaume au cours du XVIᵉ siècle, se firent d'ailleurs sentir sur l'existence des diocèses : Arras, dans une situation mal définie jusqu'en 1526, fut définitivement détaché du royaume par les traités de 1526 et de 1529. De même, Tournai, suivant le hasard des événements, fut alternativement français (jusqu'en 1513, puis de 1518 à 1529) et étranger.

En 1559, une réorganisation profonde affecta la province de Reims, pour donner une existence indépendante aux églises des Pays-Bas espagnols : la province, amputée de ses diocèses extérieurs, fut réduite à 8 diocèses suffragants, exclusivement français.

Enfin, en 1552, la conquête des Trois Évêchés incorpora ceux-ci au royaume, tout en les laissant sous la dépendance de la métropole de Trèves. Rien n'était d'ailleurs changé dans la condition de ces diocèses, qui restaient régis par le Concordat germanique, puisque l'annexion de ces territoires ne fut officiellement reconnue que par les traités de 1648.

Quant à la situation de la province d'Avignon, et de ses trois évêchés suffragants de Cavaillon, Carpentras et Vaison, elle restait indécise : le Comtat dépendait en droit de la Provence et se trouvait simplement engagé au pape. Il continuait donc de faire partie du royaume, et le roi pouvait considérer comme siens les sièges épiscopaux. En réalité, des tentatives furent faites pour les assimiler aux évêchés du royaume, mais elles restèrent inefficaces, et nous devons considérer cette province comme réellement étrangère.

Toutes ces modifications peuvent en définitive se résumer dans le tableau suivant[1] :

| Provinces | | Diocèses | | | | | | | |
du royaume	extérieures	en 1500	en 1513	en 1517	en 1518	en 1529	en 1552	en 1559	
Lyon	—	5	—	—	—	—	—	—	
Rouen	—	7	—	—	—	—	—	—	
Tours	—	12	—	—	—	—	—	—	
Sens	—	8	—	—	—	—	—	—	
Bourges	—	12	—	—	—	—	—	—	
Bordeaux ...	—	10	—	—	—	—	—	—	
Auch	—	11	—	—	—	—	—	—	
Toulouse ...	—	8	—	—	—	—	—	—	
Narbonne ...	—	10	—	—	—	—	—	—	
Aix	—	6	—	—	—	—	—	—	
Embrun	—	6	—	—	—	—	—	—	
Vienne	—	4	—	—	—	—	—	—	
Arles	—	4	—	+ Orange	—	—	—	— Orange	
Reims	—	11	—Tournai	—	+Tournai	—Tournai — Arras	—	—	
	Trèves	—	—	—	—	—	+ Metz + Toul + Verdun	—	
	Avignon	—	—	—	—	—	—	—	
		114	113	114	115	113	116	115	

Chaque diocèse était subdivisé en *archidiaconés* et l'archidiaconé en *doyennés* ou *archiprêtrés*. Il n'y avait d'ailleurs rien de fixe dans ce système de sectionnement. Certains diocèses ne comportaient qu'un archidiaconé, tandis que d'autres en possédaient cinq ou six.

En général, l'archidiaconé comprenait deux ou trois doyennés, quelquefois davantage. Reims, pour 2 archidiaconés, avait 18 doyennés, Autun, 4 archidiaconés et 24 archiprêtrés. Fréquemment, on trouve, dans certains diocèses, des doyennés qui ne se rattachaient à aucun archidiaconé. C'était souvent le cas pour la ville épiscopale[2].

1. Il convient également de mentionner l'évêché de Bethléem qui avait été transféré à Clamecy, où il se survivait dans un diocèse fictif, mais différent toutefois des évêchés *in partibus*. Il en est fait souvent mention dans les textes du xvıe siècle.
2. Certains diocèses avaient des subdivisions particulières, telles les *claveries* qui s'étaient substituées aux archiprêtrés, dans le diocèse d'Albi.

Le diocèse de Paris, qui peut être pris comme un exemple de sectionnement normal, comprenait l'archidiaconé de Parisis : doyennés de Montmorency et de Chelles; l'archidiaconé de Josas : doyennés de Châteaufort et de Montlhéry; l'archidiaconé de Brie : doyennés de Vieux-Corbeil et de Lagny, avec trois doyennés indépendants, doyenné de Champeaux, archiprêtrés de Paris et de Saint-Séverin.

Tout à la base, la paroisse constituait la cellule primitive de la vie religieuse. Il était d'ailleurs difficile d'en donner une exacte définition et de distinguer les paroisses proprement dites des annexes. D'où l'impossibilité d'établir, pour un diocèse donné, la liste exacte et la statistique de ses paroisses.

A plus forte raison est-il impossible d'arriver à une statistique générale des paroisses du royaume, et d'accepter sans critique les indications que nous trouvons çà et là, même dans les documents de comptabilité.

Noël Du Fail et Bodin, qui dit utiliser des renseignements provenant des archives de la Chambre des comptes, nous donnent le chiffre de 27.400[1]. D'autre part, les relevés de la Chambre des comptes faits en 1568, pour la perception de la taxe sur les clochers, aboutissent au total de 26.948. Enfin un état de 1585 arrive à 27.997.

Ces écarts ne sont pas excessifs, eu égard aux difficultés que présentaient ces statistiques, mais il est possible de relever dans ces calculs quelques erreurs et de grosses omissions. Après les rectifications qui s'imposent, nous arrivons à un chiffre approximatif de 32.000 paroisses, qui semble bien concorder avec les statistiques antérieures et avec celles des siècles suivants[2].

Quant à la répartition des paroisses entre les diocèses, on se rend compte de la diversité profonde qui existait de l'un à l'autre, depuis celui de Langres, qui possédait 843 paroisses et celui du Mans, qui en possédait 736, jusqu'aux diocèses bretons, qui n'en

---

1. BODIN, *De la République*, V, 2, p. 713.
2. Voir F. LOT, *L'État des paroisses* (Bib. de l'Éc. des chartes, 1929). En appendice : « Nombre des clochers de France en l'année 1568 », et « Estat de toutes les paroisses », de 1585. M. Lot conclut, après avoir soumis ces chiffres à une rigoureuse critique, qu'il existait 31.594 paroisses en 1585, auxquelles il convient d'ajouter environ 600 paroisses, omises dans la généralité de Paris et en Bourgogne.

comptaient guère plus de 150 ou 200, et surtout ceux des provinces du Sud-Est, au territoire très réduit, et dont la vie semblait s'être retirée.

BIBLIOGRAPHIE

HISTOIRE ECCLÉSIASTIQUE

Des indications très complètes sur la bibliographie des sources et des travaux relatifs à l'histoire ecclésiastique sont contenues dans l'ouvrage de CARRIÈRE, *Introduction aux études d'histoire ecclésiastique locale*, Paris, 1934-40, in-8°, 3 vol. Il est indispensable de s'y reporter pour la préparation de toute étude relative aux institutions, même en dehors de l'histoire locale, et spécialement pour le XVIe siècle, sur lequel l'auteur est particulièrement bien informé. On y trouve d'ailleurs le programme et le plan de recherches à faire dans tous ces domaines. On pourrait également utiliser comme guide LAURENT et CLAUDON, *Abbayes et prieurés de l'ancienne France*, t. XII, *Le diocèse de Langres*. On trouve là une bibliographie modèle d'histoire diocésaine, comprenant à la fois les sources d'archives et les ouvrages publiés.

Les archives de l'histoire religieuse sont très abondantes et plus dispersées encore que celles de l'histoire civile. Aux Archives nationales, les grandes séries relatives à l'histoire générale du royaume contiennent de nombreux documents utiles pour l'histoire des institutions ecclésiastiques, série J. Trésor des chartes, JJ, 226-66, Registres du Trésor, X, Parlement de Paris, mais il faut y ajouter la série L, Monuments ecclésiastiques, qui renferme des documents de toutes sortes dans sa première partie, 1 à 1084, et la série LL, 1 à 1722, où se trouvent les statuts, délibérations capitulaires, titres de propriété, procès-verbaux de visites, cartulaires, bulles pontificales. Il convient aussi de mentionner la série M, Monuments historiques, plus spécialisée, mais de première importance pour les établissements charitables et pour l'enseignement.

Les archives départementales et locales sont également bien fournies. Étant donnée la dispersion des établissements religieux, on peut dire que ce sont les dépôts les plus riches et les plus utiles à explorer. En outre des grandes séries provenant des parlements provinciaux et des chambres des comptes, on y trouve les séries relatives à l'histoire religieuse. Dans les archives communales, la série GG est de première importance pour les cultes et l'assistance publique. Elle est malheureusement souvent mal conservée et presque toujours mal classée. Aussi les recherches doivent-elles se disperser un peu au hasard, pour retrouver les fonds égarés.

A la Bibliothèque nationale, la collection des provinces est toujours à consulter, et dans toutes les bibliothèques, le fonds des manuscrits contient de nombreux recueils de documents utilisables.

Il faut enfin mentionner les Archives du Vatican, où se trouve peut-être la partie la plus substantielle de toute l'histoire ecclésiastique, générale ou locale, dans les Registres de la chancellerie pontificale, dans les recueils de brefs, dans les archives de la Daterie, de la Chambre apostolique, et de la Nonciature de France, celles-ci complètes depuis 1527.

Ordonnances des rois de France, t. XXI et XXII. — *Ordonnances des rois de France. Règne de François I*er. — REBUFFI, *Les édits et ordonnances des roys de France*, V. — FONTANON, *Les édicts et ordonnances des rois de France*, t. IV. — BRISSON, *Code Henry III*, I. — GUÉNOIS, *La conférence des ordonnances royaux*, I, 2-6. — GIRARD et JOLY, *Trois livres des offices de France*, I. — ISAMBERT, *Recueil général des anciennes lois françaises.* — BOUCHEL, *Decretorum ecclesiae gallicanae ex conciliis, libri VIII.* — DE HÉRICOURT, *Les lois ecclésiastiques de France.* — *Canones et decreta... Concilii Tridentini.* — *Concilium Tridentinum*, t. IV-IX, pub. par Ehses. — HÉFÉLÉ, LECLERCQ, *Histoire des conciles*, t. VIII-X (ce dernier volume contenant le texte des actes du Concile). — (ODESPUNC DE LA MESCHINIÈRE), *Actes, titres et mémoires concernant les affaires du clergé de France.* — *Recueil des actes, titres et mémoires concernant les affaires du clergé de France.* — Académie des Inscriptions, *Recueil des historiens de la France. Pouillés.* — LE PRÉVOST, *Pouillés du diocèse de Lisieux.* — GUILLOTIN DE CORSON, *Pouillé historique de l'archevêché de Rennes.* — LUCO, *Pouillé historique de l'ancien diocèse de Vannes.* — AILLERY, *Pouillé de l'évêché de Luçon.* — (Anonyme), *L'évêché de Langres... au XVI*e *siècle.* — BRUEL, *Pouillés des diocèses de Clermont et de Saint-Flour* (Bull. Com. trav. hist., 1882). — CHEVALIER, *Pouillé du diocèse de Vienne* (Bull. soc. Drôme, t. I-IV).

Gallia christiana. — BARONIUS, RINALDI, *Annales ecclesiastici.* — DU ROUSSEAUD DE LACOMBE, *Recueil de jurisprudence canonique et bénéficiale.* — DURAND DE MAILLANE, *Dictionnaire de droit canonique et de pratique bénéficiale.* — T. DUPLESSIS, *Histoire de l'église de Meaux.* — LANCELOT, *Institutiones juris canonici.* — DOUAREN, *De sacris Ecclesiae ministeriis ac beneficiis.*

ALBANÈS, CHEVALIER, *Gallia christiana novissima.* — EUBEL, *Hierarchia catholica medii et recentioris aevi.* — VACANT, MANGENOT, *Dictionnaire de théologie catholique.* — CABROL, LECLERCQ, *Dictionnaire d'archéologie chrétienne et de liturgie.* — BAUDRILLART, *Dictionnaire d'histoire et de géographie ecclésiastiques.* — NAZ, *Dictionnaire de droit canonique.* — GUETTÉE, *Histoire de l'Église de France.* — MOURRET, *Histoire générale de l'Église.*

HISTOIRE D'UN ÉTABLISSEMENT ECCLÉSIASTIQUE

La plupart des ouvrages consacrés à l'histoire d'un établissement ecclésiastique, évêché, abbaye, touchent pour une part à la géographie ecclésiastique et aux cadres de cette administration. Il conviendrait de reproduire ici la bibliographie des autres chapitres, et en particulier l'indication des pouillés, qui figurent dans la bibliographie générale de cette partie.

Il y a lieu de noter seulement quelques ouvrages plus spéciaux : PAPIRE MASSON, *Notitia episcopatuum Galliae*. — EUBEL, *Hierarchia catholica*. — MOLINIER, *Sur la géographie de la province de Languedoc*, dans le t. XII, 18, de l'*Histoire générale du Languedoc*. — DESNOYERS, *Topographie ecclésiastique de la France pendant le Moyen Age et dans les temps modernes* (Ann. de la Soc. de l'Hist. de Fr., 1853, 1859). — DE LACGER, *États administratifs des anciens diocèses d'Albi, de Castres et de Lavaur*.

CHAPITRE II

LE DROIT ECCLÉSIASTIQUE

LE DROIT CANONIQUE. — LE DROIT GALLICAN. — LE CONCOR-DAT DE 1516.

Le droit canonique. Moins encore que le droit civil, le droit ecclésiastique n'était pas codifié dans un corps de législation unique et coordonné. Il se présentait comme composé d'apports successifs, parfois contradictoires, entre lesquels la pratique avait fait son choix et créé une jurisprudence particulière pour chaque église nationale et même parfois pour chaque province.

Ce droit d'ailleurs, là même où il était constitué de la façon la plus exacte, ne s'appliquait pas sans discrimination à toutes les personnes. Lorsqu'il s'appliquait aux clercs, il s'agissait de définir la qualité de clerc, et pour les laïques, de déterminer les cas où ils étaient régis par la loi ecclésiastique. Questions souvent contestées entre les représentants du roi et les dignitaires de l'Église.

A la base du droit ecclésiastique, l'Église plaçait l'Écriture sainte, Ancien et Nouveau Testament, dont la liste des livres authentiques fut arrêtée par le Concile de Trente (session IV). On se contentait toutefois d'en dégager quelques principes fondamentaux, dont les conséquences juridiques étaient précisées dans des textes plus récents.

Ces textes de droit étaient de nature diverse : écrits des Pères de l'Église, canons des conciles œcuméniques et nationaux, constitutions pontificales, ces dernières comprenant des décrets, des décrétales ou des rescrits, présentés sous la forme de bulles ou de brefs.

Tous ces textes étaient réunis dans d'innombrables recueils compilés par des ecclésiastiques ou des jurisconsultes désireux de grouper les documents relatifs à une époque, à une église ou à une matière particulière. Les faux y coudoyaient les authentiques, sans que l'histoire ait à s'en préoccuper, du moment que les uns et les autres étaient à l'époque considérés comme valables et appliqués sans contestation.

Les principales compilations utilisées en France étaient la *Collectio Hadriana*, promulguée en 802 comme loi, sous le titre de *Codex canonum Ecclesiae gallicanae*, le recueil de Décrétales attribué à Isidore Mercator, destiné à définir les droits des clercs contre les empiétements du pouvoir civil. Ces derniers textes, reconnus comme faux depuis le xve siècle, étaient désormais désignés sous le nom de *Fausses décrétales* et leur auteur qualifié de Pseudo-Isidore, mais la papauté n'en restait pas moins attachée aux règles de droit qui y étaient formulées.

Les collections canoniques se succédèrent dans la suite, complétées par l'addition des canons et des décrétales les plus récents. Vers 1140, le *Decretum Gratiani* faisait œuvre constructive en essayant de dégager de cette masse de documents les principes incontestables, si bien que ce recueil finit par s'imposer comme résumant la doctrine juridique de l'Église et devint le fondement du droit ecclésiastique.

Les siècles suivants y ajoutèrent de nouvelles assises : au xiiie siècle, Grégoire IX fit compiler un recueil de décrétales distribué en cinq livres, comprenant les canons du Concile de Latran de 1215 (1234). En 1298, Boniface VIII y ajoutait un sixième livre : *Liber sextus decretalium*, comprenant les conciles de Lyon de 1245 et de 1274.

Sous Jean XXII, en 1313, un nouveau supplément comprenait les décrétales de Clément V et les canons du Concile de Vienne de 1311-12. C'était le recueil des *Clémentines*.

Enfin, à cette collection de documents s'ajoutaient d'autres textes juridiques, qui jusqu'alors étaient restés en dehors de cet ensemble et qui furent pour cela désignés sous le nom d'*Extra-*

vagantes. Il y en eut deux groupes successifs, celui des *Décrétales* de Jean XXII, composé de vingt constitutions, et un dernier recueil dit *Extravagantes communes*, comprenant diverses constitutions réparties entre 1294 et 1484. C'était là la plus récente acquisition du droit canonique, ces deux recueils d'*Extravagantes* ayant été publiés par J. Chappuis, en 1500 et 1503.

Parmi ces nombreux textes, l'Église se préoccupait surtout de choisir ceux qui devaient constituer officiellement le droit ecclésiastique.

Au XVIᵉ siècle, le *Corpus juris canonici* comprenait un ensemble de six recueils :

1⁰ Le *Décret* de Gratien.
2⁰ Les *Décrétales* de Grégoire IX.
3⁰ Le *Sexte*.
4⁰ Les *Clémentines*.
5⁰ Les *Extravagantes* de Jean XXII.
6⁰ Les *Extravagantes communes*.

Alors, le travail des jurisconsultes consista surtout à publier ces textes en corrigeant le *Décret*, en complétant les rubriques et en numérotant les canons. Sur ces éditions ainsi émendées, les commentateurs édifièrent leur œuvre[1].

Ce travail s'achevait à partir de 1563, où le pape décida de donner une édition définitive, dont la préparation fut confiée à une commission pontificale. Ce fut l'édition des *Correctores romani*, de 1582.

A ce *Corpus* s'ajoutait l'apport législatif des conciles les plus récents. Celui-ci s'était d'ailleurs ralenti à partir du XVᵉ siècle. Les conciles de Constance et de Bâle n'avaient publié qu'un petit nombre de canons; celui de Latran (1512-17), n'en produisit aucun. Enfin, le Concile de Trente acheva l'œuvre législative des siècles antérieurs par une série de canons et de décrets, qui exprimèrent les règles du droit canonique sous sa forme la plus récente.

---

1. Une édition générale fut donnée par J. CHAPPUIS, *Decretum*..., Paris, 1510-11, in-4⁰, 3 vol. D'autres éditions furent publiées en France, par Démocharès (Paris, 1547), Du Moulin (Lyon, 1554), Le Conte (Paris, 1556). L'édition moderne la plus recommandable est celle de E. FRIEDBERG, *Corpus juris canonici*, Leipzig, 1879-81, in-4⁰, 2 vol.

Ces textes législatifs étaient complétés par certaines prescriptions de détail émanant de la papauté et groupées dans les *Bullaires*. Enfin, les règlements de la chancellerie apostolique concernant la provision des bénéfices, les expéditions de la chancellerie et le jugement des procès constituaient le recueil des *Regulae cancellariae apostolicae*.

Le droit gallican. Cette législation était celle de l'Église en général, mais il était de tradition que l'Église de France y fît un tri, pour déterminer les principes de droit applicables à l'Église gallicane.

Ce choix était fondé sur le droit traditionnel de l'Église de France de conserver ses anciennes coutumes autorisées par les canons et sa discipline propre des premiers siècles. « Nous ne tenons en France pour droit canonique, dira plus tard Fleury, que les canons reçus d'un consentement universel par toute l'Église catholique, ou bien les canons des conciles de France et les anciennes coutumes de l'Église gallicane[1]. »

En vertu de ce principe, le droit gallican n'acceptait intégralement ni le *Décret* ni les principales compilations canoniques. Il était fondé sur les canons des premiers conciles généraux et de certains conciles particuliers. Parmi ces canons, on recevait sans discrimination les décisions concernant la foi, comme s'imposant aux papes eux-mêmes, tandis que ceux qui s'appliquaient à la discipline étaient soumis à des réserves, d'après ce principe qu' « on a laissé de tout temps à chaque église une grande liberté de garder ses anciens usages ».

D'après ce même principe, le droit gallican apportait des limitations aux exigences imposées par la papauté aux églises de France, tant en vertu d'une possession immémoriale que par l'application des *Fausses décrétales*.

Dans tous les cas, le gallicanisme excluait toutes les règles et tous les usages qui n'avaient pas été reçus par les évêques et approuvés par les rois, tout ce qui était contraire aux droits

---

1. FLEURY, *Institution au droit ecclésiastique*, II, p. 224.

permanents des évêques et à l'indépendance temporelle des souverains.

D'ailleurs, cette adhésion du pouvoir royal devait se marquer par l'observation de certaines formalités. Les actes pontificaux et même les canons conciliaires n'étaient admis en France que lorsque leur publication avait été autorisée par des lettres patentes, elles-mêmes vérifiées et enregistrées par les parlements.

Ainsi, dans le *Corpus juris canonici*, le droit gallican rejetait en partie le *Sexte* et les *Clémentines*. Quant au Concile de Trente, la question de sa publication fut discutée pendant plus d'un demi-siècle.

Les passions gallicanes trouvèrent dans ses décisions, et plus spécialement dans ses décrets disciplinaires, l'occasion de reprendre la lutte contre les empiétements de la papauté. On protestait contre l'affirmation de la suprématie pontificale, contre les mesures qui étendaient cette autorité, contre le maintien de la juridiction du pape et des exemptions, contre le droit d'évocation. Les chapitres, d'autre part, étaient mécontents du développement de l'autorité épiscopale et de la juridiction ordinaire. On reprochait au Concile de n'avoir pas tenu compte de la législation royale et de la jurisprudence des parlements. Le roi lui-même était inquiet des dispositions conciliaires concernant les biens ecclésiastiques, limitant la levée des impositions sur le clergé et les aliénations du temporel.

Ces opinions étaient exprimées par Du Moulin et par Faye d'Espesses[1].

Du Moulin, dès la clôture du Concile, faisait ressortir l'opposition de ses décisions avec la tradition des conciles antérieurs, avec les droits de la Couronne, les libertés et immunités de l'Église gallicane. A Trente, on avait voulu réformer l'Église, alors qu'il s'agissait de réformer la papauté. Certains décrets dogmatiques et disciplinaires étaient inacceptables, ceux qui concernaient la foi et les sacrements, la résidence des évêques,

---

1. *Le Conseil de Messire Charles Du Moulin, sur le fait du Concile de Trente. Opera...*, t. V. Voir la *Response au Conseil... par Pierre Grégoire Tholosain*, Ibid. *Avertissement sur la réception et la publication du Concile de Trente*, par Ch. FAYE D'ESPESSES, publ. dans les *Mémoires* de Duplessis-Mornay. Éd. de 1624, p. 138.

la nomination des dignitaires, la justice et les dîmes. L'auteur démontrait que la réception du Concile ferait du royaume un pays d'obédience pontificale, et du roi l'ennemi des princes protestants, ses alliés naturels.

Faye d'Espesses étudiait la question d'un point de vue plus politique que juridique. Il redoutait surtout l'introduction en France de la juridiction pontificale, qui établirait « un autre royaume au milieu de notre royaume », ainsi que les levées de deniers qui l'appauvriraient d'argent. Ce serait la fin de la paix intérieure et du régime des édits de pacification. Il faisait même craindre l'établissement de l'Inquisition, bien que les événements de l'époque où il écrivait (1583) aient démontré l'inanité de certaines de ces craintes.

Dès l'issue du Concile, les textes furent soumis au Conseil du roi, qui décida de surseoir à leur publication. Dans la suite, l'opposition ne fit que croître, si bien que Henri III se contenta, en 1579, d'une solution bâtarde : on incorpora dans l'ordonnance de Blois les décrets disciplinaires, qui semblaient acceptables et compatibles avec la législation du royaume.

La Ligue fit effort pour arriver à une publication intégrale, sans pouvoir triompher de la résistance des États de 1593. Les choses en étaient toujours au même point à la fin du XVIᵉ siècle, malgré les engagements pris par Henri IV envers le Saint-Siège, au moment de son absolution. Ce fut l'assemblée du Clergé de 1615 qui apporta une solution définitive, en décidant d'appliquer les décrets du Concile sans qu'on ait procédé à leur publication officielle.

Le droit canonique, ainsi amputé d'une partie de son contenu, était par ailleurs complété par une série de textes spécialement applicables à l'Église gallicane. C'étaient, en premier lieu, les bulles apostoliques destinées à la France, les canons des conciles nationaux et surtout la série des ordonnances royales, dont les plus anciennes remontaient aux premiers temps de la dynastie mérovingienne, et qui contenaient un grand nombre de textes applicables aux choses de l'Église.

Parmi ces derniers, il en était quelques-uns dont l'autorité était encore incontestable au XVIᵉ siècle.

C'était en premier lieu la Pragmatique sanction de saint Louis, de 1269, faux manifeste, dont la rédaction remontait au xvᵉ siècle, alors qu'on s'efforçait de trouver des précédents à la Pragmatique de 1438. Depuis lors, et malgré cette origine récente, son autorité était hors de contestation : le Parlement l'avait invoquée comme une tradition, dans ses fameuses remontrances de 1464. Insérée dans les recueils de jurisprudence, elle fut utilisée par les légistes jusqu'au xviiiᵉ siècle, où on s'avisa enfin qu'il s'agissait d'un faux[1].

La Pragmatique de saint Louis affirmait des principes plutôt qu'elle n'imposait des règles de procédure : elle maintenait l'intégrité des droits des collateurs et la liberté des élections contre les empiétements du Saint-Siège et ses exactions fiscales.

Telle quelle, et malgré l'invraisemblance flagrante de ce document, qui condamnait des pratiques évidemment postérieures à sa date supposée, la Pragmatique de saint Louis servait de préface à celle de 1438, qui réorganisait l'Église de France d'après le principe d'une complète autonomie.

Ses 23 articles s'appliquaient à toute l'organisation ecclésiastique, depuis le régime des provisions jusqu'aux détails de la discipline. La plupart de ces règlements étaient acceptés par toutes les parties, à la fois par les rois, les conciles et les papes. Insérés dans le Concordat de 1516 sans modifications, ils constituèrent les bases d'une discipline désormais immuable. Mais l'originalité de la Pragmatique consistait dans un petit nombre de réformes qui s'appliquaient aux questions les plus controversées : c'étaient la suprématie des conciles dans l'Église[2], le rétablissement intégral des élections, la suppression des réserves et de tous les droits fiscaux que s'était attribués le Saint-Siège.

La Pragmatique de 1438 réalisait ainsi l'indépendance com-

---

1. La question était encore litigieuse à la fin du xviiiᵉ siècle. Héricourt, dans ses *Lois ecclésiastiques*, émet quelques objections : « Si la Pragmatique qu'on attribue à Louis IX était une pièce incontestable... » Mais les éditeurs de 1771 affirment de nouveau son authenticité. On en trouve le texte dans le recueil de FONTANON, t. IV, p. 1392.

2. « *Ipsa synodus, in Spiritu sancto legitime congregata,... Ecclesiam militantem representans, potestatem a Christo habet immediate, cui, quilibet, cujuscunque status,... etiamsi papalis existat, obedire tenetur.* »

plète de l'Église de France, aussi bien vis-à-vis des papes que des rois. C'est ce qui fit la fragilité de ce système, les uns et les autres ne pouvant se résigner à cette situation de désintéressement total. Aussi l'histoire de la Pragmatique, depuis sa promulgation, ne fut-elle qu'une suite de tentatives destinées à rétablir un régime plus conforme aux vues de la papauté et du gouvernement royal.

Révoquée par Louis XI, restaurée par les États de 1484 et appliquée pendant le règne de Charles VIII, elle se présentait au début du XVIᵉ siècle comme le fondement de tout le système ecclésiastique, malgré de fréquentes déviations résultant de l'abus des interventions royales dans le système électif.

Ce régime fut définitivement compromis par les luttes politiques dont l'Italie était l'objet. Instrument de guerre dirigé contre la papauté au temps de Jules II, la Pragmatique fut emportée par le triomphe final de la Sainte Ligue et par le Concile de Latran de 1512, qui précipita sa fin sur le terrain ecclésiastique.

Le concile, dans sa quatrième session, ajourna les défenseurs de la Pragmatique, dont la cause semblait définitivement ruinée lorsque Louis XII adhéra au Concile.

Sous François Iᵉʳ, les procédures reprirent et la question eût été résolue sans plus tarder, si la campagne de Marignan n'avait rétabli la situation, en permettant au roi de placer sur son véritable terrain une affaire, dont le caractère avait toujours été plus politique que religieux.

Cette solution consista dans un compromis de caractère exclusivement politique, conclu entre le pape et le roi, aux dépens de l'Église gallicane. Les principes en furent arrêtés par François Iᵉʳ et par Léon X à l'entrevue de Bologne, les détails, par le chancelier Duprat et les cardinaux d'Ancone et de San Quatro. Le texte définitif fut revisé par R. Barme, avocat du roi au Parlement de Paris. Ce fut le Concordat du 18 août 1516[1].

---

1. Le Concordat comprenait plusieurs textes : la bulle pontificale du 18 août 1516, contenant le texte du Concordat, — la bulle du 19 décembre 1516, contenant son approbation par le Concile de Latran, au cours de sa 11ᵉ session, — les lettres patentes du 13 mai 1517, approuvant les bulles précédentes. Voir ces textes dans les *Ordonnances* de François Iᵉʳ, nᵒ 91.

Le Concordat de 1516. Le Concordat reproduisait sans modifications la plupart des textes de la Pragmatique, mais il s'agissait là des stipulations les moins importantes, alors que, sur les points essentiels, des innovations, en petit nombre, bouleversaient le régime de l'Église. François Ier et Duprat en profitèrent pour essayer de tromper les opposants, en affirmant qu'on avait conservé la substance de la Pragmatique et que le nom seul en était changé; argumentation fallacieuse, qui ne pouvait faire illusion aux juristes expérimentés auxquels elle était destinée.

En réalité, quelques articles de la Pragmatique, et non des moindres, avaient disparu : le titre I, qui affirmait la supériorité des conciles, le titre VIII, qui limitait le nombre des cardinaux, le titre IX, qui supprimait les annates et autres taxes pontificales, dont il n'était pas fait mention dans le Concordat, ce qui laissait prévoir leur rétablissement.

Quant aux innovations, elles portaient sur un seul point : le système des élections était aboli et remplacé par celui des nominations royales.

Dans l'ensemble, ce régime concordataire assurait au roi comme au pape des avantages considérables aux dépens du clergé français. Le gallicanisme en sortait transformé en gallicanisme royal, qui assurait l'emprise du roi sur les privilèges traditionnels du clergé.

Cette déviation ne s'accomplit pas sans résistances de la part de ceux dont les intérêts étaient lésés, si bien que, pendant longtemps, l'application du Concordat demeura incertaine.

Il ne fut enregistré au Parlement de Paris qu'en 1518, et avec des restrictions mentionnant que les procès seraient toujours jugés conformément à la Pragmatique. Du côté du clergé, l'opposition se manifestait par un appel de l'Université de Paris, du 27 mars 1518, et du Chapitre de Notre-Dame.

L'application du Concordat resta ainsi en suspens jusqu'au jour où François Ier affirma son autorité par l'édit du 24 juillet 1527, qui remettait au Grand Conseil la connaissance des procès en matière bénéficiale. On retirait ainsi au Parlement la possibilité de maintenir une jurisprudence contraire aux dispositions concordataires.

Ce régime ne resta pas intact pendant tout le XVIᵉ siècle : certaines parties du Concordat ne tardèrent pas à être contestées ou modifiées.

Tout d'abord, une série d'actes complémentaires s'ajoutèrent au Concordat pour préciser les points où il subsistait quelques incertitudes. Ce fut en premier lieu la bulle du 1ᵉʳ octobre 1516, qui prescrivait expressément le paiement de l'annate.

Dans la suite, on décida de supprimer les privilèges d'élire, que le Concordat avait confirmés et qui menaçaient de réduire à rien le plus profitable des avantages que le roi retirait du Concordat. L'indult du 9 juin 1531 supprima ces privilèges, sauf pour quelques abbayes chefs d'ordre. Cet indult, accordé à François Iᵉʳ[1], fut renouvelé pour Henri II et pour Charles IX[2].

Il s'agit enfin de déterminer les territoires auxquels s'appliquerait le Concordat : la solution semblait simple, puisque le texte du traité le déclarait applicable « in regno, Delphinatu et comitatu Diensi et Valentinensi ». Mais, il fallait s'entendre sur la signification du terme *regnum*, et diverses théories s'affrontaient sur ce point, dont on devait encore discuter au XVIIᵉ siècle.

Les uns prétendaient que le Concordat, ayant remplacé la Pragmatique, n'avait cours que dans les pays qui faisaient partie du royaume en 1438, si bien qu'au XVIᵉ siècle, la Bretagne, la Provence et les dépendances italiennes du royaume devaient rester en dehors : c'étaient les *pays d'obédience*, soumis directement à l'autorité pontificale et régis par les règles de la chancellerie apostolique.

Inversement, et c'était la théorie des juristes gallicans, on affirmait comme un principe intangible que le droit du royaume s'appliquait à toutes ses provinces, quelle que fût la date de leur annexion[3].

---

1. Une légende était répandue, d'après laquelle Duprat se serait fait remettre tous les privilèges d'élire, et les « jeta tous au feu », ce qui aurait rendu inutiles les indults ultérieurs. Il n'y a rien à retenir de ce récit.

2. *Procès-verbaux du Clergé*, t. XI, col. 23 et suiv.

3. Cette thèse est développée en particulier dans un mémoire du procureur général Brulart, de 1548, publié dans le *Traitez des droits et libertez de l'Église gallicane*.

Le gouvernement royal adopta successivement ces systèmes contradictoires. François Ier reconnut tout d'abord le principe des deux législations différentes, en obtenant du pape un indult qui créait pour les pays d'obédience un régime spécial. L'indult du 3 octobre 1516 y introduisit la procédure des nominations concordataires, modifiée sur certains points en faveur du roi[1], tandis que le pape y conservait ses privilèges traditionnels sur les bénéfices non consistoriaux, réserves, expectatives et droit de dévolution.

François Ier revint, dans la suite, au système de l'unité de législation : des lettres patentes de 1528, 1534, 1538 et 1544 étendirent à la Provence certaines dispositions concordataires[2] : c'étaient des décisions émanant de la seule autorité du roi et non des conventions bilatérales.

Henri II, qui s'était engagé dans la même voie, dut bientôt céder : la déclaration du 14 juin 1549[3] reconnaissait que la Bretagne et la Provence étaient en dehors du régime concordataire, après quoi il continua de nommer aux bénéfices en vertu de l'indult, dans ces deux provinces.

Il en fut ainsi jusque sous Henri III. En 1586, le pape, en renouvelant l'indult qui autorisait les nominations royales, supprima les clauses qui faisaient de ces provinces des pays d'obédience. C'était reconnaître qu'elles seraient désormais soumises au régime du droit commun.

Un nouveau problème s'était encore posé avec la conquête des Trois Évêchés, en 1552. En réalité, c'était une question de fait, qui n'apportait aucune innovation au statut légal de ces territoires. Ils restaient soumis au régime du Concordat germanique, et il en fut ainsi jusqu'au jour où, sous Louis XIV, le roi se vit accorder un indult analogue aux précédents.

Le Concordat et ses annexes constituaient ainsi un ensemble de règles qui déterminèrent le statut de l'Église de France

---

1. Le roi était seulement tenu de présenter comme candidats *personas idoneas*, sans condition de grades ni d'âge.

2. Lettres patentes des 7 octobre 1528 (*Cat.*, n° 23966), 13 février 1534 (*Cat.*, n° 6735), 19 février 1539 et 7 mars 1544. Voir Busquet, *Histoire des institutions de la Provence*.

3. Lettres patentes des 14 juin 1549 et 29 juillet 1550.

sur certains points essentiels, statut qui fut, jusqu'à la fin de l'Ancien Régime, un des éléments de la puissance des rois et d'après lequel se façonnèrent toutes les institutions de l'Église gallicane.

Les ordonnances royales étaient également une des sources du droit ecclésiastique, les rois ayant toujours considéré la discipline de l'Église comme un des domaines sur lesquels devait s'étendre leur autorité. Depuis les capitulaires carolingiens, un grand nombre de décisions royales s'appliquaient aux matières ecclésiastiques. Pendant les derniers siècles, avaient été publiées, en 1334, l'ordonnance sur la régale, en 1369, celle qui concernait l'excommunication des officiers royaux. Au XVIe siècle, l'ordonnance de Villers-Cotterets précisait la délimitation de la justice civile et de la justice ecclésiastique, et nous avons vu la part importante qui était réservée à ces matières dans les ordonnances d'Orléans, en 1561, de Moulins, en 1566, et de Blois, en 1579. Cette dernière était d'ailleurs suivie par l'édit de février 1580, rendu à la suite des remontrances de l'Assemblée de Melun, qui reprenait les principales dispositions de l'ordonnance de Blois.

Enfin, à partir de 1560, les assemblées du clergé de France, bien que n'ayant aucun caractère de concile national, intervinrent incidemment dans les affaires de discipline et même de dogme, apportant leur contribution à la législation ecclésiastique.

Ces décisions, provenant d'autorités diverses, étaient finalement complétées par les travaux des jurisconsultes, qui dégageaient de cette masse de textes les principes constitutifs du droit gallican. C'étaient en particulier les recueils d'arrêts et de remontrances des cours souveraines, des traités de doctrine étayés de preuves tirées des textes juridiques et dont les titres éclairent singulièrement les intentions de leurs auteurs.

Dans ce genre, les juristes de la fin du XVIe siècle ont multiplié traités et commentaires, Du Tillet, Fauchet, Douaren, Guy Coquille, Hotman, dont les œuvres n'ont d'ailleurs été publiées pour la plupart que beaucoup plus tard. Mais le siècle finissant nous a laissé l'ouvrage sinon le plus solide du moins le plus célèbre, celui de Pierre Pithou, qui condense en 83 articles toute la doctrine gallicane. Ses *Libertez de l'Eglise gallicane* acquirent une vogue qui se maintint sans fléchir pendant les siècles suivants[1].

Tout cela constituait l'ensemble infiniment complexe du droit de l'Église de France, auquel coopérèrent hommes de gouvernement, légistes et gens d'Église, et qui, s'appliquant aux grands problèmes de l'administration ecclésiastique, limitait toujours davantage les prérogatives du pouvoir religieux au profit de l'autorité civile.

BIBLIOGRAPHIE

Les documents d'archives sont peu nombreux, la plupart des textes juridiques ayant été publiés dans des collections anciennes ou récentes. Aux Archives Nationales, il existe une collection des bulles pontificales, L, 327-341.

Les principaux textes ont été souvent reproduits. On se reportera de préférence aux éditions suivantes : Pragmatique sanction de saint Louis, Pragmatique sanction du 7 juillet 1438, (*Recueil des actes, titres et mémoires...*, t. X). — Concordat du 18 août 1516 et lettres patentes du 13 mai 1517, (*Ordonnances*, n° 91). — Bulle du 1er octobre 1516, (*Recueil des actes...*, t. X). — Ordonnances de Blois, de 1499 (art. 1-12), d'Orléans, de 1561 (art. 1-29), de Moulins, de 1566 (art. 38-40), de Blois, de 1579 (art. 1-88) (NÉRON et GIRARD). — Édit de Melun, de février 1580 (FONTANON, t. IV).

GIRARD et JOLY, *Trois livres des offices*, I, 22. — FONTANON, *Les édicts et ordonnances*, IV, 9, 10, 32. — GUÉNOIS, *La conférence des ordonnances*, I, 6. — LABBÉ, COSSART, *Sacrosancta concilia ad regiam editionem exacta*, t. XIII-XV. — HARDOUIN, *Conciliorum collectio regia maxima*, t. X-XI. — COLETI, *Sacrosancta concilia ad regiam editionem exacta*, t, XIX-XXI. — CHERUBINI, *Bullarium*. — COCQUELINES,

1. J. DU TILLET, *Mémoire et advis sur les libertés de l'Église gallicane*, s. l., 1594, in-8° (composé en 1551). C. FAUCHET, *Traité des libertés de l'Église gallicane*, dans les *Œuvres...*, Paris, 1610, in-4° (composé en 1593). DOUAREN, *Defensio libertatum ecclesiae gallicanae*, Lyon, 1579, in-fol. (composé en 1551). Guy COQUILLE, *Traité des libertés de l'Église de France*, t. I des *Œuvres...*, Paris, 1665, in-fol. (composé en 1594). A. HOTMAN, *Traité des droits ecclésiastiques... de l'Église gallicane*, Paris, 1608, in-12 (composé en 1594). P. PITHOU, *Les libertez de l'Église gallicane*, Paris, 1594, in-8°. Toute cette doctrine est résumée dans l'œuvre postérieure de Pierre DUPUY, *Traitez des droits et libertez de l'Église gallicane*, s. l., 1639, in-fol., 2 vol.

Bullarum, privilegiorum ac diplomatum... collectio, III-V. — MANSI, *Sacrorum conciliorum nova et amplissima collectio,* t. XXXII-XXXIV. — *Tractatus universi juris duce et auspice Gregorio XIII.* — BOUCHEL, *Decretorum ecclesiae gallicanae... libri VIII.* — P. DUPUY, *Preuves des libertez de l'Église gallicane.*

E. PASQUIER, *Les recherches de la France,* III. — P. PITHOU, *Les libertez de l'Église gallicane.* — P. DUPUY, *Commentaire sur le traité des libertés... de P. Pithou.*

TARDIF, *Histoire des sources du droit canonique.* — DURTELLE DE SAINT-SAUVEUR, *Les pays d'obédience dans l'ancienne France.* — THOMAS, *Le Concordat de 1516.* — V. MARTIN, *Le gallicanisme et la réforme catholique.* — EVENNETT, *The cardinal of Lorraine and the Council of Trent.* — BUSQUET, *Histoire des institutions de la Provence.*

CHAPITRE III

LA CONDITION ET LE STATUT LÉGAL DES ECCLÉSIASTIQUES

LES DIVERSES CATÉGORIES DE CLERCS. — LE STATUT LÉGAL DES ECCLÉSIASTIQUES.

Les diverses catégories de clercs. Les ecclésiastiques possédaient dans la société un statut légal différent de celui des laïques, et ce statut variait suivant la condition de chacun dans la hiérarchie de l'Église. Tout cela avait d'autant plus d'importance que l'Église formait dans l'État un ordre distinct, le seul qui fût véritablement organisé.

En principe, l'ecclésiastique était celui qui avait reçu les ordres sacrés, mais cette ordination comprenait des degrés, tandis que la condition ecclésiastique s'étendait au delà du clergé qui l'avait reçue.

La *tonsure* était la première étape. C'était non pas un ordre, mais une cérémonie préparatoire, qui consistait dans la coupe des cheveux. Le tonsuré devait être âgé au moins de sept ans ; il devait avoir reçu la confirmation, être instruit des rudiments de la foi et savoir lire et écrire. C'était l'évêque qui faisait la tonsure, mais ce privilège était revendiqué par les abbés à l'égard de leurs moines, et le Concile de Trente leur reconnut ce pouvoir.

Le tonsuré faisait partie de l'Église et jouissait en principe des exemptions et des privilèges cléricaux[1] : il avait le droit de

---

1. On verra plus bas que les ordonnances royales intervinrent pour limiter ces prérogatives.

recevoir des bénéfices et de porter le surplis, mais ces droits ne comportaient que peu d'obligations : le tonsuré n'était pas contraint de porter l'habit ecclésiastique, il pouvait se marier et exercer toutes sortes de métiers ; il y avait ainsi des clercs laboureurs et artisans, hommes de loi et marchands, même dans les métiers vils, tels que taverniers et bouchers. Ceux qui menaient une vie laïque ne se distinguaient en rien de leur entourage et ne se souvenaient de leur caractère d'hommes d'Église que lorsqu'ils avaient à comparaître en justice.

Après la tonsure venaient les ordres, qui comprenaient sept degrés « per quos, velut per gradus quosdam, in sacerdotium tendatur[1] ».

Les *ordres mineurs* correspondaient aux grades successifs de *portier, lecteur, exorciste* et *acolyte*. Les *ordres majeurs*, dits sacrés, correspondaient au *sous-diaconat*, au *diaconat* et à la *prêtrise*.

Pour recevoir les ordres mineurs, certaines conditions étaient imposées : il fallait savoir le latin, témoigner par sa conduite qu'on pouvait accéder aux ordres majeurs. Enfin, l'usage était de ne les conférer qu'aux candidats âgés au moins de dix-huit ans.

Dans l'Église primitive, ces titres correspondaient à des fonctions réelles dans l'entourage des prêtres, dont le nombre était peu élevé. Au Moyen Age, ces fonctions étaient tombées en décadence, et le passage des postulants par les degrés de cette hiérarchie inférieure n'était plus qu'une simple formalité, préalable à la collation des grades supérieurs.

Le Concile de Trente réagit contre cette pratique. Il prescrivit de rétablir ces fonctions dans la liturgie et de les confier à des clercs qualifiés. La collation des ordres mineurs devait se faire à des intervalles séparés.

Mais dans la pratique, des difficultés se présentaient : l'intervention des exorcistes dans la liturgie était exceptionnelle. Aussi, ces prescriptions restèrent-elles sans effet, et on continua de conférer les ordres mineurs sans tenir compte des intervalles prescrits, souvent au cours d'une même cérémonie.

C'était l'évêque lui-même qui conférait ces ordres en remet-

1. Concile de Trente. Session XXIII.

tant aux postulants les objets symboliques qui servaient d'insignes à leurs diverses fonctions.

Pour le sous-diaconat, des conditions plus strictes étaient imposées. Le Concile de Trente prescrivait l'âge minimum de vingt et un ans et un intervalle d'une année après la réception des ordres mineurs. Le célibat était également obligatoire. Le sous-diaconat était conféré par l'évêque, qui remettait à l'impétrant le calice, les ornements et le livre des Épîtres que le sous-diacre devait lire dans les messes solennelles.

Pour le diaconat, l'âge de vingt-deux ans était exigé, avec le même intervalle d'une année depuis le sous-diaconat. L'évêque le conférait par l'imposition des mains, et il remettait au postulant les ornements ainsi que le livre des Évangiles. Le diacre avait des fonctions réelles : il assistait l'officiant dans les cérémonies rituelles et donnait lecture de l'Évangile.

La prêtrise était le dernier grade de l'ordination. L'âge exigé était de vingt-quatre ans, avec le même intervalle d'un an depuis le diaconat. Le candidat était soumis à un examen préalable portant sur « son origine, sa personne, son âge, son éducation, ses mœurs, sa science et sa foi ». Le Concile de Trente avait posé en principe qu'il devait passer au préalable par un séminaire. Il devait posséder un bénéfice ecclésiastique suffisant pour assurer son entretien, ou un titre patrimonial, c'est-à-dire un revenu en biens profanes.

L'ordonnance d'Orléans renforça ces prescriptions en défendant de conférer les ordres aux candidats âgés de moins de trente ans, à ceux dont on ne reconnaîtrait pas la probité, les bonnes mœurs et la science, « ayant aussi bien temporel ou bénéfice suffisant pour se nourrir ou entretenir ». Ce minimum requis était de 50 livres de rentes. Naturellement, cette condition n'existait pas pour les moines et spécialement pour les mendiants. L'Église voulait se protéger contre les prêtres irréguliers, sans ressources, qui étaient pour elle une charge et une cause de scandales.

L'ordination était conférée par l'évêque, par l'imposition des deux mains, complétée par des onctions sur les mains de l'ordinand et la remise des ornements sacertodaux.

Le prêtre était en pleine possession du ministère ecclésiastique, tel que le définissait le Concile de Trente[1]. Il possédait « potestatem consecrandi, offerendi et ministrandi corpus et sanguinem Domini, necnon et peccata dimittendi et retinendi ». Accessoirement, il pouvait prêcher et baptiser, mais ces fonctions ne lui étaient pas exclusivement réservées. Enfin, cette qualité de prêtre était inaliénable. « Si quis dixerit eum qui sacerdos semel fuit, laïcum rursus fieri posse, anathema sit », avait dit le Concile de Trente.

Pour la collation des ordres majeurs ou mineurs, l'intervention de l'évêque était nécessaire. D'après la règle primitive, cet évêque devait être celui soit du diocèse où l'ordinand était né, soit celui du diocèse où il résidait, soit celui du diocèse où il possédait un bénéfice. Le Concile de Trente élargit cette règle en autorisant les évêques à ordonner ceux qui vivaient depuis trois ans dans leur entourage. Tout évêque pouvait au surplus ordonner qui que ce fût, moyennant l'autorisation de l'évêque légitime, accordée par un *dimissoire*. Le pape seul pouvait conférer librement les ordres, mais son intervention était exceptionnelle.

Les évêques recevaient une consécration épiscopale distincte de la provision du bénéfice. Elle était donnée par un autre évêque assisté de deux coadjuteurs. Elle consistait dans l'imposition des mains et diverses onctions. Ainsi était attribuée au nouvel évêque la plénitude du sacerdoce, avec le pouvoir de conférer tous les sacrements.

Les réguliers qui n'avaient pas reçu les ordres sacrés étaient engagés dans l'état ecclésiastique par le vœu solennel qu'ils faisaient de pratiquer les préceptes de l'Évangile suivant leur règle approuvée par l'Église. Là aussi, des conditions d'âge étaient imposées, tant par les ordonnances royales que par le droit canonique. L'ordonnance d'Orléans prescrivait l'âge minimum de vingt-cinq ans pour les hommes et de vingt pour les femmes. Mais le Concile de Trente se montra moins rigoureux, en autorisant les vœux à seize ans, prescription qui fut reprise dans la suite par l'ordonnance de Blois (art. 28). L'état

1. Voir la définition donnée par Douaren, *De sacris ecclesiae ministeriis...*, t. I, ch. 11.

des religieux, après leur profession, était marqué par le port de l'habit.

La condition religieuse pouvait s'étendre, en plus des véritables ecclésiastiques, séculiers et réguliers, à certains laïques, serviteurs des églises, suppôts des Universités, qui participaient aux privilèges du clergé, notamment aux privilèges judiciaires.

Il était enfin une autre catégorie de personnes, laïques ou ecclésiastiques, qui jouissaient dans une certaine mesure des privilèges de l'Église, c'étaient les patrons des églises.

Le *patronage* était le droit qui appartenait, sur une église ou sur une dignité ecclésiastique quelconque, à celui qui l'avait fondée ou dotée ou qui avait acquis les droits du patron primitif.

Ce droit, qui était apparu dans l'Église au ve siècle, appartenait soit aux successeurs des grands propriétaires, c'est-à-dire aux seigneurs, soit à des dignitaires ecclésiastiques, évêques, chapitres, monastères. Il consistait essentiellement dans le droit de présentation, qui faisait intervenir le patron, en cas de vacance du bénéfice, pour présenter au collateur un candidat qui devait en être pourvu. A ce droit s'ajoutaient quelques moindres prérogatives, droit éventuel de contrôle sur le patrimoine de l'église, parfois le droit de gîte, qui d'ailleurs s'exerçait moins rigoureusement au xvie siècle.

Enfin, certains privilèges honorifiques se rattachaient au patronage, tout en étant fortement contestés par le seigneur haut justicier sur le territoire duquel se trouvait l'église. Fréquemment, ces divers droits se réunissaient sur une même tête, mais il arrivait aussi que le patron ne fût pas seigneur et qu'il y eût conflit entre les compétiteurs. Dans ce cas, la jurisprudence accordait la préférence au patron sur le haut justicier.

Le statut légal des ecclésiastiques. Les clercs étaient soumis à un certain nombre d'obligations : on leur recommandait de porter les cheveux courts et des habits longs, de s'abstenir de toute fantaisie dans le costume et des vêtements trop voyants, sans toutefois imposer de couleurs spéciales aux évêques ni aux simples prêtres[1]. Le costume ecclésiastique commençait seulement à différer de l'habit civil, sans prendre l'allure d'un uniforme.

En même temps, les ecclésiastiques devaient respecter les principes de la morale, s'abstenir des spectacles publics, de la chasse, des jeux, du port d'armes. Les fonctions civiles leur étaient interdites, mais avec certaines atténuations dans la pratique : ils pouvaient être avocats et tuteurs, négociants, à condition de ne pas user pour leurs affaires du privilège de cléricature. Il était normal qu'ils fussent officiers royaux, conseillers des parlements et des autres cours souveraines. Ils devaient seulement s'abstenir de participer à l'exercice de la justice criminelle ; le statut des conseillers clercs des parlements était en cela différent de celui des conseillers lays.

Dans la vie civile, les clercs, ou du moins certains d'entre eux, étaient pourvus de fonctions spéciales. Les curés pouvaient recevoir des testaments sous certaines conditions, et l'ordonnance de Villers-Cotterets leur avait confié la charge de tenir les registres de l'état civil.

Le privilège du *for ecclésiastique* consistait à ne relever que du tribunal d'Église. Ce privilège, revendiqué par l'Église, avait été reconnu par les rois par grâce spéciale, avec certaines limitations nécessaires pour éviter les abus.

L'édit de Roussillon restreignit ce privilège aux sous-diacres, l'ordonnance de Moulins aux sous-diacres ou autres clercs « servant aux offices, ministères et bénéfices » qu'ils tenaient de l'Église[2]. Le Concile de Trente imposa également des restrictions, réservant ce privilège du for ecclésiastique aux bénéficiers et aux tonsurés[3]. Il était généralement admis qu'aucun ecclésiastique, s'il était marié, ne pouvait revendiquer ce privilège. Enfin, à ceux qui le possédaient, il était interdit d'y renoncer, l'officialité étant toujours en droit de se faire renvoyer leurs causes.

L'usage du privilège du for était encore limité par certaines

1. Concile de Trente. Session XIV.
2. Édit de Roussillon, art. 21 et ordonnance de Moulins, art. 60.
3. Session XXIII.

règles : les clercs qui agissaient en qualité d'officiers royaux, ceux qui pratiquaient le commerce ou faisaient usage de lettres de change étaient, dans toutes ces affaires, considérés comme laïques. De même, lorsqu'il s'agissait d'un cas relevant d'une juridiction spéciale, comme celle des Aides ou des Eaux et Forêts.

Une fois ces définitions admises, des distinctions s'imposaient pour limiter l'usage du privilège de cléricature. Au civil, on distinguait entre les affaires personnelles et les affaires réelles ou mixtes, entre les causes où l'ecclésiastique était défendeur ou demandeur.

En matière criminelle, le partage se faisait d'après la nature des délits et d'après la distinction du *délit commun* et du *cas privilégié*[1]. Dans ce dernier cas, le juge royal pouvait régulièrement juger un clerc; il lui appliquait même des pénalités laïques, à la condition qu'on ait préalablement procédé à la dégradation du clerc coupable.

Ces distinctions très subtiles s'étaient imposées à la suite d'ordonnances ou d'arrêts de jurisprudence, que les légistes s'efforçaient toujours d'étendre à l'avantage des juges royaux. C'était un terrain propice pour d'âpres contestations, dont le XVIe siècle ne vit ni l'origine ni la fin.

Les ecclésiastiques étaient également pourvus de privilèges financiers : ils étaient exempts de toutes les impositions royales, y compris la gabelle, là où elle était payable par impôt. Cette exemption était totale pour les biens d'Église et partielle pour les biens patrimoniaux des clercs, c'est-à-dire que, dans ce dernier cas, ils pouvaient exploiter une étendue de terres correspondant au travail de quatre charrues sans être redevables de la taille. Ils étaient de même exempts des droits de franc fief, rachat, relief, et dispensés de faire les aveux et dénombrements concernant les terres amorties.

Les clercs étaient aussi exempts des charges municipales, auxquelles ils ne contribuaient que pour leurs biens patrimoniaux. Ils n'étaient astreints ni au guet ni au logement des gens

---

1. Édit de Melun, de 1580, art. 22.

de guerre. En principe du moins, car nous remarquons, pendant les guerres de religion, la présence de nombreux ecclésiastiques dans les milices municipales. Ils devaient d'autre part être cotisés pour toutes les contributions destinées aux œuvres charitables.

Enfin le clergé jouissait de nombreux privilèges honorifiques : il était le premier en dignité des trois ordres du royaume, et cette préséance se marquait dans toutes les cérémonies publiques, aux assemblées des États, de notables, dans les cortèges et en toutes autres circonstances.

A côté de ces privilèges, le clergé était soumis à des obligations particulières : on avait établi sous le nom de décimes ecclésiastiques un système de contributions, qui devint particulièrement pesant au cours du XVIe siècle, mais dont le régime spécial était encore une des formes de l'immunité ecclésiastique.

On pouvait se demander, en définitive, si ce régime était plus avantageux que celui du droit commun. La question était controversée, et chaque groupe de contribuables s'estimait ésé au profit du groupe dont il ne faisait pas partie[1].

BIBLIOGRAPHIE

Ordonnances d'Orléans, de 1561 (art. 12-14), de Moulins, de 1566 (art. 39-40), de Blois, de 1579 (art. 29) (NÉRON et GIRARD).

BRISSON, *Code Henry III*, I, 5. — PEYRISSAC, *Des remontrances, édits, règlements, contrats, départements et autres choses concernant les affaires du clergé*, t. I. — *Recueil des remontrances, édits... concernant le clergé de France*. — Se reporter également aux actes du Concile de Trente, sessions XXI et XXIII.

THOMASSIN, *Ancienne et nouvelle discipline de l'Église, touchant les bénéfices*. — DU HAMEL, *La police royalle sur les personnes et choses ecclésiastiques*. — R. CORTI (ROCH DE LA COUR), *Tractatus... de jure patronatus*. — J. DURET, *L'harmonie et conférence des magistrats*.

LESCHEVIN DE PRÉVOISIN, *Du droit de patronage ecclésiastique*.

---

1. La question est encore l'objet de controverses rétrospectives. Voir les articles de CARRIÈRE, *Les épreuves de l'Église de France au XVIe siècle*. Rev. hist. de l'Ég. de France, 1925-30.

CHAPITRE IV

LE SYSTÈME BÉNÉFICIAL

*LES DIFFÉRENTES CATÉGORIES DE BÉNÉFICES. — LA PROVI-
SION DES BÉNÉFICES. — LA FISCALITÉ BÉNÉFICIALE. — LE
RÉGIME CONCORDATAIRE.*

**Les différentes
catégories
de bénéfices.**
Le droit ecclésiastique applicable à
l'Église de France visait surtout à déterminer dans son statut les droits respectifs
du clergé, du pape et du roi, la jurisprudence gallicane s'efforçant de limiter les
avantages dont jouissait la papauté, qu'elle considérait comme
des empiétements et des usurpations sur les droits traditionnels
du roi et du clergé, qualifiés de libertés de l'Église de France.

Quatre points étaient surtout l'objet de contestations, c'étaient
la provision des bénéfices, la procédure judiciaire, les contributions pécuniaires et, d'un point de vue plus théorique, l'autorité respective des papes et des conciles ou, plus exactement,
des papes et des évêques.

L'Église avait toujours possédé une hiérarchie de clercs
exerçant les fonctions ecclésiastiques, c'est-à-dire l'office ecclésiastique, et jouissant en retour des revenus qui y étaient attachés
et qui constituaient le bénéfice. Office et bénéfice étaient insé-
parables. Le droit même l'exigeait, puisqu'il était prescrit de
n'ordonner les clercs qu'en leur conférant un titre assurant
leur existence matérielle.

Ainsi, collation de l'office et provision du bénéfice étaient-elles
les deux faces d'une même opération, le droit bénéficial étant à
la base même du recrutement et de la hiérarchie. C'était d'ail-

leurs sous ce dernier aspect que les gouvernements considéraient surtout ces questions et qu'ils cherchaient à assurer le respect de leurs prérogatives.

La question se présentait de façons différentes, selon la nature des bénéfices considérés. Ceux-ci se divisaient en effet en bénéfices séculiers et réguliers suivant le caractère de ceux qui devaient les posséder. Cette distinction était essentielle en droit, et seul le pape pouvait déroger à la règle.

Une autre classification reposait sur les charges que la possession de ces bénéfices imposait aux titulaires : on distinguait les *bénéfices simples*, qui ne comportaient pas d'autre charge que la célébration de l'office liturgique, sans aucun pouvoir de juridiction, les *cures*, qui avaient la charge des âmes et la juridiction pénitentielle, les *dignités*, qui avaient la puissance de conférer des bénéfices et la juridiction volontaire, et enfin les *prélatures*, auxquelles appartenait la juridiction dans toute son étendue, pénitentielle, volontaire et contentieuse[1].

Il y avait également des bénéfices compatibles et incompatibles, suivant que le cumul en était ou non autorisé.

La classification essentielle reposait sur la procédure de collation, d'après laquelle on distinguait les *bénéfices consistoriaux* et *non consistoriaux*.

Les bénéfices consistoriaux étaient ceux dont le revenu annuel dépassait 200 florins, et qui devaient être conférés par le pape en consistoire. C'étaient les évêchés et les principales abbayes.

Les bénéfices non consistoriaux, dont le revenu était inférieur à cette limite de 200 florins, étaient conférés sur simple signature donnée en cour de Rome, conformément aux règlements de la chancellerie apostolique, ou même dans le royaume, par une provision provenant du collateur ordinaire. C'étaient certaines abbayes de moindre importance, les prieurés, canonicats, cures, chapelles, etc...

---

1. Douaren donnait la définition suivante des diverses catégories de bénéfices : « *Quaedam beneficia titulum habent dignitatis, ut episcopatus, archidiaconatus; quaedam habent curam animarum sine dignitate, ut parœcia. Alia simplicia nudaque beneficia sunt. Inter haec tamen, aliqua differentia reperitur. Nam quaedam aliquid eminentiae habent, ut canonicorum praebendae* ». *De sacris Ecclesiae ministeriis*, II, ch. v.

On distinguait enfin les bénéfices d'après la procédure de leur provision. Les uns étaient *électifs*, lorsque le titulaire devait être élu, les autres *collatifs* lorsqu'un collateur intervenait, que ce fût le pape ou quelque autre dignitaire ecclésiastique ou même laïque.

La provision des bénéfices. La provision des bénéfices consistoriaux importait plus que toute autre, et spécialement celle des évêchés, en raison de l'autorité séculière qui s'attachait à la dignité épiscopale.

Elle avait été l'objet de divers règlements dans le passé où, primitivement, l'élection avait prévalu, les abbés étant élus par les moines, les évêques par les fidèles et par le clergé, après quoi l'élection avait été réservée au chapitre cathédral. Mais cette règle avait été finalement ébranlée par les interventions abusives des papes et des rois, contre lesquels les chanoines s'étaient difficilement défendus.

La fausse Pragmatique de saint Louis, qui, en réalité, ne servait qu'à étayer les théories des juristes du xve siècle, avait décidé qu'en matière de provisions ecclésiastiques, les cathédrales et autres églises seraient pourvues par de libres élections[1].

Reprenant ce principe, la Pragmatique de 1438 prescrivait avec plus de détails l'élection des évêques, des abbés et des dignitaires des chapitres. Elle accordait toutefois au roi, pour compenser ce qu'il y avait de trop rigide dans cette pratique, le droit de recommander ses protégés, ce qui devait être la source de toutes les déviations et l'origine du discrédit dans lequel tomba finalement la Pragmatique[2].

On trouve en effet, dans l'histoire des diocèses, de nombreux exemples de ce qu'était la réalité. L'élection aboutissait souvent

1. « *Aliae ecclesiae.* » Ces termes désignaient-ils les collégiales ? De toutes façons, il est clair que le système des élections devait s'appliquer aux dignitaires des chapitres.
2. « *Per electiones et confirmationes canonicas, secundum juris communis dispositionem, metropolitanis, cathedralibus, monasteriis, collegiatis ecclesiis et dignitatibus electivis vacantibus debite provideatur.* » Mais il ne serait pas répréhensible, « *si rex aliquando utatur precibus benignis... et pro personis benemeritis* ». Or rien ne déterminait les cas où les prières ne seraient pas *benignae* et les personnes *benemeritae*.

à la proclamation de deux élus, la minorité cherchant à imposer son candidat comme étant celui de « la plus saine partie des électeurs ». Un troisième candidat, recommandé par le roi survenait à son tour, et c'étaient d'interminables procès, qui se poursuivaient devant des juridictions rivales.

Le Concordat de 1516 s'appliqua surtout à la réforme de ce régime, d'où devait s'ensuivre un bouleversement radical de tout le système ecclésiastique.

Un premier article intitulé « Electiones ad beneficia abrogatae » exposait les abus commis à l'occasion des élections dont on ordonnait la suppression.

Pour les remplacer, les prescriptions suivantes concernant les évêchés étaient insérées dans un article intitulé « De regia nominatione ad praelaturas facienda » : « Cathedralibus et metropolitanis ecclesiis vacantibus,... Rex Franciae... unum gravem magistrum seu licenciatum in theologia, aut in utroque seu altero jurium doctorem aut licentiatum in universitate famosa et cum rigore examinis, et in vicesimo septimo suae aetatis ad minus constitutum, et alias idoneum, infra sex menses a die vacationis... nobis nominare[1]... et de persona per regem nominata per nos... provideri... debeat ».

Les qualifications imposées étaient celles-là mêmes qu'avait exigées la Pragmatique. L'âge de trente ans, fixé par les Décrétales, était abaissé à vingt-sept. Si les titres universitaires étaient nécessaires, le Concordat n'imposait pas l'obligation pour le candidat d'avoir reçu les ordres sacrés. Il était entendu toutefois qu'il devait les recevoir pour prendre possession de son siège.

Lorsqu'une quelconque de ces conditions n'était pas remplie, le pape pouvait refuser les provisions au candidat royal. Le roi devait alors présenter un autre candidat dans le délai de trois mois, faute de quoi le pape était autorisé à pourvoir librement.

Il pourvoyait aussi librement lorsque la vacance se produisait en cour de Rome, soit par mort, soit par résignation, ce qui était admis comme une règle lorsqu'il s'agissait d'un cardinal, lequel était supposé résider en permanence auprès du Saint-Siège.

---

1. *Nominare*, c'est-à-dire présenter, et non investir, ce dernier sens étant celui du mot nommer dans notre langue administrative moderne.

Ce principe était d'ailleurs contesté par les juristes, qui considéraient cette clause du Concordat comme inapplicable, mais il semble bien qu'en fait le pape ait pourvu librement aux bénéfices vacants dans ces conditions.

Il était admis dans la pratique que le roi présentait suivant la même procédure les coadjuteurs avec succession assurée, tandis que le pape désignait seul les simples coadjuteurs, auxquels il conférait un titre *in partibus*.

Le candidat royal était proposé par un brevet du roi, qui écrivait en outre au pape, au cardinal protecteur et à l'ambassadeur de France, pour leur recommander sa cause. L'affaire était ensuite examinée en consistoire, et la bulle de provision expédiée par la chancellerie apostolique.

Les dispositions du Concordat étaient à peu près les mêmes, lorsqu'il s'agissait de pourvoir une abbaye ou un prieuré conventuel : « Rex, occurrente vacatione, religiosum ejusdem ordinis, in aetate viginti trium annorum ad minus constitutum, infra simile tempus sex mensium... nobis nominare et de persona... nominata... per nos providere... debeat[1]. »

Les conditions étaient différentes de celles des évêchés : les grades universitaires n'étaient pas nécessaires, mais l'obligation d'appartenir à l'ordre religieux dont faisait partie l'abbaye vacante était stricte et s'opposait expressément au système de la commende.

Par exception à ces règles générales, le Concordat maintenait le système électif dans toutes les églises et monastères possédant des privilèges d'élire concédés par le Saint-Siège, et dont on pouvait apporter la preuve.

Mais à l'expérience, on constata bientôt que la multiplicité de ces privilèges annulait le plus profitable des avantages que le roi retirait du Concordat. Il s'entendit avec le pape pour mettre fin à ce système.

L'indult pontifical du 9 juin 1531 supprima les privilèges d'élire pour toutes les églises, à l'exception de quelques abbayes chefs d'ordre. Cette faveur, accordée à François Ier sa vie durant,

---

1. Art. 3.

fut renouvelée au début de chaque règne jusque sous Charles IX ; Henri III fit insérer dans l'ordonnance de Blois la liste limitative des abbayes auxquelles ce privilège était réservé. C'étaient les abbayes chefs d'ordre de Cluny, Cîteaux, Prémontré, Grandmont, le Val-des-Écoliers, Saint-Antoine-de-Viennois, la Trinité-des-Mathurins, le Val-des-Choux, et celles auxquelles le privilège d'élection avait été conservé ainsi que quatre dépendances de Cîteaux. La question ainsi réglée, on estima le renouvellement de l'indult superflu et les rois s'attribuèrent le droit de nomination, sans autre restriction que celle de l'ordonnance de 1579.

Toutefois, le système des nominations concordataires s'appliquait seulement aux abbés et prieurs perpétuels. Y échappaient les abbayes dont le chef était élu pour une période de trois ans, ce qui était le cas pour les ordres mendiants et la plupart des abbayes de femmes. Un grand nombre de monastères échappèrent ainsi à la nomination royale[1].

Quant aux quelques monastères féminins dont les abbesses étaient perpétuelles, un conflit surgit entre le roi, qui voulait les assimiler aux monastères d'hommes, et le pape qui s'y opposait. Le roi nommait malgré tout et faisait installer ses candidates par arrêts du Conseil, jusqu'à ce qu'un accord s'établît, sous Henri III, qui donnait, pour le fond, satisfaction aux prétentions royales.

Ce système de désignations épiscopales et abbatiales, qui favorisait les intérêts du roi et ouvrait l'accès de l'épiscopat à ses créatures, suscita des oppositions violentes et fut plus d'une fois remis en question. C'était le point central sur lequel porta, pendant un demi-siècle, l'opposition au Concordat.

Vivement attaqué pendant la crise politique de 1525-26, il le fut de nouveau, lorsque le pouvoir royal commença à être ébranlé, après la mort de Henri II. Il s'en fallut de peu que la réforme de 1516 ne fût emportée : dans l'assemblée des États généraux de 1560, les trois Ordres furent d'accord pour réclamer le rétablissement de la Pragmatique et des élections, si bien que le gouvernement dut céder et introduire dans l'ordonnance

---

1. Jusqu'au jour où François Iᵉʳ mit fin à cette pratique, pour les abbayes bénédictines, par l'édit du 9 août 1542.

d'Orléans des dispositions qui organisaient un système dans lequel une part était faite à l'élection.

Le corps électoral devait comprendre les évêques de la province, le chapitre cathédral, 12 gentilshommes et 12 bourgeois élus par la noblesse et la bourgeoisie de la cité épiscopale. Les électeurs devaient désigner trois candidats au roi, qui choisirait l'un d'entre eux pour le présenter au pape. Cette procédure se rapprochait de celle de la Pragmatique, tout en se conciliant avec les conventions concordataires.

Mais cette réaction était trop radicale pour subsister. D'autant plus que le Concile de Trente, au même moment, se prononçait en faveur de l'état de choses existant : sans imposer un système général, il acceptait tous les régimes en usage dans les différents pays, en fixant seulement pour les candidats des conditions d'âge et d'instruction qui avaient été prescrites par le Concordat[1]. On exigeait une enquête sur la moralité du futur évêque, enquête qui devait être rapportée au Consistoire, lequel se prononçait en dernier lieu. Ces décisions conciliaires retiraient aux adversaires du Concordat les arguments de droit dont ils avaient pu se servir contre les nominations royales.

Dès lors, le système des nominations royales ne fut plus sérieusement contesté. Les États généraux continuèrent de réclamer sa suppression, mais les trois Ordres n'étaient plus unanimes. Les protestations étaient également vives de la part des assemblées du clergé, mais elles aussi y mettaient moins de conviction. Les rois se contentèrent de calmer les mécontents avec de vaines promesses, que ceux-ci acceptaient sans y croire.

La législation d'ailleurs mit un terme à cette opposition : l'ordonnance de Blois, de 1579, confirma expressément le système concordataire, en reprenant les prescriptions du Concile de Trente, et en instituant une enquête portant sur les qualités du nouvel évêque[2].

---

1. Il exigea toutefois l'âge de trente ans pour les évêques et celui de vingt-cinq pour les abbés, alors que le Concordat avait fixé la limite à vingt-sept ans pour les évêques et à vingt-trois pour les abbayes auxquelles le roi avait le droit de nomination.

2. Art. 1-2. Toutefois, l'âge requis pour l'épiscopat était maintenu à vingt-sept ans, conformément au Concordat.

Enfin, les conciles provinciaux de la fin du siècle, qui parfois avaient fait entendre quelques protestations, finirent par se rallier à la procédure du Concile de Trente, en prescrivant que les évêques ne seraient institués qu'après une enquête portant sur leur âge, leur moralité, leur orthodoxie et les moyens employés par eux pour parvenir à l'épiscopat[1].

Mais ce n'étaient que de vaines précautions, qui ne pouvaient prévaloir contre des usages introduits par l'accord du roi et des candidats bien en cour.

Pour les bénéfices non consistoriaux, la provision était le fait du collateur, qui avait la charge de conférer le bénéfice vacant à un clerc capable. Le collateur était en général l'évêque, qu'on désignait sous le nom de *collateur ordinaire*. C'étaient parfois d'autres dignitaires ecclésiastiques, en particulier des chapitres. Il y avait même des collateurs laïques, tels que le roi, lorsqu'il attribuait des bénéfices vacants en régale.

Le collateur devait, avant de conférer le bénéfice, examiner les titres et les qualités du candidat. Des règles lui étaient en effet imposées. En premier lieu, des conditions d'âge : les candidats devaient avoir au moins vingt-deux ans, pour être admis dans les chapitres, seize ans pour les bénéfices réguliers, et quatorze pour les autres bénéfices. Le pape pouvait d'ailleurs accorder des dispenses, et il usait largement de ce droit.

L'intervention du collateur devait se faire dans un délai limité, sans quoi il était censé avoir renoncé à son droit. Le choix du bénéficier appartenait alors, par droit de *dévolution*, au supérieur immédiat du collateur négligent.

L'évêque accordait finalement au bénéficier ses pouvoirs de juridiction.

Telle était la procédure, lorsque le collateur agissait de sa seule iniative : c'était la *libre collation*.

La Pragmatique de saint Louis avait affirmé le droit des collateurs. Celle de 1438 fit de même, et le Concordat y faisait allusion, sans y apporter de limitations.

---

1. Quelques juristes s'engagèrent aussi dans cette polémique. Plusieurs ouvrages furent publiés pour demander la suppression du Concordat : Guy COQUILLE, *Traité des libertés de l'Église gallicane*, GENÈBRARD, *De sacrarum electionum jure*.

Mais il arrivait fréquemment que d'autres autorités intervinssent pour présenter des candidats que le collateur était obligé de pourvoir.

Il existait en effet sur certains bénéfices un droit de patronage exercé par ceux qui prétendaient descendre des fondateurs ou des protecteurs primitifs des églises. Laïques ou ecclésiastiques se trouvaient ainsi qualifiés pour présenter des candidats, même lorsqu'il s'agissait de bénéfices ayant charge d'âmes.

Tous ces droits étaient enregistrés dans les pouillés, qui contenaient la liste des bénéfices dépendant d'un diocèse, avec leur groupement en archidiaconés et doyennés, et l'indication des droits de patronage et de collation correspondants[1].

Mais les collateurs devaient aussi se conformer à certaines obligations imposées par le Concile de Bâle et confirmées dans la suite par la Pragmatique et par le Concordat, en faveur des gradués des universités, pourvus de privilèges destinés à encourager les études. Le tiers des bénéfices vacants leur était réservé. Les gradués étaient classés d'après la valeur de leurs grades : docteurs, licenciés, bacheliers, maîtres ès arts, et, à égalité de grade, d'après leur spécialité : la théologie venait en tête, puis le droit canon, le droit civil et la médecine. Enfin, une classification était fondée sur la procédure de présentation : les *gradués simples* étaient ceux qui possédaient les titres et le temps d'étude requis; les *gradués nommés* étaient ceux qu'une lettre émanant d'une université avait présentés au choix des collateurs.

Conformément à ces principes, les bénéfices dont la vacance survenait aux mois d'avril et d'octobre étaient attribués au gré des collateurs, à des gradués simples; c'étaient les *mois de faveur ;* ceux des mois de janvier et de juillet étaient réservés aux gradués nommés, par ordre d'ancienneté; c'étaient les *mois de rigueur.* Pendant les autres mois, les collations restaient libres.

Enfin, dans les chapitres cathédraux, des prébendes étaient réservées à des gradués chargés d'un enseignement : la *prébende théologale* était attribuée à un théologien chargé de la prédication

---

1. L'usage des pouillés était bien antérieur au xvie siècle, mais ils devinrent plus précis lorsqu'ils servirent à la perception des décimes. On prit soin de les reviser, et un grand nombre furent publiés au xviie siècle.

et de l'enseignement de la théologie. L'ordonnance d'Orléans y adjoignit la *prébende préceptorale*, destinée à l'instruction des enfants.

D'autres privilèges étaient assurés au Parlement de Paris, en vertu d'une tradition déjà ancienne, qui fut confirmée par un indult de 1538 et par des lettres patentes de 1542. Le Concile de Trente, malgré la révocation de tous les indults, laissa cependant subsister ce dernier. En conséquence, le roi désignait aux collateurs chacun des officiers du Parlement à tour de rôle, pour leur faire conférer le premier bénéfice vacant, soit pour eux-mêmes, s'ils étaient clercs, soit pour un candidat désigné par eux, s'ils étaient laïques. Les parlementaires détenaient ainsi un grand nombre de bénéfices du chapitre de Notre-Dame ou des églises collégiales de Paris.

Ce système, qui sauvegardait partiellement les droits des collateurs, avait été altéré depuis plusieurs siècles par les empiétements du Saint-Siège, qui était parvenu à s'attribuer la plupart des collations, d'autant plus que les légats eux aussi appliquaient à leur profit la même procédure. Ces méthodes étaient codifiées dans les règlements de la chancellerie apostolique.

Les *mandats apostoliques* étaient des lettres par lesquelles le pape enjoignait à un collateur d'attribuer un bénéfice à un personnage désigné.

Par les *réserves*, il déclarait se réserver la collation d'un bénéfice en particulier ou de tous les bénéfices d'une certaine nature. Conformément aux prescriptions du droit canonique, le pape se serait ainsi réservé les principales églises, tous les prieurés et les dignités conventuelles. Il aurait de même disposé de tous les bénéfices vacants en cour de Rome, et on faisait entrer dans cette catégorie ceux qui étaient possédés par les cardinaux ou par des fonctionnaires pontificaux, les uns et les autres étant censés avoir leur résidence à Rome, ainsi que ceux qui devenaient vacants par suite d'une décision pontificale, élection annulée ou promotion du titulaire à une charge supérieure.

Cette réserve des bénéfices vacants *in curia* remontait au XIIIe siècle et avait été acceptée par la Pragmatique. Le Concordat la maintenait, mais les juristes gallicans s'efforçaient d'en limiter l'application. En fait, le pape se montrait conciliant, en accordant des brefs de *non vacando* aux évêques qui séjournaient à Rome, mais ces faveurs furent intermittentes à partir de 1553.

La plus importante de ces réserves, celle qui lésait surtout les intérêts des collateurs, était formulée par la huitième règle de la chancellerie intitulée *De octo mensibus et alternativa*. Le pape prétendait ainsi disposer de tous les bénéfices, consistoriaux ou non, dont la vacance se produisait pendant huit mois de l'année, les quatre autres seulement restant à la disposition des collateurs ordinaires. Cette règle, très stricte, était atténuée par le système de l'*alternative*, qui accordait au collateur la faveur d'un partage égal des collations entre lui et la papauté, à la condition que le collateur réside dans son diocèse.

Conformément à la théorie juridique de la *prévention*, la collation pontificale était valable lorsqu'elle précédait celle de l'ordinaire ou la présentation faite par le patron au collateur.

Enfin, les *expectatives* étaient des collations anticipées de bénéfices encore possédés par leurs titulaires.

A ces procédures, spécialement visées par les textes concordataires et conciliaires, s'ajoutait celle du *dévolut*, qui permettait au pape d'intervenir lorsqu'une provision était considérée comme nulle, pour procéder lui-même à une collation régulière. Le droit français réservait ce privilège au collateur ordinaire, mais le Saint-Siège se l'attribuait le plus souvent en faisant jouer le système de la prévention[1].

Ainsi, le collateur ordinaire était le plus souvent tenu en échec par ces puissances rivales, par le pape, par le roi usant de la régale, tandis que les gradués d'université venaient encore limiter ses choix. Il se protégeait en usant de divers subterfuges.

En effet, ces expédients utilisés par le droit pontifical avaient suscité une réaction très vive dans toutes les églises nationales. Les conciles du xve siècle avaient supprimé presque en totalité ces collations pontificales. En France, les juristes

---

1. De nombreux édits, notamment ceux de 1551, 1561, 1579, 1580, ont essayé de réglementer cet usage qui provoquait de violentes oppositions. DELANNOY *La juridiction ecclésiastique.*

s'y étaient appliqués en invoquant les principes du gallicanisme. D'accord avec la Pragmatique de saint Louis, qui avait garanti aux patrons et aux collateurs ordinaires le maintien intégral de leurs droits, la Pragmatique de 1438 avait supprimé les réserves attribuées au Saint-Siège et limité l'usage des mandats[1]. Le Concordat de 1516 reprit ces dispositions à l'encontre des expectatives et des réserves, en maintenant toutefois expressément celle des sièges vacants en cour de Rome[2]. Quant aux mandats, ils étaient toujours limités, chaque pape disposant d'un mandat pour chaque collateur de 10 bénéfices, et de deux mandats pour 50. Enfin, les préventions, dont il n'était pas fait mention, restaient admises, malgré les résistances des parlements.

Ces réformes étaient en réalité moins radicales que l'esprit du gallicanisme ne le comportait. La plus grande innovation fut l'œuvre du Concile de Trente, qui supprima les mandats apostoliques[3]. En même temps, un autre progrès était réalisé par l'ordonnance d'Orléans, qui supprimait les préventions[4], mais celles-ci furent rétablies en 1562, si bien qu'on peut considérer qu'elles restèrent en usage pendant tout le XVIe siècle.

Pour tous les cas où le Saint-Siège avait à intervenir, une procédure compliquée s'imposait, surtout dans les cas de prévention, où les considérations d'antériorité imposaient un scrupuleux respect de la chronologie. Le candidat envoyait un mémoire, qui devait être enregistré à Rome avec la date exacte de sa réception. Une supplique était présentée au pape, et signée par lui ou par le préfet de la signature, après quoi on établissait soit une bulle soit un acte dit *signature en cour de Rome*, suivant l'importance du bénéfice considéré. Tout cela nécessitait l'intervention d'un personnel spécialisé de banquiers expéditionnaires en cour de Rome, de courriers et de correspondants, qui assuraient des relations régulières entre Rome et les diocèses du royaume.

Toutes ces règles, qui étaient établies, tant pour les bénéfices

---

1. Titre III. « *Reservationes omnes, tam generales quam speciales, de quibuscunque ecclesiis et beneficiis... haec Sancta Synodus abolit.* »

2. « *Ordinamus quod... non dentur aliquae gratiae expectativae ac speciales vel generales reservationes ad vacatura beneficia non fiant.* »

3. Session XXIV.

4. Art. 22.

consistoriaux que pour ceux de moindre importance, constituaient la législation normale des bénéfices. Mais il s'y était ajouté avec le temps toutes sortes de pratiques exceptionnelles, qui faisaient de la collation des bénéfices l'objet de conventions individuelles, pour lesquelles la procédure régulière n'était plus qu'une apparence dépourvue de réalité.

La *résignation* consistait, pour un bénéficier, à remettre son bénéfice entre les mains du pape. Cette résignation comportait des modalités différentes : c'était tantôt une démission pure et simple, tantôt une résignation *in favorem*. Dans ce cas, le bénéficier désignait au pape un candidat auquel le bénéfice devait être transmis, la résignation étant subordonnée à l'acceptation du nouveau titulaire par la chancellerie pontificale. Cette procédure avait souvent pour contre-partie une résignation réciproque, ce qui aboutissait à une permutation.

Parfois, le bénéficier conservait la procuration *ad resignandum*, qui ne devenait valable qu'après son décès. La transmission du bénéfice se faisait ainsi sous la forme d'un héritage. Et nous constatons que ce dernier système fut très fréquemment pratiqué, tant pour les évêchés que pour les bénéfices inférieurs, ce qui tenait en échec aussi bien les prescriptions de la Pragmatique que celles du Concordat.

Les résignations *in favorem* s'entouraient de formalités compliquées, à partir de la procuration *ad resignandum*, qui était remise au banquier expéditionnaire en cour de Rome et qu'on faisait enregistrer à la chancellerie. Toutes sortes d'abus s'étaient introduits à la faveur de cette procédure, auxquels le gouvernement royal tenta de remédier par l'édit de juin 1550, dit des petites dates[1].

Sur les bénéfices résignés, il arrivait fréquemment qu'on accorde une pension à l'ancien titulaire, et ces pensions se

---

1. L'édit de 1550 avait surtout pour objet de mettre fin aux actes clandestins, résignations, procurations, révocations, sur lesquels reposait le trafic des bénéfices. Il prescrivait que seraient seuls valables les actes passés par les notaires apostoliques sous le contrôle des évêques. Il réglementait strictement l'activité des banquiers expéditionnaires en cour de Rome (FONTANON, t. IV, 18). Du Moulin a donné un commentaire fameux de cet édit : *Commentarius ad edictum contra parvas datas et abusus curiae romanae* (1552).

multipliaient en faveur de bénéficiers qui n'étaient restés que peu de temps en possession du bénéfice. Il leur arrivait aussi de retenir, avec une partie des revenus, les droits de patronage ou de collation, ou tels autres droits nettement spécifiés. Ces conventions étaient devenues l'objet de trafics qui sentaient de loin la simonie.

Dans certains cas de résignations, le premier titulaire se réservait le droit de reprendre le bénéfice si son successeur l'abandonnait; s'il avait cédé son bénéfice pour raison de maladie, il le reprenait lorsqu'il revenait à la santé; de même, s'il l'avait cédé pour se retirer dans un monastère, il le reprenait au cas où il revenait à la vie séculière. C'était la pratique du *regrès*.

Certains grands personnages faisaient de ces pratiques un usage contraire aux principes d'une saine discipline : le cardinal de Givry, évêque de Poitiers et de Langres, avait résigné le siège de Poitiers en 1551, à J. d'Amoncourt, en se réservant plusieurs seigneuries, une partie des revenus et la collation des bénéfices. Son successeur étant mort en 1559, il reprit possession de l'évêché, pour le résigner de nouveau dans les mêmes conditions.

La *confidence* consistait à concéder un bénéfice à un titulaire qui devait en abandonner les revenus, soit à son prédécesseur, soit à un tiers, ou qui devait transmettre le bénéfice lui-même à une autre personne. Cela aboutissait à concéder les revenus du bénéfice à un personnage, tandis qu'un autre en avait le titre et exerçait les fonctions correspondantes. Cette pratique, considérée comme simoniaque, entraînait de droit la vacance du bénéfice; elle n'en était pas moins courante à la fin du siècle, en dépit des protestations des rigoristes.

La *commende* était plus générale encore, et donnait lieu à des abus plus nocifs. C'était par définition la condition d'un bénéfice attribué à un titulaire qui n'était pas régulièrement qualifié pour le posséder. Le cas le plus fréquent était celui où un bénéfice régulier était conféré à un clerc séculier. La commende était considérée comme un « dépôt », théoriquement provisoire, mais en fait perpétuel.

L'abbé ou le prieur commendataire recevait les revenus de

son bénéfice sans y résider et sans exercer les fonctions administratives ou spirituelles qui dépendaient de sa charge. Ces fonctions étaient confiées à un *prieur claustral.*

La commende avait été en usage dès le XIIIe siècle. Supprimée
en principe par Léon X, elle s'était cependant maintenue dans
les usages. Le Concordat la prohiba de même, en exigeant que
les dignitaires des abbayes fussent des religieux appartenant à
l'ordre. Mais ni le roi ni le pape ne se souciaient de respecter
cette règle, dont l'application devint exceptionnelle.

Par analogie, on désignait par le même terme de commende
la condition d'un bénéfice séculier confié à un laïque ou à un
ecclésiastique incapable d'exercer les fonctions correspondantes.
Plus exactement, on disait que le bénéficier, dans ce cas, avait
l'*administration* du bénéfice.

Cette pratique était la plus désastreuse de celles qui affligeaient
l'Église au XVIe siècle. C'était l'origine de tous les scandales,
de la décadence disciplinaire et de l'anarchie administrative.
Malgré les protestations des fidèles, elle s'installa alors, et de
façon définitive, dans presque tous les monastères, dans les
évêchés et dans un grand nombre de bénéfices inférieurs. Les
hommes d'Église et d'État les plus illustres étaient les premiers
à donner le mauvais exemple, tel Duprat, abbé commendataire
de Saint-Benoît-sur-Loire, sans compter les hommes de plume
ou de guerre qui recevaient des bénéfices en guise de retraites,
le capitaine Du Guast à l'évêché d'Amiens et de Grenoble,
Bussy d'Amboise à Bourgueil, Brantôme à Bourdeilles et Ron-
sard à Saint-Cosme. Ne vit-on pas même, à la fin du siècle, les
revenus de l'évêché de Quimper donnés en dot à une fille de la
cour[1] ?

Ces abus étaient d'ailleurs en relation avec la pratique du
cumul, qui achevait de bouleverser la discipline ecclésiastique.

Le cumul était proscrit de la façon la plus stricte. Le Concile
de Latran, de 1179, avait interdit à un clerc de posséder simultanément deux bénéfices imposant chacun l'obligation de la

---

1. Voir, dans les *Mémoires* de VIEILLEVILLE (II, 10), le désordre et le pillage
auxquels fut soumise l'abbaye de Saint-Thierry-les-Reims, à la mort du dernier
abbé régulier (1547).

résidence. Le Concile de Trente avait repris ces prescriptions contre les titulaires de plusieurs bénéfices incompatibles[1]. En 1561, l'ordonnance d'Orléans et plus tard, celle de Blois renouvelèrent, sous des formes différentes, ces prohibitions[2].

Ces prescriptions reposaient logiquement sur l'impossibilité où se trouvait le bénéficier de gérer deux bénéfices exigeant tous les deux sa présence. Le droit s'appliquait par conséquent à déterminer quels étaient les bénéfices incompatibles, et il déclarait tels ceux qui avaient charge d'âmes ou qui imposaient des services effectifs à leurs titulaires.

Le cumul semblait particulièrement impossible lorsqu'il s'agissait de plusieurs évêchés. Or, ce cas était devenu fréquent au XVIᵉ siècle, et le Concile de Trente s'était prononcé sur ce point de la façon la plus nette, en laissant aux évêques un délai de six mois pour choisir entre leurs différents sièges.

De même, les cures étaient incompatibles entre elles et avec tout autre bénéfice similaire. On interdisait également le cumul entre deux fonctions d'un même chapitre et entre une cure et un canonicat.

Mais, à côté de ces règles judicieuses et strictes, le Concile de Trente laissait glisser quelques exceptions : il prévoyait des dispenses, dont les évêques devaient apprécier la validité, ce qui laissait subsister tous les abus. Seules, les prescriptions relatives aux évêchés étaient intangibles. Intangibles seulement en principe.

Malgré ces prohibitions juridiques, et grâce au système de la commende, le cumul était général au XVIᵉ siècle, et des bénéfices les plus incompatibles. Deux exemples illustres sont à citer entre tant d'autres[3].

1. Le Concile de Trente condamnait très expressément le principe du cumul : « *Cum ecclesiasticus ordo pervertatur, quando unus plurium officia occupat clericorum, sancte sacris canonibus cautum fuit neminem oportere in duabus ecclesiis conscribi.* » Sess. XXIV, c. 17.

2. L'ordonnance d'Orléans (art. 5) prescrivait la résidence à tous les bénéficiers ayant charge d'âmes. Celle de Blois (art. 11) s'exprimait plus directement : « Nul ne pourra tenir deux archevêchés, évêchés ou cures et églises paroissiales, quelques dispenses qu'on pourroit ci-après obtenir. »

3. Voir le « Rôle des évêchés tenus en économat ou en confidence en 1579 », p. p. SERBAT, *Les assemblées du clergé*, p. 383. On trouve sur cette liste 23 évêchés pour les quatorze provinces sur lesquelles a porté l'enquête. Il y est dit qu'à Autun,

Le cardinal de Tournon était simultanément archevêque d'Embrun, de Bourges, d'Auch et de Lyon, abbé commendataire d'Ainay, de La Chaise-Dieu, de Ferrières, de Candeuil, de Saint-Florent de Saumur, de Saint-Germain-des-Prés, de Saint-Jean-de-Réome, de Saint-Julien de Tours, de Saint-Laumer de Blois, de Saint-Pons-de-Thomières, de Saint-Pourçain, de Port-Dieu et de Tournus, sans compter un grand nombre de bénéfices secondaires.

Jean de Lorraine, né en 1498, était dès 1500 coadjuteur de Metz; il devenait dans la suite archevêque de Narbonne, de Reims et de Lyon, évêque de Toul, de Die, de Verdun, de Luçon, d'Albi, d'Agen et de Nantes, abbé commendataire de Gorze, de Fécamp, de Cluny, de Saint-Ouen, de Saint-Maixent et de Marmoutier.

Ce système, si contraire à la discipline ecclésiastique et à la conception même de la vie religieuse, avait pourtant ses défenseurs : on pouvait prétendre que les évêques dépossédés de l'autorité qui devait leur appartenir sur les cures, dont la collation était le plus souvent passée aux abbés, devaient recouvrer cette autorité en devenant abbés commendataires. L'argument, discutable en principe, devenait sans valeur, dès qu'il s'agissait, et c'était le cas le plus fréquent, d'abbayes situées en dehors du diocèse, à plus forte raison lorsque le cumul portait sur des évêchés.

C'était en réalité l'intrusion des mœurs laïques dans la vie religieuse, la disparition des vertus qu'elle imposait.

La fiscalité bénéficiale. Parallèlement aux règles qui concernaient la transmission des bénéfices, s'était établi un système de fiscalité qui, applicable dans toute l'Église, avait ses modalités particulières au sein de l'Église gallicane.

Depuis le haut Moyen Age, les collations avaient été l'occasion de donations volontaires au profit du Saint-Siège. Cet usage

M me de Sipierre « prend la moitié du revenu et donne la moitié des bénéfices ». Quant aux abbayes, on estime qu'il y en avait les deux tiers, ainsi qu' « un nombre infini » de prieurés et cures possédés de force par des gentilshommes et autres laïques.

avait été imposé dès le XIIIe siècle à tous les ecclésiastiques à la promotion desquels le pape contribuait. Ces droits étaient répartis en deux catégories suivant leur nature : pour les bénéfices consistoriaux, c'étaient les *communs et menus services ;* pour les bénéfices non consistoriaux, les *annates,* ce dernier terme s'appliquant le plus souvent à tous ces droits quels qu'ils fussent.

L'aggravation de cette fiscalité pontificale, au XIVe siècle, avait provoqué la réaction des conciles du XVe, soutenue en France par la résistance de la royauté, inquiète pour sa part de voir de grosses quantités de métaux précieux sortir du royaume sans contre-partie.

La Pragmatique de saint Louis avait prohibé, en principe, toutes exactions imposées par la cour de Rome[1]. La Pragmatique de 1438 reprenait cette interdiction en termes plus précis[2]. Mais, dans l'incertitude où se trouvait le droit ecclésiastique jusqu'au début du XVIe siècle, les annates continuèrent d'être perçues.

Le Concordat de 1516 n'en faisait aucune mention, mais il prescrivait, à propos des mandats apostoliques, d'indiquer, dans le texte des provisions la vraie valeur des bénéfices, ce qui laissait supposer l'intention de stabiliser le paiement de l'annate[3]. Les adversaires du Concordat avaient relevé l'allusion, ce qui leur valut un démenti catégorique de Duprat. Et cependant, une bulle du Ier octobre 1516 prescrivait le paiement de l'annate, en application des mesures prises par le Concordat[4]. Mais le Parlement eut raison des habiletés de Duprat et cette bulle ne fut jamais publiée.

La perception de l'annate était donc contraire à la légalité, ce qui n'empêcha pas de la percevoir pendant tout le XVIe siècle, malgré de vives protestations de la part du clergé, auxquelles le gouvernement s'associait lorsqu'il était en conflit avec le Saint-Siège, comme ce fut le cas sous Henri II.

---

1. Art. 5.
2. « *Tam in Ecclesia romana quam alibi, pro... provisione, collatione, postulatione, praesentatione... de ecclesiis,... monasteriis, dignitatibus, officiisque ecclesiasticis, nihil penitus ante vel post exigatur.* »
3. « *Statuimus quod nominati... in provisionibus quas personis quibusvis, de beneficiis vacantibus... fieri contigerit, illorum verus annuus. per florenos aut ducatos auri de camera aut libras turonensium... valor... exprimi debeat.* »
4. Le texte est publié par Thomas, *Le Concordat de 1516.*

En 1561, l'ordonnance d'Orléans interdit à son tour le paiement de l'annate, mais ce fut encore une réaction passagère.

Le reste du temps, les rois se sentaient liés par les conventions concordataires, et certains légistes trouvaient des explications pour justifier le paiement des taxes, qui devenaient une contribution légitime et modérée payée à la Curie en échange de ses services.

L'annate était donc payable par tous les pourvus, même par les coadjuteurs, par les commendataires, et même en cas de regrès.

Le bénéficier souscrivait une obligation envers la Chambre apostolique, comportant le paiement des sommes dues dans certains délais, et avec la sanction de l'excommunication. D'ailleurs, depuis 1525, les bulles ne furent plus délivrées que contre argent comptant, les banquiers se chargeant de faire pour leur client l'avance de la somme nécessaire.

La somme à payer était le total de plusieurs droits : une taxe générale, dite des *communs services*, était établie à un taux invariable. Elle était partagée entre le pape et les cardinaux. Il s'y ajoutait un supplément dit des *menus services*, comprenant plusieurs taxes accessoires et un grand nombre de droits destinés aux bureaux de la chancellerie pour l'expédition des bulles, le scel, l'enregistrement, la transcription, etc... Le total de ces taxes accessoires dépassait de beaucoup le montant du droit principal. Ces sommes étaient encore plus élevées dans les pays d'obédience que dans le reste du royaume, si bien qu'un évêché estimé à 1.000 florins de revenu annuel payait 1.706 florins dans le premier cas, et 1.110 dans le second. Il est vrai que les revenus des bénéfices étaient officiellement tarifés à un taux inférieur à la réalité. On dit que ce taux correspondait à la moitié du revenu réel[1]. Il est certain que la charge n'était pas aussi lourde que les apparences pouvaient le faire supposer.

Quant aux bénéfices non consistoriaux, l'usage s'était établi de déclarer que leur revenu était inférieur à 24 ducats, limite au-dessous de laquelle l'annate n'était pas exigée, ce qui exempta tous les bénéfices inférieurs de cette taxation.

---

1. Relation de Cavalli, de 1546. *Relations*, t. I, p. 299.

La fiscalité avait d'ailleurs envahi l'Église à tous les degrés de la hiérarchie. Des droits analogues étaient perçus par les évêques et les archidiacres pour la collation des cures, ce qui ne provoquait pas de moindres protestations de la part du clergé qui y était soumis.

Le régime concordataire. Le régime bénéficial, tel qu'il avait été établi, d'abord par les pratiques abusives qui s'étaient introduites en marge de la Pragmatique, puis par l'application du Concordat, avait pour objet de mettre dans la main du roi les bénéfices consistoriaux. La puissance ecclésiastique se trouvait ainsi utilisée au profit de l'État, de même que les biens d'Église étaient effectivement sécularisés.

Le gouvernement, engagé dans cette voie, ne tenait compte d'aucune autre considération que de ses intérêts, et le choix des hauts dignitaires de l'Église, qui n'aurait donné lieu à aucune critique s'il avait toujours été conforme aux prescriptions concordataires, ne fut jamais inspiré par la volonté de choisir les candidats les plus méritants. De son côté, le Saint-Siège, ayant reçu sa part des avantages concordataires, n'utilisa jamais les droits qu'il tenait du Concordat pour en imposer le respect. Les écarts du gouvernement royal ne provoquèrent aucun conflit, si bien qu'en fait, nous voyons s'instaurer une sorte de régime extra-concordataire, dont résultèrent tous les abus et la décadence de la discipline ecclésiastique.

François Iᵉʳ, avant même que le Concordat eût été publié, avait proposé plusieurs candidats à l'épiscopat, dont le choix était significatif, notamment Th. Duprat, désigné pour l'évêché de Clermont, « en contemplation des très grans et vertueux services » de son frère, le chancelier. Il présentait en même temps, pour les abbayes, des candidatures plus irrégulières encore : candidats n'appartenant pas à l'ordre où se produisait la vacance, séculiers qui devaient tenir leur charge en commende, et, lorsqu'il s'agissait de véritables réguliers, c'étaient des membres des familles aristocratiques, auxquels on assurait une carrière de cumuls. En 1517, la vacance simultanée des abbayes de

Saint-Denis et de Cluny, pourvues de privilèges d'élire, donna lieu à des interventions abusives, qui aboutirent à l'installation d'Aimar Gouffier, bénédictin de Saint-Denis, frère des trois Gouffier, alors au comble de la faveur, qui cumula ces deux bénéfices contre tout droit.

Les années 1525-26 achevèrent de montrer le sens dans lequel allait être appliqué le Concordat. Le chancelier Duprat, récemment entré dans les ordres, se fit nommer par la régente archevêque de Sens et abbé de Saint-Benoît-sur-Loire contre les candidats régulièrement élus, et les procès engagés au Parlement furent arrêtés par un coup de force de François Ier. Les auteurs du Concordat eux-mêmes montraient ce que devait être le régime des bénéfices, contrairement à la légalité concordataire.

Il est vrai qu'il y eut çà et là quelques tentatives de résistance de la part des chapitres privés du droit d'élire, et que certaines de ces élections aboutirent à mettre en possession du siège épiscopal le candidat élu; mais ces tentatives furent rares et nous n'en trouvons presque plus d'exemples après 1530.

En effet, dans la seconde partie du règne de François Ier, le système concordataire s'implanta plus solidement, avec l'indult relatif aux pays d'obédience et la suppression des privilèges d'élire.

Sous Henri II, il en fut de même avec l'intervention des princes de Lorraine, particulièrement avides de bénéfices, et qui appliquèrent aux Trois Évêchés l'usage des cumuls, des résignations en faveur et des regrès.

Après 1559, la réaction anticoncordataire sembla devoir mettre fin à tous les abus qui s'étaient glissés en marge du Concordat. L'ordonnance d'Orléans se trouva dans le cas d'être appliquée pour pourvoir au siège de Langres. L'élection eut lieu, avec un corps électoral composé d'évêques, de chanoines et des 24 délégués laïques prévus. Mais le roi, après avoir donné cette preuve de bonne volonté, recommanda un candidat, bâtard de la maison de Bourbon, qui fut élu. Cette tentative de redressement était faussée dès ses origines.

L'ordonnance restait néanmoins en vigueur, et il y eut bien dans la suite quelques tentatives d'élections, à Paris, en 1568,

à Noyon, en 1577, mais chaque fois, le roi imposa arbitrairement son candidat. Finalement, l'ordonnance de Blois en 1579,
rétablit le régime concordataire en essayant de corriger ses plus
graves défauts : ainsi on supprimait les cumuls de bénéfices
ayant charge d'âmes, les retards provenant de la négligence
des nouveaux bénéficiers qui ne se faisaient pas pourvoir, la
pratique de l'économat et la substitution de « personnes inconnues », pour l'administration des abbayes.

Mais, l'ancien système était moins défectueux par ce qu'il
prescrivait que par le cortège habituel des dérogations aux principes. Celles-ci allèrent même en s'aggravant : les limites d'âge
n'étaient pas respectées, certains évêques n'avaient jamais reçu
les ordres, et on leur conférait leur « promotion en l'evesché
avec la dispense d'entrer ès saints ordres ». Des évêchés furent
donnés en récompense à des gens de guerre. On vit même,
sous Henri III, mettre en vente les sièges épiscopaux de Grenoble et d'Amiens. « Le roi, lisons-nous dans le *Journal* de
L'Estoile, donna comme par devant les bénéfices aux seigneurs
et gentilshommes et aux dames, pour en jouir par économat,
sans en parler au pape. »

Le Saint-Siège avait bien essayé quelques résistances : refus
de pourvoir les candidats mal qualifiés, ou simples retards
dans l'expédition des bulles, qu'on faisait attendre pendant deux
ou trois années, mais ces refus ne visaient que d'obscures vic-
times et pas toujours les moins méritantes, comme Amyot,
auquel on refusa longtemps sa mise en possession de l'évêché
d'Auxerre.

En 1589, la crise politique suscita de grandes difficultés pour
l'application du Concordat. Qui devait procéder aux nominations ? Le roi hérétique ? Le gouvernement ligueur, qui n'avait
aucune capacité légale ? Ou le pape, à défaut d'un souverain
reconnu ? Chacun s'attribua quelque pouvoir. Henri IV nomma
des candidats que le pape repoussait. Les Ligueurs rétablirent
les élections ou présentèrent des candidats.

L'accord entre Henri IV et le pape, qui survint en 1597,
remit en vigueur le Concordat, dont la pratique ne fut pas
différente de ce qu'elle avait été pendant les règnes précédents.

Le régime concordataire était destiné, dans l'intention de François Ier, à recruter un clergé satisfait et docile. Cet objectif fut atteint : les biens d'Église passèrent sous la dépendance du roi, pour récompenser ses serviteurs et assurer leur fidélité.

Il est évident que, sous ce régime, les hautes charges de l'Église ne furent la récompense ni des mérites, ni des vertus de ceux qui en étaient pourvus. On les obtenait par sa naissance ou en considération des services rendus au gouvernement royal.

Les plus brillantes carrières étaient réservées aux membres des familles princières, au même titre que les charges de cour. L'épiscopat fut peuplé par les Bourbons, les Montmorency, les Châtillon, les Lenoncourt. Les Guise surtout se montrèrent avides, comme on le constate avec la dynastie des six cardinaux de Lorraine. La petite noblesse foisonnait à leurs côtés, non moins accapareuse, avec le cardinal Fr. de Tournon, les de Noailles, de Lévis, d'Albret, d'Armagnac, de Grammont.

D'origine plus modeste étaient les simples serviteurs du roi qui savaient se pousser dans sa faveur comme secrétaires, ambassadeurs, conseillers, et qu'on payait en monnaie ecclésiastique, Ch. de Marillac, archevêque de Vienne, L. Guillart, évêque de Nevers, Ph. Babou, évêque d'Angoulême. Certains acceptaient ces charges comme une retraite, tel J. de Morvillier, à l'évêché d'Orléans. Duprat s'en fit un capital et une garantie contre les retours de fortune, dans sa fragile carrière de premier ministre.

Dans cet épiscopat d'intrigants, il arrivait que quelques places fussent attribuées au savoir et au mérite. Le roi voulait se justifier à ses propres yeux et se procurer au besoin de faciles arguments. On vit quelques prélats d'origine obscure; Le Meignen, évêque de Digne, était fils d'un paysan, A. d'Ossat, fils d'un maréchal ferrant, débuta avec d'humbles fonctions et de médiocres bénéfices, avant de devenir évêque de Bayeux et cardinal.

Certains de ces évêques étaient issus du clergé régulier, dans la proportion d'un sur cinq environ, mais il s'agissait surtout de personnages de grandes familles, qui avaient débuté dans un monastère pour y inaugurer une brillante carrière, tels Aimar Gouffier à Saint-Denis, ou Carracciolo à Saint-Victor. Les véritables moines qu'on élevait à l'épiscopat furent toujours

des exceptions, auxquels on réservait les sièges les plus misé-
rables des provinces méridionales, Riez ou Mirepoix, Sarlat
ou Saint-Bertrand de Comminges.

Un élément numériquement important était constitué par
les évêques d'origine étrangère, quelques-uns poussés par la
faveur du roi, les autres par le pape ou pourvus à la faveur d'une
résignation.

Les Italiens détenaient ainsi presque le tiers des bénéfices du
royaume, qu'ils cumulaient avec ceux de leur pays d'origine,
avec lequel les liens n'étaient jamais rompus. Clergé interna-
tional, qui appartenait parfois aux familles princières d'Italie,
tels Hippolyte et Louis d'Este, les cardinaux de Ferrare et
Farnèse. Les familles moins illustres apparaissent dans tous les
diocèses, Trivulce, Birague, Strozzi, Gondi, Médicis, Salviati,
Carafa. Certains sièges semblaient des terres réservées pour ces
dynasties étrangères, ceux de Cahors, d'Agen, d'Auch, destinés
aux Este, de Béziers, aux Strozzi, aux Médicis et aux Bonsi[1].
Le type de ces aventuriers d'Église était Antoine Carracciolo,
abbé de Saint-Victor, qui inaugura la décadence de cette abbaye
en y introduisant la commende, et évêque de Troyes, où il
chercha à instaurer un étrange compromis entre le calvinisme
et le catholicisme.

Les évêchés ainsi distribués devenaient les patrimoines de
familles disposant de puissantes influences locales. Les Guise
s'étaient réservé l'archevêché de Reims et les diocèses du Nord-
Est pour eux et leurs clients, les Pellevé et les Lenoncourt. Les
Bourbons détenaient le siège de Rouen, ainsi que les évêchés
voisins, normands et picards. Les sièges les moins importants
eux-mêmes étaient accaparés par des dynasties de favoris : ainsi,
Saint-Malo resta dans le patrimoine des Briçonnet de 1493 à
1573; Aire appartint aux Foix-Candale pendant un siècle.

Mais partout, nous ne trouvons que des serviteurs du roi,
tant l'union semblait parfaite entre l'épiscopat et l'administration
royale. Ce système était l'objet des remarques des contemporains, et nous le voyons décrit par l'ambassadeur vénitien,

---

1. De 1547 à 1669, l'évêché de Béziers fut occupé sans interruption par des
membres de ces trois familles.

Marino Cavalli : « Sa Majesté se sert de leur argent comme du sien propre. Elle envoie en ambassade évêques et abbés, quelquefois sans appointements. Elle leur ordonne de construire à leurs frais des vaisseaux, de bâtir des palais dont elle hérite; elle loge sur leurs bénéfices, et elle y envoie qui lui plaît, sans rien payer. »

Cette méthode avait pour résultat de livrer le gouvernement de l'Église à des hommes qui, même lorsqu'ils n'étaient pas déconsidérés par des mœurs scandaleuses, étaient simplement des hommes du monde dépourvus des qualités requises pour le gouvernement spirituel.

Les jugements des contemporains sont en général sévères, et c'est pourquoi on réclamait de toutes parts une réforme disciplinaire. Charles de Marillac dénonçait ceux de ses collègues, qui avaient tout juste appris à « faire la mine et bailler la bénédiction ».

Les remontrances du Clergé de 1579 signalent les diocèses où apparaissaient des « ombres d'évêques », les 35 sièges dépourvus d'évêques résidents, les 800 abbayes, à la tête desquelles on ne trouvait pas plus de 100 abbés titulaires, dont la plupart prêtaient même leur nom à des laïques et à des hommes mariés. Aussi le Clergé concluait-il ainsi : « Sous vous, les prélatures et grandes dignités que maintenez de votre nomination, sont, au mépris de Dieu et au grand scandale de son Église, profanées. »

La foi de ces évêques était souvent suspecte, et il était difficile que ces chefs fussent les protecteurs vigilants de l'orthodoxie dans le bas clergé qui leur était confié.

Mais tout cela importait peu aux rois, qui profitaient des avantages que leur assurait le Concordat sans se soucier des conséquences.

BIBLIOGRAPHIE

Les sources du droit bénéficial sont extrêmement dispersées. C'est peut-être le point sur lequel les Archives vaticanes sont le plus riches. Mais les papiers d'État sont également instructifs, papiers des ambassades et des nonciatures, lettres et procédures, archives diocésaines et capitulaires, contrats entre particuliers. Les archives des banquiers en cour de Rome et des innombrables trafiquants qui vivaient du commerce des bénéfices sont également à consulter. L'enquête peut se poursuivre de tous côtés avec un égal succès. Signalons toutefois qu'en outre des archives judiciaires, qui contiennent les procédures en matière bénéficiale, on doit ne pas négliger les archives du Grand Conseil, auquel était attribuée la juridiction d'appel : Arch. Nat. Vᵉ 1 et suiv. Arrêts.

Ordonnance de Blois de 1499 (art. 2-10) (*Ordonnances*, t. XXI). — Ordonnance de juin 1510, sur la Pragmatique et la collation des bénéfices (*Ibid.*, t. XXII). — Indult du 3 octobre 1516. — Bulle du 9 juin 1531, supprimant les privilèges d'élire. — Ordonnance de Villers-Cotterets, de 1539 (art. 49-60). — Édits du 14 juin 1549, de juin 1550 (dit des petites dates). — Déclaration du 18 avril 1553. — Ordonnance d'Orléans, de 1561 (art. 1-4). — Édit du 10 janvier 1563, sur les annates. — Ordonnance de Blois, de 1579 (art. 1-11). — Édit de Melun, de 1580 (art. 14-17). Tous ces textes dans FONTANON, t. IV, ou dans ISAMBERT. — « Rôle des évêchés en économat ou en confidence » (1579), dans SERBAT, n° 17. — « Liste des bénéfices à la collation du roi », dans GIRARD ET JOLY, I, 24.

REBUFFI, *Les édits et ordonnances*, V, 2-3. — FONTANON, *Les édicts et ordonnances*, IV, 14-16, 18-20. — BRISSON, *Code Henry III*, I, 2, 22, 24. — GUÉNOIS, *La conférence des ordonnances*, I, 3. — BOUCHEL, *Decretorum ecclesiae gallicanae...*, V, 10, VII, 7-12, 19. — *Recueil des actes, titres et mémoires*, t. X, XI. — *Tractatus universi juris*, t. XV. — BRILLON, *Dictionnaire des arrêts*, t. I. — Actes du Concile de Trente, sessions VII, XXI, XXIII et XXIV. — TOMMASEO, *Les relations des ambassadeurs vénitiens*, Giustiniano, 1535, Cavalli, 1546, Lippomano, 1577. — ALBERI, *Le relazioni*, t. I.

LOYSEAU, *Des offices*, I, v. — REBUFFI, *De pacificis possessoribus.* — *De nominationibus.* — Guy COQUILLE, *Mémoires pour la réformation de l'estat ecclésiastique.* — *Des bénéfices de l'Église.* — R. CORTI (ROCH DE LA COUR), *Tractatus... de jure patronatus.* — PAPON, *Secrets du troisième et dernier notaire.* — CHOPPIN, *Trois livres de la police ecclésiastique.*

CLERGEAC, *La Curie et les bénéficiers consistoriaux.* — GÉRARDIN, *Étude sur les bénéfices ecclésiastiques aux XVIe et XVIIe siècles.* — MAHON DE MONAGHAN, *Étude sur les annates.* — DELANNOY, *La juridiction ecclésiastique en matière bénéficiale.* — THOMAS, *Le Concordat de 1516.* — MADELIN, *Les premières applications du Concordat de 1516* (Mél. École de Rome, 1897). — DE COUSSEMAKER, *Des résistances au mode de nomination des évêques établis par le Concordat de 1516.* — PICON, *La collation des bénéfices au chapitre de Notre-Dame de Paris, 1518-1547* (Rev. hist. de droit franç. et étr., 1932.) — EVENNETT, *Pie IV et les bénéfices de Jean Du Bellay* (Rev. hist. Égl. de Fr., 1936). — DURTELLE DE SAINT-SAUVEUR, *Les pays d'obédience dans l'ancienne France.*

CHAPITRE V

L'ÉPISCOPAT

LE POUVOIR ÉPISCOPAL. — LA HIÉRARCHIE ÉPISCOPALE. — LES LÉGATS. — LES CARDINAUX. — PRIMATS ET ARCHE-VÊQUES.

Le pouvoir épiscopal. L'évêque était le chef du dio-cèse, cadre normal de la vie ecclé-siastique. Mais sa situation n'était pas restée immuable au cours des siècles et son autorité avait été l'objet de définitions plus ou moins larges par rapport aux puissances voisines.

Au xvie siècle, alors que l'étendue du pouvoir épiscopal était encore contestée, le Concile de Trente se préoccupa de le restaurer en affirmant son origine divine : « Synodus declarat episcopos positos a Spiritu Sancto, regere Ecclesiam Dei[1]. » Cette définition de l'épiscopat devait servir de base à la nouvelle organisation de l'Église.

Une définition plus complète nous est donnée par les conciles provinciaux ultérieurs. « Archiepiscopos et episcopos Apos-tolorum successores esse legitimos non ambigit, qui, Spiritu Sancto duce, Ecclesiae Christi seriem ab ejus ascensione conti-nuam agnoscit. Hi sunt enim, quibus ducibus, Spiritus Sanctus regit Ecclesiam Dei. Hi sunt qui, pro patribus apostolis, nati sunt filii ad Ecclesiam in Christi doctrina regendam. Quibus praesertim incumbit cura gregis Christi, et sunt velut in specula constituti, ut omne malum a grege avertant[2]. »

---

1. Session XXIII.
2. Cette définition est celle du Concile de Bourges de 1584. On trouverait des définitions analogues du pouvoir épiscopal dans la plupart des conciles provin-ciaux de la fin du xvie siècle.

Malgré ces précisions, la question restait toujours indécise du pouvoir suprême dans l'Église et de la supériorité du pape sur les évêques. La théorie conciliaire, qui avait triomphé dans les conciles du xve siècle, avait été affirmée dans le titre I de la Pragmatique comme un des principes essentiels du gallicanisme. Mais, avec la restauration du pouvoir pontifical, une réaction était inévitable : le titre I de la Pragmatique disparut du texte du Concordat, et le Concile de Trente allait de nouveau se préoccuper de trouver une solution à ce problème.

Dans la crainte de susciter une opposition trop forte, on se contenta de le poser indirectement, en recherchant si l'autorité épiscopale était de droit divin comme celle des papes, ce qui aurait mis les uns et les autres sur le même rang, ou si la primauté spirituelle avait été attribuée seulement à saint Pierre et à ses successeurs. Accessoirement, on devait décider si l'obligation de résider était imposée aux évêques de droit divin ou par l'autorité pontificale, ce qui aurait impliqué leur subordination au Saint-Siège. Une décision formelle sur ce point particulier eût été de grande conséquence. Aussi les deux partis hésitèrent-ils à se prononcer. Le Concile, partagé entre le prestige de la papauté et l'autorité des évêques partisans du droit divin, refusa d'en affirmer le principe et se contenta d'une formule indécise au sujet de la résidence, qui fut déclarée obligatoire *praecepto divino*. Personne ne pouvait tirer de cette formule des conclusions excessives, ni en déduire que le pape pouvait ou non dispenser les évêques de la résidence.

A défaut d'une décision sur ces théories âprement contestées, le Concile s'efforça de renforcer l'autorité épiscopale dans la hiérarchie du diocèse.

Si ces questions demeuraient sans solution dans le droit général de l'Église, le clergé du royaume se montrait en grande majorité favorable au principe de l'égalité des évêques et de la suprématie des conciles.

L'évêque, investi de sa charge par les provisions pontificales, devait prêter serment de fidélité au roi. Ce serment ne se confondait pas avec la foi et hommage, à laquelle il était tenu en tant que vassal. Une fois en règle avec le roi, il était soumis à l'enquête préalable prescrite par les conciles provinciaux de la fin du siècle (dont les prescriptions ne semblent pas avoir été toujours appliquées). Enfin, il devait recevoir dans un délai de trois mois la consécration épiscopale : elle était conférée par trois autres évêques, sans que la participation de l'archevêque fût nécessaire.

Il devait ensuite prendre possession de son siège : le cérémonial consistait dans la lecture des bulles de provision devant le chapitre cathédral, suivie de l'acceptation par les chanoines. L'évêque faisait le serment de respecter les privilèges de l'église et un procès-verbal était rédigé par des notaires.

Lorsque l'évêque venait lui-même occuper son siège, il s'établissait dans une abbaye voisine, où les autorités civiles et religieuses venaient le chercher processionnellement. A la cathédrale avaient lieu des cérémonies, au cours desquelles les vassaux de l'évêque lui prêtaient serment de fidélité. Les représentants du roi venaient aussi fixer en sa présence les limites des justices royale et épiscopale[1].

L'évêque était alors en mesure d'exercer ses fonctions. Les pouvoirs qui lui étaient attribués étaient de trois sortes, pouvoirs d'administration, d'ordre et de juridiction, les deux premiers étant absolus et le troisième limité par les appels à la juridiction supérieure.

L'évêque était obligé de résider dans son diocèse[2], de surveiller le clergé et les fidèles, de visiter régulièrement les pauvres et les établissements religieux, d'entretenir la vie spirituelle par la prédication et par ses lettres pastorales[3]. Mais il se dispensait volontiers de cette obligation. Nombreux furent les évêques qui paraissaient seulement dans la cité épiscopale pour leur prise

---

1. *Cérémonial de la prise de possession de l'évêque de Troyes*, p. p. LALORE, *Documents sur l'abbaye de Notre-Dame...* — *Cérémonial de la prise de possession... de Meaux*, p. p. ROUSSEAU et LECOMTE.

2. Bouchel publie un nombre considérable de textes conciliaires et royaux imposant l'obligation de la résidence. La seule répétition de ces prescriptions démontre qu'il ne s'agissait là que de vaines manifestations disciplinaires. *Decretorum ecclesiae...*, l. V, titre 9.

3. Canons de la VIe session du Concile de Trente. On trouve aussi une énumération détaillée des pouvoirs épiscopaux dans un texte du Concile de Tours de 1583.

de possession sans jamais y revenir, ou qui même se faisaient remplacer par un procureur. Un exemple illustre fut donné par Duprat, qui ne vint à Sens qu'après sa mort, pour y recevoir sa sépulture.

En ce qui concerne la doctrine, l'évêque était juge des matières de foi : il devait condamner les hérétiques, approuver les miracles, assembler son clergé en synodes diocésains, pour y définir des articles de foi et y promulguer des règlements disciplinaires.

L'évêque exerçait dans sa plénitude la puissance sacerdotale. Il administrait les sacrements comme tous les autres prêtres, et en plus, la confirmation et l'ordre, qui lui étaient réservés : la confirmation pour laquelle il lui était prescrit de faire une tournée dans son diocèse une fois au moins tous les deux ans. Quant à l'ordination, c'était pour lui un devoir des plus stricts : l'évêque était seul qualifié pour en conférer tous les grades depuis la tonsure; il devait ordonner tous ses diocésains, sauf en cas d'empêchement, où il pouvait confier cette charge à un autre évêque, par une autorisation expresse appelée *dimissoire*. Toute infraction à cette règle entraînait de graves sanctions, allant jusqu'à la suspension du pouvoir d'ordination. Cette responsabilité de l'évêque s'étendait même sur la formation générale, sur la science et la moralité des candidats auxquels les ordres étaient conférés.

Cette mission spirituelle se complétait par le soin d'assurer l'instruction religieuse des fidèles. L'évêque devait prêcher lui-même, ce qui était exceptionnel dans la pratique, moins par suite de son incapacité que par absence de zèle. Tout au moins, pouvait-il faire prêcher en sa présence[1]. C'était un des devoirs que s'était imposés Guillaume Briçonnet, lorsqu'il voulut évangéliser son diocèse de Meaux, et dont les difficultés nous montrent à quel point cette pratique troublait les habitudes du clergé. Seul l'évêque pouvait autoriser les prédications des prêtres étrangers à une paroisse et en particulier celles des moines mendiants. Ce contrôle était particulièrement important dans une

---

1. Le Concile de Trente avait insisté spécialement sur cette obligation. Session V.

période de troubles religieux, où il fallait veiller au maintien de l'orthodoxie.

A défaut de prédication, l'évêque devait se tenir en contact avec son diocèse par ses instructions synodales, par les règlements concernant les prières et les cérémonies. Il publiait, soit de sa propre autorité, soit avec le conseil du chapitre, des statuts applicables à une église en particulier ou à l'ensemble du diocèse[1]. Il consacrait les églises et les accessoires du culte, établissait les nouvelles paroisses et décidait des regroupements nécessaires. Il prescrivait les fêtes et les jeûnes. Il rédigeait ou autorisait les livres liturgiques, rituels, missels, bréviaires. Il devait enfin surveiller l'enseignement donné aux enfants, que ce fût ou non en vue de la formation des futurs prêtres. Pour ces derniers, il devait établir des séminaires.

Une des principales attributions épiscopales était la collation des bénéfices. L'évêque, en principe, conférait tous les bénéfices de son diocèse, mais il en avait été privé dans un grand nombre de cas par les usurpations des papes : réserves, préventions, etc..., par celles des chapitres, des abbés ou même des laïques. Alors l'évêque se voyait imposer le nouveau bénéficier, son rôle étant réduit à conférer les pouvoirs spirituels, la *cura animarum*.

Dans certains diocèses, à Troyes, à Mâcon, à Langres, le choix de l'évêque était limité environ au tiers des bénéfices. Il semble en avoir été à peu près de même au Mans, à Nantes, à Sens et à Paris.

Le droit de nomination était particulièrement contesté aux évêques pour le choix des chanoines de leur propre cathédrale. Il en résultait un état d'hostilité général entre les évêques et les membres des chapitres, et un manque total de discipline au sein du clergé épiscopal.

Le droit de juridiction de l'évêque s'exerçait dans toute l'étendue de son diocèse. C'était le principe fondamental de l'organisation ecclésiastique. Aussi le terme de juridiction *ordinaire* lui était-il attribué sans contestation, du moins quant au principe.

---

1. Voir par exemple les statuts publiés par LEROUX, *Documents historiques concernant la Marche. Statuts ecclésiastiques.*

Cette juridiction se manifestait en premier lieu par le droit de convoquer des synodes. Ces *synodes diocésains* se tenaient sous la présidence de l'évêque, une ou deux fois chaque année, dans les diocèses où l'évêque était attentif à ses devoirs. Tous les dignitaires, archiprêtres, doyens, prévôts, prieurs, ainsi que les curés devaient y assister. Les abbés eux-mêmes y étaient astreints pour les cures dont ils avaient la charge, et cela même lorsqu'ils jouissaient du privilège d'exemption.

On y passait en revue l'administration du diocèse, on y promulguait les statuts disciplinaires. C'était le centre de la vie religieuse et le moyen le plus efficace pour assurer la discipline. Ces synodes annuels furent, à la fin du XVIe siècle, l'objet de nombreuses prescriptions qui finirent par généraliser ces assemblées, sans toutefois leur assurer une périodicité régulière[1].

L'évêque devait lui-même assister aux conciles provinciaux présidés par l'archevêque.

Le *droit de visite* consistait à inspecter les chapitres, les cures et tous les autres établissements religieux, y compris les monastères et les cures qui en dépendaient. C'était une des prérogatives essentielles de l'évêque. Les anciens canons lui imposaient ce devoir et le Concile de Trente revint longuement sur ce point[2]. Les ordonnances royales elles-mêmes, celles d'Orléans et de Blois, rappelaient cette obligation.

Ces visites étaient destinées à assurer la régularité du culte, le maintien de la doctrine et des bonnes mœurs, l'attachement du peuple à la religion et à la paix. Il arrivait aussi que le visiteur intervînt dans les causes soumises à la juridiction épiscopale : il jugeait ainsi les cas connexes au mariage, les délits commis contre les mœurs, contre la foi ou contre les protégés de l'Église, lépreux et orphelins. Mais le contrôle de l'administration temporelle n'était pas le moindre souci des visiteurs, bien que les règlements ne fissent que peu de place à ces sortes d'enquêtes. Les résultats de ces inspections, les règlements édictés à

---

1. Les textes relatifs à la tenue des synodes sont reproduits par Bouchel, *Decretorum ecclesiae...* l. V, tit. 19.
2. Le droit de visite est l'objet d'une réglementation minutieuse au Concile de Trente. Ses. XXIV, c. 3, 9, 10.

cette occasion étaient consignés dans des procès-verbaux, les registres de visites, qui restent une de nos sources de documentation les plus précieuses sur la vie religieuse de l'époque.

A ces visites s'était jointe, depuis les temps les plus reculés, la perception d'une taxe destinée à en couvrir les frais. C'était le droit de *procuration*, qui avait bientôt donné naissance à divers abus. La procuration avait fini par se dissocier de la visite proprement dite, pour devenir une taxe perçue régulièrement sur les établissements sujets à la visite.

L'exercice de ce droit était, dans la pratique, soumis à de nombreuses difficultés. Il se heurtait aux privilèges d'exemption dont étaient pourvus la plupart des chapitres et des monastères. Les contestations qui en résultaient étaient l'occasion de procès innombrables et sans issue. Pour affirmer son droit, l'évêque devait user de contrainte, tandis que les moines se livraient parfois, en guise de représailles, à des farces de mauvais goût.

Fréquemment, à défaut de l'évêque, ses délégués le remplaçaient dans ses tournées; d'ailleurs certains dignitaires du diocèse, les archidiacres et les doyens, avaient également le droit de visiter les églises de leurs circonscriptions.

Quant à la juridiction proprement dite, l'évêque était, de droit commun, le seul juge de son diocèse, avec la seule limitation qui résultait des exemptions accordées à certains corps qui relevaient directement du pape.

Cette juridiction, définie par les anciens canons et de nouveau par le Concile de Trente, était également imposée par les ordonnances royales.

On y distinguait la *juridiction volontaire* exercée sans formalités et par l'évêque en personne. Elle comportait notamment la publication des indulgences autorisées par *lettres de placet*, l'autorisation des quêtes, des processions générales.

La *juridiction contentieuse* était celle qui concernait les matières ecclésiastiques, ou dans lesquelles des clercs étaient impliqués. Elle était dévolue, par délégation de l'évêque, à un personnel spécial, qui constituait le tribunal de l'*officialité*.

A cette juridiction se rattachait la connaissance des matières de foi et des cas d'hérésie. Cette dernière catégorie était très importante au xvie siècle, la juridiction des évêques ayant été l'objet de nombreux édits royaux réglant de façons diverses le problème toujours insoluble de la collaboration entre la justice royale et la justice ecclésiastique.

Cet ensemble de droits judiciaires faisait à la justice épiscopale un domaine étendu, auquel les justiciables cherchaient à se soustraire. De nombreux corps ou établissements invoquaient pour cela le privilège de l'*exemption*, qui les soumettait directement au Saint-Siège, dont l'autorité était lointaine et peu gênante.

Ces exemptions étaient très mal vues par l'autorité épiscopale, qui s'efforçait de les contester ou de les limiter : l'évêque exigeait la preuve de l'authenticité du privilège, et lorsqu'elle était fournie, il prétendait conserver le droit d'imposer ses ordonnances, de visiter les cures exemptes et de se faire accorder les honneurs épiscopaux.

Aux pouvoir spirituels de l'épiscopat s'ajoutait l'administration du bénéfice proprement dit, la gestion de la *mense épiscopale*, comprenant les revenus qui provenaient des bénéfices inférieurs, c'est-à-dire les droits de visite et procurations sur les bénéfices vacants, les taxes sur les expéditions de la chancellerie épiscopale, les droits synodaux payés par les bénéficiers à l'occasion des synodes, les droits de justice et les amendes. Le plus important était le revenu des domaines épiscopaux : terres, bois, droits féodaux, auxquels s'ajoutait la jouissance de châteaux et d'hôtels situés dans les diocèses et même à Paris.

Ce temporel était pour certains considérable, surtout pour les évêchés pairies, auxquels était attaché le titre de duc ou celui de comte.

L'évêque de Langres possédait ainsi, outre son duché de Langres, un comté, un marquisat et trois baronnies; il était seigneur de plus de cent villages, jouissait de sept châteaux et d'un revenu total de 50.000 livres, au début du xviie siècle, malgré les déprédations subies pendant les guerres de religion. Même dans les petits diocèses de la France méridionale, le domaine de l'évêché, accru du produit des droits seigneuriaux et des dîmes, constituait un revenu assez important, suffisant pour assurer largement l'existence du titulaire[1].

En regard de ces recettes, l'évêque avait à supporter des charges importantes : il devait payer les frais du culte dans la cathédrale, des pensions à certains clercs, les décimes et autres impositions royales.

En outre de ses fonctions ecclésia tiques, l'évêque possédait une situation éminente dans la société civile. Il intervenait fréquemment dans les affaires municipales, dans les levées d'impositions, de troupes, et surtout dans les œuvres d'assistance ; dans toutes les villes où était organisé le système de l'aumône générale, l'évêque en é ait un des principaux administrateurs.

Pour l'exercice de ces droits, l'évêque était perpétuellement en conflit avec les autres autorités ecclésiastiques, surtout avec le chapitre cathédral et avec les exempts, c'est-à-dire avec les collégiales et les établissements réguliers du diocèse. L'existence n'était pas toujours facile pour le prélat, qui devait parfois se contenter de siéger dans le chœur de la cathédrale et d'officier à l'autel. Ces restrictions contribuaient peut-être, pour une part, à détourner les évêques de résider dans leurs diocèses.

Par contre, l'évêque était investi de nombreux privilèges honorifiques : un siège d'honneur dans la cathédrale, crosse, mitre et autres insignes épiscopaux. Il faisait porter une croix devant lui; il avait le droit de revêtir des vêtements violets, sauf en temps d'abstinence, où il devait être vêtu de noir. Toutes ces prescriptions étaient destinées à rehausser son prestige. Les conciles provinciaux les réitérèrent à la fin du siècle, mais en vain, car trop souvent, les évêques vivaient d'une vie mondaine, où ils ne se distinguaient en aucune façon des grands seigneurs fréquentant la cour.

Autour de l'évêque, de nombreux prêtres participaient à l'administration diocésaine : c'étaient le chancelier, les secrétaires, et autres serviteurs personnels, qui constituaient la famille épiscopale. Le *grand vicaire* était le principal auxiliaire de l'évêque

---

1. Voir l'étude de SABARTHÈS, *Inventaire des droits et revenus de l'évêché de Saint-Papoul*. Il est vrai que nous ne trouvons là que des évaluations de ces revenus en monnaie actuelle, c'est-à-dire dépourvues de toute signification.

pour l'administration du diocèse, son suppléant lorsqu'il était lui-même absent.

Les *archidiacres* et les *archiprêtres* étaient préposés aux différentes subdivisions du diocèse. Les archidiacres, dont les pouvoirs avaient été autrefois très étendus, puisqu'ils avaient été jusqu'à faire concurrence au pouvoir épiscopal, étaient déchus de leur ancienne autorité, depuis le XVe siècle. Ils étaient choisis par l'évêque dans le corps des chanoines. Il en existait deux ou trois dans la plupart des diocèses, parfois davantage, jusqu'à cinq ou six dans certains cas. Une fois investis de leurs fonctions, ils étaient indépendants de l'évêque, et exerçaient des pouvoirs d'administration et de juridiction dans toute l'étendue de l'archidiaconé. Ils présentaient les candidats à l'ordination, installaient les curés pourvus par l'évêque, administraient les cures vacantes; ils avaient le droit de tenir des synodes et de visiter les curés de leur circonscriptiion, comme l'évêque pouvait le faire dans tout son diocèse. Leur juridiction s'exerçait par l'officialité archidiaconale, calquée sur le modèle de l'officialité diocésaine, mais avec une compétence moins étendue. Cette autorité risquait de concurrencer celle de l'évêque, ce qui explique l'intervention du Concile de Trente, qui acheva la décadence de l'institution, en restreignant les droits de visite et de juridiction.

Les archiprêtres étaient eux aussi de véritables administrateurs dans leurs circonscriptions. Les conciles provinciaux de la fin du siècle tentèrent d'accroître encore leur autorité sur le clergé diocésain[1].

L'*official* et ses adjoints exerçaient les fonctions judiciaires.

Enfin, dans un grand nombre de cas, un coadjuteur, pourvu de la dignité épiscopale, était adjoint à l'évêque titulaire, qu'il remplaçait dans toute l'étendue de ses pouvoirs.

---

1. Les pouvoirs de l'archidiacre sont ainsi définis dans un pouillé du diocèse de Langres, au XVIe siècle : « *Habent visitationem et procurationem annuam super omnibus ecclesiis, in suo quisque archidiaconatu. Habent etiam tertiam partem emendarum. Cognoscunt de omnibus causis ad officialitatem pertinentibus, durante scilicet cursu visitationis.* » Les pouvoirs du doyen sont ainsi définis dans ce même document : « *Decani visitationem habent annuam super parrochialibus ecclesiis et earum succursibus, sed sine ulla jurisdictione.* »

La hiérarchie épiscopale.
Les légats.

A l'intérieur même de l'épiscopat, existait une hiérarchie, aux différents grades de laquelle étaient attachées des fonctions et des prérogatives spéciales.

Au premier rang, les légats, délégués du pape, étaient désignés pour le représenter ou pour exercer sa juridiction.

On en distinguait trois catégories : 1º les *légats a latere*, cardinaux pourvus d'une délégation totale du pouvoir pontifical; 2º les *légats missi*, représentants diplomatiques du pape dans le royaume, nonces et internonces, ne disposant d'aucune juridiction; 3º les *légats nés*, dont le titre purement honorifique était attribué à certains archevêques, ceux de Reims et d'Arles en particulier.

Les légats *a latere* avaient les pouvoirs les plus étendus : ils devaient exercer toute la juridiction sur le territoire qui leur était confié, au même titre que l'évêque pourvu de la juridiction ordinaire. Le Concile de Trente avait seulement prescrit qu'ils ne devraient pas troubler les évêques dans l'exercice de leur juridiction.

Ces pouvoirs presque illimités étaient une menace pour le clergé et pour le roi. Les officiers royaux et le Parlement y voyaient un empiétement dangereux du pouvoir pontifical sur celui des autorités légitimes du royaume. Aussi l'autorité des légats était-elle l'objet de limitations traditionnelles.

Le roi était tenu d'accepter le légat, qui arrivait pourvu d'une bulle de légation indiquant l'étendue de ses pouvoirs et le territoire sur lequel il devait les exercer. C'est sur ces bulles que se concentraient les efforts des juristes. Elles étaient en effet présentées au Parlement avec des lettres patentes autorisant le légat à utiliser ses pouvoirs. Le Parlement ne les enregistrait qu'avec des restrictions qui étaient traditionnelles.

Il était dit dans l'arrêt d'enregistrement que le légat ne pourrait exercer lui-même sa juridiction sur les sujets du roi, mais devrait la déléguer à des juges résidant sur place, qu'il ne pourrait légitimer des bâtards que pour leur donner accès à l'ordination, qu'il ne pourrait réunir des bénéfices ni dispenser des gradués du cours normal de leurs études ; il lui était interdit d'autoriser l'aliénation d'immeubles appartenant à l'Église, de pourvoir aux abbayes et monastères, d'autoriser les ecclésiastiques à léguer par testament des biens de leurs bénéfices, de déroger aux droits des patrons laïques, d'accorder aucune dispense contre les coutumes des chapitres. Bien d'autres prescriptions de détail s'ajoutaient aux précédentes. Mais tout cela était compris dans cette formule générale, d'après laquelle le légat ne devait rien faire qui fût contraire au Concordat, aux décisions des conciles généraux, aux libertés des universités et de l'Église gallicane. Enfin, le légat devait, à son départ, laisser en France les registres contenant les actes de sa légation[1].

A la fin du XVIe siècle, une nouvelle restriction s'ajouta aux clauses d'usage, pour interdire aux légats d'appliquer les décisions du Concile de Trente.

Ces restrictions, si étendues fussent-elles, semblaient encore insuffisantes : on exigeait de chaque légat un serment, par lequel il s'engageait à respecter le statut qui lui était imposé.

Toutes ces restrictions étaient appliquées aux légations sans modifications importantes de l'une à l'autre. C'était une sorte de droit, fixé par une tradition parlementaire.

Les pouvoirs ainsi vérifiés l'étaient pour un temps déterminé. Lorsqu'une légation se prolongeait, il fallait de nouvelles lettres patentes et un nouvel enregistrement.

L'action des légats se trouvait ainsi limitée en droit. Elle l'était bien d'avantage dans la pratique, leurs actes étant souvent attaqués par les intéressés lésés par cette intervention étrangère.

En définitive, la légation se bornait le plus souvent à des privilèges honorifiques, au droit de se faire précéder par la croix pontificale, de recevoir dans les villes l'honneur d'une entrée solennelle. En 1596, ne vit-on pas Henri IV se rendre à Chartres, au-devant du cardinal de Médicis ? Il s'agissait, il est vrai, de la démarche d'un simple fidèle, le roi ne s'étant pas rendu officiellement à la rencontre du légat.

L'institution des légats et leur qualité varièrent au cours du

1. Arrêt de 1547, rendu sur les bulles du cardinal de Saint-Georges.

XVIᵉ siècle. Les premiers légats nationaux avaient été institués
pour organiser, sous une direction unique, l'Église de France.
Telle avait été la mission du cardinal d'Amboise, en 1501. Sa
légation dura jusqu'en 1510, avec des pouvoirs exceptionnellement étendus, en rapport avec la situation politique qu'il occupait dans le royaume : il intervenait dans les élections épiscopales, pourvoyait sans obstacle aux bénéfices non consistoriaux,
intervenait, par ses pouvoirs de juridiction, dans la réforme
des établissements religieux, si bien que tout le mouvement
de restauration de l'Église gallicane, au début du siècle, repose
sur son intervention.

Les légations, dans la suite, furent moins permanentes,
celles des cardinaux Guibé, de Luxembourg, de Boisy. Duprat
fut le dernier de ces légats nationaux. La tentative qu'on
avait poursuivie, de réformer l'Église de France sous une
autorité unique déléguée par le Saint-Siège, n'avait abouti qu'à
de médiocres résultats.

Dès lors, les légats se succédèrent à intervalles irréguliers;
c'étaient tous des cardinaux italiens chargés de régler une affaire
particulière avec le gouvernement, sans influence permanente
sur l'administration de l'Église de France.

En dehors de ces légats temporaires, il existait à Avignon un
légat permanent, représenté par un vice-légat. Sa juridiction
s'exerçait sur le Comtat, extérieur au royaume, mais aussi sur
les provinces voisines de la région du Sud-Est.

Les cardinaux. Les cardinaux étaient investis d'une
dignité et de fonctions qui se rattachaient
à la cour de Rome et ne correspondaient
à aucune autorité particulière dans le royaume. Toutefois, leur
situation y était différente de celle des autres évêques.

La condition des cardinaux s'était peu à peu déterminée au
cours du Moyen Age et spécialement depuis le XIᵉ siècle, où
ils avaient acquis le droit exclusif de faire l'élection pontificale. Cette dignité n'était plus réservée au clergé romain, mais
décernée *honoris causa* à des évêques étrangers, auxquels on
attribuait le titre soit d'un évêché suburbicaire, soit d'une

paroisse de Rome, soit d'un établissement hospitalier, comme cardinal évêque, prêtre ou diacre.

L'effectif, les prérogatives du Sacré Collège avaient beaucoup varié au cours des derniers siècles. En 1586, le nombre total des cardinaux était de 70, mais leur autorité était nettement en baisse, après les tentatives qu'ils avaient faites au xve siècle, pour usurper le gouvernement de l'Église aux dépens de la papauté.

Dans le Sacré Collège, le nombre des cardinaux français fut assez variable d'une époque à l'autre, suivant les rapports que le roi entretenait avec la cour romaine. A la fin du règne de Louis XII, il n'y avait plus que 5 cardinaux français; il y en avait 17 en 1559.

Les cardinaux étaient désignés par le pape, après consultation du consistoire. Mais, pour les cardinaux français, les candidats devaient toujours être présentés par le roi, ce qui, d'ailleurs, n'excluait pas les surprises, en dépit des engagements pris par le pape envers le gouvernement français.

La dignité cardinalice était presque exclusivement réservée en France aux membres des familles princières, Lorraine, Bourbon, Orléans, les autres cardinaux appartenant à la haute aristocratie et aux familles des grands officiers de la Couronne, Briçonnet, d'Annebaut, Châtillon, Tournon. Les mérites simplement religieux étaient rarement récompensés.

Certaines conditions étaient exigées des candidats. Le Concile de Trente avait prescrit qu'elles seraient les mêmes que pour l'épiscopat. Mais, il était entendu qu'elles ne s'appliquaient pas aux princes, et, dans bien d'autres cas, les exceptions étaient nombreuses.

Les cardinaux titulaires des églises de Rome jouissaient ainsi en dehors du royaume de véritables bénéfices, auxquels s'ajoutait la part des revenus de la Chambre apostolique qu'ils partageaient avec le pape. Ils avaient également en France quelques avantages particuliers : leurs collations étaient exemptes des réserves pontificales. Ils étaient seuls juges de leurs officiers et serviteurs. Leurs causes étaient jugées par le pape, contrairement au droit commun, et cela en vertu d'une dérogation mentionnée dans le

Concordat[1]. Ils étaient en outre exempts des décimes et de toutes les charges ordinaires et extraordinaires qui pesaient sur le clergé.

A ces privilèges matériels s'ajoutaient certains honneurs, un droit de préséance sur tous les autres prélats, le port de la robe rouge et du chapeau cardinalice, insigne de leur dignité.

A Rome, les cardinaux français, lorsqu'ils y résidaient, participaient à l'administration supérieure de l'Église. Aux élections pontificales, ils recevaient les instructions du roi pour inspirer le vote des cardinaux du parti français. Ils siégeaient au consistoire, où ils intervenaient dans la collation des bénéfices du royaume. Ils faisaient partie des diverses congrégations pontificales, de l'Inquisition, de l'Index, de l'exécution du Concile de Trente, des rites, etc.

Ces fonctions étaient étrangères à la vie de l'Église de France, mais, dans certains cas, les cardinaux français pouvaient intervenir dans les affaires qui concernaient le royaume, en rapport avec l'ambassadeur que le gouvernement entretenait à Rome.

En France, les cardinaux jouissaient d'un prestige éminent au sein de l'épiscopat. Ils étaient qualifiés, dans les assemblées du clergé, pour prendre les initiatives, et à la fin du XVIe siècle, il arrivait qu'ils décident seuls de certaines aliénations de temporel, décisions illégales, mais qui étaient malgré tout appliquées par le gouvernement.

Primats et archevêques. Dans le cadre de l'épiscopat, une nouvelle hiérarchie était constituée par les primats et les archevêques.

Les primats avaient sous leur juridiction plusieurs provinces ecclésiastiques, mais cette dignité ne correspondait pas à de véritables réalités.

Un seul primat était effectivement reconnu, celui de Lyon, qui avait sous son autorité les provinces de Tours, de Sens et de Lyon (cette dernière en partie seulement, c'est-à-dire les dio-

---

1. Art. *De exemptorum appellationibus.*

cèses qui étaient situés dans le ressort du Parlement de Paris).

D'autres archevêques prétendaient au même titre, ceux de Narbonne et de Reims, mais sans parvenir à se faire reconnaître comme tels par leurs prétendus subordonnés.

Même dans le cas le plus favorable, le primat ne disposait que de pouvoirs très limités. Il possédait une officialité primatiale, qui devait juger les appels des sentences prononcées par les officialités archiépiscopales. Il était qualifié pour conférer des bénéfices par droit de dévolution. Mais ces attributions étaient rarement exercées, et les primats ne disposaient d'aucun autre pouvoir effectif. Il n'existait pas de concile réunissant les représentants de plusieurs provinces, et le primat n'exerçait aucune autorité spéciale dans la préparation des assemblées générales du clergé.

Restes d'une tradition lointaine, les *primaties* correspondaient à une dignité sans rapports avec la vie active de l'Église.

Les archevêques, ou évêques métropolitains, à la tête d'une province ecclésiastique, disposaient d'une autorité qui avait varié au cours des siècles, et dont la décadence avait encore été aggravée par la suppression des élections. L'archevêque n'était pas mentionné dans le Concordat, comme si son pouvoir n'était pas officiellement reconnu.

L'archevêque n'intervenait en effet ni dans le choix des évêques, ni dans leur consécration. Il avait renoncé au droit de visite sur les diocèses suffragants.

Son autorité disciplinaire était fictive : si en principe il devait imposer la discipline, faire appliquer les statuts synodaux, surveiller les évêques et les contraindre à la résidence, il n'en était rien en fait, puisque les archevêques donnaient eux-mêmes l'exemple de tous les désordres, et le Concile de Trente n'avait pas essayé de rétablir cette hiérarchie à l'intérieur de la province.

L'archevêque était cependant qualifié pour convoquer et présider les conciles provinciaux, dont l'activité avait été réelle depuis le début du XVIe siècle. Les conciles de Lyon et de Sens, en 1528, avaient eu un rôle marquant dans la réforme du clergé et dans la lutte contre l'hérésie.

Le Concile de Trente se proposa de généraliser cette pratique. Il prescrivit que ces conciles se réuniraient régulièrement, tous les trois ans, pour la correction des mœurs et la réforme des abus, l'apaisement des conflits et l'application des saints canons.

Bien que ce règlement n'ait pas été exactement appliqué, il y eut dans la suite un certain nombre de conciles provinciaux qui, dans le cadre de la province, s'efforcèrent d'imposer les réformes ecclésiastiques. Ce furent les conciles de Reims, en 1564 et en 1583, de Rouen, en 1581, de Bordeaux et de Tours, en 1583, de Bourges, en 1584, d'Aix, en 1585, et de Toulouse, en 1590.

A ces conciles exceptionnels, s'ajoutèrent, depuis 1561, les assemblées provinciales régulières qui précédaient la convocation des assemblées générales du clergé.

En dehors de ces circonstances, l'archevêque n'avait guère à agir comme tel dans sa province : il pouvait faire usage du droit de dévolution pour conférer des bénéfices, il possédait un droit de juridiction, qu'il exerçait par un official métropolitain, jugeant les appels des sentences rendues par l'official diocésain.

Ses prérogatives, pour le reste, étaient surtout honorifiques, droit de porter le pallium, de se faire précéder par la croix archiépiscopale.

Toute cette hiérarchie qu'on avait essayé de créer à l'intérieur de l'épiscopat, était en réalité sans efficacité. L'épiscopat formait un corps uni et relativement égalitaire, dont la suprématie, s'exerçant sur le clergé inférieur, suffisait pour assurer dans l'Église la subordination nécessaire. La vie réelle était celle qui se manifestait à l'intérieur du diocèse, sans que le Concile de Trente ait essayé de ranimer cette vie provinciale, qui avait été active dans les premiers siècles du Moyen Age.

Les réformes accomplies au cours du XVIe siècle, tant en France que dans le cadre de l'Église universelle, les mœurs nouvelles qui s'étaient acclimatées dans le royaume avaient fait de l'organisation épiscopale le rouage essentiel de toute l'activité religieuse. La vie ultérieure de l'Église de France, sa force et ses insuffisances devaient être en rapport avec la force et les insuffisances de cet épiscopat.

BIBLIOGRAPHIE

L'histoire des diocèses est à étudier d'après les archives encore inexplorées, et dont quelques-unes ne sont pas encore méthodiquement classées. Aux Archives nationales, la série des Monuments ecclésiastiques comprend les archives des évêchés, L, 408-437, et 727-746, LL, 973-987.
Dans les départements, la série G est de beaucoup la plus importante.
La Bibliothèque nationale possède beaucoup de documents dispersés parmi les manuscrits français et latins, en particulier dans les collections des provinces, catalogues épiscopaux, registres de visites, comptabilité, correspondances.

Édits sur la résidence des évêques du 1er mai 1557 et du 1er avril 1561 (FONTANON, t. IV). — Ordonnance d'Orléans, de 1561 (art. 5-7). — Ordonnance de Blois, de 1579 (art. 5, 8, 14). — Édit de Melun, de 1580. — Il existe à la Bibliothèque nationale un grand nombre de constitutions synodales publiées dans les diocèses, classées dans la série B.

REBUFFI, *Les édits et ordonnances*, V, 1. — FONTANON, *Les édicts et ordonnances*, IV, 1, 2, 17. — GUÉNOIS, *La conférence des ordonnances*, I, 3. — *Tractatus universi juris*, t. XIII. — BOUCHEL, *Decretorum ecclesiae gallicanae*, V, 8, 17-20. — *Recueil des actes, titres et mémoires*, t. II. — A. LEROUX, *Documents historiques concernant la Marche et le Limousin. Statuts ecclésiastiques.*

BORDENAVE, *Estat des cours ecclésiastiques*. — THOMASSIN, *Ancienne et nouvelle discipline de l'Église*, t. II. — LEBEUF, *Mémoires concernant l'histoire ecclésiastique et civile d'Auxerre.*

VENDEUVRE, *L'exemption de visite monastique*. — POMMERAY, *L'officialité archidiaconale de Paris*. — DEMEUNYNCK, *Le vicariat de Pontoise ou l'officialité foraine de Rouen à Pontoise* (Mém. Soc. hist. et arch. de Pontoise, 1937-39). — BONNENFANT, *Histoire générale du diocèse d'Évreux*. — PIOLIN, *Histoire de l'Église du Mans*. — ROUSSEAU, LECOMTE, *Cérémonial de la prise de possession des évêques de Meaux* (Bull. conf. d'hist. de Meaux, 1904). — BOUVIER, *Histoire de l'Église... de Sens*. — BAGUENAULT DE PUCHESSE, *Jean de Morvillier, évêque d'Orléans*. — DE BRIMONT, *Le XVIe siècle et les guerres de la Réforme en Berry*. — SALVINI, *Le diocèse de Poitiers à la fin du Moyen Age*. — PRÉVOST, *Le diocèse de Troyes*. — ROSEROT DE MELIN, *Antonio Carac-*

ciolo, *évêque de Troyes.* — MARCEL, *Le cardinal de Givry, évêque de Langres.* — RICHARD, *Pierre d'Épinac, archevêque de Lyon.* — J. CHEVALIER, *Essai historique sur l'Église et la ville de Die.* — DAUX, *Histoire de l'Église de Montauban.* — BELMON, *Le bienheureux François d'Estaing, évêque de Rodez.* — GUIRAUD, *Le procès de Guillaume Pellicier, évêque de Maguelone Montpellier.* — BELLAUD-DESSALLES, *Les évêques italiens de l'ancien diocèse de Beziers.* — CONTRASTY, *Histoire de la cité de Rieux-Volvestre et de ses évêques.* — DEGERT, *Histoire des évêques d'Aire.* — *Histoire des évêques de Dax.*

CHAPITRE VI

CHAPITRES ET CHANOINES

L'ORGANISATION DES CHAPITRES. — LES FONCTIONS DES CHAPITRES.

L'organisation des chapitres. Les chanoines, groupés en chapitres, desservaient soit une église cathédrale, où leur autorité était associée à celle de l'évêque, soit une église collégiale, dans laquelle ils disposaient de tous les pouvoirs.

L'origine de ces chapitres était diverse. C'était tantôt le clergé desservant la cathédrale, qui avait été astreint à une règle et à une vie communes, tantôt un monastère sécularisé et transformé en église collégiale. Dans d'autres cas, la collégiale avait été fondée par un patron qui l'avait dotée des prébendes nécessaires, telles les saintes chapelles de fondation princière.

Au total, les chapitres étaient nombreux : en dehors du chapitre cathédral, qui existait dans chaque diocèse, les collégiales s'étaient multipliées. Le diocèse de Paris en possédait 20, de même que celui de Langres.

Certaines de ces collégiales étaient particulièrement pourvues de richesses et de chanoines; les plus opulentes du royaume étaient les saintes chapelles de Paris, de Bourges et de Dijon, Saint-Wulfram d'Abbeville, Saint-Quentin, Saint-Gilles, Saint-Sernin de Toulouse, Saint-Hilaire de Poitiers, Saint-Martin de Tours, Notre-Dame de Cléry.

L'effectif des chanoines était parfois très nombreux : 61 à Paris et à Noyon, 63 à Orléans, 73 à Saint-Quentin, 69 à Saint-Étienne de Troyes. La cathédrale de Chartres possédait le chapitre le mieux fourni, avec 98 chanoines, dont 17 pourvus de dignités spéciales.

Les conditions imposées pour être admis dans les chapitres étaient très diverses. Il y avait une seule règle générale : il fallait être de naissance libre et légitime. A Lyon, exceptionnellement, on exigeait la noblesse pour les 24 chanoines de la cathédrale. Il en était de même pour quelques collégiales.

Les conditions d'âge étaient en général très larges. La plupart des chapitres admettaient des chanoines sortant à peine de l'enfance et qui n'avaient pas terminé leurs études. Ceux-ci ne jouissaient pas intégralement de leurs prérogatives : ils ne possédaient pas de stalle dans le chœur et ne disposaient pas des revenus de leur prébende. Ils étaient soumis à une discipline spéciale, pour éviter de leur part des indiscrétions et leur interdire « les divertissements peu en harmonie avec la gravité sacerdotale ». D'ailleurs, on les envoyait le plus souvent terminer leurs études dans les universités, jusqu'à ce qu'ils aient atteint l'âge où ils pourraient occuper dignement leur place.

On n'était pas plus exigeant quant à la situation ecclésiastique des chanoines : la prêtrise n'était pas toujours nécessaire : il y avait, à côté des prébendes sacerdotales, des prébendes diaconales et sous-diaconales, pour les clercs qui étaient encore aux degrés inférieurs de la hiérarchie. Ces derniers étaient dits *in minoribus*. Le Concile de Trente se contenta d'une réforme bien modeste, en exigeant que la moitié des chanoines fussent prêtres et les autres au moins sous-diacres.

Les chanoines dépendaient, pour accéder à leur dignité, des autorités les plus diverses : les collateurs étaient tantôt l'évêque ou le chapitre, le roi ou le pape. Fréquemment, les prébendes se transmettaient par résignation et à la suite de marchandages personnels.

Le plus souvent, c'était l'évêque qui avait le droit de collation, en concurrence avec le chapitre, qui prétendait les prébendes électives de droit divin. D'où les procès et les transactions qui délimitaient les droits des adversaires. Fréquemment, l'évêque proposait un candidat, le chapitre jugeant de sa capacité et de sa moralité. Une commission d'enquête faisait un rapport au chapitre, après quoi l'évêque devait présenter lui-même le candidat, en affirmant sous serment que le canonicat avait été attribué sans qu'il fût question de simonie.

Après le paiement de certaines taxes, le chapitre recevait le serment du nouveau chanoine et procédait à son installation : on lui attribuait sa stalle dans le chœur et sa place dans la salle capitulaire.

Toutes ces procédures s'accomplissaient sans difficultés lorsque l'évêque était présent, mais ce cas devint bientôt exceptionnel, et les obstacles se multiplièrent lorsque le grand vicaire se substitua à l'évêque.

Le roi intervenait parfois, soit directement, lorsque le canonicat était à sa présentation, soit en recommandant son candidat au collateur, soit encore lorsqu'il exerçait le droit de régale, pendant la vacance du siège épiscopal. Exerçant dans ce cas un privilège contestable, il se bornait en général à confier les prébendes, pour la forme, à ceux qui en étaient déjà pourvus.

Le roi usait enfin d'un privilège spécial lors de son avènement à la couronne : il disposait alors de la première prébende vacante dans chaque chapitre, qu'il conférait par un brevet de joyeux avènement.

Quant au pape, il disposait des canonicats comme des autres bénéfices dont il s'était attribué la collation. Dans ce cas, le chapitre examinait seulement la validité des pièces, sans enquête sur la personne du candidat.

Tout cela concernait les simples chanoines, mais il existait dans le chapitre des dignitaires, qui exerçaient des fonctions spéciales. Le nombre et les titres de ces dignitaires différaient d'un chapitre à l'autre[1].

Le plus élevé en dignité était le *doyen*, qui était élu par le chapitre, sauf dans le cas où le pape intervenait pour le pourvoir, ce qui ne se faisait jamais sans résistance de la part des chanoines.

Le doyen était le chef du chapitre, mais il arrivait que cette autorité lui fût contestée et qu'on lui reconnût seulement une primauté honorifique. S'il présidait les assemblées capitulaires,

---

1. En principe, les dignitaires n'étaient pas forcément des chanoines pourvus de prébendes, mais en fait, il en était presque toujours ainsi.

la direction effective des offices dans le chœur était le plus souvent attribuée au chantre. Le doyen était d'ailleurs soumis à la juridiction du chapitre, et toute prétention pour exercer quelque autorité se heurtait à des résistances et provoquait d'interminables procès entre lui et ses collègues.

Parmi les autres dignitaires, il y avait le *sous-doyen*, le *chantre*, qui avait la direction des offices religieux, le *sous-chantre*, le *chambrier*, qui était l'administrateur du temporel, présidait la chambre des comptes et la commission des fiefs. Le *chancelier* était le chef de l'administration, gardien des sceaux et des archives. Il rédigeait les actes, gouvernait les écoles dépendant du chapitre. Son rôle, qui avait été très important au Moyen Age, comme on peut en juger par l'importance du chancelier de Notre-Dame dans l'Université de Paris, déclinait au XVIᵉ siècle, lorsqu'on eut créé la prébende préceptorale et lorsque les collèges s'attribuèrent le droit d'enseigner sans restrictions.

Les *prévôts*, autrefois administrateurs du temporel, n'avaient plus d'attributions bien définies. Le *chevecier*, gardien des objets précieux et du matériel, avait la surveillance des marguilliers.

Le *trésorier*, le *pénitencier*, le *sacriste*, l'*obédiencier* complétaient le groupe des dignitaires ou des simples officiers.

L'*official* était le délégué du chapitre pour l'exercice de sa propre juridiction.

Enfin, les fonctions d'enseignement étaient confiées à deux chanoines : le *théologal*, institué par les conciles, confirmé par la Pragmatique et par le Concordat, et de nouveau par l'ordonnance d'Orléans de 1561, était chargé de la prédication et de l'enseignement de l'Écriture. Le *précepteur* était institué par cette même ordonnance, qui prescrivait qu'une prébende fût « destinée pour l'entretènement d'un précepteur, qui sera tenu instruire les jeunes enfants de la ville gratuitement[1] ».

A ce personnel, qui constituait le chapitre, étaient subordonnés un grand nombre d'auxiliaires, plus nombreux souvent que les chanoines eux-mêmes, les simples *prébendiers*, qui, sans posséder la dignité de chanoine, assistaient ceux-ci au chœur et dans le

---

1. Art. 8 et 9. Ces dispositions étaient conformes à celles du Concile de Trente. Session V.

service des fondations, les *chapelains* du chapitre, qui desservaient les chapelles, *chantres, heuriers, matiniers*, chargés de la célébration des offices, le *clerc de l'œuvre*, qui veillait à l'entretien de l'église et du matériel, les *marguilliers*, clercs ou laïques, qui conservaient les ornements, exécutaient les sonneries, faisaient la police de l'église.

Enfin, de nombreux prêtres étaient attachés au service de l'église avec le titre d' « habitués ».

A ce personnel ecclésiastique s'ajoutaient tous les serviteurs laïques, *queux, sous-queux, portier, guetteur, huissier*, et la *maîtrise* composée des enfants qui exécutaient les chants liturgiques.

Le chapitre exerçait ses fonctions en se groupant dans différentes assemblées. Il y avait les assemblées du chapitre sous la présidence du doyen, le sous-doyen servant de promoteur. Certaines assemblées étaient particulièrement solennelles, lorsqu'il s'agissait d'examiner les bulles de provision d'un évêque, de recevoir un chanoine ou de prononcer quelque sanction disciplinaire.

Au synode canonical étaient convoqués, autour des chanoines, les curés et desservants des cures à la collation du chapitre. On y promulguait les statuts applicables à ces subordonnés, on y réglait les questions d'administration et de discipline.

Enfin, des commissions restreintes s'assemblaient pour l'accomplissement de certaines tâches spéciales, pour la poursuite des procès, les travaux de l'église, l'administration de la bibliothèque, de l'Hôtel-Dieu, des diverses institutions charitables.

Les fonctions des chapitres. Le chapitre était en principe le conseil de l'évêque, auquel il apportait son concours pour l'administration du diocèse. Mais la pratique, au XVIᵉ siècle, différait singulièrement de la théorie, et nous nous trouvons le plus souvent en présence de deux pouvoirs rivaux dont la concurrence troublait la vie du diocèse.

L'autorité du chapitre s'exerçait surtout pendant les vacances du siège épiscopal (*sede vacante*). C'était lui qui possédait collectivement le gouvernement du diocèse, désignait des grands vicaires et des officiaux, dont les pouvoirs prenaient fin à l'installation du nouvel évêque. Celui-ci, même lorsqu'il n'était pas élu par le chapitre, était installé par lui et mis en possession de son siège.

Lorsque l'évêque était en fonctions (*sede plena*), le chapitre était limité à des activités secondaires : il s'occupait de la célébration du culte dans la cathédrale, de la tenue des séances capitulaires, de la juridiction spirituelle qu'il exerçait sur ses membres et sur ses subordonnés, avec son officialité distincte de celle de l'évêque; il assemblait des synodes et publiait des statuts, il disposait du droit de collation sur de nombreux bénéfices.

Dans cette activité, le chapitre était exempt de la juridiction épiscopale. Les deux autorités rivales ne cherchaient qu'à limiter réciproquement leurs pouvoirs, à se surveiller, à empiéter sur leurs juridictions.

Il est vrai que, dès l'origine de chaque épiscopat, les droits des deux parties étaient exactement délimités. L'évêque n'était installé qu'après avoir prêté serment de respecter les privilèges du chapitre, et, le plus souvent, ce serment avait lieu devant la cathédrale, après quoi seulement les portes en étaient ouvertes.

L'administration de la cathédrale, le règlement des offices religieux, les questions de préséance étaient des occasions de litiges incessants. L'évêque était presque toujours tenu à l'écart des séances capitulaires, parfois même exclu de sa propre cathédrale, où sa présence n'était autorisée qu'au jour des fêtes solennelles. Lorsqu'il voulait passer outre, on avait recours aux procès, parfois aux violences ou à des manifestations burlesques et outrageantes.

En définitive, l'autorité du chapitre pliait généralement devant celle de l'évêque ou de ses représentants. Mais il en résultait que l'autorité se trouvait divisée, pour le plus grand péril de la hiérarchie et de la discipline ecclésiastiques.

Le Concile de Trente aurait voulu mettre fin à cette anarchie. Très favorable à la cause des évêques, il prit des mesures destinées à restaurer le pouvoir épiscopal. Si les obligations qu'on leur imposait étaient mieux déterminées, le prestige de leur fonction ne pouvait que s'accroître et l'épiscopat français s'en serait ressenti dans la suite, s'il avait été plus fidèle à ses devoirs.

Les chapitres, par contre, virent leur autorité restreinte. Si certaines décisions conciliaires affirmaient et étendaient même leurs pouvoirs, notamment pendant les vacances du siège, il était prescrit qu'ils rendraient compte de leur administration à l'évêque nouvellement pourvu. Les chanoines étaient soumis, en matière de discipline, au synode provincial et l'évêque pouvait intervenir pour imposer cette discipline dans la mesure où cela lui semblait utile. D'une façon générale, il était prescrit que l'évêque avait « la principale autorité en toutes choses », et il ne restait guère aux chapitres comme attributions incontestables que l'administration de leur temporel[1].

Cette attitude du Concile fut d'ailleurs une des causes qui déterminèrent l'opposition du corps des chanoines, nombreux et puissants au sein du clergé de France, et incitèrent le gouvernement à ne pas publier les actes du Concile.

L'activité du chapitre avait surtout pour objet l'administration de son temporel, qui était considérable. Des donations accumulées, fondations pieuses, rentes et revenus seigneuriaux, taxes provenant de la collation des bénéfices, revenus de l'officialité, constituaient la *mense capitulaire*. A Langres, le chapitre était seigneur de quarante villages, sans compter des droits féodaux perçus sur un grand nombre d'autres[2].

Ces ressources servaient aux frais du culte, à l'entretien des églises dépendant du chapitre, aux institutions de charité, et enfin à fournir les prébendes des chanoines.

Ces prébendes étaient les revenus affectés à l'entretien de chaque chanoine, certains d'entre eux jouissant d'ailleurs, en raison de leurs fonctions, d'une double prébende, d'autres étant réduits à une demie.

Pour le service des prébendes, les domaines et revenus divers du chapitre étaient groupés de façon à fournir pour chaque

---

1. Ces décisions conciliaires sont notamment les canons 12 et 16 de la session XXIV et le canon 6 de la session XXV.

2. Il est difficile de se faire une idée exacte de ces revenus. Les études les plus poussées qui ont été faites sur les chapitres transposent ces comptes en monnaies modernes, ce qui aboutit à des résultats fantaisistes, qu'il est inutile de mentionner.

prébende une somme sensiblement égale. Ces répartitions étaient fréquemment revisées, pour assurer le maintien de cette égalité. Les chanoines choisissaient alors leur prébende pour une période limitée, à l'issue de laquelle on procédait à une nouvelle distribution.

Les chanoines étaient ainsi pourvus de ce qui constituait l'essentiel de leur revenu qu'on appelait le *gros*. Une autre partie des revenus du chapitre restait en dehors de ces attributions, pour récompenser l'activité professionnelle des chanoines. Elle était répartie en argent ou en nature sous forme de pain, de vin, de poisson, aux chanoines qui avaient assisté aux offices.

Chaque chanoine occupait enfin dans le cloître une maison canoniale.

Ces avantages divers, sans tenir compte des cumuls, qui étaient fréquents, assuraient aux chanoines une aisance assez large, surtout à ceux qui résidaient et étaient assidus dans l'exercice de leurs fonctions.

En échange de ces profits, les chanoines étaient astreints à résider et à célébrer les offices canoniaux. Cette obligation était l'objet de prescriptions pontificales fréquemment renouvelées, et le Concile de Trente avait même prescrit la suppression du gros pour ceux qui seraient absents pendant plus de trois mois dans l'année.

Ces obligations, néanmoins, étaient l'objet de nombreuses infractions : certains chanoines, qui exerçaient des fonctions de cour, d'autres qui vivaient dans l'entourage des papes ou des évêques, ceux qui s'absentaient pour des missions imposées par le chapitre, les magistrats des cours souveraines, pour lesquels le canonicat n'était qu'une rente supplémentaire, bien d'autres encore, professeurs ou étudiants des universités, jouissaient de dispenses en contravention avec toutes les règles.

Les chanoines occupaient dans la société ecclésiastique une place intermédiaire entre le haut clergé et la masse des clercs. La plupart appartenaient à des familles aisées et d'un rang déjà élevé; beaucoup d'entre eux cumulaient leur canonicat avec d'autres fonctions éminentes, évêques, professeurs des universités, théologiens illustres, conseillers des cours royales. L'accès à un chapitre était pour eux la première étape vers les plus hautes charges de l'Église.

Beaucoup d'entre eux justifiaient ces succès par leur culture. Les chapitres de Notre-Dame et des grandes collégiales de Paris possédaient une élite dans laquelle on rencontre quelques-unes des plus brillantes intelligences du XVIe siècle.

Il est vrai que l'esprit qui régnait dans ces chapitres n'était pas toujours orienté vers les choses religieuses. Les préoccupations des chanoines, telles qu'elles nous apparaissent dans les délibérations capitulaires, s'appliquaient trop souvent à des intérêts matériels, aux conflits de préséance et aux questions juridiques les plus terre à terre. Dans les affaires mêmes de la religion, les chanoines s'intéressaient trop souvent au cérémonial, sans se pénétrer de la pensée chrétienne.

Les contemporains, qui jugeaient les choses avec mesure, se résignaient à ne trouver dans les chanoines que des vertus moyennes, celles que le doyen de Notre-Dame, en 1511, résumait dans trois préceptes : exécuter « ce qui doit être observé dans le service divin, conserver et augmenter le temporel, vivre en paix et s'aimer les uns les autres ».

L'histoire des chapitres nous montre que, si le deuxième précepte était toujours appliqué, le troisième était celui qu'on négligeait le plus souvent.

BIBLIOGRAPHIE

Les documents concernant les chapitres sont souvent confondus avec ceux de l'histoire diocésaine. Il existe toutefois des séries distinctes qu'il convient de consulter. Aux Archives nationales, les Monuments ecclésiastiques, L, 463-563, et 600-629, LL, 76-685. Dans les archives départementales, la série G est également de première importance : cartulaires, délibérations capitulaires, comptes. On est d'ailleurs fréquemment déçu au cours de ces recherches par la surabondance des documents concernant seulement la gestion du temporel.

Ordonnances d'Orléans, de 1561 (art. 8-9), et de Blois, de 1579 (art. 33-34).

BRISSON, *Code Henry III*, I, 8. — *Tractatus universi juris*, t. XIII. — BOUCHEL, *Decretorum ecclesiae gallicanae*, VI, 1-3. — FLEURY, *Cinquante ans de l'histoire du chapitre de Notre-Dame de Laon, Procès-verbaux et délibérations.* — Actes du Concile de Trente, session XXIV.

CHENU, *Livre des offices de France.*

AMIET, *Essai sur l'organisation du chapitre cathédral de Chartres.* — DE FOULQUES DE VILLARET, *Recherches historiques sur l'ancien chapitre...* *d'Orléans* (Mém. Soc. arch. et hist. de l'Orléanais, 1883). — BELLÉE, *L'ancien chapitre cathédral du Mans.* — GICQUELLO, *Le clergé séculier du diocèse de Saint-Malo au XVIe siècle* (Pos. th. Éc. des ch., 1944). — M. LE GRAND, *Le chapitre cathédral de Langres.* — RICHARD, *Pierre d'Épinac, archevêque de Lyon.*

CHAPITRE VII

LE BAS CLERGÉ

Au bas de la hiérarchie ecclésiastique, on trouvait un grand nombre de prêtres et les clercs simplement pourvus des ordres mineurs. C'étaient les curés (qu'on appelait recteurs en Bretagne), les chapelains, les vicaires et les desservants, les aumôniers, sans compter les prêtres habitués et autres prêtres isolés et tous ceux qui essayaient de trouver leur voie dans les menues besognes de l'Église, en attendant de se caser dans la hiérarchie des bénéficiers.

Les curés titulaires étaient ceux qui étaient préposés à une église paroissiale, dont ils percevaient les revenus et où ils exerçaient certains droits honorifiques. Le plus souvent, leur participation à la vie paroissiale se bornait à jouir de ces avantages, le service de l'église étant assuré par un desservant.

Les curés étaient dits *curés primitifs* lorsque la cure paroissiale était unie à un chapitre ou à un prieuré, qui conservait le titre mais n'en exerçait pas la fonction. Dans ce cas le desservant était dit *vicaire perpétuel.*

Curés et desservants, lorsqu'ils n'assuraient pas eux-mêmes le service de la paroisse, se faisaient remplacer par un vicaire. Un contrat était conclu avec ce dernier, et faisait de lui le fermier des revenus de la cure.

Il y avait enfin des chapelles, c'est-à-dire de petits bénéfices rattachés à certains autels des églises principales ou à de petites églises non paroissiales. Les titulaires de ces bénéfices étaient les *chapelains.*

Les *prêtres habitués* étaient ceux qui célébraient le culte dans une église où ils ne possédaient aucun bénéfice. Enfin certains prêtres vagabonds n'étaient attachés à aucune église, vivaient en contravention avec les règlements qui s'efforçaient en vain de prohiber ce genre d'existence.

L'effectif de ce clergé paroissial était très important : dans certains villages, on comptait jusqu'à vingt ou trente prêtres, non compris les desservants des chapellenies.

Pour discipliner ce clergé inférieur, on l'avait groupé sous la surveillance des doyens (qualifiés parfois d'archiprêtres), qui étaient chargés de réunir les curés et de les soumettre aux règlements. Au degré supérieur, les archidiacres diocésains exerçaient cette surveillance dans le cadre de leur circonscription.

Tous ceux qui étaient possesseurs de bénéfices en étaient investis suivant les formes régulières, le collateur étant en principe l'évêque. Nulle condition n'était exigée des candidats, dont la préparation religieuse était souvent sommaire. Seuls, les prêtres issus de familles riches, et qui se destinaient à une ascension rapide, s'y préparaient par des études dans les universités.

Ceux-ci étaient d'emblée destinés aux cures les plus importantes, celles des villes closes et des faubourgs des grandes villes. La Pragmatique et le Concordat leur assuraient ce privilège[1], qui fut confirmé par une déclaration de 1552.

Quant aux fonctions et aux privilèges qui y étaient attachés, on distinguait deux sortes de bénéfices : ceux qui imposaient seulement la célébration de quelques offices et quelques services matériels, comme les chapellenies. Il y avait dans ce cas peu d'obligations et une discipline assez lâche. Dans les paroisses, il fallait assurer la direction spirituelle des fidèles, la *cura animarum*, d'où s'ensuivaient des obligations beaucoup plus strictes pour les curés.

Pour ces derniers, les ordonnances royales, de même que les prescriptions conciliaires, imposaient l'obligation de résider.

---

1. « *Parrochiales ecclesiae, in civitatibus aut villis muratis existentes, non nisi personis qualificatis aut saltem qui per tres annos in theologia vel altero jurium studuerint... conferentur.* » Concordat, *De ecclesiis parrochialibus.*

En 1581, le Concile de Rouen développait ces prescriptions : « Adhortamur curatos, ut, divinorum praeceptorum memores, gregem pascant, et regant in judicio et veritate; ac declaramus eisdem praeceptis, parrochialibus ecclesiis... praefectos obligari ad personalem in sua ecclesia et parrochia residentiam, ubi injuncto sibi officio defungi teneantur. »

La résidence avait pour complément nécessaire la célébration du culte et l'administration des sacrements, la prédication et l'instruction religieuse des fidèles, l'accomplissement de tous les rites, processions et pèlerinages exigés par les paroissiens pour la prospérité des familles et des récoltes.

Tous ces devoirs étaient médiocrement remplis, la résidence rarement pratiquée : dans le diocèse de Limoges, en 1560, il y avait 138 curés résidants, contre 457 absents; dans la ville de Troyes, 22 contre 32.

La prédication était très négligée, confiée le plus souvent à des moines mendiants, qui se préoccupaient surtout de solliciter la générosité des fidèles. Pour le reste, le sermon se réduisait au récit de quelques légendes pieuses ou à des invectives contre les hérétiques. Quelques prêtres, disposés pour l'apostolat, avaient essayé de réagir : certains prédicateurs s'étaient signalés au début du XVIᵉ siècle. Vers 1520, G. Briçonnet, évêque de Meaux, avait organisé de véritables prédications, et Lefèvre d'Étaples avait publié les *Épîtres et Évangiles des 52 dimanches*, traduits et accompagnés de brefs commentaires facilitant la tâche des prêtres incompétents. Mais ces tentatives étaient rares, et celle de Briçonnet ne fut guère encouragée. L'enseignement religieux resta jusqu'à la fin du siècle très négligé dans les paroisses, par suite de l'indigence intellectuelle du bas clergé.

Toutes ces insuffisances avaient leur aboutissement dans l'ignorance des fidèles. En 1553, les Jésuites se plaignaient de cette situation dans le Périgord : « Notre population, en matière de foi, est plus ignorante que les Garamantes. On y trouve des personnes de cinquante ans qui n'ont jamais entendu une messe, ni appris un mot de religion. » Tous les documents contemporains nous montrent qu'il n'y avait aucune exagération dans ces doléances.

Pour remédier à tout cela, il était prescrit de tenir des synodes diocésains, dans lesquels l'évêque promulguait des règlements et s'enquérait de la discipline, mais cette pratique manquait de régularité. Les visites devaient être faites chaque année par l'évêque, mais celui-ci ne s'y astreignait guère et déléguait le plus souvent des subordonnés, si bien que les autorités civiles étaient contraintes d'intervenir : le Parlement d'Aix prescrivait au vicaire général de Fréjus de visiter le diocèse en lui conférant la qualité de commissaire du parlement. Dans ce cas, le visiteur procédait à des enquêtes sur place, il prescrivait les mesures nécessaires pour assurer le culte, fixait l'effectif du clergé, sauvegardait le temporel et assurait l'entretien des bâtiments.

A leurs fonctions sacerdotales, les curés associaient quelques fonctions civiles : ils tenaient les registres de baptême et de sépulture, et l'ordonnance de Villers-Cotterets leur en imposait l'obligation[1]. Ils pouvaient également recevoir des testaments, qui devaient ensuite être déposés chez un notaire apostolique du diocèse.

Le clergé jouissait des revenus du bénéfice, mais en se conformant à certaines règles, qui étaient particulièrement complexes lorsqu'il s'agissait des cures.

Dans certains diocèses, et spécialement en Normandie, existait le *déport*, qui consistait à partager le produit des revenus d'une année entre l'évêque et l'archidiacre, lors de chaque changement de curé.

Le revenu de la cure était toujours réparti entre le titulaire et le desservant. Les curés primitifs possédaient même de droit tous les produits de la cure, et assignaient une rente au vicaire perpétuel. C'était la *portion congrue*, qu'un édit de 1572 fixa à 120 livres. Lorsque le bénéfice était affermé, le loyer payé par le desservant était équivalent à la plus grosse part du revenu. Et encore prélevait-on dans tous les cas, sur la part qui revenait au desservant, les décimes qui grevaient le bénéfice.

Dans le diocèse de Fréjus, où les cures étaient assez bien pour-

---

1. Confirmée par celle de Blois, de 1579, art. 181.

vues, et produisaient jusqu'à 100 é. sol., il était rare que le desservant reçût plus du tiers de cette somme.

Aussi, le desservant devait-il compléter ses ressources en exigeant des rétributions pour l'administration des sacrements, le casuel, très critiqué par les paroissiens, qui le considéraient comme une exaction abusive. Le clergé était souvent obligé d'exercer des métiers accessoires : certains desservants étaient commerçants, voituriers, aubergistes, parfois intendants ou chapelains au service des seigneurs. Les cahiers de 1560 déplorent que beaucoup de clercs aient été obligés de s'employer comme fermiers ou de travailler à la journée. Et de telles conditions d'existence contribuaient à grossir cette classe des clercs vagabonds, qui ne se rattachaient à aucun diocèse et cherchaient çà et là quelques profits.

Entre les desservants misérablement dotés et les titulaires des bénéfices qui jouissaient de tous les revenus de l'église, sans se préoccuper des charges, l'état matériel des églises laissait fort à désirer. Les dévastations des guerres religieuses, surtout en 1562-63, la mainmise des protestants sur les biens ecclésiastiques, dans les provinces du Midi, achevèrent une décadence déjà sensible au début du siècle. Un peu partout, les bâtiments tombaient en ruines, les accessoires du culte avaient disparu. Certaines visites, dans les diocèses méridionaux, signalent les faits les plus attristants. Il faut toutefois tenir compte d'observations différentes : les visites du diocèse de Troyes attestent la tenue correcte des églises, pourvues d'un matériel suffisant, ornements, livres liturgiques et registres d'état civil.

Quant au recrutement et à l'état moral de ce bas clergé les contemporains déploraient que l'abondance des prêtres fût souvent excessive, aux dépens de la qualité.

« Pour ce temps, écrivait Claude Haton, y avoit par la France assez grand nombre de prebstres, et si, l'accroissoit on tous les ans. Car le temps estant comme en paix, les laboureurs des villages, qui avoient trois ou quatre garçons, se réjouissoient d'en envoyer l'un aux escolles, pour le faire prebstre, nonobstant que la plus grande part fussent vitieux et mal vivans. »

Dans la majorité des cas, l'instruction était à peine suffisante. Le programme que nous trouvons exposé dans la *Cura clericalis* de 1525, et qui était tracé d'après les statuts synodaux, ne formulait que bien peu d'exigences : « Les prêtres doivent être assez savants pour lire bien et distinctement, pour comprendre, au moins grammaticalement, tous les mots que renferme l'office de la messe. Ils doivent pouvoir discerner ce qui est péché et ce qui ne l'est pas. Ils doivent connaître le nombre des sacrements, ainsi que la manière de les administrer. Ils doivent au moins savoir le Décalogue et les articles de la foi, afin de les enseigner aux autres. »

Il est certain que, dans la plupart des cas, leurs connaissances se bornaient à quelques formules latines, aux éléments de la théologie et de la liturgie. Et il arrivait même que ceux-ci fissent totalement défaut. On se plaignait à Limoges que, pour excuser le laisser-aller des offices journaliers, les prêtres alléguassent « leur ignorance et leur inhabileté dans la lecture ». Des plaintes analogues étaient formulées à Troyes, et nous les voyons reparaître dans les cahiers des États généraux, dans lesquels on demandait une réforme du clergé.

Les simples desservants étaient encore moins aptes à exercer décemment leurs fonctions paroissiales. Ils prenaient à ferme les cures mises aux enchères, sans qu'on tînt compte du zèle ni des aptitudes des concurrents : « Le nombre des prebstres estoit fort grand par les villes et villages, disait Cl. Haton, lesquels à l'envi... haussoient les cures et prieurés, et le plus souvent se trouvoit que le plus asne et mécanicque de la paroisse estoit mons. le vicaire, parce qu'il en bailloit le plus. »

Ce recrutement était très local. Le clergé rural était issu des familles paysannes du voisinage, et les registres de visite signalent les inconvénients de ce système, qui impliquait le clergé dans les querelles de village.

La foi était le plus souvent intacte. Un petit nombre de prêtres seulement passèrent à la Réforme. La proportion fut assurément moins élevée que dans le haut clergé, si nous en jugeons par les procédures des officialités.

Mais le clergé était envahi par les mœurs laïques et par

les habitudes d'une existence médiocre et parfois immorale. Pour les ecclésiastiques riches, c'étaient les habitudes de la vie mondaine et luxueuse. On nous décrit, à Saint-Aventin de Troyes, les vicaires « in habitibus ferme laicis et nihil sacerdotii sentientibus ». Dans les villages, c'étaient le désordre de la vie populaire, les jeux, le cabaret. Cl. Haton nous décrit les prêtres « l'espée au poing, car ils estoient des premiers aux danses, jeux de quilles, d'escrime, et ès tavernes, où ils ribotent et par les rues toute nuict, aultant que les plus meschans du pays ». Les fantaisies déplacées et parfois les plus scandaleuses n'étaient pas rares, les travestissements et farces au cours desquelles on prêchait des sermons burlesques[1].

Les désordres de la fin du siècle, la prédominance des mœurs militaires achevèrent de détourner le clergé des habitudes religieuses. Le curé était souvent incorporé dans les compagnies de milice et consacrait aux armes une partie de son activité. Cl. Haton, chapelain à Provins, fut lui-même, pendant quinze ans, capitaine d'une compagnie d'arquebusiers, où on comptait de nombreux moines et prêtres séculiers.

A défaut d'autres désordres moraux, ceux-là suffisaient pour déconsidérer le bas clergé et pour rendre évidente la nécessité d'une réforme disciplinaire. On en trouve les rudiments dans les décisions du Concile de Trente, dans les prescriptions des conciles provinciaux, mais rien de tout cela n'était réalisable sans une réforme préalable du haut clergé, sans une transformation de l'état social et politique du royaume.

Le curé était le chef spirituel de la paroisse, mais l'administration temporelle était confiée aux habitants.

Cette administration était exercée par l'assemblée générale des habitants et par les marguilliers, ses délégués. L'assemblée était composée le plus souvent des seuls chefs de famille; elle était en général peu fréquentée, puisque, pour les délibérations importantes, on devait imposer la présence d'un minimum d'assistants. Elle se réunissait avec l'assentiment du seigneur

---

1. Voir les statuts synodaux du diocèse de Limoges, notamment ceux de 1519 et de 1599, qui attestent que les mœurs ecclésiastiques n'avaient guère changé d'un bout à l'autre du siècle. Leroux, *op. cit.*

haut justicier, dans un lieu public, presque toujours dans l'église ou devant le porche. La présidence appartenait au premier marguillier.

Les marguilliers, au nombre de deux ou de trois, étaient les délégués de la paroisse. Ils tenaient le registre, ou matricule, sur lequel figuraient les revenus et les dépenses (d'où leur nom de *matricularii*). Ils étaient chargés de la gestion des biens de l'église et de fournir tout ce qui était nécessaire à la célébration du culte. Ils étaient responsables devant le visiteur de l'église et devant l'assemblée paroissiale, à laquelle ils rendaient des comptes.

Ainsi étaient administrés les biens de la *fabrique*, qui comprenaient les revenus des immeubles, la location des bancs de l'église, les droits de casuel, le produit des quêtes et des offrandes[1]. Là-dessus, on devait payer une partie des réparations de l'église, entretenir le matériel et fournir tout ce qui était nécessaire à la célébration du culte.

Cette activité paroissiale était un des éléments importants de la vie provinciale, mais dont le détail nous échappe souvent, par suite de la dispersion des documents.

BIBLIOGRAPHIE

Les sources concernant l'histoire du bas clergé et celle des paroisses sont très abondantes et encore peu explorées. Les paroisses de Paris sont à étudier d'après les fonds des Archives nationales, L, 630-726, et LL, 686-972. Dans les archives départementales, la série G est particulièrement riche. Dans les archives communales, la série GG est aussi importante, mais fréquemment mal classée : on y trouve des délibérations d'assemblées de paroisse, des comptes de fabrique. Cette abondance est particulièrement remarquable dans les provinces méridionales. Enfin, il faut signaler les archives notariales, qui contiennent de nombreux actes et procès-verbaux, jusqu'à présent peu utilisés.

Édit de Melun, de 1580.

---

1. Le temporel de certaines paroisses, surtout dans les villes, était considérable. Voir la description du temporel de Saint-Jacques-de-la-Boucherie, de Paris, dans la monographie de J. MEURGEY, ch, IV,

Brisson, *Code Henry III*, I, 6. — Bouchel, *Decretorum ecclesiae gallicanae*, VI, 4-6, 13-19. — *Recueil des actes, titres et mémoires*, t. III. — Actes du Concile de Trente, session XIV.

Thomassin, *Ancienne et nouvelle discipline de l'Église*, t. II. — Lebeuf, *Histoire de la ville et de tout le diocèse de Paris*, avec les *Rectifications et additions* de F. Bournon.

Fleurquin, *De l'administration du village sous l'ancien régime*. — Prévost, *Journal des visites capitulaires et des visites archidiaconales de Troyes* (Mém. Soc. acad. de l'Aube, 1918). — De Brimont, *Le XVIe siècle et les guerres de la Réforme en Berry*. — Huard, *La paroisse et l'église Saint-Pierre de Caen* (Mém. Soc. des antiq. de Norm., t. XXXV). — Gicquello, *Le clergé séculier du diocèse de Saint-Malo au XVIe siècle* (Pos. th. Éc. des ch., 1944).

CHAPITRE VIII

LE CLERGÉ RÉGULIER

LES ORDRES RELIGIEUX. — LA CONDITION DES RÉGULIERS. —
LA COMPAGNIE DE JÉSUS.

Les ordres religieux. A côté du clergé séculier, les ordres religieux vivaient avec une discipline et des statuts particuliers.

D'après les décisions du Concile de Latran de 1215, qui avait interdit la création de nouveaux ordres monastiques, les réguliers devaient se rattacher à une des quatre règles déjà approuvées, celles de saint Basile, saint Augustin, saint Benoît et saint François. Celle de saint Basile, applicable aux ordres orientaux, ne s'était pas répandue en France, mais les trois autres familles y étaient abondamment représentées, et le XVIe siècle vit apparaître à leurs côtés la Compagnie de Jésus, constituée d'après des principes très différents.

Les Augustins s'inspiraient des maximes contenues dans la *Regula ad servos Dei*, et des règles formulées par le Concile d'Aix-la-Chapelle de 816, dites *Règle canonique*. De la réforme d'Yves de Chartres, au XIe siècle, étaient issus les chanoines réguliers de saint Augustin, qui formaient plusieurs congrégations :

1o Les Prémontrés, dont le chef d'ordre était Saint-Jean-de-Prémontré, au diocèse de Laon. Les établissements étaient nombreux dans les provinces du Nord et de l'Est, dans les diocèses de Soissons, de Reims et en Lorraine. Il s'y rattachait des couvents de chanoinesses, gouvernés d'après la même règle.

S'y rattachaient encore les Trinitaires, dont le couvent prin-

cipal était celui de Cerfroid, au diocèse de Meaux, et qui possédaient six provinces, celles de France, Normandie, Picardie,
Champagne, Languedoc et Provence.

2º La congrégation de Saint-Victor, fondée par Guillaume
de Champeaux, près de Paris. L'ordre, disloqué au xvᵉ siècle,
s'était reconstitué en 1515. Il comprenait 22 couvents, parmi
lesquels celui de Paris avait une importance particulière comme
centre d'études. Mais, depuis 1545, le régime de la commende
y avait été établi et devenait un nouveau germe de désorga-
nisation.

3º La congrégation de Château-Landon, au diocèse de Sens,
avait été rattachée à celle de Saint-Victor, dont elle fut le
principal établissement jusqu'en 1517. Sa décadence date de
1567, lorsqu'elle tomba sous la dépendance d'un abbé calvi-
niste.

4º Notre-Dame-du-Val-des-Écoliers, au diocèse de Langres,
répandait également ses établissements dans les régions de
l'Est.

A côté des chanoines réguliers, les Ermites de saint Augustin
ou Augustins avaient établi des couvents de moines mendiants,
qui, depuis le xiiiᵉ siècle, constituaient un des quatre grands
ordres mendiants. Leur général était à Rome. Ils étaient répartis
en France en cinq provinces, et leur couvent de Paris était un
des centres religieux les plus actifs de la capitale : il servait
de collège pour toutes les provinces de l'ordre et de siège pour
les assemblées générales du clergé.

La règle de saint Augustin remaniée avait été aussi adoptée
par les Dominicains, connus également sous le nom de Frères
prêcheurs ou de Jacobins. Ils pratiquaient la pauvreté et étaient
toujours classés parmi les ordres mendiants, mais cette règle
avait été atténuée en 1475, et depuis lors, ils pouvaient posséder
des rentes et des immeubles. Le centre de l'ordre était à Rome,
où résidait le général. En France, il existait plusieurs groupes
constitués en congrégations distinctes, gouvernées par des
vicaires généraux; il y en avait deux, la congrégation de France
et la congrégation gallicane, auxquelles s'ajoutaient les trois
provinces de France, de Toulouse et de Provence, au total

environ 140 couvents, dont les plus florissants étaient ceux des provinces méridionales. La plupart de ces établissements se trouvaient dans les villes, où les Frères se livraient à la prédication. Les principaux étaient ceux de Toulouse et de Paris, ce dernier étant situé dans la rue Saint-Jacques, d'où leur était venu le nom de Jacobins. L'ordre n'était d'ailleurs pas soumis dans son ensemble à une même discipline : il y avait des observants et des non réformés ou conventuels.

Enfin, l'ordre de Malte se rattachait aussi à la grande famille des Augustins. Il était issu des Hospitaliers de Saint-Jean de Jérusalem, et son siège principal était établi à Malte, depuis la perte de Rhodes, en 1522. L'ordre était régi par le Grand Maître et par le Conseil, qui résidait à Malte. La hiérarchie était organisée d'une façon particulière : les chevaliers de justice étaient des nobles auxquels on réservait les principales dignités ; les chevaliers de grâce, qui n'étaient pas nobles, étaient admis à la chevalerie à cause de leurs mérites; aux derniers échelons, les frères servants et les frères d'obédience.

L'ordre était divisé en langues : pour la France, il y avait celles de France, de Provence et d'Auvergne. Dans chaque langue, il existait des prieurés et des bailliages capitulaires. A l'intérieur de chaque prieuré, des commanderies, dont les principales étaient dites magistrales.

L'ordre de Malte était puissant et riche; il offrait aux cadets des familles nobles une carrière avantageuse, mais les préoccupations temporelles avaient plus que partout ailleurs éliminé l'ascétisme religieux, et on n'y retrouvait guère les caractères de la vie monastique.

Les religieux qui se rattachaient à la règle de saint Benoît constituaient non pas un ordre, pourvu d'un gouvernement unique, mais un groupe de congrégations, de monastères isolés, si bien qu'il conviendrait plutôt de parler d'un Institut bénédictin. De la règle primitive, les Bénédictins avaient tous conservé certains principes essentiels : le partage de leur existence entre trois activités, le travail manuel, la méditation et la célébration des offices liturgiques; la vie rustique dans de grands monastères établis loin des villes, la répartition des fonctions entre les pères, qui avaient reçu les ordres, et les frères lays, qui étaient de simples religieux, soumis aux règles d'une discipline pieuse sous la direction des pères.

Dans le passé, les monastères bénédictins s'étaient groupés : au XIIᵉ siècle, plus de 2.000 étaient subordonnés à Cluny, mais même à ce moment, certains monastères avaient conservé leur autonomie. Dans la suite, des centres de réforme s'étaient créés, qui avaient donné naissance à de véritables congrégations bénédictines.

Autour du monastère de Saint-Denis-en-France, près de Paris, s'était constitué un groupe de prieurés et de monastères gouvernés par des chapitres généraux. En 1580, avait été formé un projet d'union avec d'autres établissements bénédictins, Corbie, Saint-Magloire de Paris, Saint-Père de Chartres, Saint-Laumer de Blois, Montier-en-Der. Mais tous ces efforts étaient annihilés par le système de la commende établi par Louis de Bourbon en 1528.

Saint-Victor de Marseille possédait de nombreux établissements dans les provinces méridionales, en Espagne et en Italie. La congrégation était en voie de se réformer : plusieurs règlements avaient été promulgués entre 1517 et 1526, et l'action du cardinal de Trivulce s'était exercée dans le même sens (1531-49).

Cîteaux, au diocèse de Chalon, près de Dijon, avait marqué une réaction contre le relâchement des monastères bénédictins, mais les Cisterciens eux-mêmes étaient tombés en décadence, et des réformes successives avaient été nécessaires : la plus récente, en 1493, avait porté sur tous les détails de la discipline, restaurant l'obligation de la clôture et le port de l'habit religieux. Les Cisterciens étaient soumis à une autorité fortement centralisée, exercée par un chapitre général, qui se tenait chaque année, et par des définiteurs. De nombreux monastères se trouvaient ainsi groupés, dont les quatre plus importants étaient désignés comme les quatre premières filles de Cîteaux : c'étaient La Ferté-sur-Grosne, Pontigny, Clairvaux et Morimond-en-Bassigny. Un grand nombre de prieurés y étaient rattachés.

D'autres abbayes bénédictines étaient devenues des centres de réforme. L'abbaye de Feuillans, voisine de Rieux, fut réformée par J. de La Barrière, qui l'avait prise en commende en 1562, mais qui rentra dans la règle en 1575 et y imposa un régime sévère. Les Feuillants essaimèrent alors à Paris, sous Henri III, à Bordeaux, à Rome, destinés à progresser encore dans l'avenir.

A Fontevrault, l'ordre comprenait un monastère d'hommes et un de femmes, juxtaposés sous la direction d'une abbesse. Il avait été l'objet de réformes successives, mais la deuxième, inaugurée en 1507, était tenue en suspens par un procès intenté devant le Grand Conseil.

Les Célestins, importés d'Italie, possédaient plusieurs établissements, groupés autour du couvent de Paris.

Depuis la fin du xve siècle, l'abbaye de Chézal-Benoît réunissait autour d'elle plusieurs abbayes réformées, où la vie religieuse était particulièrement intense : Saint-Sulpice de Bourges, Saint-Alyre de Clermont, Saint-Vincent du Mans. En 1510, Saint-Germain-des-Prés s'y était associé, sous la direction de Guillaume Briçonnet. L'union avait été reconnue par le pape en 1516, qui avait prescrit l'élection d'abbés triennaux pour éviter les nominations royales et le régime de la commende. Le désordre avait reparu en 1535, lorsque le cardinal Du Bellay fut nommé abbé de Saint-Vincent. Les moines durent renoncer à leur privilège, mais Henri II rétablit le régime des abbés triennaux.

Grandmont était resté très à l'écart des autres groupements bénédictins. L'abbaye ne réunissait qu'un petit nombre de prieurés, et la commende y était installée depuis 1471.

Les Chartreux avaient une tout autre importance. Fondés avec une règle particulière, qui imposait une vie érémitique, ils étaient rattachés au prieur de la Grande Chartreuse et gouvernés par un chapitre général. L'ordre était nombreux et répandu dans tout le royaume, avec 16 provinces et 75 monastères.

Malgré toutes les dissidences qui tendirent à se multiplier pendant le xvie siècle, l'ordre de Cluny restait le premier en importance, avec son gouvernement centralisé autour de l'abbé et des définiteurs, qui possédaient le pouvoir réglementaire. Des monastères importants étaient encore rattachés au chef d'ordre, avec de nombreux prieurés, La Charité-sur-Loire, Saint-Martin-des-Champs, près de Paris, Souvigny, Sauxillanges, et en Angleterre, Lewes, près de Chichester.

L'ordre clunysien était réparti en cinq provinces : provinces de Lyon et de Provence, *camerariae* de France, de Poitou et de Gascogne. Mais l'ordre perdait ses dépendances lointaines et, avec elles, son expansion universelle. Les provinces d'Allemagne, d'Espagne, de Lombardie, d'Angleterre s'étaient détachées, avec le développement des activités nationales et sous l'influence de la Réforme.

D'ailleurs, en France même, le XVIe siècle porta atteinte à cette forte organisation de l'ordre clunysien : en 1529, le régime de la commende, avec l'abbatiat de J. de Lorraine, inaugura une période de relâchement, qui s'aggrava avec les guerres religieuses et l'interruption des chapitres généraux à partir de 1571.

Malgré ces efforts de groupement et de réforme, d'autres monastères restaient isolés, pourvus de privilèges d'exemption, qui les soustrayaient même au contrôle de l'évêque diocésain, tels Marmoutier et Saint-Benoît-sur-Loire.

Contre cette dispersion, le Concile de Trente avait voulu réagir. Il avait prescrit que tous les monastères qui n'étaient pas soumis à des chapitres généraux ou aux évêques, et qui étaient rattachés directement au Saint-Siège devraient se grouper en congrégations. Cette mesure fut reprise par l'ordonnance de Blois, pour être appliquée à la France[1].

Mais cette prescription ne devait pas avoir d'effet permanent dans l'ordre bénédictin, qui, au XVIIe siècle, allait être l'objet de nouvelles et incomplètes réorganisations avec les réformes de Saint-Vanne et de Saint-Maur.

Le groupe des Franciscains, d'origine plus récente, était encore dans sa période d'expansion. Ils menaient, en raison du rôle qui leur était assigné, une existence différente de celle des autres ordres et bien moins régulière. Ils résidaient dans les villes, mêlés à la vie populaire, se consacrant à la prédication

---

1. Art. 27.

et vivant du produit de leurs quêtes, beaucoup plus préoccupés d'apostolat que de perfectionnement et de vie intérieure.

Le principe de la discipline était celui de la pauvreté totale. Le couvent ne devait rien posséder, certains monastères de stricte observance s'interdisant même les réserves alimentaires et l'usage des tonneaux. Contre les excès de cette règle, des réactions s'étaient manifestées. Des privilèges pontificaux avaient accordé certaines dérogations à la règle. A la fin du xve siècle, une bulle pontificale avait autorisé les couvents à posséder des rentes et des immeubles. Ces atténuations, contraires à la pure discipline franciscaine, avaient provoqué une division entre les *Franciscains de stricte observance* et les *Conventuels*, ceux-ci étant eux-mêmes divisés en deux groupes, les réformés et les déformés.

De tout temps, le Saint-Siège s'était efforcé de regrouper l'ordre franciscain au moins en deux familles, Observants et Conventuels. Un chapitre général, tenu en 1506, et une bulle de cette même année s'y étaient appliqués.

Au chapitre général de 1517, les Observants triomphèrent : une bulle proclama l'union des Observants et des Conventuels réformés, qui formèrent l' « Ordre des Frères mineurs » avec ou sans l'appellation « de régulière observance ». Tous étaient gouvernés par un ministre général qui confirmait un général particulier pour les Conventuels. Les Conventuels déformés restaient définitivement en dehors de l'ordre.

L'Observance semblait rallier à elle tous les autres membres de la famille franciscaine : en 1518, toute la province de Touraine s'y rattachait. La cause de l'unité semblait triompher.

Mais cette unité était bien précaire. Les Observants ne tardèrent pas à se diviser, certains groupes exigeant une régularité toujours plus stricte. A la fin du xvie siècle, la France voyait apparaître, venant d'Espagne, l'Étroite observance des Frères mineurs, ou Récollets, tandis que d'autres scissions se produisaient au dehors, qui ne firent sentir leurs effets en France que dans la suite.

Parmi les Conventuels, des réformes furent également tentées. Les Capucins, originaires d'Italie, s'établirent à Picpus, en 1570, puis à Meudon et à Paris. Cet ordre se développa rapidement : trente ans plus tard, il existait 13 couvents dans le royaume.

A la fin du XVIe siècle, la classification s'établissait ainsi :

Parmi les Observants : les Frères mineurs de la régulière observance, les Religieux de l'observance, les Déchaussés, les Réformés, les Récollets ou Frères de l'étroite observance.

Parmi les Conventuels, les Conventuels proprement dits et les Capucins.

Enfin, à ces ordres s'ajoutaient l'ordre féminin des Clarisses et le Tiers ordre, qui comprenait les affiliés demeurés dans la vie séculière.

La condition des réguliers. Ces ordres, dont la vie était réglée par des conceptions si variées de l'idéal religieux, différaient profondément les uns des autres; il est possible toutefois de définir quelques traits communs de leur condition.

L'*exemption* était un des plus caractéristiques : contrairement à la règle d'après laquelle tout le clergé était soumis à la juridiction épiscopale, les papes avaient accordé à certains monastères le privilège de relever directement du Saint-Siège. Cette exemption, primitivement, ne concernait que le temporel. Elle était destinée à protéger les biens de l'Église contre les pillages. Progressivement, elle s'était étendue au spirituel, en attribuant aux abbés certains privilèges épiscopaux.

Les exemptions, dont l'origine était lointaine, s'étaient multipliées à partir du XIe siècle et surtout pendant le Grand schisme, qui avait incité les papes à se constituer une clientèle d'abbayes sujettes, malgré la résistance des évêques.

Cette opposition était encore l'objet de discussions au début du XVIe siècle et la matière fut soumise au Concile de Trente, comme une dépendance de la définition du droit divin et de la juridiction des évêques.

En vérité, le Concile ne se prononça pas nettement : au cours des premières sessions, il reconnut la légitimité des exemptions accordées aux monastères. Il prescrivit dans la suite aux monastères exempts de se grouper en congrégations et de se soumettre à l'autorité des chefs de l'ordre, qui seraient chargés des visites. L'évêque n'était autorisé à intervenir que comme délégué du pape et pour ce qui concernait la vie extérieure du monastère.

En France, les assemblées du clergé, les conciles provinciaux et les ordonnances royales avaient établi un régime particulier. En 1528, le Concile de Sens avait prescrit aux évêques de visiter les monastères, sans faire de réserves en faveur des monastères exempts. La jurisprudence des cours agissait dans le même sens, les parlements enjoignant aux évêques de faire les visites auxquelles ils étaient tenus.

L'ordonnance d'Orléans, en 1561, supprima presque complètement les exemptions : elle prescrivit que tous les abbés et prieurs non chefs d'ordres seraient sous la dépendance de l'évêque, sans pouvoir invoquer aucun privilège d'exemption[1].

L'ordonnance de Blois, sous l'influence du Concile de Trente, réagit partiellement contre ce système. Elle revint aux formules conciliaires, en prescrivant aux monastères de se grouper en congrégations, les visites devant être organisées par les chapitres généraux, ou à défaut, par les évêques[2].

Toutes ces prescriptions, en fait, demeurèrent lettre morte : les monastères restèrent isolés, tandis que les évêques concordataires se souciaient peu de les visiter, si bien qu'à tout moment, l'exemption demeura le droit commun, applicable à la plupart des monastères du royaume.

Ses effets consistaient dans l'indépendance à l'égard de la juridiction épiscopale[3], ce qui avait pour conséquence la suppression des visites, le droit pour l'abbé de recevoir les moines et de consacrer les autels, de construire des églises, de posséder des cimetières, d'être dispensé des taxes dues aux évêques. Du point de vue temporel, l'exemption avait pour effet l'interdiction de saisir les biens du monastère exempt. Ces privilèges toutefois se limitaient au territoire de la clôture, et les réguliers

1. Art. 11.
2. Art. 27.
3. L'exemption pouvait ainsi se définir : « *Privilegium quo certa persona vel communitas aut locus jurisdictioni inferioris ordinarii subtrahitur et immediate pendeat a superiori praelato.* »

restaient soumis aux ordonnances générales promulguées par l'évêque.

Pour le recrutement des moines, les conditions imposées étaient assez larges : la prêtrise n'était nécessaire que pour certains religieux; à côté d'eux, frères lays, convers, oblats restaient laïques, de même que toutes les religieuses.

Tous s'engageaient par des vœux, variables suivant les ordres, mais qui comportaient le plus souvent les obligations de pauvreté, chasteté, obéissance à la règle et de vie en clôture.

Le Concile de Trente avait imposé une année de noviciat et l'âge minimum de 16 ans pour les vœux définitifs. En France, l'ordonnance d'Orléans imposa la limite de 25 ans pour les hommes et de 20 pour les femmes. Là encore, l'ordonnance de Blois réagit en revenant aux prescriptions conciliaires.

Les ordres monastiques comportaient une hiérarchie entre les monastères eux-mêmes : à la tête se trouvait l'abbaye chef d'ordre, gouvernée par l'abbé ; aux degrés inférieurs, les simples abbayes, puis les prieurés, qui étaient de plusieurs sortes. Il existait en effet trois catégories : le *prieuré conventuel* ou claustral, qui était un monastère d'importance secondaire gouverné par un prieur, le *prieuré-cure*, qui était une église paroissiale fondée par une abbaye qui s'y réservait le titre de curé primitif. Le service y était assuré par un ou deux moines ou par un séculier dit vicaire perpétuel. Enfin, le *prieuré simple* était un bénéfice dont l'église n'était pas paroissiale. Parfois le prieuré, qui ne possédait pas même une église, n'était qu'un domaine rural appartenant à une abbaye. Ces prieurés pouvaient dépendre les uns des autres et ne se rattacher qu'indirectement à l'abbaye principale.

Les *celles* étaient des domaines rattachés à l'ordre, où résidaient des moines qui étaient plutôt des administrateurs temporels que de véritables religieux.

Dans l'ordre de Cluny, où les abbayes secondaires avaient rompu depuis le xvᵉ siècle presque tous les liens de subordination, il ne subsistait plus que des prieurés, d'ailleurs fort importants, telles les « cinq filles de Cluny », qui dominaient à leur tour un grand nombre de prieurés secondaires; ainsi, celui de La Charité-sur-Loire avait plus de 50 prieurés sous sa dépendance.

A la tête de l'abbaye, était l'abbé.

Certains ordres internationaux étaient gouvernés par un général résidant le plus souvent à Rome et choisi en dehors de toute intervention des gouvernements. Dans ce cas, le général était représenté en France par ses subordonnés, les *provinciaux*, choisis d'après le règlement particulier de chaque ordre.

Quant aux abbés qui résidaient en France, il y avait parmi eux soit des abbés perpétuels, élus à vie[1] ou nommés par le roi, suivant les prescriptions concordataires, soit des abbés triennaux, choisis pour trois ans et recrutés par élection. Cette dernière condition était celle de certaines abbayes bénédictines, de tous les ordres mendiants et de la plupart des ordres féminins.

L'abbé, nommé ou élu, était le chef de son abbaye ou de son ordre. Il nommait les autres abbés, les prieurs qui étaient sous sa dépendance, ou il accordait l'autorisation de les élire.

Dans l'ordre de Cluny, qu'on peut prendre comme type de l'organisation bénédictine, la subordination restait étroite : les prieurs devaient se rendre à Cluny pour y prêter serment d'obédience. L'abbé les déplaçait à sa volonté.

L'abbé nommait le plus souvent les dignitaires de l'ordre, il recevait les vœux des moines, établissant ainsi un lien personnel entre lui et ses subordonnés.

Il présidait les chapitres généraux, publiait les statuts qui complétaient la règle de saint Benoît. Il avait le droit de visite sur tous les monastères de l'ordre, le pouvoir disciplinaire sur tous les établissements et sur tous les religieux.

L'abbé de Cluny possédait les restes d'un pouvoir qui avait été comparable à celui d'un véritable chef d'État. Mais ce n'étaient que des restes, par suite de l'établissement de la commende, qui tenait l'abbé à l'écart de la vie de la communauté, par suite des résistances des monastères tendant à l'autonomie, et de la concurrence des chapitres généraux.

---

1. L'élection était, comme on l'a vu, réservée aux abbayes privilégiées, dont le nombre était fixé par l'ordonnance de Blois, art. 3.

Cette institution des chapitres généraux était une des bases de l'organisation clunysienne. Ils se tenaient tous les ans à Cluny, et réunissaient tous les abbés, prieurs et administrateurs. On y élisait 15 définiteurs et des visiteurs, à raison de deux pour chaque province. Les visiteurs faisaient des rapports, sur lesquels les définiteurs prenaient des décisions. Chaque abbé et prieur faisait serment de les exécuter. Toutes les affaires d'intérêt général étaient ainsi décidées par le chapitre général, dont l'autorité s'était substituée à celle de l'abbé, et qui avait même fini par imposer son droit de visite sur l'abbaye de Cluny.

Aussi la décadence de l'ordre fut-elle complète du jour où la tenue régulière des chapitres généraux se trouva interrompue : il n'y en eut pas en 1563; il en fut de même de 1568 à 1570, et surtout de 1571 à 1626.

Au-dessous de l'abbé, il existait dans tous les monastères un certain nombre de dignitaires, dont les titres variaient avec les ordres.

C'étaient le *grand prieur*, qui remplaçait l'abbé commendataire, le *prieur claustral*, qui était normalement adjoint à l'abbé, le *sous-prieur*, le *chambrier* qui dirigeait la trésorerie, le *cellerier*, l'*aumônier*, l'*infirmier*, le *boursier*, qui était économe et intendant, le *grenetier*, le *sacristain*, le *maître des novices*, l'*official*, l'*écolâtre*.

La discipline se maintenait surtout par le moyen des visites, qui étaient plus régulières et plus efficaces que dans l'administration paroissiale. L'abbé contrôlait la célébration des offices, l'effectif des moines, la pratique de la clôture, de la pauvreté personnelle, les jeûnes, le silence, la communauté des repas et du dortoir, les aumônes et l'hospitalité, l'entretien des bâtiments et la gestion du temporel. Mais, de même que dans les diocèses, les visites ne s'accomplissaient pas régulièrement ; c'était l'occasion de nombreux conflits entre l'abbé et les moines qui refusaient de le recevoir ou de payer les taxes auxquelles ils étaient astreints. De véritables batailles s'ensuivaient, qui entraînaient des sentences d'excommunication.

Plus encore que ce relâchement de la subordination, la pratique de la commende achevait de ruiner la discipline. Introduite vers la fin du XVe siècle, elle se généralisa avec l'ingérence du gouvernement dans les élections et l'application du Concordat. Elle fut introduite à Cluny en 1529, avec l'abbatiat de J. de Lorraine, après lequel l'ordre devint la proie des Guise et de leurs clients. Les plus grandes abbayes, Montier-en-Der, Saint-Denis, Saint-Bénigne de Dijon, Saint-Vincent du Mans, Saint-Germain-des-Prés, Fécamp, Corbie, subirent le même sort. Il suffit d'ailleurs, pour être fixé sur l'étendue du mal, de consulter les listes des bénéfices cumulés par les hauts dignitaires du clergé, et on se persuadera facilement que, vers le milieu du XVIe siècle, il ne restait que bien peu d'établissements monastiques vivant de leur vie régulière.

L'abbaye en commende devenait une entreprise d'administration laïque : le temporel était confié à un personnel d'intendants et de fermiers, souvent même à des banquiers, qui géraient en bloc tout le temporel d'un gros bénéficier.

Il arrivait que le temporel des abbayes ainsi gérées restât indivis entre l'abbé et ses moines; c'était l'occasion de conflits et de procès entre les deux parties, au sujet de l'entretien des bâtiments et des religieux réduits à la misère.

Le plus souvent, un partage était effectué : on séparait la *mense conventuelle*, destinée aux moines, de la *mense abbatiale*, qui avait toujours la plus grosse part. Parfois, la mense conventuelle était à son tour divisée en prébendes, dont quelques-unes étaient affectées aux dignitaires. Tout cela avait pour effet de supprimer la vie commune, la pauvreté réglementaire et, par contre-coup, de réduire l'effectif des moines, pour grossir la part de ceux qui subsistaient[1].

A ces causes de désordre, s'ajoutèrent dans la suite les effets de la crise protestante : entre 1562 et 1568, la plupart des monastères du royaume furent pris et pillés par des bandes armées. Toutes les monographies locales nous montrent le même spectacle de misères, surtout nombreuses dans les provinces du

---

1. Voir le cas très caractéristique de l'abbaye Saint-Laon de Thouars, où le système de la commende aboutit à la destruction du service divin et de la discipline. Sentence de la sénéchaussée de Poitiers du 13 juin 1551. LAMBERT, *Cartulaire de l'abbaye de Saint-Laon*, Niort, 1876, in-8°. Voir aussi l'enquête sur le prieuré de Blessac, 1530, dans LEROUX et BOSVIEUX, *Chartes... de la Marche et du Limousin*, Tulle, 1886, in-8°.

Midi et de l'Est, dans les villes comme dans les campagnes. Lorsque la vie régulière devenait impossible, il arrivait qu'on transformât une abbaye en église séculière. Elle devenait une collégiale, où les exigences de la règle étaient amoindries. Tel fut le sort de la célèbre abbaye de Saint-Martial de Limoges.

La ruine matérielle entraînait celle des bâtiments, la disparition du mobilier, des accessoires du culte et celle du culte lui-même. A Saint-Amand, à Saint-Papoul, où avait été installé un chapitre régulier bénédictin, à La Charité-sur-Loire, où l'effectif des moines avait été réduit de 200 à 18, à Saint-Denis, à Saint-Benoît-sur-Loire, à Saint-Martin-des-Champs, à la Daurade de Toulouse, à Saint-Antonin, à Grandselve, à Beaulieu, les mêmes misères sont signalées; à Vignory, déserté par ses moines, le fermier du temporel était chargé d'assurer le service divin. D'ailleurs, bon nombre de prieurés où il n'était plus possible d'entretenir un nombre suffisant de moines, étaient affermés à un desservant, qui exploitait le temporel et assurait en même temps le service de la cure.

Les ordres les plus rigoureux succombaient également, ceux de Cîteaux et des Chartreux, dont les moines circulaient librement hors des couvents, possédaient des biens en propre, des objets précieux et vivaient à la mode laïque, lorsqu'ils résidaient dans leurs monastères.

Les ordres mendiants, par suite de leurs contacts avec la vie populaire, étaient particulièrement déchus : à Nîmes, en 1521, l'opposition entre Observantins et Conventuels n'avait-elle pas été poussée jusqu'à la conquête du couvent par la force des armes ?

Les monastères de femmes n'étaient pas à l'abri de ces désordres en plus de ceux qui leur étaient propres. L'absence de clôture, de pauvreté et de vie commune était générale : le Paraclet de Troyes, Faremoutier, Chelles, Poissy, Montmartre, Jouarre, Fontevrault, Saint-Pierre de Lyon, Gif, étaient des centres de vie mondaine; une bulle de 1516, visant ces monastères, concluait : « Adeo incontinentes et impudice viverent ut earum vita fieret in populo plurimum odiosa et scandalosa. »

Plus encore que pour les églises et le clergé séculier, la déca-

dence des institutions monastiques fut profonde à la fin du
XVIᵉ siècle, et il ne pouvait en être autrement dans ces associations qui exigeaient une exacte discipline personnelle et la
pratique de l'ascétisme. C'étaient en réalité les sentiments religieux, les traditions du Moyen Age qui faisaient défaut, privant
les institutions du support moral nécessaire à leur existence.
Les efforts de restauration religieuse, les procès, les doléances
des assemblées du clergé et des États généraux en fournissent
les preuves.

Malgré cela, un effort fut accompli pendant tout le XVIᵉ siècle
pour rétablir dans certains monastères la régularité primitive.
Ordonnances royales, réformes prescrites par les autorités
ecclésiastiques ou judiciaires, visites des supérieurs, dans la
mesure où les privilèges d'exemption n'y faisaient pas obstacle,
tout était mis en œuvre pour cette restauration morale et matérielle de la vie monastique.

L'ordonnance de 1579 imposait aux réguliers plusieurs prescriptions destinées à rétablir la discipline : les visites devaient
être faites régulièrement, les supérieurs devaient en profiter
pour imposer le respect de la règle, la pratique de la vie en commun, le maintien de la clôture dans les monastères de femmes;
l'enseignement devait être assuré sur place par un précepteur
ou par le séjour des religieux dans les universités.

Parlements et Grands Jours intervenaient aussi par leurs
arrêts, pour imposer des réformes qu'ils faisaient ensuite
appliquer avec le concours de la force publique.

Mais la voie la plus régulière était celle de l'autorité ecclésiastique : des bulles pontificales, adressées à un légat ou aux évêques
leur conféraient des pouvoirs exceptionnels, qu'ils déléguaient
en général à des commissaires; c'était un droit spécial, qui supprimait tout obstacle et notamment l'usage de l'appel. Les commissaires imposaient le rétablissement de la règle, la hiérarchie,
la vie commune, restauraient le temporel en éteignant les dettes
et en reconstituant les revenus. Pour assurer la perpétuité de la
réforme, on prescrivait en général le renouvellement du personnel, en transférant dans le monastère réformé des religieux
capables d'assurer le maintien de la discipline.

Çà et là, d'heureux résultats sont constatés. Le désordre monastique n'était pas universel et quelques établissements étaient dans la bonne voie dès la fin du XVIᵉ siècle, préparant la restauration religieuse du siècle suivant.

La Compagnie de Jésus. La réaction nécessaire pour faire revivre l'Église régulière fut tentée par les fondateurs de la Compagnie de Jésus, qui créèrent un institut nouveau, en conformité avec les conditions nouvelles de la vie sociale.

La Compagnie, fondée par saint Ignace de Loyola en 1534, devait être un ordre de clercs et non de moines, plus actif que contemplatif, régi par une discipline qui faisait défaut aux ordres décadents, soumis au supérieur général et lié au pape par un vœu spécial d'obéissance. Tels étaient les principes consacrés par la bulle *Regimini militantis ecclesiae*, de 1540, qui fonda la Compagnie de Jésus.

La Compagnie acheva de déterminer son orientation à la suite de propositions présentées par Ignace de Loyola et Polanco au pape, qui les sanctionna par une nouvelle bulle de 1550.

Enfin, les principes de l'organisation furent exposés dans l'*Examen général* qui servit de préface aux *Constitutions* rédigées par Ignace de Loyola et approuvées en 1558 par la première congrégation générale.

L'organisation de la Compagnie était alors définitivement fixée : elle était destinée au perfectionnement et au salut de ses membres et du prochain. Pour y parvenir, le religieux qui entrait dans la Compagnie devait s'y consacrer avec une abnégation totale et en accomplissant toute une série de stages dans les fonctions inférieures, les fonctions dirigeantes étant réservées à un petit nombre de profès.

De là la hiérarchie sur laquelle reposait l'existence de la Compagnie.

A la base, se trouvaient les novices, admis après une enquête portant sur leur famille, leurs relations, leurs aptitudes et qui, surtout, devait révéler leur parfaite orthodoxie. La formation des novices comportait toutes sortes d'épreuves, silence, pauvreté, obéissance, et un système de formation intellectuelle et morale dirigée d'après le plan fixé par les *Exercices spirituels*. Les novices étaient astreints à servir dans un hôpital, à la cuisine et à accomplir des pèlerinages. Cette période de noviciat devait durer deux années.

Après le noviciat, le postulant faisait les trois vœux simples de pauvreté, chasteté et obéissance. Il promettait d'entrer dans la Compagnie avec le grade qu'on déciderait de lui attribuer. Il était alors admis soit comme *scolastique*, soit comme *coadjuteur temporel*. Cette dernière fonction, qui ne comportait pas la prêtrise, correspondait à l'administration et aux besoins matériels de la Compagnie. On pouvait alors devenir *coadjuteur temporel formé*.

Quant aux scolastiques, ils entraient dans une période de formation intellectuelle qu'ils recevaient dans les collèges de la Compagnie, suivant un plan d'études. Cette préparation demandait plusieurs années, deux au moins pour les études littéraires et trois années de philosophie, pendant lesquelles on recevait la prêtrise, après quoi on revenait au noviciat pour une année dite de probation.

Ce dernier stage accompli, le postulant recevait son affectation définitive : il devenait *profès aux trois vœux* (il s'agissait là des trois vœux simples qui étaient renouvelés), ou *coadjuteur spirituel*, ou *profès aux quatre vœux*, ce qui comportait en outre des trois vœux simples un quatrième vœu d'obéissance au pape.

C'étaient au total six catégories distinctes qui constituaient l'ensemble de la Compagnie, où le sort de chacun était fixé par la seule décision des supérieurs s'inspirant uniquement des intérêts de la Compagnie.

Celle-ci comprenait deux sortes d'établissements, les maisons professes, où résidaient la plupart des profès, et les collèges, dans lesquels se groupaient ceux qui étaient aux différents stages de leur préparation. Ces établissements étaient réunis en provinces, dirigées par la congrégation provinciale, qui s'assemblait tous les trois ans, et par un provincial, désigné par le général.

Quant à la Compagnie tout entière, elle était soumise à l'autorité de la congrégation générale, composée du provincial et de deux profès de chaque province. Elle s'assemblait à intervalles irréguliers et en tous cas, après la mort du général. Elle exerçait le pouvoir suprême dans la Compagnie et sa juridiction s'étendait sur le général lui-même.

Le général, élu par cette congrégation, était nommé à vie. Il dirigeait le recrutement de la Compagnie, admettait les novices et décidait des promotions aux divers degrés de la hiérarchie. Il nommait les provinciaux, les supérieurs et les recteurs des collèges, les renvoyait et disposait d'une façon générale de l'activité des religieux, entre lesquels il répartissait les tâches diverses qui s'imposaient à la Compagnie.

Cette organisation reposait sur une discipline très stricte et sur un contrôle qui s'exerçait à tous les degrés. Tous les dignitaires étaient assistés de consulteurs et d'un admoniteur. Le général était lui-même entouré d'assistants, qui représentaient les différentes nations de la Compagnie, groupés en assistances. Il pouvait tout décider par lui-même, mais seulement après consultation de l'assistance et du provincial intéressés. Et il était également soumis à tous les règlements généraux concernant la discipline des religieux. Il pouvait même être déposé, s'il agissait contre les constitutions de la Compagnie ou en cas d'affaiblissement intellectuel.

La Compagnie était très différente des anciens ordres religieux. Le Concile de Trente la définissait par une expression particulière : « Religio clericorum Societatis Jesu. »

Elle s'assignait comme objectif d'agir en toutes choses « pour la plus grande gloire de Dieu », à la fois par la contemplation et par l'action. Ses moyens, c'étaient les missions, la prédication, l'enseignement, le soin des malades dans les hôpitaux. De là les aptitudes variées qu'elle exigeait de ses membres, de là, l'indépendance qu'elle leur laissait dans l'accomplissement de tâches très strictement déterminées. Les Jésuites n'avaient ni domicile fixe ni habit particulier, aucune obligation de réciter en commun les prières canoniales, ni d'assister à des cérémonies régulières.

Aucune considération de nationalité ne déterminait l'emploi des religieux : ils étaient déplacés et utilisés sans tenir compte de leur origine, à laquelle ils ne se rattachaient plus que par des liens fragiles. Aussi, en France, voyait-on des Jésuites italiens, espagnols, même dans les fonctions importantes, où ce dépaysement pouvait entraîner de graves inconvénients.

Cette organisation très spéciale pouvait être définie par les formules suivantes : « Nous vivons en congrégation et en société, sous de certaines lois et constitutions reçues et confirmées non seulement par les souverains pontifes, mais encore par les rois très chrétiens, par l'assemblée générale de l'Église gallicane et par un concile général. Notre Société est divisée en deux parties : l'une de maisons où résident ceux qui ont fait profession, et l'autre de collèges, où demeurent ceux qui aspirent à la faire. Ceux qui étudient et qui enseignent sont-ils religieux ? En les comparant aux profès, ils ne sont pas proprement religieux de la Société, mais en les comparant aux séculiers, ils sont religieux. Toutefois, comme ils ne sont pas profès, rien n'empêche qu'ils n'enseignent la philosophie et les belles-lettres selon les lois de l'Université[1]. »

Le statut de la Compagnie de Jésus se complétait par un privilège d'exemption plus étendu que celui des autres ordres. Complètement soustraits à la juridiction épiscopale, les Jésuites relevaient seulement de leur général et du Saint-Siège, ils pouvaient administrer les sacrements et prêcher sans autorisation de l'ordinaire. Leurs activités principales, la prédication et les missions échappaient ainsi à tout contrôle de l'autorité ecclésiastique.

Telle était l'organisation générale de la Compagnie. En France, il y avait trois provinces (1594), celles de France, d'Aquitaine et de Lyon. Dans chaque province existaient noviciats, scolasticats et collèges. Ceux-ci étaient au nombre de 22 (dont 4 en dehors du royaume). Il existait une seule maison professe, située à Paris, rue Saint-Antoine.

La Compagnie de Jésus était destinée à la propagande, à la conversion des infidèles, à la lutte contre le protestantisme, à l'apostolat dans les prisons et dans les hôpitaux.

1. Déclaration présentée par les Jésuites du collège de Clermont à l'Université de Paris, en 1565. Le texte complet se trouve dans Du Boulay, *Historia Universitatis*, t. VI.

Saint Ignace n'avait pas songé à l'enseignement, et il s'était contenté d'envoyer ses premiers disciples se former dans les écoles déjà existantes. En 1540, quelques-uns étaient établis comme portionnistes au collège des Trésoriers, à Paris, puis au collège des Lombards. En 1550, ce petit groupe s'installa dans l'hôtel des évêques de Clermont. Ces religieux, tout en continuant leurs études, se livraient à l'apostolat dans les paroisses voisines, prêchaient à l'église des Chartreux et à Saint-Germain-des-Prés.

Peu à peu, ces groupes destinés à la formation des futurs Jésuites, se transformèrent de séminaires en collèges mixtes : aux religieux déjà attachés à la société s'ajoutèrent des élèves laïques venus du dehors. Et en présence des succès obtenus, certains fondateurs de collèges en offrirent la direction aux Jésuites, déterminant saint Ignace à développer cette activité et à lui donner une large part dans le texte des *Constitutions*.

Le prototype de ces établissements d'enseignement avait été le collège de Messine. En France, le premier collège fut celui de Billom, établi par l'évêque G. Duprat, avec douze religieux (1556). De nombreux établissements furent créés dans la suite; le principal, qui devait être le modèle de ce genre, était le collège de Clermont, à Paris, avec 80 religieux, dont 16 prêtres et 8 professeurs scolastiques.

Ces collèges étaient établis à la suite d'un contrat passé entre la Compagnie et les évêques ou les municipalités qui fournissaient les locaux et une rétribution annuelle. Ces revenus étaient très largement complétés par les dons des particuliers.

La Compagnie de Jésus devait s'assurer un statut légal dans le royaume. Or cette reconnaissance rencontra de nombreux obstacles : l'hostilité des Gallicans était extrême; ils reprochaient aux Jésuites l'extension de leurs privilèges d'exemption, leur activité dans l'enseignement, l'introduction dans le royaume de sujets de diverses nationalités.

La question s'était posée dès 1550. Elle avait été examinée par le Conseil du roi, où le cardinal de Lorraine avait proposé d'accorder aux Jésuites la naturalisation; mais il s'était heurté à l'opposition des Gallicans. En 1551, des lettres patentes les avaient autorisés à construire une maison dans Paris, pour y vivre suivant leur règle. C'était une reconnaissance implicite de leur institut. Mais ces lettres furent présentées au Parlement, qui y critiqua l'extension excessive des privilèges accordés par le pape, l'exemption totale de la juridiction épiscopale et de la dîme. Les gens du roi s'opposèrent à l'enregistrement et les lettres patentes furent retournées au Conseil comme autorisant une société dont les principes étaient contraires aux lois de l'État.

Le gouvernement envoya de nouvelles lettres confirmant les précédentes (1553); le Parlement les communiqua à l'évêque de Paris et à la Faculté de théologie qui firent opposition, en signalant que les Jésuites faisaient tort aux ordres mendiants, empiétaient sur les attributions épiscopales et sur les privilèges des universités. L'affaire resta sans solution jusqu'en 1560, où des lettres de jussion furent adressées au Parlement. Au mois d'avril de cette même année, d'autres lettres prescrivaient l'admission de la Compagnie dans tout le royaume; enfin, au mois d'octobre, pour la cinquième fois, de nouvelles lettres de jussion furent rédigées, sans plus de résultat.

L'affaire fut alors soumise à l'assemblée du clergé de Poissy, qui conclut à une autorisation limitée : les Jésuites seraient reconnus non pas comme un ordre religieux mais comme administrateurs de collèges, sous le contrôle de l'évêque et en se conformant aux dispositions du droit commun (1561). Un arrêt du Parlement approuva cette consultation et autorisa le collège de Clermont. La Compagnie se trouvait reconnue sous le titre de Société du collège de Clermont et l'Université accordait à son tour des lettres de scolarité en 1564.

Mais l'Université, menacée dans ses intérêts, ne tarda pas à rouvrir le débat : une consultation juridique de Du Moulin déclara l'institution des Jésuites contraire aux canons, qui interdisaient la création de nouveaux ordres, aux droits de l'Université, à la juridiction épiscopale; il leur reprochait l'introduction d'un catéchisme nouveau et leur activité contraire aux édits de pacification.

Les Jésuites furent convoqués devant l'Université, pour

décider s'ils étaient « monachi religiosi Societatis Jesu aut secu-
lares », ce qui, dans le premier cas, leur eût interdit l'enseignement.

Il en résulta un procès devant le Parlement, qui demeura
sans solution, la Compagnie continuant cependant d'enseigner.

De nouvelles lettres patentes (1565) accordèrent aux Jésuites
l'autorisation de créer des maisons et collèges dans tout le
royaume et de s'intituler Compagnie et Société de Jésus.

Malgré cette autorisation, l'opposition reparut à l'occasion
de l'établissement de la maison professe à Paris, l'évêque refu-
sant d'y autoriser l'exercice du culte.

En 1580, Henri III autorisait dans tout le royaume la prédication et l'enseignement, mais il restait défiant à l'égard de la
Compagnie et demandait des explications sur la présence de
Jésuites espagnols dans les collèges. Il lui défendait de s'immis-
cer dans l'administration des choses temporelles.

La condition des Jésuites était ainsi réglée : leur établissement
dans le royaume et leurs principales activités étaient autorisés,
mais leurs adversaires ne désarmaient pas : le clergé séculier,
l'Université, le Parlement entretenaient des conflits juridiques
et politiques, qui, depuis quarante ans, reparaissaient à toute
occasion. Le gouvernement lui-même restait hésitant, partagé
entre le souvenir des services rendus et la crainte des interventions étrangères.

Tout fut remis en question par l'attentat de Jean Chastel,
qui réveilla les passions dirigées contre la Ligue et l'esprit
ultramontain.

BIBLIOGRAPHIE

Les sources de l'histoire du clergé régulier sont abondantes dans
tous les dépôts. Aux Archives nationales, voir la série L, 747, et
LL, 39-75 et 988-1722. Dans les archives départementales, la série H.
A la Bibliothèque nationale, le fonds latin, 5409-5688, est classé par
ordres. Il existe encore de nombreux documents dispersés dans les
fonds latin et français, où les recherches sont facilitées par les catalogues actuellement publiés.

Ordonnances d'Orléans, de 1561 (art. 11, 19-20), et de Blois, de 1579 (art. 6, 9, 25-28, 30, 31).

BRISSON, *Code Henry III*, I, 11. — BOUCHEL, *Decretorum ecclesiae gallicanae*, V, 16, VII, 1-3. — *Recueil des actes, titres et mémoires*, t. IV. — *Monumenta historica Societatis Jesu*. — Actes du Concile de Trente, session XXV. — ROBERT, *Visite des prieurés de Saint-Rémi de Reims, en* 1560-61.

G. COQUILLE, *Des bénéfices de l'Église*. — E. PASQUIER, *Les recherches de la France*, III. — HELYOT, *Histoire des ordres monastiques*. — ORLANDINI, *Historia Societatis Jesu*. — LEBEUF, *Histoire de la ville et de tout le diocèse de Paris*, avec les *Rectifications et additions* de BOURNON.

BESSE, BEAUNIER, *Abbayes et prieurés de l'ancienne France*, continué par BEYSSAC et par LAURENT et CLAUDON. — COTTINEAU, *Répertoire topo-bibliographique des abbayes et prieurés*. (avec des bibliographies récentes de tous les établissements monastiques). — VENDEUVRE, *L'exemption de visite monastique*. — BESSE, *L'ordre de Cluny et son gouvernement* (Rev. Mabillon, 1905-6). — BRUEL, *Les chapitres généraux de l'ordre de Cluny* (Bibl. Éc. des ch., 1873). — DESLANDRES, *L'ordre des Trinitaires*. — MORTIER, *Histoire abrégée de l'ordre de Saint-Dominique en France*. — DE SESSEVALLE, *Histoire générale de l'ordre de Saint-François*. — GODEFROY, *Les Frères mineurs capucins en France*. — FOUQUERAY, *Histoire de la Compagnie de Jésus en France*, t. I, 11. — VATTIER, *Cartulaire du prieuré de Saint-Christophe-en-Halatte*. — PORÉE, *Histoire de l'abbaye du Bec*. — SAUVAGE, *L'abbaye de Saint-Martin de Troarn*. — DE LASTEYRIE, *L'abbaye de Saint-Martial de Limoges*. — DUMONT, *La réforme du prieuré d'Yzeure*. — G. MUSSET, *L'abbaye de La Grâce-Dieu* (Arch. hist. de Saintonge, t. XXVII). — MÉTAIS, *Cartulaire de Vendôme*.

CHAPITRE IX

LA JUSTICE ECCLÉSIASTIQUE

L'Église possédait une autorité judiciaire, qui s'exerçait par le pape, par les évêques et par certains de leurs subordonnés, ainsi que par les abbés. En France, cette autorité était réservée presque exclusivement aux évêques ; c'était la *juridiction ordinaire*. Tout le reste était exceptionnel et strictement limité par la coutume.

Cette juridiction était soit volontaire soit contentieuse.

La juridiction volontaire était exercée sans instruction judiciaire, par le vicaire général.

La juridiction contentieuse, appliquée suivant les procédures prescrites par les canons et les ordonnances royales, appartenait à l'*official*.

L'évêque, qui, en principe, avait une autorité de juridiction, était obligé de la déléguer à un official. Cet official était en général unique pour le diocèse. Il en existait un second, lorsque certaines parties d'un diocèse ressortissaient à un autre parlement que la cité épiscopale. Ce dernier était l'*official forain*. Il en était de même pour les diocèses partagés entre deux souverainetés. C'était le cas pour ceux du Comtat, dont les dépendances faisaient partie du royaume. D'ailleurs, en dehors de toute règle, la tradition maintenait des officiaux forains dans certains diocèses sans raison particulière : il y en avait 5 à Autun, 4 à Saint-Flour.

L'official devait être gradué en droit canonique, d'après les décisions du Concile de Trente. L'ordonnance de Blois imposait à ces dignitaires l'obligation d'être prêtres, gradués et originaires du royaume. Il leur était interdit d'être curés, officiers dans une cour royale et de tenir aucune ferme de leur évêque. Ils pouvaient faire partie du clergé régulier.

L'official était nommé par l'évêque et révocable par lui. Sa fonction cessait avec la vie de l'évêque qui l'avait nommé. Il était remplacé pendant les vacances du siège épiscopal par un official investi par le chapitre.

A l'official s'ajoutait le personnel auxiliaire : le *vice-gérant*, qui était le lieutenant de l'official. et pour lequel les mêmes qualités étaient exigées, le *scelleur*, dont le rôle était important pour l'expédition des actes, le *promoteur*, qui était chargé de défendre les droits de l'évêque et l'intégrité de sa juridiction. Il assistait l'official dans la poursuite des délits et préparait les affaires en vue d'assurer la répression; il saisissait la justice *ex officio* et exerçait les fonctions d'un véritable ministère public. Le Concile de Rouen définissait ainsi ses attributions : « Promotores debent tanquam accusatores postulare et requirere, ut in eos, qui illam disciplinam violarint seu quid vitii et sceleris commiserint, inquiratur » (1581).

Il faut aussi remarquer que, comme dans les tribunaux civils, l'usage s'était établi de juger avec l'assistance de conseillers, recrutés parmi les praticiens, mais c'étaient de simples auxiliaires et non de véritables juges.

Il y avait enfin les greffiers, notaires et appariteurs.

Le roi lui-même était représenté auprès des officialités : des textes montrent l'intervention de procureurs, qualifiés de *procureurs du roi au for ecclésiastique*, et d'avocats du roi, chargés de surveiller l'action du tribunal ecclésiastique et d'empêcher que ces juridictions « n'entreprennent aucune chose sur les juridictions royales ». Cette organisation n'était d'ailleurs pas générale : certaines cours ecclésiastiques s'étaient opposées avec succès à l'introduction des officiers royaux. Ailleurs, ces offices étaient simplement associés à ceux des bailliages voisins.

Il existait des officialités de plusieurs sortes, qui correspondaient aux divers degrés de la juridiction ecclésiastique : officialité archidiaconale, épiscopale, archiépiscopale et primatiale, chacune jugeant en appel les causes jugées par les officialités inférieures. Les corps exempts, chapitres et monastères, avaient également leurs officialités particulières.

Par-dessus toutes ces juridictions, était établie celle du Saint-Siège, mais son intervention suscitait de graves difficultés. Le clergé français, soutenu par le gouvernement royal, avait toujours éprouvé de la répugnance à plaider devant les tribunaux romains. C'était un des principes du gallicanisme de s'opposer au renvoi d'un procès devant la cour de Rome. Le Concile de Bâle, la Pragmatique et le Concordat, dans son paragraphe *De causis* avaient formulé toutes sortes de limitations : il était interdit d'appeler au pape *omisso medio ;* l'appel était prohibé pour toute cause où il avait été rendu trois sentences conformes; enfin, au cas où un appel pouvait être adressé au pape (ce qui pouvait se produire pour les juridictions exemptes relevant immédiatement du Saint-Siège), celui-ci devait commettre des juges sur place, délégués pour juger en son nom. Ces juges délégués devaient être français, ecclésiastiques et gradués en droit, si bien qu'en aucun cas, un plaideur français ne pouvait être appelé à plaider en dehors du royaume.

La compétence des justices ecclésiastiques était déterminée par les principes généraux qui définissaient les pouvoirs de l'Église, pouvoirs d'enseignement et de discipline, qui étaient de droit divin et imprescriptibles. De là, sa compétence portant sur toutes les affaires ecclésiastiques, dite compétence *ratione materiae*.

Cette compétence s'étendait également aux affaires séculières dans lesquelles des clercs étaient impliqués et aux délits commis par eux. C'était un privilège qui avait été accordé à l'Église par les rois et auquel ils pouvaient apporter toutes les restrictions convenables. Cette seconde catégorie d'affaires constituait la compétence *ratione personae*.

Il y avait enfin la compétence *ratione loci*, qui comprenait les crimes commis dans les lieux soumis à la juridiction ecclésiastique, églises, monastères, cloîtres, cimetières, quelle que fût la condition des coupables.

La compétence ecclésiastique ainsi définie s'appliquait, à

la fin du Moyen Age, aux clercs « exempts totalement de la justice séculière » et à leurs biens meubles, aux veuves et orphelins, aux testaments, aux causes « où il y avait mauvaise foy », aux crimes d'hérésie, sacrilège, simonie et parjure[1]. Le tribunal d'Église revendiquait de même, en invoquant la connexité, les causes des laïques auxquels un clerc se trouvait associé.

Cette juridiction, primitivement très étendue, était allée en se rétrécissant, par suite des distinctions établies de droit entre les actions réelles et personnelles, par les limitations apportées au privilège des clercs concernant l'usage du for ecclésiastique.

Une ordonnance de 1371 avait déjà établi certaines limites à la compétence des tribunaux d'Église. Les ordonnances du XVIe siècle en imposèrent de nouvelles, tout d'abord en déterminant ceux d'entre les clercs auxquels ces privilèges seraient réservés. L'ordonnance de Villers-Cotterets soumettait à la justice séculière les clercs « exerçans états ou négociations, pour raison desquels ils sont tenus et ont accoustumé de répondre en cour séculière[2] ». En 1564, on décidait que, quel que fût le cas, civil ou criminel, le privilège serait limité aux clercs qui seraient pour le moins sous-diacres, et en 1566, on confirmait cette règle concernant les sous-diacres, en précisant qu'il s'agissait seulement des clercs « actuellement résidant et servant aux offices[3] », ce qui excluait tous les clercs inférieurs et les simples tonsurés, qui exerçaient des activités laïques.

Ce premier point étant fixé, on s'efforçait de définir exactement les bornes des deux juridictions, d'après la nature des procès[4].

Comme matières spirituelles pour lesquelles le juge d'Église pouvait avoir compétence sur les laïques comme sur les ecclé-

---

1. LOYSEAU, *Des seigneuries*, ch. xv.
2. Ordon. de Villers-Cotterets, art. 4.
3. Ordon. de Roussillon, art. 21, et de Moulins, art. 40.
4. « Avons défendu à tous juges ecclésiastiques de... délivrer aucunes citations... pour faire citer nosd. sujets purs lays èsdites matières pures personnelles. » Les limites de la justice ecclésiastique étaient d'ailleurs ainsi définies : « Sans préjudice toutefois de la juridiction ecclésiastique ès matières de sacrements et autres pures spirituelles et ecclésiastiques, dont ils pourront connoître contre lesdits purs lays..., et aussi sans préjudice de la juridiction temporelle et séculière contre les clercs mariés et non mariés exerçans états... » Ordon. de Villers-Cotterets, art. 2 et 4.

siastiques, on reconnut les matières concernant la foi, c'est-à-dire les causes d'hérésie, le juge laïque restant compétent pour juger le trouble porté à la tranquillité publique. De même les matières de sacrements : le mariage, les fiançailles, les vœux de religion, le juge laïque devant juger tout ce qui se rattachait aux effets civils du mariage[1]. Quant aux serments et testaments, c'étaient « actions pures personnelles », pour lesquelles les laïques ne pouvaient être cités devant la juridiction ecclésiastique.

Les dîmes et les bénéfices comportaient un partage entre les deux juridictions : en matière bénéficiale, on distinguait deux sortes d'actions, le *possessoire*, qui décidait de la possession du bénéfice, sans examiner le droit de propriété, et le *pétitoire*, qui tranchait la question de propriété. Or les tribunaux du roi étaient habitués à connaître du possessoire, et l'ordonnance de 1539 prescrivit ce partage, assurant ainsi le triomphe de la justice laïque dans un conflit séculaire. Ce règlement devait d'ailleurs être largement dépassé dans la pratique, les cours royales prenant l'habitude d'empiéter sur le pétitoire, ce qui soustrayait presque complètement aux juges d'Église les matières bénéficiales. En définitive, les juridictions ecclésiastiques, à partir du règne de François Ier, semblent s'être limitées aux affaires de dîmes et de mariage.

Quant à la compétence s'appliquant à la personne des clercs, elle englobait au civil toutes les causes personnelles dans lesquelles les ecclésiastiques étaient défendeurs, le juge laïque se voyant attribuer toutes celles où il était demandeur contre un laïque.

Au criminel, la collaboration s'imposait entre les deux justices, d'après la distinction établie entre le *délit commun* et le *cas privilégié*.

Le délit commun était le délit lui-même, dans les limites où

---

1. Douaren définissait ainsi les causes relevant de la justice ecclésiastique : « *Delicta sunt quae legibus non puniuntur, ut usura, concubinatus, perjurium ; correctioni tamen Ecclesiae sunt obnoxia et ideo, crimina ecclesiastica appellantur. Causae vero civiles laïcorum in Ecclesia non judicantur, nisi quaestio de fide aut re alia spirituali occurrat, aut nisi consentiunt litigatores* ». *De sacris Ecclesiae ministeriis*, I, ch. II. Ces définitions étaient un peu restrictives, si nous les confrontons avec la pratique du XVIe siècle.

il ne troublait pas l'ordre public. La connaissance en appartenait normalement au juge d'Église. Mais le juge royal pouvait intervenir dans tous les cas où il y avait scandale public, émotion populaire ou autre offense publique. Cette partie du délit, qui intéressait l'ordre public, était désignée sous le nom de cas privilégié. Ces définitions étaient très imprécises, ce qui provoquait des différences d'interprétations, des remontrances de la part du clergé et des résistances dont la justice royale triomphait chaque fois.

Dans toutes les causes de cette nature, il y avait lieu à une double procédure, devant le juge d'Église et devant celui du roi, l'un appliquant les peines canoniques et l'autre les pénalités pécuniaires et afflictives de la justice laïque.

Les ordonnances royales établissaient dans ce cas l'ordre qui devait assurer la prééminence de la justice du roi : celle-ci devait juger le délit privilégié avant de renvoyer le coupable au juge d'Église pour le délit commun, ce renvoi étant fait à la charge de tenir l'accusé prisonnier pour la peine du délit privilégié[1].

Il faut d'ailleurs remarquer que, si le juge royal était seul juge du cas privilégié, l'instruction devait être faite conjointement par les juges laïques et ecclésiastiques, conformément à l'ordonnance de Melun de 1580.

Au XVIᵉ siècle, le développement de l'hérésie et l'intérêt particulier qu'y portait le gouvernement royal obligèrent à modifier le système qui vient d'être défini. La collaboration des deux justices s'imposa pour opérer une répression que les officialités n'assuraient qu'imparfaitement, mais les modalités furent difficiles à établir et de nombreux édits se succédèrent à la recherche d'une solution satisfaisante.

En 1525, le pape, à la requête de la régente, avait confié la connaissance des cas d'hérésie à quatre *juges délégués*, deux ecclésiastiques et deux laïques, conseillers du Parlement. C'était, sous les apparences d'un tribunal d'Église, une juridiction mixte, qui disparut dès 1527[2].

Un édit de juin 1539 et l'édit de Fontainebleau, du 1ᵉʳ juin 1540,

1. Ordon. de Moulins, art. 39.
2. Bulle du 17 mai 1525. *Catal.*, nᵒ 2154.

confièrent la répression aux juges laïques, les tribunaux d'Église jugeant seulement les clercs et pour le délit commun[1].

Au mois de novembre 1549, pour réagir contre la négligence sinon même contre la complicité de certains juges laïques, on confia l'instruction des procès concurremment aux deux juridictions, le jugement devant être rendu par le juge laïque.

Enfin, l'édit de Châteaubriant étendit encore la compétence de la juridiction ecclésiastique. Le juge d'Église devait seul juger les clercs; quant aux laïques, le jugement était partagé entre les deux juridictions, d'après la distinction du délit commun et du cas privilégié.

Ce furent les principales étapes d'une législation toujours en mouvement jusqu'au jour où, les guerres de religion survenant, la répression judiciaire fut suspendue, pour céder la place au régime des édits de pacification.

La justice royale pouvait encore intervenir dans le domaine de la justice ecclésiastique par l'*appel comme d'abus*. Cet appel avait lieu lorsque le juge d'Église avait entrepris sur la juridiction temporelle ou statué contre les prescriptions du droit canonique et des ordonnances royales. L'appel était dans ce cas adressé aux parlements, qui pouvaient réformer les jugements des officialités.

Il existait encore une autre méthode, détournée, par laquelle les juges royaux pouvaient se substituer à ceux de l'Église. Les parlements prescrivaient à l'évêque compétent de décerner vicariat à des conseillers de la cour, qui jugeaient comme représentants de l'évêque et sans porter atteinte, en principe du moins, à la juridiction ordinaire. Cette pratique devint courante en matière d'hérésie, et bien qu'elle constituât une véritable usurpation, elle ne provoquait guère de résistance de la part des évêques concordataires toujours dociles.

Les officialités étaient obligées, pour la procédure, de se conformer aux règles imposées par les ordonnances royales. Ce principe était même étendu aux procès déférés en appel au pape.

---

1. Édits du 24 juin 1539 et du 1er juin 1540. *Catalog.*, n° 11072 et 11509. Fontanon, t. IV.

Les tribunaux ecclésiastiques appliquaient des pénalités d'un caractère spécial, la plupart spirituelles et consistant en diverses sortes de censures, dont l'efficacité était plutôt morale que répressive.

C'était l'excommunication, qui privait le fidèle de toute participation aux grâces de l'Église, excommunication mineure, qui interdisait seulement les sacrements et la possession des bénéfices, excommunication majeure, qui retranchait réellement le coupable de l'Église. La *suspense* était l'interdiction faite à un prêtre d'exercer ses pouvoirs. L'*interdit* consistait à priver les fidèles du culte et de toute participation aux biens spirituels.

Ces pénalités étaient de deux sortes : on les disait *latae sententiae*, lorsqu'elles étaient prescrites par la loi elle-même, et *ferendae sententiae*, lorsqu'elles étaient prononcées par un juge qualifié pour en disposer.

L'usage des censures avait été fréquent et parfois abusif au Moyen Age, surtout lorsqu'elles intervenaient dans des affaires étrangères aux intérêts purement spirituels de l'Église. Si on les avait appliquées littéralement, elles eussent rendu la vie sociale impossible, par suite de l'interdiction de fréquenter les excommuniés. Aussi était-on tenté d'en négliger les conséquences, et les sentences les plus solennelles devenaient alors dérisoires. Aussi l'Église elle-même avait-elle pris des mesures pour en limiter l'application. Les conciles du xve siècle et la Pragmatique avaient réagi dans ce sens. Le Concordat reprit ces prescriptions, en ordonnant que les sentences d'excommunication ne seraient applicables que lorsqu'elles auraient été publiées[1].

Le Concile de Trente limita également l'usage des censures dirigées contre ceux qui ne dénonçaient pas certains crimes, en réservant à l'évêque la possibilité d'user de cette menace et seulement dans des cas exceptionnels. L'évêque devait publier à cet effet un monitoire.

Des peines temporelles étaient également prévues : l'amende était en principe interdite, mais le Concile de Trente permit de l'infliger aux laïques comme aux ecclésiastiques, en appliquant

1. Paragraphes : *De excommunicatis non vitandis, De interdictis non leviter ponendis.*

son produit à des établissements religieux. Il y avait également l'amende honorable, l'obligation d'une retraite dans un monastère, la prison temporaire ou même perpétuelle.

Lorsqu'une pénalité grave, la peine de mort, par exemple, était applicable à un clerc, l'Église abandonnait celui-ci au bras séculier, qui prononçait et exécutait la sentence.

Malgré la concurrence des juridictions laïques, les officialités du xviᵉ siècle étaient extrêmement actives. Les procès y étaient nombreux, mais les affaires d'importance étaient rares et la procédure sommaire : en général, on se contentait d'un débat contradictoire, avec la comparution de quelques témoins. Les enquêtes, confiées aux curés ou aux doyens, étaient peu usitées et les jugements s'ensuivaient très rapidement.

Les procès criminels étaient de beaucoup les plus nombreux : affaires de simple police, pour de légers délits commis par des ecclésiastiques, rixes ou injures, coups et blessures; l'immoralité du clergé donnait lieu en effet à des incidents fréquents. Les laïques n'étaient d'ailleurs pas en reste : blasphèmes et jurements variés, propos scandaleux sur la sainte Trinité, avec quelques peccadilles de moindre importance, infractions au repos dominical, jeux ou danses auxquels on se livrait pendant les offices. Le paiement de la dîme donnait lieu à bon nombre de poursuites : enlèvement clandestin de récoltes, refus de paiement, injures et violences envers le curé qui revendiquait ses droits. La police des lépreux, qui dépendaient de la justice ecclésiastique, était également dans les attributions de l'officialité. Il y avait enfin les procès intentés aux magiciens, « vaudois et sorciers ».

Dans le cours du xviᵉ siècle, les cas d'hérésie se multiplièrent; c'étaient le plus souvent quelques propos imprudents inspirés par des prédicateurs hérétiques, mais il y avait aussi des affaires plus graves, qui nécessitaient de sérieuses enquêtes.

La discipline intérieure de l'Église donnait lieu à de fréquentes interventions pour réprimer la négligence des curés, l'irrégularité du service, les empiétements des moines administrant les sacrements sur le territoire des paroisses.

L'officialité était en général très modérée dans la répression : elle préférait les bons conseils aux châtiments, recommandait aux époques la bonne entente et la fidélité, à tous les fidèles, des mœurs pacifiques; on recourait largement à l'amende honorable pour les blasphémateurs et à la rétractation pour les propos qui confinaient à l'hérésie. L'amende était réservée pour les cas d'une réelle gravité, et encore était-elle tarifée de façon à ne pas ruiner le coupable.

Tout cela explique que la justice ecclésiastique, si combattue par les juges royaux, était en général populaire parmi les justiciables. Et cela d'autant plus qu'elle était relativement expéditive. Il fallut l'ordonnance de Villers-Cotterets, avec toutes les restrictions qui s'ensuivirent, pour réduire le champ d'activité des officiaux.

A la fin du siècle, le clergé se plaignait aigrement des restrictions imposées à sa justice : « Toute juridiction est sans effect et quasi du tout anéantie. » Les procédures contre les laïques étaient toujours mises à néant par l'appel comme d'abus et les clercs trouvaient eux-mêmes le moyen de « se moquer de l'authorité de leurs évêques[1] ».

Aux tribunaux épiscopaux étaient rattachés les greffes des *insinuations ecclésiastiques*, établis à l'imitation des insinuations civiles. Un édit de 1553, célébrant les mérites de cette institution, qui empêchait les falsifications, l'avait étendue à tous les actes de la juridiction spirituelle et aux pièces concernant la possession des bénéfices, de façon à garantir la situation des bénéficiers. Au début, les évêques avaient assuré eux-mêmes le fonctionnement des greffes, mais les abus s'étaient multipliés. Henri IV allégua du moins cette raison pour les transformer en offices royaux. C'était une complication nouvelle, inspirée en réalité par des considérations uniquement fiscales[2].

En dehors des officialités, l'Église disposait encore des tribunaux de l'*Inquisition*, dont l'origine remontait au XIIIe siècle. Le pape, usant de son autorité judiciaire, donnait commission à des juges chargés de la répression de l'hérésie, lesquels étaient en concurrence avec la juridiction ordinaire de l'évêque. Les juges étaient des réguliers, Dominicains ou Franciscains, indé-

---

1. Remontrances du Clergé, de 1585.
2. Édits de mars 1553 et de juin 1595. *Actes, titres et mémoires*, t. I.

pendants de toute sujétion épiscopale. Leurs tribunaux n'avaient ni siège fixe ni ressort déterminé.

L'Inquisition, très active encore au xivᵉ siècle, glissait vers la décadence et perdait son autonomie par suite de l'ingérence de la justice royale. Au xviᵉ siècle, on continuait de nommer des inquisiteurs, mais ceux-ci n'exerçaient pas grande action sur la répression de l'hérésie. Nous les voyons parfois collaborer avec les juges ecclésiastiques, la haute main restant toujours aux juges royaux.

Le dernier tribunal de l'Inquisition végéta à Toulouse, jusque sous Louis XIV.

BIBLIOGRAPHIE

Toutes les archives judiciaires sont intéressantes pour l'étude de la juridiction ecclésiastique, en particulier celles des Parlements et du Grand Conseil. Aux Archives nationales, la série Z¹⁰, 1-243, contient les archives de l'officialité de Paris.

Ordonnance de Villers-Cotterets, de 1539 (art. 1-8). — Édit du 22 juin 1550, sur l'Inquisition (FONTANON, t. IV). — Ordonnance de Moulins, de 1566 (art. 38-40). — Édit de Melun, de 1580 (art. 22-25).

BRISSON, Code Henry III, I, 15. — GUÉNOIS, La conférence des ordonnances, I, 4. — FONTANON, Les édicts et ordonnances, t. IV, 3, 21. — Tractatus universi juris, t. III, IV, V, XI. — BOUCHEL, Decretorum ecclesiae gallicanae, VIII. — Recueil des actes, titres et mémoires, t. VI et VII. — Actes du Concile de Trente, sessions VII, XIII et XXIV.

LOYSEAU, Des seigneuries, ch. xv. — J. DURET, L'harmonie et conférence des magistrats, II. — CHOPPIN, Trois livres de la police ecclésiastique. — DU HAMEL, La pollice royale sur les personnes et choses ecclésiastiques. — BORDENAVE, Estat des cours ecclésiastiques.

F. AUBERT, Le Parlement de Paris au XVIᵉ siècle (Nouv. rev. hist. de droit franç. et étr., 1905). — ALLARD, Histoire de la justice criminelle au XVIᵉ siècle. — DELANNOY, La juridiction ecclésiastique en matière bénéficiale, sous l'ancien régime (Univ. de Louvain. Recueil de trav., n° 27). — POMMERAY, L'officialité archidiaconale de Paris. — DEMEUNYNCK, Le vicariat de Pontoise ou l'officialité foraine de Rouen à Pontoise (Mém. Soc. hist. et arch. de Pontoise, 1937-39).

CHAPITRE X

L'ENSEIGNEMENT ET LES UNIVERSITÉS

LES UNIVERSITÉS. — LES COLLÈGES DES JÉSUITES.
LES SÉMINAIRES.

Les universités. L'enseignement était une des fonctions essentielles de l'Église, qui possédait tous les établissements à l'exception de quelques collèges ou de quelques écoles élémentaires.

Les petites écoles étaient confiées à des maîtres laïques, nommés et surveillés par le clergé. Les évêques faisaient des règlements applicables aux écoles de leurs diocèses; ils accordaient les provisions nécessaires aux maîtres pour exercer leurs fonctions. L'official était juge des contestations. A défaut de l'évêque, c'était l'archidiacre, l'écolâtre ou le chanoine chantre qui exerçait cette surveillance, ou le curé dans les paroisses rurales.

Dans les villes épiscopales, le chapitre entretenait parfois une école, la *psallette*, destinée à instruire les enfants de chœur. Là où il y avait une université, elle se chargeait de la surveillance des écoles.

Les autres établissements, correspondant aux degrés secondaire et supérieur, étaient pour la plupart rattachés aux universités. Au début du XVIᵉ siècle, il existait treize universités en France, à Paris, Toulouse, Montpellier, Orléans, Cahors, Angers, Aix, Poitiers, Valence, Caen, Nantes, Bourges et Bordeaux. On en créa dans la suite à Angoulême, en 1516, à Issoire, en 1518, et à Reims, en 1548[1].

---

1. Par lettres du mois de mai 1539 (*Catalogue*, nᵒ 11049), il fut créé à Nîmes des collèges et écoles de grammaire et des arts, sur le modèle de celles qui existaient à Paris et à Toulouse; il serait inexact d'y voir, comme on l'a prétendu, la création d'une véritable université.

Ces universités étaient divisées en Facultés : faculté des arts, correspondant à l'enseignement secondaire, faculté de médecine, de droit civil, de droit canon ou décret, de théologie, cette dernière ayant la préséance sur toutes les autres.

Les universités étaient des corporations pourvues de privilèges concédés par le pape et par le roi. Ces corporations comprenaient les professeurs et les étudiants, d'où le titre officiel de l'Université de Paris : *Universitas magistrorum et scolarium*.

Leur existence était soumise simultanément au contrôle des autorités religieuses et laïques : les papes et les évêques, qui les avaient dotées de privilèges, promulguaient fréquemment des règlements de réforme, qui concernaient à la fois l'administration et le programme des études. L'Université de Paris vivait ainsi sous le régime de la réforme du cardinal d'Estouteville, de 1452. L'Université de Toulouse était placée sous la surveillance de l'archevêque, qui pouvait promulguer des statuts. Le chancelier du chapitre avait lui aussi à exercer un contrôle : à Paris, c'était le chancelier de Notre-Dame qui conférait la licence aux étudiants.

Le roi, de son côté, pouvait intervenir, soit directement, soit par ses représentants : des édits étaient promulgués pour la réforme de la discipline et des études. Pour s'informer, le gouvernement désignait des commissaires chargés de faire des enquêtes et le Parlement jouait lui-même un grand rôle dans cette tâche de surveillance et de redressement. D'ailleurs, l'ordre public y était intéressé ainsi que la conservation de la foi : il importait que le public remuant des universités renonçât aux agitations qui avaient troublé ces corporations pendant le xvᵉ siècle. En 1499, un édit interdit les cessations, c'est-à-dire les grèves universitaires. L'ordonnance d'Orléans (art. 105), celle de Blois (art. 67-88), prescrivaient des réformes, l'application des règlements de fondation des universités et collèges et une enquête générale sur les universités.

Les membres des universités étaient laïques ou ecclésiastiques, réguliers ou séculiers, mais des conditions différentes étaient imposées à certains d'entre eux : les facultés de médecine admettaient des laïques, même mariés, tandis que celles de théologie étaient réservées aux ecclésiastiques, et qu'il fallait être prêtre pour y conquérir le grade de docteur.

Tous les universitaires jouissaient de privilèges importants : un des plus appréciés était l'attribution des bénéfices réservés aux gradués des universités, privilèges confirmés par la Pragmatique et par le Concordat. Les privilèges judiciaires consistaient à être exempts des juridictions ordinaires. Des tribunaux spéciaux existaient à cet effet, ceux des *Conservateurs des privilèges de l'université*. Certaines universités avaient même deux conservateurs, celui des privilèges royaux et celui des privilèges apostoliques. Ces conservateurs étaient pour la plupart des évêques : à Paris, celui de Beauvais, de Meaux ou de Senlis[1]. Ils déléguaient leurs pouvoirs à un vice-conservateur ou à un vice-gérant, autour duquel il existait un nombreux personnel d'officiers et de notaires.

A Paris, l'Université était dirigée par le recteur, élu pour trois mois, ce qui limitait singulièrement son autorité. Celle-ci appartenait surtout à l'assemblée générale, qui se tenait dans une église, à Saint-Julien-le-Pauvre ou aux Mathurins. On y faisait les élections et les règlements applicables à l'Université ou aux différentes facultés. Certains officiers étaient chargés des besognes inférieures, taxateurs, bedeaux.

A l'intérieur de l'Université, les facultés formaient des groupes autonomes, régis par un *doyen* élu et par des assemblées générales. A la faculté de théologie de Paris, il n'y avait pas de doyen, mais un *syndic*, élu pour deux ans et dont l'autorité était considérable.

L'Université de Paris ne possédait que quatre facultés à l'exclusion du droit civil. La faculté des arts avait une situation particulière : elle était de beaucoup la plus nombreuse et les maîtres ès arts, qui allaient étudier dans les autres facultés, restaient attachés à leur faculté d'origine jusqu'à ce qu'ils aient conquis le doctorat. Le recteur était toujours choisi parmi les maîtres ès arts.

Cette faculté se divisait elle-même en quatre *nations* : celles

---

1. Le tribunal du conservateur des privilèges apostoliques cessa de fonctionner à la fin du XVIe siècle.

de France, de Picardie, de Normandie et d'Angleterre, pourvues de procureurs, et constituant des groupes autonomes. Ces appellations étaient d'ailleurs fictives et les étudiants se répartissaient entre les nations sans tenir compte de leur origine.

La faculté des arts comprenait les jeunes gens qui recevaient une formation générale. On y était admis dès que l'on possédait les éléments de la grammaire, vers la quinzième année. L'enseignement portait sur les matières les plus diverses : grammaire, mathématiques et philosophie. Il était consacré par les examens de la *déterminance*, du *baccalauréat* et de la *licence*.

A la suite de la licence, un acte solennel, l'*inceptio*, faisait admettre le licencié dans la corporation des maîtres ès arts. Ceux-ci se divisaient alors en régents, qui faisaient les leçons ordinaires dans les écoles de leur nation, et non régents, qui, au lieu d'enseigner, poursuivaient leurs études dans les facultés supérieures.

Les autres facultés possédaient également un cycle d'études assez long et toute une hiérarchie de grades.

Pour la médecine, il fallait au préalable être maître ès arts. Après quatre années d'études, on devenait bachelier, et on exerçait la médecine sous la direction des maîtres. On accédait ensuite à la licence et à la maîtrise. Les régents étaient les maîtres résidant à Paris. Ils cessaient d'enseigner et assistaient simplement aux disputes.

La faculté de décret avait une organisation analogue, mais son effectif était faible et l'enseignement périclitait. Une réforme fut imposée par le Parlement en 1534, pour charger six docteurs régents d'un enseignement régulier.

La faculté de théologie, dont l'importance rayonnait sur tout le royaume et même au delà, exigeait des études plus complètes et se montrait plus minutieuse dans la collation des grades. Elle n'admettait comme étudiants que des ecclésiastiques. Les réguliers habitaient dans des couvents où un enseignement spécial leur était donné : Dominicains, Franciscains, Augustins avaient ainsi des centres d'études réservés à leur ordre.

Le baccalauréat comprenait plusieurs degrés : on était d'abord *cursor*, trois ans plus tard, *sententiarius*, et un an après, *formatus*.

Les bacheliers formés étaient soumis à de nouvelles épreuves, après lesquelles ils accédaient à la licence. Enfin, la maîtrise, qui équivalait au doctorat, était acquise à la suite de plusieurs actes, *vespéries*, *aulique* et *resumpta*. Les docteurs en théologie constituaient la faculté de théologie. Ils délaissaient l'enseignement, qui était réservé aux bacheliers, mais participaient à toutes les assemblées dans lesquelles on définissait les dogmes, on prononçait des censures, on prenait des décisions qui engageaient l'autorité de la faculté tout entière.

Les universités de province étaient organisées sur le modèle de celle de Paris. Partout, la direction appartenait à un recteur élu pour trois mois, mais choisi, suivant des modalités diverses, entre toutes les facultés.

Toutes les universités ne possédaient pas les mêmes facultés : si Bourges groupait un ensemble de cinq facultés, l'Université d'Orléans ne possédait que celle de droit civil, qui avait d'ailleurs une grande réputation. A Toulouse, la faculté des arts enseignait en même temps la médecine.

Partout existait la même répartition en nations, mais avec des modalités différentes. Alors que les nations n'existaient à Paris que dans la faculté des arts, elles comprenaient ailleurs les étudiants de toutes les facultés; à Orléans, il y eut dix nations jusqu'en 1538, où elles furent réduites à quatre; à Angers, il en existait six.

Un caractère commun à toutes les universités était la longue durée des études. On accédait d'ailleurs assez rapidement aux fonctions d'enseignement, puisque les bacheliers en avaient le plus souvent la charge, tandis que les maîtres, parvenus aux plus hauts degrés de la science et de l'expérience, en étaient dispensés. Le cours des études se prolongeait ainsi pendant de nombreuses années, certains étudiants se faisant pourvoir entre temps de bénéfices et n'abandonnant leurs fonctions universitaires que lorsque leur avenir ecclésiastique était bien assuré.

Ce système entraînait des abus qui ne favorisaient guère les études. Les règlements de réforme s'efforcèrent plus d'une fois de le modifier, en réduisant la durée des études et en simplifiant le système des examens. On cherchait surtout à maintenir la qualité de l'enseignement, en imposant cette charge à des régents de choix : à Orléans, un édit de 1531 prescrivit que les docteurs régents de la faculté de droit seraient choisis par l'Université de Paris. L'ordonnance de Blois de 1579, pour pourvoir aux chaires de droit canon et civil, organisa un concours effectif entre les candidats.

Les étudiants primitivement avaient été libres, mais, peu à peu, des collèges avaient été fondés, établissements de charité destinés à entretenir des boursiers, étudiants ou professeurs. Ces fondations avaient été faites le plus souvent par des évêques, pour les étudiants de leur diocèse. L'entretien des collèges était aussi assuré pour une part par le revenu de la prébende préceptorale, qui faisait partie du temporel de certains chapitres.

Les collèges ainsi fondés avaient fini par devenir des centres d'enseignement, si bien qu'à Paris, pendant le XVIe siècle, il ne restait plus d'étudiants libres : en 1524, on avait imposé aux maîtres eux-mêmes l'obligation de résider dans les collèges, et les dernières écoles de la rue du Fouarre avaient disparu.

Les collèges de Paris étaient au nombre de plus de 50, au début du XVIe siècle, mais les fondations se firent plus rares dans la suite : la dernière fut, en 1569, celle du collège des Grassins.

Les grands collèges de l'Université parisienne jouissaient d'un immense prestige : celui de Sorbonne était réservé à l'entretien des théologiens. Il comportait toute une hiérarchie de dignitaires, proviseur, sociétaires, hôtes qui aspiraient au rang de sociétaires. D'autres grands collèges, ceux de Navarre, du cardinal Lemoine, de Montaigu, comprenaient deux communautés, une de théologiens et une d'artiens.

Là encore, les abus pullulaient et rendaient les réformes nécessaires. Le Parlement et les autorités ecclésiastiques intervenaient dans la vie intérieure des collèges. En 1499, la réforme du collège de Montaigu, réalisée par J. Standonck, avec le concours du chapitre de Notre-Dame, avait restauré une des plus illustres maisons, qui conquit dans la suite une grande renommée, sous la direction de N. Beda. En 1522, on procédait par des méthodes analogues au rétablissement de la discipline dans le collège de Navarre.

L'ordonnance de Blois de 1579 essaya encore de réagir contre les abus installés dans les collèges, où l'enseignement était irrégulier et dont les revenus étaient détournés de leur destination.

Mais en définitive, le relâchement était inévitable, et les guerres religieuses de la fin du siècle l'aggravèrent encore. L'ordonnance de 1587 signalait le mauvais gouvernement des collèges, où on enseignait des hérésies, où on entreposait des livres scandaleux, où l'administration s'accompagnait de brigues et d'excès de toutes sortes. On prescrivait en vain des perquisitions, la saisie des livres et des poursuites contre les coupables.

Dans les universités de province, le système des collèges s'était introduit de la même façon, mais les fondations y étaient moins nombreuses et l'enseignement continuait à être donné dans des écoles, les unes dépendant des facultés, les autres complètement indépendantes.

Quelle que fût cette décadence des institutions universitaires au XVIᵉ siècle, le rôle de l'Université de Paris et notamment de la faculté de théologie n'en était pas moins éminent. Elle demeurait ce qu'elle avait été aux siècles précédents, la plus haute autorité morale et religieuse qui existait dans la chrétienté au-dessous du Saint-Siège. L'intervention de la faculté de théologie dans l'affaire du divorce de Henri VIII, ses nombreuses résolutions sur les questions de dogme soulevées par les hérétiques affirmèrent son prestige de gardienne de l'orthodoxie. Le gouvernement la chargeait du contrôle de la librairie en lui donnant le pouvoir d'interdire la vente des livres qu'elle n'avait pas examinés. C'était lui attribuer la direction intellectuelle du royaume.

Les collèges des Jésuites. C'est contre ce monopole encombrant et contre des méthodes d'enseignement désuètes que les Jésuites, dans la seconde moitié du XVIᵉ siècle, organisèrent leur enseignement et leurs collèges, mieux adaptés aux goûts des générations nouvelles.

Les collèges de la Compagnie de Jésus étaient organisés d'après des principes tout différents des collèges universitaires. Ils appartenaient à la Compagnie, qui passait un contrat avec les fondateurs, évêques, chapitres, municipalités. Les établissements étaient largement dotés : terrains, immeubles, rentes et dîmes, revenus de seigneuries leur faisaient une existence généralement facile, à l'encontre de ce qui se passait dans les autres collèges. Les Jésuites se réservaient la direction exclusive, obtenant même que les chapitres renoncent à leurs pouvoirs de surveillance. Général, provincial, visiteurs avaient seuls le droit d'intervenir dans la direction des établissements, dont l'administration était confiée à un recteur, assisté d'un préfet des études et d'un principal, mais ce dernier n'était pas élu par les boursiers. Il n'était pas question non plus de règlements votés dans les assemblées d'étudiants. La seule règle en vigueur était la *Ratio studiorum*, qui contenait toutes les prescriptions relatives à l'enseignement.

Cet enseignement était confié à des Jésuites parvenus au grade de scolastique; comme élèves, des religieux déjà engagés dans la Compagnie, novices et coadjuteurs, certains religieux appartenant même à d'autres ordres, et des laïques, les uns boursiers, les autres payants. On cherchait à recruter de gros effectifs, des élèves brillants, qui, plus tard, répandraient dans le monde le prestige de la Compagnie. Le collège de Clermont, à Paris, pendant les années difficiles de la Ligue, comptait 700 élèves, dont 280 internes.

Ces établissements, qui n'étaient à la base que de simples collèges secondaires, se complétèrent parfois par de véritables universités : les collèges de Billom et de Tournon se développèrent dans ce sens et portèrent même le titre d'université, bien que la véritable université de la Compagnie fût celle de Pont-à-Mousson, en dehors du royaume.

Dans toutes ces fondations, dans tout le détail de leur organisation, les Jésuites avaient visé à se développer sans tenir compte du monopole de l'Université. Ils avaient même reçu du pape le droit de conférer des grades universitaires, baccalauréat, licence, maîtrise ès arts, doctorat, ce qui allait à l'encontre du droit établi.

Mais comme les Jésuites se rendaient compte des difficultés qu'ils rencontreraient dans cette voie, ils n'usèrent pas du droit de conférer ces grades et essayèrent plutôt de se faire incorporer dans l'Université. Aussi essayèrent-ils d'obtenir du recteur de Paris des lettres de scolarité, qui leur concéderaient le droit d'enseigner, s'engageant par ailleurs à ne revendiquer aucun privilège corporatif, spécialement en ce qui concernait l'attribution des bénéfices concordataires et l'accès aux dignités universitaires. C'était vouloir se faire attribuer une situation privilégiée, ambition qui allait à l'encontre des intérêts et des principes universitaires et même des règlements qui limitaient strictement le nombre des réguliers admis à recevoir des grades.

De là le procès qui fut intenté en 1565, et qui provoqua la consultation juridique de Du Moulin. Le Parlement, malgré la ferveur de ses passions gallicanes, rendit un arrêt qui laissait les choses en état, c'est-à-dire qui permettait implicitement aux Jésuites de continuer leur enseignement. Et les lettres patentes de 1565 en tirèrent les conséquences en autorisant les Jésuites à fonder des collèges.

Un nouveau procès survint en 1594, l'Université demandant l'exclusion des Jésuites de l'Université et leur expulsion hors du royaume. Ils résistèrent en demandant à être « associés et incorporés » à l'Université, en rendant « soumission et obéissance » au recteur et aux autres autorités. Le procès fut suspendu avant le prononcé de l'arrêt et son issue définitive survint peu après, avec l'attentat de Chastel et la suppression de la Compagnie dans la plus grande partie du royaume.

Les Jésuites étaient ainsi restés en dehors de l'Université et de la légalité stricte, se couvrant derrière des privilèges royaux qui leur permettaient de tenir tête à leurs adversaires et aux parlementaires gallicans. Tout l'édifice scolaire du Moyen Age se trouvait ébranlé.

Les séminaires. Nous considérons l'Église dans ses fonctions d'enseignement sous un nouvel aspect, lorsque nous abordons la création des séminaires.

Cette création était le remède qui semblait devoir mettre fin à la décadence du clergé séculier, plus visible que jamais au moment de la Réforme. On le rendait responsable des progrès de l'hérésie, et il est évident que son ignorance, son absence de formation théologique, la ruine de toute discipline y contribuaient fortement. L'organisation des études préparatoires à l'ordination avait été un des objets du concile qu'on se proposait de réunir.

Le Concile de Trente, dans sa Vᵉ session, prit quelques décisions tendant à restaurer l'étude des sciences religieuses, sans que rien visât spécialement la formation intellectuelle du clergé.

Dans sa seconde période, le Concile promulgua des règles plus précises pour le recrutement des prêtres : la nécessité d'un examen, des délais interposés entre la réception des ordres mineurs et la prêtrise.

La question fut reprise en 1563 et confiée à une commission qui s'inspira du programme formulé par le cardinal Pole en Angleterre. Les décrets furent votés dans la XXIIIᵉ session. Ils imposaient aux évêques l'obligation d'entretenir un séminaire dans leur diocèse. On devait y recevoir les élèves à partir de l'âge de douze ans, les plus pauvres de préférence. Ils devaient être tonsurés et porter l'habit ecclésiastique. L'enseignement y était organisé en vue du sacerdoce auquel ces enfants étaient destinés : on prescrivait de leur apprendre la grammaire, le chant, la science du comput, l'Écriture sainte, les sciences ecclésiastiques, le rituel et la liturgie. La direction appartiendrait à l'évêque et à deux chanoines. L'entretien de l'établissement serait assuré par une contribution fournie par les biens d'Église et par des unions de bénéfices. Ces textes furent approuvés par une bulle qui reprenait les décrets conciliaires.

Ce programme était complet et sa réalisation pouvait être efficace, mais il ne comportait pour les prêtres aucune obligation de se préparer dans ces conditions, et les séminaires semblaient plutôt destinés à l'entretien des pauvres, à l'exclusion des jeunes gens riches.

Les premières réalisations apparurent en Italie, aussitôt après le Concile, à Rieti, à Rome, sur l'initiative du pape, et à Milan, avec saint Charles Borromée.

En France, un premier essai fut tenté dès 1567 par le cardinal de Lorraine, qui créa le séminaire de Reims. Mais il s'agissait seulement d'un petit nombre de boursiers, dont 16 étaient laïques et 31 engagés dans les ordres. Ces élèves recevaient l'enseignement au dehors, dans un collège ou à la faculté de théologie, si bien qu'il s'agissait là d'un établissement charitable plutôt que d'un véritable institut de formation intellectuelle.

Cette fondation devait être isolée. Rien ne poussait à la généraliser tant que le Concile ne serait pas publié en France. Le clergé, dans ses remontrances de 1574, réclama vainement la fondation de séminaires. L'ordonnance de Blois prescrivit d'en créer dans tous les diocèses. L'assemblée de Melun, en 1579, revint sur la question en approuvant un plan général d'organisation. Les conciles provinciaux devaient se charger de cette réalisation[1]. Ceux qui s'assemblèrent prescrivirent de fonder des séminaires dans tous les diocèses.

Malgré ces efforts, les fondations furent rares et manquèrent d'uniformité. L'évêque de Toul créa un séminaire auprès de l'Université de Pont-à-Mousson. A Bordeaux, le collège Saint-Raphaël fut transformé en séminaire, mais seulement pour y recevoir douze élèves. A Bazas, ce fut une simple école de théologie fondée auprès de l'Université de Bordeaux. A Toulouse, à Rouen, à Rodez, il y eut des établissements confiés aux Jésuites et annexés à leurs collèges. Tout cela ne correspondait à aucun plan d'ensemble destiné à assurer au clergé un recrutement suffisant, avec une formation uniforme. Dans bien des cas, les guerres civiles ruinèrent les établissements ainsi créés, si bien qu'au début du xviie siècle, il ne semblait pas que rien se préparât pour réaliser les désirs exprimés au Concile de Trente. Cet échec était constaté par saint Vincent de Paul. L'entreprise était à reprendre dans son ensemble.

BIBLIOGRAPHIE

Les Archives nationales possèdent un fonds important relatif aux universités et aux collèges, série M, 65-250. Dans les dépôts

---

1. Art. 1 de l'Édit de Melun, 1580.

départementaux, la série D est en général abondante, surtout dans le Calvados, la Haute-Garonne et le Loiret, où se trouvent les fonds des universités de Caen, de Toulouse et d'Orléans.

Ordonnances d'Orléans, de 1561 (art. 105), et de Blois, de 1579 (art. 24, 67-88). — Règlement de l'Université de Paris du 3 septembre 1598 (FONTANON, IV).

BRISSON, *Code Henry III*, I, 18, XI. — FONTANON, *Les édicts et ordonnances*, IV, 11. — GUÉNOIS, *La conférence des ordonnances*, X, 12. — BOUCHEL, *Decretorum ecclesiae gallicanae*, V, 14. — DU BOULAY, *Recueil des privilèges de l'Université de Paris*. — BARCKHAUSEN, *Statuts et règlements de l'ancienne université de Bordeaux*. — GADAVE, *Les documents sur l'histoire de l'université de Toulouse*. — Actes du Concile de Trente, session V.

E. PASQUIER, *Les recherches de la France*, IX.

D'IRSAY, *Histoire des universités françaises et étrangères* (Surtout utilisable pour son appendice bibliographique). — MAUGIS, *Histoire du Parlement de Paris*, t. II, app. II, sur le contrôle des universités. — DUPONT-FERRIER, *Du collège de Clermont au lycée Louis-le-Grand*. — GODET, *La congrégation de Montaigu* (1490-1580). — DE BEAUREPAIRE, *Recherches sur l'instruction publique dans le diocèse de Rouen*. — BRASART, *Le collège de la Trinité et la Réforme à Lyon* (Pos. th. Éc. des ch., 1944). — DEGERT, *Histoire des séminaires français*.

CHAPITRE XI

L'ASSISTANCE PUBLIQUE
ET LES FONDATIONS CHARITABLES

*LES ÉTABLISSEMENTS DE CHARITÉ. — LES BUREAUX
D'AUMÔNE.*

**Les établissements
de charité.** Depuis les temps les plus reculés, l'assistance publique avait été une des fonctions essentielles de l'Église : d'après les principes du droit ecclésiastique, ses biens appartenaient aux pauvres, le clergé en étant simplement dépositaire. La théorie avait été formulée par les Pères de l'Église : « Non sunt illa nostra, sed pauperum, avait dit saint Augustin, quorum procurationem quodam modo gerimus. » Les conciles d'Antioche (341), d'Aix (816), de Vienne (1312), avaient affirmé de nouveau ce principe. Les Décrétales y ajoutèrent cette précision que les biens affectés à l'usage des pauvres devaient être administrés par l'évêque, sans qu'il fût possible de les consacrer à des emplois profanes ni à la dotation des bénéfices. A plus forte raison, étaient-ils considérés comme inaliénables, et cette théorie reparaissait chaque fois que le clergé était sollicité de contribuer aux dépenses de l'État.

Ces biens étaient répartis entre un grand nombre d'établissements divers. Chaque siècle avait apporté son contingent de fondations adaptées aux besoins de l'époque et consacrées à une destination particulière, aumôneries, hôpitaux, maisons-Dieu, léproseries.

Les *aumôneries*, rattachées pour la plupart à des églises ou à des monastères, devaient recevoir les pèlerins et les hôtes de passage, auxquels on accordait l'hospitalité et quelques distributions. Elles existaient en grand nombre, à intervalles rapprochés sur les routes les plus fréquentées, mais beaucoup d'entre elles avaient été transformées en prieurés simples. Là où il existait un chapitre, une prébende était affectée à leur entretien et un chanoine préposé à leur administration.

Les *hôpitaux* étaient destinés à recevoir les pauvres et les infirmes, les *maisons-Dieu* à soigner les malades. Les *léproseries*, ladreries ou hôpitaux de Saint-Lazare étaient réservés aux lépreux, dont l'espèce n'avait pas disparu au XVIᵉ siècle, et qu'on se proposait d'hospitaliser de façon à éviter la contagion.

Les léproseries étaient soumises à un régime spécial : établies à l'écart des villes, elles constituaient des sortes de communautés disposant de maisons isolées, habitées par les malades. Ceux-ci vivaient en dehors de la vie civile; une cérémonie religieuse les en séparait définitivement. Ils portaient un costume spécial et relevaient de la justice de l'official. Pour s'administrer, ils constituaient une communauté, gouvernée par un doyen et un aumônier, disposant des revenus affectés à la léproserie. C'était une sorte de maison de retraite, pour laquelle un droit d'entrée était même exigé des postulants les plus riches.

Enfin, dans les périodes d'épidémies, où on avait à soigner toutes sortes de malades indifféremment qualifiés de pestiférés, on créait des établissements temporaires destinés à séquestrer les malades, tout en leur appliquant une médication empirique.

On rencontre aussi d'autres fondations faites pour l'entretien des orphelins ou des petits enfants, mais, d'une façon générale, cette spécialisation n'était pas très poussée : si Paris possédait l'hôpital des Quinze-Vingts, destiné à recevoir des aveugles, c'était une exception; il n'existait pas d'hospices réservés aux aliénés, ceux-ci étant partout mélangés aux autres malades.

Les établissements charitables étaient entretenus par les revenus des biens qui leur étaient affectés. Ce domaine comprenait des immeubles de toutes sortes et surtout des rentes en argent et en nature[1]. Il était sans cesse alimenté par de nouvelles donations, qui se multiplièrent à partir du XVᵉ siècle, par suite

---

1. Voir par exemple l'aveu et dénombrement de l'hôtel-Dieu de Coutances, de 1535, publié par Le Cacheux.

de la recrudescence des besoins. Tous les testaments contenaient quelques legs pieux. C'était une tradition honorable, et les notaires étaient tenus de rappeler cette obligation morale aux testateurs, tandis que les témoins devaient révéler ces dispositions aux bénéficiaires, pour en assurer l'exécution.

Les règlements ecclésiastiques stimulaient aussi la générosité des vivants : des quêtes étaient fréquemment organisées, avec des indulgences concédées par des bulles. Les évêques étaient tenus d'autoriser les prédications de charité, qui étaient la spécialité des moines mendiants.

Les établissements de charité bénéficiaient encore d'autres privilèges : le produit de certaines confiscations, des amendes judiciaires, leur était souvent attribué. Ils jouissaient de la concession du privilège de la boucherie, qui leur permettait de concéder à certains bouchers le droit de vendre de la viande pendant le carême. Ils possédaient enfin certains privilèges judiciaires et des exemptions d'impôts, tels que francs-fiefs, nouveaux acquêts, décimes et dons gratuits.

Mais en dépit de ces accroissements constants, ce patrimoine était soumis à de dures épreuves. La situation des établissements charitables fut en effet des plus précaires pendant tout le xvie siècle. Les ruines de l'époque précédente n'étaient pas encore réparées; le temporel avait été partout dilapidé, les rentes n'étaient plus payées et leur valeur réelle allait sans cesse en diminuant, par suite de l'avilissement de la monnaie. Beaucoup de ces dotations étaient confondues avec les revenus des bénéfices ou accaparées par des administrateurs qui ne résidaient pas et refusaient de s'acquitter des charges correspondant aux fondations pieuses. Les procès-verbaux de visites contiennent tous les mêmes observations et révèlent la décadence des institutions charitables léguées par le Moyen Age.

Le mal était surtout profond dans les léproseries : si, dans de nombreuses régions, les malades étaient encore nombreux et les revenus correctement utilisés, ailleurs, les cas de contagion étaient rares et les léproseries occupées par de faux malades ou par des administrateurs oisifs. Dans les circonstances les plus favorables, l'hospice de Saint-Lazare se transformait en un prieuré chargé de quelques aumônes ou s'unissait à quelque autre fondation charitable. Les enquêtes et les réformations n'arrivaient pas à corriger les abus.

Tous les établissements de charité étaient soumis à un régime administratif spécial; ils étaient gouvernés par des religieux qui observaient la règle de saint Augustin. Ce n'était pas toutefois un ordre unique : il existait, à côté de quelques congrégations hospitalières, une multitude de petites communautés qui se réclamaient de la règle augustinienne plus ou moins strictement appliquée. Il y avait même certains groupements hospitaliers qui, sans règles précises, constituaient simplement des associations pieuses.

L'effectif de ces religieux était d'ailleurs peu important dans chaque hôpital : un prieur comme chef de l'établissement, assisté de quelques religieux pour le service des âmes et de quelques religieuses pour soigner les malades. A l'Hôtel-Dieu de Paris, il y avait à la tête de la maison deux proviseurs, un maître chargé de diriger le personnel masculin, et une prieure pour le personnel féminin.

Nous avons vu que ces établissements ne devaient pas être confondus avec des bénéfices. Lorsque des bénéficiers en avaient la charge, ils étaient tenus de ne pas confondre les deux catégories de revenus : il leur était seulement permis de recevoir un salaire pour les services rendus par eux à l'hôpital.

La gestion de ces biens devait être confiée à des administrateurs choisis[1] et surveillés par l'évêque, par un chapitre, ou par les autorités municipales, auxquels les comptes devaient être rendus et qui exerçaient le droit de visite.

Une sorte de contrôle suprême appartenait au grand aumônier, qui, en sa qualité d'évêque du Palais, avait un droit de juridiction sur tous les hôpitaux du royaume. Certains le considéraient comme un ministre de la charité publique, dont les attributions semblaient se confirmer depuis la fin du XVe siècle. Mais il faut observer que ce personnage était un prélat de cour, dont le zèle et les aptitudes administratives étaient le plus souvent médiocres.

---

1. « *Eorum gubernatio viris providis, idoneis et boni testimonii committatur.* » Clémentine *Quia contingit,* de 1312.

Ces établissements charitables, auxquels s'ajoutaient sans cesse de nouvelles fondations, étaient nombreux dans les villes et même dans les villages. Presque toutes les cathédrales et collégiales en avaient dans leur dépendance. De même, tous les onastères et de nombreuses églises rurales.

A Paris, l'Hôtel-Dieu, de fondation très ancienne et richement doté, relevait du chapitre de Notre-Dame. C'était l'établissement le plus illustre du royaume et ses initiatives s'imposaient un peu partout comme des traditions. Dans les provinces, certains hôpitaux avaient aussi des origines anciennes et d'opulentes dotations. Celui de Tonnerre était un des mieux pourvus. A Poitiers, en outre de l'aumônerie Notre-Dame, ou Hôtel-Dieu, il existait 8 autres aumôneries, qui dépendaient des églises et 4 des couvents, sans compter 5 aumôneries laïques et une léproserie. Angers possédait 15 hôpitaux, le diocèse du Mans 8 Hôtels-Dieu et 4 léproseries. Celui de Langres, 36 établissements hospitaliers et 30 léproseries, dont la plupart étaient désaffectées, quelques-unes restant encore à l'usage des lépreux. A Châlons, l'hôpital Saint-Étienne était une fondation du chapitre qui l'administrait. D'autres hôpitaux dépendaient des couvents de la ville; une maison spéciale était réservée aux pestiférés. Dans le reste du diocèse, il existait des hôpitaux à Sainte-Menehould, Joinville, Vertus, et dans plusieurs villages[1]. De toutes parts, ces institutions foisonnaient et auraient pu largement suffire à tous les besoins si leur administration avait eu la régularité indispensable.

Les désordres, dont nous trouvons l'origine dans les bouleversements économiques et dans le relâchement général de la discipline ecclésiastique, aggravé encore çà et là par le système de la commende, qui s'était introduit même dans les hôpitaux, imposèrent un effort de redressement qui s'accomplit durant tout le cours du XVIe siècle.

Le gouvernement s'y appliqua par une série de règlements destinés à restaurer l'ancienne discipline et aussi à faire passer l'administration des hôpitaux sous le contrôle de l'autorité

---

1. Voir une description particulièrement détaillée dans le t. XII des *Abbaye et prieurés de l'ancienne France*, par LAURENT et CLAUDON.

laïque. Cette laïcisation est un des faits marquants de la politique royale appliquée à l'assistance publique.

C'est surtout dans les dernières années du règne de François Ier que se posa la question de la réforme des hôpitaux et des léproseries, qui ne fonctionnaient plus conformément aux intentions de leurs fondateurs. Il s'agissait de faire des enquêtes, d'obtenir des redditions de comptes et de remplacer les administrateurs infidèles.

L'édit du 19 décembre 1543 prescrivit une enquête sur la situation des léproseries et le remplacement des administrateurs négligents par des bourgeois nommés par les habitants.

Celui du 15 janvier 1546 décida que les juges royaux examineraient les titres de fondation des établissements charitables et vérifieraient leurs comptes, les parlements devant procéder aux réformes nécessaires[1]. Ces prescriptions furent renouvelées par les édits du 25 juillet 1560 et d'avril 1561.

Le principe de l'administration laïque fut définitivement affirmé par l'édit de 1561[2] : les établissements charitables devaient être confiés à deux administrateurs commis pour trois années, pour les établissements en patronage, par ceux à qui appartenait le droit de présentation, pour les autres établissements, par les communautés des villes et des villages. Les juges assigneraient une rente à ceux qui se prétendaient titulaires de ces bénéfices. Ils devaient déterminer le revenu exact des hôpitaux et les administrateurs étaient tenus d'en rendre compte chaque année, en présence de l'évêque et de la municipalité.

Cette ordonnance fondamentale fut complétée par des textes ultérieurs : l'ordonnance de Moulins (art. 73) prescrivit aux officiers du roi de faire rendre des comptes par les administrateurs; elle posait en principe que les pauvres seraient nourris par leurs villes d'origine, où ils seraient confinés, les consuls des villes et les marguilliers des paroisses étant chargés de lever et de répartir les taxes nécessaires.

L'ordonnance de Blois rappela les prescriptions antérieures, en précisant que seuls pourraient être désignés pour le gouver-

---

1. *Catalogue*, n°s 13497 et 14685.
2. « Tous hospitaux... seront désormais régis par gens de bien... esleuz. »

nement des hôpitaux les simples bourgeois, les marchands et les laboureurs, et que les officiers royaux feraient l'inventaire des titres et revenus (art. 65 et 66). Les édits du 14 août 1585, du 8 mars 1587, du 8 février 1593 confirmèrent ces dispositions, qui substituèrent définitivement l'autorité laïque à celle de l'Église, sous le contrôle des municipalités, des officiers royaux et des parlements, le clergé n'étant plus appelé à intervenir que pour s'associer aux redditions de comptes et pour le service religieux des hôpitaux. C'était un bouleversement total du statut des établissements charitables.

Entre temps, le Concile de Trente s'était également intéressé aux œuvres charitables en imposant aux évêques le soin des pauvres et l'obligation de visiter les établissements; mais il avait essayé de réagir contre cette laïcisation de l'administration : il avait prescrit aux évêques de veiller sur les hôpitaux, même lorsqu'il s'agissait d'établissements exempts. Cette législation était d'ailleurs restée sans application dans le royaume.

Le clergé, en effet, consentait volontiers à cette organisation mixte, que nous voyons instaurer à Rouen, avec deux conseillers du Parlement, un clerc et un laïque. Il en était de même à Amiens et à Bordeaux, tandis que d'autres villes réservaient cette administration exclusivement à des laïques.

L'autorité du roi se concentrait de plus en plus entre les mains du grand aumônier. En 1519, celui-ci avait été chargé de la réforme de tous les établissements de charité, de « mettre en bon ordre les Hôtels-Dieu, hôpitaux, maladreries et autres lieux pitéables ». Dans la suite, Pierre Du Chastel apporta à l'exercice de ses fonctions une réelle application et établit une tradition qui se transmit à ses successeurs[1].

Enfin, les parlements considéraient cette tutelle des établissements de charité comme une de leurs tâches principales. Ils procédaient à des enquêtes, prononçaient des arrêts pour imposer des règlements. Ils prescrivaient aux administrateurs de

---

1. Let. pat. du 2 novembre 1519, *Catalogue*, n° 17197. On peut se reporter sur ce point à la biographie de Pierre Du Chastel, par Pierre GALLAND, *Petri Castellani vita*. Voir aussi R. DOUCET, *Pierre Du Chastel, grand aumônier de France* (Rev. hist., 1920). Il n'existe pas de fonds d'archives pour le grand aumônier.

rendre exactement leurs comptes et de consacrer à l'entretien des pauvres les deux tiers des revenus. Les Grands Jours faisaient de même dans les provinces, où chaque session se traduisait par quelque réforme nouvelle.

Les conciles provinciaux de la fin du siècle ne se désintéressèrent pas eux-mêmes de cette question, lorsque les nécessités se firent sentir avec une intensité accrue.

La réforme de l'Hôtel-Dieu de Paris nous montre la collaboration de tous les efforts, et ce précédent inaugura une tradition qui s'imposa dans la suite.

En 1505, un arrêt du Parlement confia la gestion du temporel à 8 proviseurs laïques élus par la municipalité de Paris. D'autres arrêts se succédèrent jusqu'en 1540, où une dernière réforme attribua la juridiction temporelle et spirituelle au chapitre de Notre-Dame et l'administration temporelle aux administrateurs laïques nommés par la municipalité. Le maître était désigné par le chapitre de Saint-Victor et investi par celui de Notre-Dame.

Ce type d'administration mixte, dans lequel les éléments laïques avaient la prépondérance, s'imposa dans la suite à la plupart des hôpitaux.

Les bureaux d'aumône. Le xvɪᵉ siècle eut également à résoudre un problème d'assistance qui consistait à entretenir les pauvres et à réprimer la mendicité.

Rien de tout cela n'était nouveau : la société du Moyen Age avait eu affaire aux mendiants. Des *tables des pauvres* avaient fonctionné dans les provinces du Nord, notamment à Abbeville, dès le xɪvᵉ siècle, mais les difficultés semblèrent s'accroître aux approches de l'époque moderne, tandis qu'un souci d'ordre public tendait à faire disparaître cette cause d'insécurité.

Il fut décidé en principe que la mendicité ne serait plus tolérée. Les indigents devaient être à la charge de leur ville d'origine. On devait distinguer celui qui était capable de travailler, auquel on imposerait l'obligation de gagner sa subsistance, et l'invalide, auquel on accorderait des secours à domicile. Les villes étaient chargées d'organiser des chantiers pour employer les travailleurs forcés, et les travaux de fortification, qui étaient de leur ressort, devaient contribuer à cet emploi de la main-d'œuvre. Quant aux pauvres assistés, on devait lever sur les riches une contribution spéciale, volontaire en principe, mais en réalité obligatoire pour tous les habitants aisés, et perçue avec une certaine rigueur. Les nécessiteux étaient inscrits sur un rôle : ils recevaient des secours à domicile, des soins médicaux et on organisait parfois à leur intention des ateliers d'apprentissage. Ils étaient par contre soumis à certaines obligations : les pauvres portaient des insignes spéciaux et ils devaient figurer dans des processions destinées à attester la générosité des donateurs, tout en stimulant le zèle des âmes charitables. Ceux qui persistaient à mendier devaient être pourchassés, sous peine du fouet et des galères.

Des organisations de ce genre virent le jour dans la plupart des grandes villes, lorsque des circonstances exceptionnelles en firent sentir la nécessité. Çà et là, on créait, dans les périodes d'épidémie ou de famine, des caisses de charité temporaires qui, peu à peu, devinrent permanentes : la taxe des pauvres est connue à Grenoble dès 1520. Il existait des administrations analogues à Chartres et à Tours en 1527. Elles ne tardèrent pas à apparaître sous une forme définitive à Dijon en 1529, à Troyes, en 1530, à Rouen, en 1534, à Lyon, où l'*Aumône générale*, préparée pendant la famine de 1531, fut définitivement mise sur pied en 1534. Il en fut de même à Poitiers, en 1535, à Paris, où, en 1535, fut établi le *Grand Bureau des pauvres*, à Orléans, en 1555, à Châlons, en 1564, à Amiens et à Abbeville, en 1565, à Beauvais, en 1573.

A Paris, toutes les institutions de charité existantes étaient groupées pour collaborer à cette organisation[1]. Le *Grand bureau* était placé sous la surveillance de la municipalité qui désignait des commissaires : 32 notables, choisis parmi les officiers des cours souveraines, les avocats, les curés et les bourgeois des 16 quartiers, auxquels on confiait l'administration et la police des pauvres dans leur quartier. Un personnel de spécialistes était chargé des détails de cette administration : receveurs, répar-

---

1. Voir une description de l'administration de l'*Aumône générale* de Paris, dans l'ouvrage de Coyecque, *L'assistance publique à Paris au milieu du XVIe siècle*.

titeurs, juge des pauvres, sergents et médecins. Des assemblées régulières se tenaient à l'hôtel de ville pour cotiser les habitants et veiller à l'emploi des fonds.

L'administration de la « Communauté des pauvres » était organisée sur le même type dans les autres villes, et, à part quelques exceptions locales, quelques fléchissements dus aux circonstances, ce système devait se perpétuer dans les siècles suivants.

BIBLIOGRAPHIE

Les archives hospitalières sont parmi les plus abondantes et les mieux conservées. Tous les fonds ecclésiastiques, ceux des évêchés, des ordres religieux et même ceux des juridictions laïques sont d'une grande richesse, ainsi ceux du Parlement de Paris. Aux Archives nationales, la série M, 1-62, relative aux ordres hospitaliers, dans les Archives départementales, la série H sont à consulter. Les archives communales sont les plus importantes, du moins dans certaines villes, à Orléans, Lyon, Blois en particulier.

Les grandes ordonnances visent partiellement les hôpitaux, telle l'ordonnance de Blois de 1579 (art. 65-66), et l'édit de Melun de 1580. — La législation destinée spécialement à l'assistance publique comprend un grand nombre de textes : édits du 19 décembre 1543, 15 janvier 1546, 12 février 1554, 25 juillet 1560, avril 1561, 20 janvier 1577, 14 août 1585, 8 février et 15 novembre 1593 (FONTANON, t. IV).

BRISSON, *Code Henry III*, I, 30. — FONTANON, *Les édicts et ordonnances*, t. IV, 30. — BOUCHEL, *Decretorum ecclesiae gallicanae*, V, 12. — BRIÈLE, *Collection de documents pour servir à l'histoire des hôpitaux de Paris*.

LALLEMAND, *Histoire de la charité*. — HÉRY, *Les léproseries dans l'ancienne France*. — FOSSEYEUX, *La taxe des pauvres au XVIᵉ siècle* (Rev. hist. Égl. de France, 1934). — PARTURIER, *L'assistance à Paris sous l'Ancien Régime*. — COYECQUE, *L'Hôtel-Dieu de Paris*. — *L'assistance publique à Paris, au milieu du XVIᵉ siècle*. — L. LE GRAND, *Les Quinze-Vingts*. — ÉMARD, *Jacques Amyot, grand aumônier de France* (Rev. XVIᵉ siècle, 1927). — LEBLOND, *Les lépreux de Beauvais. La maladrerie de Saint-Lazare au XVIᵉ siècle*. — COUSIN, *L'assistance publique dans le Blésois avant 1789*. — LE CACHEUX, *Essai historique sur l'Hôtel-Dieu de Coutances*. — MAITRE, *Histoire administrative des anciens hôpitaux de Nantes*. — RAMBAUD, *L'assistance publique à Poitiers*. — HILDENFINGER, *La léproserie de Reims*. — R. AUBERT, *Les hôpitaux de Langres*. — PRUDHOMME, *Études sur l'assistance publique à Grenoble*. — U. CHEVALIER, *Essai sur les hôpitaux et les institutions charitables de Romans*.

CHAPITRE XII

LE TEMPOREL ECCLÉSIASTIQUE

LES BIENS D'ÉGLISE — LA DÎME.

Les biens d'Église. Les biens d'Église tenaient une part importante dans l'administration ecclésiastique. L'Église était en effet le principal propriétaire foncier du royaume, et aux propriétés immobilières s'ajoutaient les rentes, le casuel et les dîmes.

En principe, l'Église ne devait posséder aucune richesse temporelle, mais l'Écriture sainte avait, dès l'origine, établi le droit du clergé de recevoir des fidèles les offrandes destinées à assurer sa subsistance. De là, dès les premiers siècles, l'usage des donations, dont la légitimité fut confirmée par les décrets conciliaires et par les édits impériaux. Dans la suite, le paiement de la dîme et du casuel devint un usage régulier confirmé par la législation. Enfin l'Église, en s'incorporant à la société féodale, eut à sa disposition des fiefs qui accrurent encore la puissance financière du clergé.

Bien que la propriété ecclésiastique existât en fait, son statut légal était controversé. Les contestations portaient en particulier sur deux points : la définition du droit de propriété exercé par l'Église sur son domaine, et l'immunité du patrimoine ecclésiastique envers le gouvernement temporel.

Sur le premier point, on affirmait couramment, et cela chez les canonistes comme chez les laïques, que l'Église n'était pas véritablement propriétaire de ses biens, et à plus forte raison, que ses membres ne jouissaient pas d'un véritable droit de propriété. C'était le développement de la théorie que nous avons indiquée plus haut, d'après laquelle la propriété ecclésiastique n'aurait été que le bien des pauvres.

Les Pères de l'Église avaient formulé ce principe que l'Église n'avait que la jouissance de ses biens et de ses revenus. Les biens d'Église appartenaient aux pauvres, et les évêques n'étaient que des administrateurs, chargés de répartir ces revenus, pour l'usage des indigents, des membres du clergé et pour les autres besoins du service divin.

Saint Augustin, saint Ambroise s'étaient prononcés expressément sur ce point. Saint Grégoire confirmait cette théorie en 604 : « Mos est apostolicae Sedis, ordinatis episcopis, praeceptum tradere ut de omni stipendio quod accedit, quatuor debent fieri portiones, una episcopo et familiae ejus, propter hospitalitatem et susceptionem, alia clero, tertia pauperibus, quarta ecclesiis reparandis. »

Les conciles avaient achevé d'introduire ce principe dans le droit ecclésiastique. Déjà celui d'Antioche, en 431 affirmait que « Episcopus ecclesiasticarum rerum habeat potestatem, ad dispensandum erga omnes qui indigent ». A Aix, en 816, une formule analogue avait été adoptée.

Le Concile de Trente, s'inspirant des mêmes principes, s'attacha surtout à conserver aux biens d'Église leur caractère collectif et leur destination charitable : « Sancta Synodus interdicit ne, ex redditibus Ecclesiae, consanguineos familiaresve suos augere studeant; cum apostolorum canones prohibeant ne res ecclesiasticas, quae Dei sunt, consanguineis donent; sed, si pauperes sint, iis ut pauperibus distribuant, eas autem non distrahant nec dissipent, illorum causa. »

De toutes façons, que ces biens appartinssent à Dieu ou aux pauvres, l'Église n'en était que dépositaire et n'était pas autorisée à en disposer comme d'une véritable propriété.

Le Concile d'Agde, de 506, s'était nettement prononcé : « Diaconi vel presbyteri de rebus Ecclesiae sibi creditis nihil audeant commutare, vendere vel donare, quae res sacratae Deo esse noscuntur. »

De même, aucune inféodation, aucun bail emphytéotique, ni aucune aliénation du domaine utile par une voie détournée n'était autorisée, même en conservant à l'Église le domaine direct.

Contrairement à ces principes, d'ailleurs, l'Église était contrainte de consentir à des aliénations moyennant certaines formalités : consentement des chapitres, des évêques ou des abbés détenteurs des biens. Mais, malgré cette apparence de légalité, l'aliénation des biens d'Église n'était jamais parfaite : les biens vendus restaient toujours marqués d'un caractère ecclésiastique et susceptibles d'être rachetés.

Cette inaliénabilité de principe avait pour conséquence de retirer les biens d'Église de la circulation et par conséquent, de priver le roi des droits seigneuriaux perçus à l'occasion de ces transferts. D'où l'interdiction, pour l'Église, d'acquérir des biens sans une autorisation constatée par des lettres d'amortissement. A cette autorisation correspondait le paiement d'une taxe équivalant au droit de *quint*. De plus, l'Église ainsi enrichie devait désigner un représentant dit *homme vivant et mourant*, qui était le propriétaire fictif de ces biens et qui renouvelait le serment de foi et hommage en acquittant le droit de relief à chaque mutation. Ainsi était atténué dans la pratique le système de la mainmorte.

Le caractère sacré des biens d'Église pouvait être interprété comme leur conférant une immunité fiscale, mais ce privilège était également contesté.

Le clergé prétendait à cette immunité totale, n'acceptant de contribuer aux charges de l'État que de son plein gré et avec le consentement du pape. Et encore devait-il s'agir de contributions destinées à de pieux usages, telles que les décimes destinées à la croisade. Les conciles de Latran de 1179 et de 1215 avaient formulé ces principes comme inhérents au droit ecclésiastique[1].

A cette théorie, qui était celle de l'Église, s'opposait partiellement celle des légistes, qui revendiquaient pour le domaine royal une part du patrimoine ecclésiastique provenant des dotations royales, ce qui se traduisait par l'exercice du droit de régale.

Les légistes royaux contestaient d'ailleurs les principes mêmes

1. Concile de 1179, canon 19; Concile de 1215, canon 46.

de l'immunité ecclésiastique. Ils considéraient en effet les immunités comme de simples grâces provenant des rois, que ceux-ci pouvaient suspendre sans intervention des papes ni même du clergé détenteur de ce patrimoine. En fait, les rois faisaient quelques distinctions : ils reconnaissaient volontiers que le clergé était exempt d'impositions personnelles, mais il était soumis aux impositions réelles portant sur les biens ecclésiastiques.

D'ailleurs, le roi n'hésitait pas à céder sur les principes, lorsqu'il s'agissait d'obtenir des concessions qui, d'une façon ou d'une autre, devaient remplir ses caisses. On reconnaissait au clergé de larges immunités pour l'exempter des impôts ordinaires[1], tout en le soumettant à un régime fiscal presque aussi onéreux, de décimes et d'aliénations exceptionnelles.

Ainsi, dans les dernières décades du XVIᵉ siècle, le gouvernement, interprétant les théories du clergé sur les conditions dans lesquelles celui-ci détenait ses biens, en tira argument pour mettre sur pied un système d'aliénations temporelles. Le clergé, n'étant pas véritablement propriétaire de ses biens, ne pouvait refuser à l'État le droit d'en disposer en les aliénant à son profit.

Aux États généraux de 1576, le chancelier affirmait que les biens d'Église appartenaient au roi autant qu'au clergé.

Ces prétentions étaient vivement combattues par les représentants du clergé, qui, dans les cahiers de 1576, relevaient « l'absurdité de tels propos ».

Dans ce conflit, le gouvernement royal était d'ailleurs aidé par l'opinion publique, qui, désireuse de rejeter sur autrui les charges fiscales, devançait parfois les intentions du roi dans la préparation des projets hostiles au clergé. Ces projets inquiétants reparaissaient dans les périodes critiques. En 1561, aux États de Pontoise, on avait proposé la vente des biens d'Église,

---

1. Les édits consacrant les immunités du clergé se multiplièrent surtout à la fin du siècle, lorsqu'il s'agissait d'en obtenir des contributions exceptionnelles. Édits du 10 septembre 1568, du 20 décembre 1574, du 20 mars 1577. Let. pat. du 11 mai 1582, dispensant le clergé de soumettre aux élus les comptes des églises, lettres du 1ᵉʳ mai 1596, exemptant les ecclésiastiques du logement des gens de guerre et des contributions de guerre municipales. Lettres du 9 avril 1598, dispensant les ecclésiastiques de faire juger les affaires de décimes par les élus et les cours des aides. Tous ces textes dans le *Recueil des remontrances...* B. N. 8º, Ld⁵ 1.

« se souvenant les gens d'Église qu'ils ne sont qu'administrateurs ».

Les théories restaient ainsi en présence. Le principe était toujours discuté, mais en fait, le clergé, d'autant plus docile que ses chefs étaient dans la main du roi, cédait par opportunité et consentait des sacrifices sous diverses formes.

Les biens et les revenus de l'Église se répartissaient en plusieurs catégories, dont quelques-unes étaient spéciales à l'organisation ecclésiastique.

L'Église possédait un nombre considérable de domaines, d'immeubles et de droits lucratifs, comme s'il se fût agi de propriétés laïques. Les seigneuries rattachées à des bénéfices étaient nombreuses. Le bénéficier y possédait tous les droits seigneuriaux, percevait les cens et banalités, les revenus des péages, y disposait des droits de justice et de la suzeraineté sur les seigneuries vassales, avec tous les droits utiles qui s'y rattachaient.

Les évêques et les grandes corporations ecclésiastiques étaient largement pourvus. Le chapitre de Notre-Dame de Paris possédait dans la ville même un territoire important, où il était censier et seigneur justicier. Il avait, à côté du receveur, chargé de la collecte des revenus, un juge, le *chancelier lai*, qui rendait la justice en première instance dans la ville et recevait les appels des justices seigneuriales subordonnées. Ces domaines féodaux étaient particulièrement étendus dans les provinces de l'Est : l'évêque de Langres était seigneur de plus de quarante villages. Sa justice était rendue par quatre baillis, juges d'appel des sentences rendues par les prévôts et châtelains. Le chapitre de Châlons, l'abbaye de Montier-en-Der possédaient également d'immenses domaines.

En outre de ces seigneuries, le clergé possédait de nombreux domaines à titre de censitaire, c'est-à-dire qu'il exploitait ces domaines en acquittant les droits dus au seigneur. Dans cette dernière catégorie, étangs et bois étaient particulièrement importants. Il arrivait même que le clergé possédât des immeubles dans les villes, tels les palais épiscopaux des archevêques de Sens et des abbés de Cluny, à Paris, ou les collèges entretenus par les hauts dignitaires de l'Église dans les villes d'université.

Les établissements industriels étaient également nombreux, moulins à blé ou à foulon, forges et verreries.

Enfin, à ce patrimoine immobilier se rattachaient tous les immeubles affectés au culte, églises, chapelles, monastères et hospices.

Les rentes dont jouissait le clergé étaient abondantes et sans cesse accrues. C'était sous cette forme que se présentaient le plus souvent les donations testamentaires, assises sur des immeubles qui leur servaient de garanties.

Le haut clergé ayant la collation des bénéfices inférieurs, jouissait des privilèges honorifiques et des profits matériels qui s'y rattachaient, droits perçus sur les lettres de provisions, taxes de chancellerie. Dans certaines provinces (particulièrement en Normandie), le droit de *déport* attribuait à l'évêque et à l'archidiacre la jouissance des bénéfices vacants. Les officialités étaient également une source de revenus : amendes dont l'usage était fréquent, produits du greffe, vente des offices de justice revenaient au dignitaire possesseur de la justice.

La dîme constituait aussi un revenu important et très caractéristique de la fiscalité ecclésiastique, puisqu'elle était destinée à entretenir le desservant et à lui servir de salaire pour la célébration du culte.

Il convient d'y ajouter les *oblations*, qui étaient des offrandes plus ou moins volontaires fournies par les fidèles dans certaines occasions fixées par les coutumes locales ou en exécution de dispositions testamentaires.

Le clergé percevait enfin le *casuel*, constitué par des taxes prélevées sur les fidèles pour la célébration des cérémonies religieuses et l'administration des sacrements. Ces redevances semblaient faire double emploi avec la dîme, dont le paiement rémunérait en théorie l'exercice du culte; aussi le casuel était-il l'objet de discussions très âpres entre les fidèles, qui s'estimaient lésés, et les desservants privés du produit de la dîme.

Ces biens et ces revenus n'étaient pas en général administrés directement : les bénéficiers les affermaient à des fermiers qui, souvent, traitaient eux-mêmes avec des sous-fermiers. Ces hommes d'affaires étaient pour la plupart des banquiers, les uns français, les autres italiens, qui servaient d'agents financiers aux titulaires des bénéfices, d'intermédiaires pour les affaires à traiter en cour de Rome, et qui exploitaient, pour leur plus grand profit, une part importante des revenus du royaume.

Les transformations de ce patrimoine ecclésiastique au cours du xvıᵉ siècle sont difficiles à préciser. Ses progrès semblent avoir été rares. Si le courant des donations semble s'être maintenu à travers tout le siècle, il faut noter que ces donations étaient pour la plupart stipulées en monnaie de compte qui se dépréciait rapidement.

D'autre part, le temporel ecclésiastique subit au cours des guerres religieuses des dévastations et des usurpations de toutes sortes. Les événements de 1562-63 furent désastreux pour l'Église, surtout dans les provinces méridionales : la plupart des abbayes languedociennes furent occupées et détruites par les protestants. Même en dehors des périodes de crise, les dissidents refusaient de payer les dîmes et le casuel, en échange de sacrements dont ils n'avaient que faire, sans compter les cas où les seigneurs laïques, sous prétexte de religion, saisissaient les revenus ecclésiastiques.

De la part des catholiques, l'Église n'était d'ailleurs pas mieux traitée : en plus des usurpations commises par les fidèles eux-mêmes, le gouvernement royal multipliait ses exigences, décimes et aliénations de temporel.

Le résultat de ces pillages se constate dans les comptes des établissements ecclésiastiques, là où nous pouvons les suivre à travers une assez longue période; le montant des baux va sans cesse en décroissant dans la seconde partie du siècle[1].

Pour réagir contre cette décadence, le clergé s'efforçait d'obtenir de ses terres un rendement plus considérable. Le défrichement des terrains incultes, la multiplication des baux à vie et des accensements perpétuels offerts à de nouveaux hôtes, la substitution, à de simples granges, de villages soumis aux droits de justice et aux redevances seigneuriales se continuent au début

1. Voir en particulier les comptes du temporel de la Trinité de Vendôme.

du xvie siècle et reprennent plus nettement encore, après les pillages des guerres religieuses[1]. Il en fut du moins ainsi dans certaines provinces, tandis qu'ailleurs cet élan de renaissance agricole semble bien s'être terminé avec le xve siècle.

Malgré cette politique de reconquête, malgré l'arsenal de droits et d'immunités qui créait pour l'Église un régime spécial, elle se trouvait à la fin du xvie siècle incapable de défendre son patrimoine contre les attaques auxquelles il était exposé.

La dîme. La dîme était un impôt de caractère ecclésiastique. Il était en principe fixé au dixième de tous les revenus et destiné à l'entretien du clergé paroissial. Mais la pratique, au xvie siècle, était bien différente de la théorie.

La perception de la dîme reposait sur des textes de l'Écriture sainte et sur les usages bibliques, qui en faisaient une institution de droit divin. C'était une offrande faite au Seigneur, en reconnaissance de sa toute-puissance. D'ailleurs le Créateur, qui produisait tous les biens, avait droit à en recevoir une part, affirmaient les théologiens, sans préciser si le clergé était autorisé à revendiquer cette portion pour en jouir ou même simplement pour l'administrer[2].

On ne s'était pas toutefois aperçu de la nécessité de cette institution dès les origines de l'Église : la dîme, aux premiers siècles, constituait une simple libéralité et les Pères s'étaient contentés de la recommander comme telle.

Au ive siècle, le quatrième Concile de Latran avait prescrit le paiement de la dîme.

En 585, le Concile de Mâcon en avait défini le caractère obligatoire et prescrit le paiement sous peine d'excommunication, affectant son produit à l'entretien du culte, à la subsistance des pauvres et au rachat des captifs. Un capitulaire de 779 avait incorporé la dîme au droit civil. C'était depuis lors une obligation pourvue de toutes les sanctions civiles et canoniques.

---

1. Cette restauration semble évidente en Bourgogne, à Cîteaux, par exemple, et à Saint-Bénigne de Dijon. Voir GARNIER et CHAMPEAUX, *Chartes de communes...*
2. R. BENOIST, *Traicté des dismes,* Paris, 1564, in-8°.

Cependant, le principe même de la dîme avait été altéré au cours du Moyen Age, sous l'influence des réformateurs et de certains juristes. La théorie du droit divin était l'objet de contestations qui, au xvıᵉ siècle, allaient aboutir à sa laïcisation presque totale.

Les ordres mendiants avaient les premiers contesté l'obligation stricte de la dîme. Marsile de Padoue, Wycleff, Jean Hus en critiquèrent de même le principe, si bien qu'on admit généralement que la dîme était payable à volonté et que son taux était arbitraire.

Ces principes furent même acceptés par le Concile de Latran de 1512, qui décréta que la dîme reposait sur la coutume et qu'elle n'était pas exigible sur tous les revenus. Cette déclaration ruinait le système traditionnel de l'Église et inaugurait une nouvelle période dans l'histoire de la dîme.

Les Réformateurs du xvıᵉ siècle poussèrent encore plus loin dans ce sens. Les chefs, toutefois, usant de prudence, lorsqu'il s'agissait de toucher aux institutions, se montrèrent modérés dans leurs critiques. Calvin accepta la dîme, non sans restrictions, mais comme un usage imposé par le pouvoir civil, et recommanda à ses disciples de s'y conformer : « Eas solvere ne recusent privati homines, nisi politicum ordinem labefactare velint[1]. » S'il semblait parfois recommander la sécularisation des dîmes, il estimait que leur produit devait être, de toutes façons, consacré à l'entretien du culte. Cette théorie était adoptée par les synodes et par les chefs du parti.

Il est vrai que la masse des Réformés, qui était astreinte au paiement de la dîme, se montrait plus rebelle. Ils réagissaient contre le principe de la dîme obligatoire, en critiquant l'emploi du produit des dîmes, couramment utilisées pour des fins qui n'avaient rien de religieux; c'était d'ailleurs faire appel à un sentiment déjà répandu dans la mentalité populaire, puisque en 1528, le Concile de Sens avait jugé nécessaire de le condamner. On constate d'ailleurs une de ses manifestations en 1529, au cours de la Rebeine de Lyon.

1. *Opera Calvini*, t. XXIII, p. 674, t. XXIV, p. 481, t. XXVII, p. 298, t. XXIX, p. 558.

Les guerres civiles de la fin du siècle portèrent encore plus sérieusement atteinte au paiement de la dîme. Les révoltes de paysans, l'établissement dans les provinces du Midi de gouverneurs protestants eurent pour conséquence la suppression presque totale de l'impôt ecclésiastique[1]. Henri de Navarre, chef de l'armée protestante, en ordonna même la confiscation en Gascogne et dans les pays voisins, tandis qu'ailleurs les sommes recueillies servaient à l'entretien des ministres réformés. Il fallut le rétablissement de la paix, avec Henri IV, pour assurer le paiement régulier de la dîme, auquel les protestants se résignèrent, moyennant l'octroi d'une subvention destinée à l'entretien des ministres.

Contre cette offensive, les théologiens s'efforçaient de restaurer la théorie traditionnelle. Le Concile de Trente la formula de nouveau : « Praecipit... omnibus ad quos decimarum solutio spectat, ut eas ad quas de jure tenentur, in posterum... personis quibus legitime debentur, integre persolvant. Qui vero eas aut subtrahunt aut impediunt excommunicentur[2]. » Il s'agissait là d'une prescription formelle sur l'obligation de la dîme, mais qui n'en précisait ni l'origine ni le caractère et qui, par conséquent, marquait une régression assez nette sur les théories formulées dans les siècles précédents.

Les conciles provinciaux réagirent eux aussi, en renouvelant les injonctions adressées aux décimables. Certains reprirent même expressément la doctrine traditionnelle du droit divin[3]. Mais il leur arrivait aussi de solliciter l'intervention de l'autorité séculière, ce qui portait une nouvelle atteinte au caractère ecclésiastique de cette imposition.

Les juristes laïques se partageaient, suivant leurs tendances, Douaren et Du Moulin manifestant leur hostilité contre la théorie du droit divin, tandis que Rebuffi se prononçait en sens contraire.

---

1. « *Decimas hisce procellosis temporibus, plurimis in locis omnino denegari, saltem minus debite praestari, omnium fere ecclesiasticorum conquestionibus plus satis comperimus.* » Concile de Tours, 1583.

2. Session XXV, can. 12.

3. « *Decimas et primitias ecclesiasticas, ad deciman partem fructuum, divino jure debitas, solvandas esse statuimus* ». Concile de Tours, 1583.

Pour sa part, la législation royale ne pouvait se désintéresser de ces questions. Elle se montrait à certains égards plus stricte que la législation canonique, en reprenant la théorie du droit divin.

Des lettres patentes de 1546 déclaraient les dîmes « introduites et justifiées par droit divin ». Une déclaration de 1561 confirmait ce principe, tant pour les dîmes que pour les prémices, et condamnait la méthode des paiements volontaires. L'édit de 1566, d'autres textes postérieurs, reprenaient ces théories, en prohibant toutes les innovations qui s'introduisaient pour atténuer le poids de la dîme. Enfin, l'ordonnance de Blois (art. 50) rejetait le principe du paiement volontaire : « Ne pourront les propriétaires et possesseurs des héritages sujets à dîmes dire... led. droit n'être dû qu'à la volonté. »

Il est vrai que la même ordonnance de Blois et l'édit de Melun de 1580 y ajoutèrent quelques restrictions[1], en déclarant que la dîme n'était due que suivant la coutume des lieux et selon le taux accoutumé, ce qui apportait quelques atténuations aux exigences du droit canonique.

Cette attitude incertaine du législateur venait de ce que le gouvernement désirait conserver intactes les ressources des contribuables, tout en ménageant celles du clergé, afin d'user des unes et des autres le plus largement possible. Il lui arrivait de le laisser clairement entendre dans ses négociations avec les assemblées du clergé.

En dépit de ces divergences de détails, la politique du gouvernement tendait à imposer le paiement exact de la dîme[2], et Henri IV, malgré les résistances qu'il rencontrait, réussit à en introduire le principe dans l'édit de Nantes (art. 25). De même, toutes les décisions judiciaires étaient concordantes pour contraindre les redevables à s'acquitter de l'impôt.

De tout cela résultait un changement dans le caractère de la dîme : d'impôt ecclésiastique, fondé sur le droit divin et sur les

1. Ordon. de 1579, art. 49. Édit de Melun, de 1580, art. 29.
2. Le gouvernement publia une série de déclarations contre ceux qui refusaient le paiement des dîmes, à partir du moment où cette crise devint particulièrement aiguë. Déclarations du 6 juillet 1548, du 25 octobre 1561, du 4 juillet 1568, du 12 janvier 1573. FONTANON, t. IV, 25.

décisions canoniques, elle était devenue une imposition mi-laïque mi-ecclésiastique, dont les modalités étaient réglées par la législation royale et appliquées par les autorités laïques.

La dîme, en principe, portait sur tous les revenus. Les théoriciens les plus rigoureux estimaient que c'était un impôt personnel, qui devait être prélevé sur le bétail, de même que sur la solde de l'homme d'armes, sur la marchandise et sur le fief du seigneur, sur le prix de la vente des immeubles et même sur les successions[1].

De là la classification des dîmes en trois catégories définies par les théoriciens : *dîme personnelle*, payée sur les biens acquis par « l'art et industrie des personnes », qui correspondait aux revenus des médecins, artisans, gens de justice et autres; *dîme prédiale*, payée sur les produits de la terre; *dîme mixte*, payée sur les produits qui provenaient à la fois de la terre et de l'industrie des hommes, c'est-à-dire sur l'élevage.

Cette extension de la dîme semblait excessive et la coutume avait laissé tomber en désuétude une partie des dîmes ainsi définies. En fait, dès le début du XVIᵉ siècle, on exemptait de la dîme les mutations de capitaux et les revenus personnels : ventes d'immeubles, revenus féodaux, rentes, produits du travail et du commerce. La dîme, sauf de rares exceptions, était un impôt réel portant sur les produits du sol et même seulement sur certains d'entre eux.

Toute autre exigence était qualifiée de dîme insolite[2], prohibée par la législation et par les décisions des tribunaux.

Parmi les dîmes régulièrement acquittées, on distinguait les *grosses dîmes*, payées sur le blé et sur le vin, et les *menues dîmes* sur « les fruits qui ne sont pas une partie considérable du produit des terres », fruits des arbres, légumes, etc... Ces règles étaient d'ailleurs modifiées par de nombreuses exceptions locales. Les bois, les prés et les étangs étaient en général exempts, de même que les jardins enclos, mais ce n'était plus le cas dans les régions d'herbages, où les foins étaient soumis à l'impôt. Les

1. R. BENOIST, *Traicté des dismes*, fol., 16, 20.
2. Ces dîmes insolites étaient prohibées par tous les juristes, Du Moulin, Grimaudet, Choppin. Elles étaient interdites par un édit de 1535.

fruits étaient en général décimables, quoiqu'en Bourgogne, pommes, poires et noix ne le fussent pas.

En définitive, la dîme se prélevait régulièrement sur les principales céréales, blé, orge, avoine et seigle, sur les légumes communs, pois, fèves, raves et choux, sur le vin, sur les textiles, comme le lin et le chanvre, sur le pastel et les autres plantes tinctoriales. Elle était très exactement perçue sur les animaux de ferme, veaux, porcs et volailles, sur les agneaux ainsi que sur les produits du troupeau, laines et fromages. Enfin, la coutume était irrégulière en ce qui concernait la cire, les fruits et les coupes de bois.

Au total, en tenant compte des exceptions locales, on considérait comme assujettis à la dîme la moitié au moins des produits de la terre.

Parmi ces dîmes, on distinguait sous le nom de *dîmes novales* celles qui portaient sur les terres nouvellement défrichées ou nouvellement chargées de cultures décimables, mais cette distinction n'affectait pas la dîme elle-même, puisqu'elle correspondait seulement à une affectation différente de son produit.

Étaient assujettis à la dîme tous les possesseurs du sol sans distinction de condition sociale ni de religion, « cujuscunque gradus vel conditionis », précisait le Concile de Trente. Les rois et les clercs eux-mêmes étaient redevables de l'impôt, dont le caractère réel ne comportait que de rares exceptions.

Celles-ci portaient sur quelques catégories très limitées : les moines, pour leurs produits personnels (leurs fermiers ne participaient pas à cette exemption), les lépreux, les possesseurs de terres comprises dans la dotation ancienne des églises. D'autres exemptions résultaient de conventions très limitées conclues entre certains propriétaires et les décimateurs, des affranchissements achetés par les propriétaires, ou de la prescription.

Au xvie siècle, le roi s'enhardit même jusqu'à accorder des dispenses : par une procédure insolite, les biens d'Église qui furent aliénés en 1563 furent déclarés exempts de toute dîme autre que celle qui était due au curé. S'inspirant de ce précédent, Henri IV alla plus loin, en 1607, en dispensant du paiement de la dîme ou en imposant des taux réduits aux terres nouvellement mises en culture[1]. Initiatives qui bouleversaient le droit établi.

Le taux de la dîme était en principe du 10e des fruits récoltés, à prélever sur le produit brut. Le Concile de Tours de 1583 considérait cette quotité comme fixée par le droit divin : « Decimas ad decimam partem frugum jure divino debitas. » Mais la coutume ne correspondait pas toujours à ce tarif uniforme et excessif : les taux variaient suivant les lieux et les produits sur lesquels on prélevait la dîme. C'était très exceptionnellement plus que le 10e de la récolte (quelquefois 2/13, dans certaines paroisses), le plus souvent un peu moins, ce taux étant parfois réduit au 20e et beaucoup plus rarement au 30e ou même au 40e. On constate d'ailleurs, au cours du XVIe siècle, un abaissement sensible de ces tarifs, résultant des résistances opposées par les décimables et de la lassitude des bénéficiaires.

Même ainsi atténuée, la dîme était encore extrêmement productive. On peut se représenter à quelle quantité de denrées de toutes sortes pouvait correspondre ce prélèvement du 10e ou même du 20e sur la production agricole de toute une paroisse. Et il semble que ces revenus allèrent en augmentant au moins pendant la première partie du XVIe siècle, par suite de la prospérité économique, pour diminuer sensiblement dans la période suivante, en raison des dommages subis par l'agriculture et de l'irrégularité des paiements[2].

La dîme s'acquittait en nature. C'était une fraction de la récolte elle-même, et les formules coutumières correspondaient à cette pratique, lorsqu'elles précisaient qu'on abandonnerait la 18e gerbe, le 13e panier, etc... Exceptionnellement, certaines dîmes se payaient en argent. C'était le cas pour les bois royaux. Ce système était d'ailleurs difficilement accepté par les décimateurs, comme se rapprochant de l'aumône et constituant une contribution volontaire.

Presque toujours, la dîme était affermée, tantôt isolément, tantôt avec tous les autres revenus d'un même bénéfice. Fréquem-

---

1. Édit de janvier 1607. ISAMBERT, t. XV, p. 313.
2. On peut consulter à ce sujet les baux d'affermage des dîmes, très nombreux dans les archives notariales.

ment, ces fermes étaient concédées à des ecclésiastiques, mais il était fréquent aussi que les fermiers fussent des hommes d'affaires français ou étrangers, des banquiers spécialisés dans ces sortes d'opérations. La perception de la dîme était ainsi, pour le contribuable, une affaire commerciale qui n'avait aucun rapport avec ses obligations religieuses.

La dîme était perçue sur place par le décimateur : on disait qu'elle était quérable. Le producteur devait notifier au décimateur le jour où la récolte serait faite, et les produits devaient rester dans les champs pendant un temps déterminé, pour permettre le contrôle et l'enlèvement de la partie à prélever[1].

Cette procédure engendrait de nombreuses difficultés : les décimables suscitaient de multiples obstacles pour favoriser leurs fraudes : enlèvement subreptice des récoltes, contestations sur les poids des denrées et le taux des redevances. De là, de multiples procès. Les paysans n'allaient-ils pas jusqu'à exiger la régularité du service religieux, comme contre-partie de la dîme dont ils s'acquittaient ?

Les édits royaux multipliaient les prescriptions pour mettre fin aux conflits : ils imposaient des délais pour l'enlèvement des récoltes, autorisaient des perquisitions dans les greniers et dans les caves pour éviter les dissimulations, tandis que l'Église se défendait en frappant les fraudeurs d'excommunication[2].

La destination de la dîme était un problème compliqué : en principe, elle appartenait à l'Église et était affectée au curé. Elle était liée au clocher de l'église paroissiale. C'était le droit commun, contre lequel toute exception devait être prouvée. Mais le curé ne desservait pas toujours la paroisse, et il était souvent dépouillé lui-même du produit de la dîme, à l'exception des novales, qui lui étaient rigoureusement réservées. Le reste de la dîme (souvent la majeure partie) appartenait alors à l'évêque, à des chanoines, à des moines considérés comme curés primitifs, ou à des établissements charitables. Dans tous les cas, le desservant de la paroisse, privé de la dîme, devait exiger le

1. Édit de Melun, de 1580, art. 28.
2. Édits de 1566 et du 24 juillet 1568. FONTANON, t. IV, pp. 515, 517. Ordon. de Blois, art. 49 et édit de Melun de 1580, art. 28.

casuel des fidèles. C'était l'occasion de fréquentes difficultés, auxquelles les États généraux cherchèrent à mettre fin, en réformant le régime de la dîme pour la réserver au clergé paroissial[1].

Fréquemment, les dîmes se trouvaient transmises à des laïques, patrons des églises, seigneurs jouissant d'une possession traditionnelle. Le roi lui-même était possesseur de nombreuses dîmes incorporées au domaine royal. Parfois, les divers bénéficiaires se partageaient les produits, et c'était un cas fréquent entre curés et patrons, mais ces transactions étaient sans cesse remises en question et provoquaient des litiges incessants.

Les troubles de la fin du XVIᵉ siècle multiplièrent ces usurpations, si bien que les dîmes perdaient toujours davantage leur caractère et leur destination originaires.

Les dîmes, dont le régime était ainsi altéré, se trouvaient assimilées aux autres revenus séculiers : si celles qui restaient à la disposition des ecclésiastiques étaient incorporées au temporel, les autres se confondaient avec les produits des seigneuries ecclésiastiques aux mains des laïques; elles se transmettaient comme des fiefs, sous le nom de *dîmes inféodées*. On les comprenait alors dans les aveux et dénombrements; on les soumettait aux droits de transmission perçus sur les mutations de fiefs. Le roi prescrivait de les faire figurer dans les terriers. Elles étaient sujettes aux mêmes transactions que les autres biens, vendues, données, grevées de rentes ou d'hypothèques.

Ces dîmes laïcisées étaient toutefois soumises à l'obligation de servir à l'entretien du desservant, et le Concile de Trente avait rappelé cette charge aux bénéficiaires.

La législation royale favorisait ces empiétements de l'autorité laïque sur les dîmes, qui tendaient à s'assimiler aux autres impôts. Elle intervenait désormais dans ce qui avait été précédemment le domaine de la législation ecclésiastique. La suppression partielle de la dîme prescrite en 1563, annonçait l'atteinte plus grave qui fut portée au régime des dîmes par l'édit de 1607.

---

1. « Les dîmes appartiennent aux curés, s'il n'y a titre ou possession contraire. » LOISEL, *Institutes*, nº 264. Les dîmes appartiennent aux curés « par la seule montre de leur clocher, de droit divin et primitif ». E. PASQUIER, *Les recherches de la France*, III, 43.

Ces tendances se complétaient par les emprises des tribunaux séculiers : si les tribunaux ecclésiastiques conservaient une compétence en matière de dîme, elle se limitait à certains cas, et il suffisait que les plaideurs invoquent le cas d'inféodation, discutent le taux de la dîme ou son caractère insolite, pour que l'official fût dessaisi.

Ainsi se complétait le changement de caractère de cet impôt ecclésiastique, très net déjà au début du XVIe siècle.

A la dîme, se rattachait l'imposition des *prémices*. C'était un supplément de la dîme, soumis aux mêmes définitions et dont les modalités étaient analogues. Mais son taux était beaucoup plus réduit, ce qui limitait les controverses dont il était l'objet. Il était assimilé à la dîme par les lettres patentes de 1548 et de 1561, mais le Concile de Trente ne l'avait pas mentionné dans les règlements qu'il avait promulgués au sujet des dîmes.

BIBLIOGRAPHIE

LES BIENS D'ÉGLISE

Le temporel ecclésiastique est à étudier d'après les mêmes sources que la propriété civile. Tous les actes qui concernent les biens d'Église, transactions, comptes, procédures, se trouvent confondus avec ceux qui concernent les biens laïques. Il est intéressant de les repérer, pour étudier les modalités de la propriété ecclésiastique, son extension et l'usage qui en était fait dans la vie des établissements religieux. Les documents qui se rapportent exclusivement au patrimoine ecclésiastique y apportent un complément indispensable, terriers, aveux et dénombrements, titres de propriété des diverses églises et monastères. Toutes les séries d'archives ecclésiastiques sont à explorer de ce point de vue.

On doit se référer spécialement à quelques fonds des Archives nationales, série H^s, 3253-4800, Comptabilité et titres des établissements religieux de Paris; série P, Chambre des comptes, Hommages, aveux et dénombrements, et Mémoriaux.

Ordonnance de Blois de 1579 (art. 47-8). — Édit de Melun, de 1580 (art. 12, 19-20, 30-33).

GUÉNOIS, *La conférence des ordonnances*, I, 12. — PEYRISSAC, *Des remontrances, édits, règlements, contrats, départements et autres choses concernant les affaires du clergé.* — *Tractatus universi juris*, X.

CHOPPIN, *Trois livres de la police ecclésiastique.*

CARRIÈRE, *Les épreuves de l'Église de France au XVIe siècle* (Rev. hist. de l'Égl. de Fr., 1925-30). — CHABORD, *Le temporel de l'église cathédrale de Paris, pendant les guerres de religion* (Pos. th. Éc. des ch., 1943). — R. M., *Contribution à l'histoire de l'abbaye de Jouarre* (Rev. Mabillon, 1933-35). — ROBERT, *Les fiefs de Saint-Rémi de Reims.* — A. VIDAL, *L'ancien diocèse d'Albi, d'après les registres des notaires.* — SABARTHÈS, *Inventaire des droits et revenus de l'évêché de Saint-Papoul.* — La plupart des monographies d'abbayes, de diocèses, de chapitres ou d'églises, tous les cartulaires, contiennent des études ou des documents relatifs au temporel de ces établissements. Les aveux et dénombrements, qui s'y trouvent en grand nombre, sont de première importance pour ces études sur la propriété ecclésiastique.

LA DÎME

Édits du 1er mars 1546, 25 octobre 1561, 4 juillet 1568, 7 septembre 1568, 12 janvier 1573 (*Recueil des remontrances...* B. N. 8°, Ld^s 1). — Ordonnance de Blois, de 1579 (art. 49-50). — Édit de Melun, de 1580 (art. 28-29).

BRISSON, *Code Henry III*, I, 14. — FONTANON, *Les édicts et ordonnances,* IV, 25. — GUÉNOIS, *La conférence des ordonnances,* I, 2. — BOUCHEL, *Decretorum ecclesiae gallicanae,* VI, 8. — PEYRISSAC, *Des remontrances, édits, règlements,* I. — Actes du Concile de Trente, session XXV.

REBUFFI, *Tractatus de decimis.* — *De congrua portione beneficiorum.* — R. BENOIST, *Traicté des dismes.* — GRIMAUDET, *Paraphrase du droict des dixmes.* — CHOPPIN, *Trois livres de la police ecclésiastique.*

P. VIARD, *Histoire de la dîme ecclésiastique en France au XVIe siècle.* — CARRIÈRE, *Introduction aux études d'histoire ecclésiastique locale,* t. III, *Les refus de dîmes.* — GALLEY, *Le régime féodal dans le pays de Saint-Étienne.* — H. MARION, *La dîme au XVIIIe siècle* (Bonne bibliographie générale de l'histoire de la dîme).

CHAPITRE XIII

LES CONTRIBUTIONS DU CLERGÉ

*LA RÉGALE. — LES DÉCIMES. — LES ALIÉNATIONS DU TEM-
POREL. — LES AUTRES CONTRIBUTIONS DU CLERGÉ.*

Bien que l'Église prétendît à une immunité fiscale complète,
nous avons vu que les exceptions allèrent en se multipliant
au cours du XVIe siècle. De là, l'usage de la régale, des décimes
ecclésiastiques et des aliénations de temporel.

La régale. La régale était le droit dont jouissait le
roi de se substituer aux évêques pendant la
vacance des sièges épiscopaux. La régale
comportait le droit de percevoir les revenus de l'évêché :
c'était la *régale temporelle*, et le droit de conférer les bénéfices à
la collation de l'évêque : c'était la *régale spirituelle*[1].

L'origine de ce droit était très ancienne et son fondement
juridique incertain. Tandis que certains canonistes affirmaient
que la régale provenait d'une concession de l'autorité ecclésiastique, d'autres invoquaient les droits du roi antérieurs à toute
concession. Pour la régale temporelle, on alléguait que tout
évêque tenait son église en fief du roi, qui en reprenait possession
en cas de vacance, ou bien que le roi exerçait son droit de
garde, qui s'étendait sur toutes les églises du royaume.

---

1. Tel est le sens strict que nous donnons au terme de régale. Les légistes
l'élargissent parfois, pour désigner tous les droits du roi sur les bénéfices ecclésiastiques, y compris les nominations faites en vertu du Concordat. Pinsson, *Traité
singulier des régales*. N. Bohier définissait ainsi la régale : « *Notandum est duplex
esse regaliorum genus. Primum est de bonis temporalibus ecclesiae, alterum de spiritua-
libus.* » *Tractatus de auctoritate... Magni Consilii*, I, 1.

Pour la régale spirituelle on invoquait des traditions encore plus imprécises : des décisions conciliaires qui remontaient aux premiers temps de la monarchie, toutes sortes de précédents qui s'étaient constitués pour chaque évêché en particulier et qui étaient affirmés dans des textes et dans des arrêts judiciaires inattaquables. Les archives de la Chambre des comptes contenaient l'énumération et les preuves de ces droits, différents pour chaque église.

Il semble que la régale ait fait son apparition dans le droit français au milieu du XIIᵉ siècle. Elle s'implanta rapidement et fut confirmée par plusieurs décisions pontificales : le principe en fut approuvé par des bulles de Clément IV et de Grégoire X, ainsi que par le Concile de Lyon, de 1274.

Malgré cela, l'extension de la régale donnait lieu, au XVIᵉ siècle, à d'âpres contestations. C'était un fait que le droit de régale était essentiellement coutumier, et qu'il différait d'un évêché à l'autre, en particulier dans les provinces nouvellement annexées, suivant les traditions provinciales et les conventions qui avaient été conclues. L'ordonnance de 1499 laissait entendre que le droit du roi ne s'étendait pas sur tous les bénéfices[1]. La plupart des juristes en convenaient. Le Maistre affirmait que « le roi n'a de pouvoir en tous les évêchés de son royaume, mais seulement en quelques-uns ». Les ecclésiastiques étaient tous favorables à cette thèse, tandis que les parlementaires soutenaient souvent la théorie contraire. Aussi, un grand nombre de cas étaient-ils litigieux, ce qui donnait lieu à d'interminables procédures.

Dans la pratique, la régale temporelle s'étendait sur tous les évêchés du royaume. Par contre, la régale spirituelle comportait des exceptions, soit en faveur de certains évêchés qui pouvaient justifier de leur exemption, soit même de provinces entières, notamment de celles qui avaient été tardivement unies à la Couronne, comme la Guyenne, le Languedoc, le Dauphiné, la Provence et la Bretagne[2].

---

1. Le texte de l'art. 12 de l'ordonnance de Blois semble en effet assez clair : « Défendons à tous nos officiers que, ès archeveschez, éveschez... esquels n'avons droit de régale, ils ne se mettent dedans. »
2. D'après les archives de la Chambre des comptes, qui établissaient l'usage du XVIᵉ siècle, on reconnaissait en général comme soumis à la régale tous les évê-

Progressivement la régale empiétait sur les provinces exemptes. En 1524, elle fut introduite à Angers, à la suite d'une transaction entre le roi et l'évêque. Dans la suite, une série d'arrêts l'imposèrent aux différents évêchés de la province de Bordeaux. La Bretagne, qui se prétendait exempte par une concession de Louis XI, fut assujettie à la régale par un édit de 1598.

Par contre, un arrêt de 1564 exemptait le siège de Lyon où l'administration, pendant les vacances du siège, était exercée par l'évêque d'Autun.

Dans l'ensemble, il était évident que la régale était en voie de devenir le régime commun de tout le royaume, mais il fallut attendre pour cela un arrêt de 1607, qui affirma le principe de l'universalité de la régale.

La régale s'ouvrait normalement par la mort de l'évêque, mais aussi par sa translation ou par sa promotion au cardinalat, qui comportait théoriquement son abdication.

Pendant qu'il jouissait de la régale, le roi, en possession des pouvoirs de l'évêque, lui succédait comme collateur des bénéfices. C'était le privilège le plus important, en théorie du moins. Le principe en était fortement discuté. Certains juristes invoquaient en sa faveur la tradition des rois de Juda. D'autres, à l'esprit plus positif, y voyaient une application du droit féodal. Le roi nommait à tous les bénéfices dépendant de la collation épiscopale, à l'exception des cures, cette exception étant justifiée par le fait qu'elles comportaient des pouvoirs spirituels. La nomination appartenait dans ce cas au chapitre, détenteur provisoire des pouvoirs épiscopaux.

Le roi percevait en même temps, par l'intermédiaire de ses commissaires, tous les revenus de l'évêché, ce qui suscitait

chés de la province de Sens (sauf celui d'Auxerre), de Reims, de Bourges (sauf Cahors, Limoges, Rodez, Albi et Mende), de Tours (sauf les évêchés bretons), de Bordeaux et de Rouen. Les provinces d'Auch et d'Arles étaient complètement exemptes. N. Bohier et G. Le Maistre en conviennent. Voir aussi E. PASQUIER, *Les recherches*..., III, pp. 35-38. De là, la formule générale et un peu sommaire, d'après laquelle les provinces du Midi se prétendaient exemptes de la régale. Voir des listes des évêchés soumis à la régale dans DU HAILLAN, *De l'estat et succez*... III, p. 247, dans CHOPPIN, *De domanio*, II, 9, et dans HENNEQUIN, *Guidon général*.

encore des controverses. Tous ces revenus en effet n'étaient pas de même nature : on établissait des distinctions, d'après lesquelles le roi n'était en droit d'en revendiquer qu'une partie. En fait, il n'en retirait aucun profit réel. Des donations temporaires, constamment renouvelées depuis Charles VIII, attribuaient ces profits au chapitre de la Sainte-Chapelle et cette affectation devint définitive sous Charles IX.

La régale se terminait par une succession de procédures énumérées dans les règlements destinés à la Chambre des comptes. Le nouvel évêque devait prêter serment de fidélité au roi, le faire enregistrer à la Chambre des comptes, qui prononçait la mainlevée de la régale. Il fallait enfin signifier cette mainlevée aux commissaires du roi, pour que la régale fût effectivement levée.

La régale n'était pas vraiment universelle, en ce sens qu'elle ne s'exerçait pas sur les abbayes vacantes, ce qui n'eût pas été une anomalie juridique, puisque le régime bénéficial était le même pour les évêchés et les abbayes. Mais ce droit, applicable aux bénéfices réguliers jusqu'au xvᵉ siècle, avait cessé depuis ce moment d'être exercé, et ne donnait plus lieu qu'à des rappels de principes.

Les décimes. L'usage de lever sur les biens d'Église des contributions générales, qui furent plus tard désignées sous le nom de décimes, remontait au milieu du xiiᵉ siècle, en rapport avec les croisades et les entreprises pieuses que la papauté désirait subventionner. Cette pratique apparaît définitivement établie avec la *dîme saladine* de 1188. Elle se généralisa dans la suite, toujours préparée par le consentement du clergé du royaume et, le plus souvent, mais pas nécessairement, par un accord conclu avec le pape.

A partir du xviᵉ siècle, le système des décimes se transforma : le consentement du clergé devint plus exceptionnel, et il arriva que le roi ordonnait des levées de sa propre autorité. En même temps, ces levées, justifiées par des nécessités que ne colorait plus aucun prétexte religieux, étaient destinées à combler le déficit du Trésor. « Plusieurs, disait Guy Coquille, ont pesché au plat et ont participé à cette despouille[1]. »

En 1516, à l'occasion du Concordat, Léon X accorda une décime à François Ier sans consulter le clergé. La levée en fut faite par des commissaires royaux, choisis parmi les conseillers clercs du Parlement de Paris. On établit à cette occasion un *département général des décimes*[2]. Ce travail devait servir de base à des levées ultérieures, et il semble qu'on ait pris dès lors la précaution de n'évaluer les bénéfices qu'à la moitié de leur revenu réel.

Cette décime de 1516 devint un précédent fréquemment invoqué dans la suite, sous François Ier et Henri II. Des décimes (parfois qualifiées de *dons charitatifs*) furent levées, tantôt avec l'assentiment du pape, tantôt et le plus souvent, à la suite d'un simple vote d'une assemblée du clergé : en 1527, par une assemblée générale, à l'occasion de la rançon des fils du roi, en 1528, en 1537, par des assemblées provinciales, mais le plus souvent par des assemblées diocésaines. En 1532, le roi s'était contenté de réunir une assemblée d'évêques, censés représenter l'ensemble du clergé.

Quel que fût le système adopté, le gouvernement ne rencontrait guère de résistances, et il était rare qu'il eût recours aux menaces pour obtenir satisfaction[3].

Les décimes devinrent ainsi une ressource permanente pour le budget royal. A partir de 1545, on leva chaque année quatre décimes. François Ier, à lui seul, en leva 50 pendant les trente-deux années de son règne[4] et Henri II alla jusqu'à 51 en l'espace de douze ans[5].

Ce système fut définitivement organisé par le *contrat de Poissy*.

---

1. *Dialogue sur les misères de la France.*
2. Ce département est perdu, mais on possède les comptes des décimes levées sur cette base. Arch. nat. G[8], 1 à 4.
3. Lettres patentes du 12 février 1535, ordonnant la saisie du temporel du clergé. P. Dupuy, *Commentaire sur le Traité...*
4. Sous François Ier, on leva des décimes en 1516, en 1518, 3 en 1521, 3 en 1523, en 1526, 4 en 1527, 3 en 1532, 2 en 1533, 3 en 1534, 3 en 1536, 3 en 1537, 3 en 1538, 2 en 1541, 4 en 1542, 4 en 1543, en 1544, 4 en 1545, 4 en 1546.
5. Sous Henri II, on leva des décimes de la façon suivante : 4 en 1547, 4 en 1548, 4 en 1549, 2 en 1550, 4 en 1551, 4 en 1552, 4 en 1553, 4 en 1554, 4 en 1555, 4 en 1556, 9 en 1557, 4 en 1558.

Le gouvernement, pour tenter de mettre fin à la crise financière, avait réuni, en même temps que les États généraux de Pontoise, une assemblée du clergé, qui siégeait à Poissy, et à laquelle il avait demandé de lui « donner aide et secours ». Il sortit des négociations poursuivies avec cette assemblée une convention dite contrat de Poissy, qui inaugura une nouvelle période dans les relations de la royauté avec le clergé de France (21 octobre 1561).

Par ce contrat, le clergé s'engageait envers le roi à « le secourir et aider à payer et acquitter les immenses dettes » accumulées pendant les règnes précédents. Ce programme se répartissait sur 16 années : pendant six ans, le clergé paierait annuellement au roi 4 décimes, soit 1.600.000 l., qui seraient employées au rachat des domaines et rentes constituées sur les recettes générales et particulières, engagées à l'Hôtel de ville de Paris. Pendant les dix années suivantes, le clergé s'engageait à remettre le roi en possession des domaines, aides et gabelles aliénés à la ville de Paris pour constituer des rentes, dont le capital s'élevait à 7.560.000 l. Ce résultat devait être atteint par le paiement de dix annuités de 1.300.000 l. Le contrat prendrait fin avec l'année 1577.

Cette convention était avantageuse pour le clergé, avec toutefois certaines clauses défavorables et inquiétantes pour l'avenir. Elle perpétuait un régime de subventions qui, jusqu'alors, pouvait être considéré comme exceptionnel, mais simultanément, le roi exemptait le clergé de « toutes autres décimes ou emprunts particuliers[1] ». C'était, pour le clergé, se libérer à bon compte de toutes ses charges antérieures, et cette conséquence eût été particulièrement profitable, si cette exemption avait été définitive. Les négociateurs du contrat de Poissy la considéraient comme telle, mais ils ne parvinrent pas à faire accepter cette thèse par le gouvernement.

L'exécution du contrat de Poissy fut d'ailleurs faussée dès l'origine : le gouvernement, dans sa détresse, contracta en 1562, de nouveaux emprunts, dont les intérêts devaient être payés sur les annuités du clergé, si bien qu'à l'expiration de la première

---

1. Déclaration accordée au clergé de France, le 19 octobre 1561. FONTANON, t. IV, 26.

période du contrat, non seulement les amortissements prévus n'avaient pas été réalisés, mais une nouvelle dette s'était constituée, gagée sur une subvention qui était destinée à disparaître.

La deuxième période d'application du contrat fut marquée par le renouvellement des mêmes erreurs : d'autres rentes furent constituées, au paiement desquelles on consacrait les annuités du clergé. En 1572, les évêques consentirent, pour une période de douze années, une subvention supplémentaire de 600.000 l., qui ne tarda pas à être également détournée de sa destination.

Tout cela ne constituait aucun engagement perpétuel et définitif, mais il était évident que le clergé allait être appelé à contribuer dans une mesure toujours plus large à l'amortissement des dettes publiques.

Pendant les seize années d'application du contrat de Poissy, le clergé avait versé, en dehors des 22.600.000 livres prévues, différentes subventions se montant à 39.800.000 l. soit, au total, 62.400.000 l. Ce chiffre était d'ailleurs contesté par le gouvernement, qui prétendait le ramener à 50 millions, augmentés des frais de perception, ce qui réduisait peut-être la différence à peu de chose.

En 1577, le clergé se déclarait dégagé de toute obligation résultant du contrat de Poissy et de toute responsabilité dans les opérations qui avaient détourné ces subventions de leur destination prévue. Il n'avait plus à intervenir dans le remboursement de la dette publique. Cette position était en droit inattaquable, mais les nécessités qui avaient imposé le contrat de Poissy subsistaient, plus impérieuses que jamais, et le clergé dut se résigner à continuer le système des subventions.

De nouveau, le clergé, dans son assemblée générale de 1579, accepta la prolongation de ce régime, et le contrat de 1580, conclu pour dix années, accorda une subvention annuelle de 1.300.000 livres, destinée à gager de nouveaux emprunts.

Le système des subventions était désormais établi, ainsi que le renouvellement régulier des décimes, distinguées en *décimes ordinaires* ou du contrat, qu'on renouvelait périodiquement à l'expiration de chaque contrat, et *décimes extraordinaires*, votées par les assemblées, pour des causes exceptionnelles.

Cette organisation, à peine mise au point, faillit être emportée par la crise des guerres religieuses : depuis 1588, jusqu'en 1594, les décimes cessèrent d'être payées. Les caisses des receveurs furent pillées ; il n'existait plus de comptabilité régulière. Mais, avec le rétablissement de l'ordre, les choses reprirent leur train habituel dans les dernières années du siècle.

La levée des décimes s'organisa au cours du XVIᵉ siècle. Avant 1561, il n'y avait guère de procédure régulière. En l'absence du consentement du pape, dont on se passait le plus souvent, le roi se contentait d'un vote émis par une assemblée du haut clergé ou par des assemblées provinciales. Il lui arrivait même de s'adresser directement à chaque diocèse, auquel il envoyait une commission. L'évêque faisait alors assembler les principaux ecclésiastiques, auxquels le commissaire du roi exposait sa demande. Le vote se faisait sans opposition.

La répartition de la somme totale entre les bénéficiers du diocèse était alors confiée à des délégués de l'assemblée choisis dans toutes les catégories de bénéficiers. Elle était, semble-t-il, extrêmement injuste : Bodin estimait que certains bénéficiers payaient plus de la moitié de leur revenu, alors que d'autres n'étaient pas taxés au trentième[1].

Pour la recette, on commettait un receveur et le produit était envoyé au trésorier de l'Épargne ou aux receveurs généraux des finances. Toutes ces opérations s'accomplissaient sous la surveillance du roi qui contrôlait les diverses opérations de la levée et faisait saisir le temporel des retardataires. La vérification des comptes appartenait à la Chambre des comptes. La connaissance des cas litigieux, à la Cour des aides ou au Grand Conseil.

Avec le contrat de Poissy, qui assura la permanence des décimes, auxquelles s'ajoutaient d'autres taxes exceptionnelles, une nouvelle organisation fut peu à peu mise sur pied, sans cesse complétée par de nouveaux offices créés, soit par le gouvernement qui y trouvait profit, soit par le clergé lui-même, qui en ressentait le besoin.

Le vote des décimes était alors l'affaire de l'assemblée géné-

---

1. BODIN, *De la République*, VI, I, p. 841.

rale du clergé. Dans l'intervalle des sessions, l'administration des décimes fut confiée d'abord aux *syndics généraux*, puis aux *agents généraux*, qui avaient le pouvoir de décharger les bénéficiers, de surveiller les recettes et les dépenses et de vérifier la gestion du receveur général.

Au degré inférieur, on créa, en 1580, des *syndics métropolitains* et des *chambres supérieures des décimes*, au nombre de huit pour tout le royaume, mais les syndics restèrent très effacés à côté des agents généraux, qui étaient les principaux administrateurs, et des Chambres supérieures auxquelles étaient réservées les attributions judiciaires[1]. Depuis 1594, il existait en outre des *receveurs provinciaux*.

Enfin, dans le cadre du diocèse, les décimes étaient confiées aux *syndics diocésains* et aux députés représentant le clergé du diocèse, qui constituèrent dans la suite les *Bureaux diocésains*. Ils étaient chargés de surveiller et de diriger la perception de la contribution et de contrôler les *receveurs diocésains*. Ces députés pouvaient même modifier la répartition de l'impôt en rapport avec les ressources de chaque bénéficier.

Peu à peu, s'était constituée une organisation très centralisée, avec une hiérarchie de receveurs, d'administrateurs et de juges, qui transmettaient les recettes au Trésor de l'Épargne, tandis que la vérification de la comptabilité aboutissait à la Chambre des comptes. Les grandes lignes de ce système, fixées au début du xviie siècle, subsistèrent sans modification jusqu'à la fin de l'Ancien Régime.

La levée des décimes se faisait d'après le département de 1516, qui établissait la cote de chaque diocèse et celle de chacun des bénéficiers. Mais ce travail exigeait des retouches qui furent apportées dans la suite par les députés diocésains, pour taxer certains bénéficiers qui avaient échappé à la première répartition, ajouter les bénéfices de création récente et réduire les taxes excessives. De véritables mises au point furent nécessaires. On procéda ainsi à la revision des taxes de certains diocèses,

---

1. Ces chambres étaient établies à Paris, Toulouse, Lyon, Bordeaux, Rouen, Tours et Aix (Édit du 19 février 1580). Une huitième chambre fut ensuite créée à Bourges.

puis, à une nouvelle répartition, en 1561, à la suite du contrat de Poissy. Il y eut encore une refonte générale du département en 1586, mais en 1605, on revint de nouveau au système de 1561.

Les bénéfices devaient être taxés, pour chaque décime, au 10e de leur revenu, mais il est vraisemblable que la taxe réelle n'était guère que du 20e du revenu de chaque bénéfice[1]. Elle était calculée, soit sur la valeur du bénéfice évaluée en 1516, soit sur une estimation moyenne, soit sur une déclaration du bénéficier, confirmée par serment. Les cardinaux étaient affranchis de toute redevance, et, lorsqu'ils eurent été dépouillés de ce privilège, ils obtinrent finalement le remboursement des sommes qu'ils avaient payées. Par contre, les petits bénéficiers n'étaient pas dégrevés. Les établissements de mendiants eux-mêmes étaient taxés dans la mesure où ils possédaient des revenus. La répartition des taxes était d'ailleurs poussée très loin : dans les couvents, l'abbé et les officiers claustraux étaient cotisés à part de l'ensemble des moines, puisqu'ils possédaient des menses distinctes.

Ces départements font ressortir l'extrême inégalité qui existait entre les membres du clergé, de même qu'entre les diocèses. Les décimes du diocèse de Rouen, le plus fortement cotisé du royaume, variaient entre 15.700 et 20.400 l., tandis que le diocèse de Lescar, extrêmement pauvre, comme la plupart des petits diocèses méridionaux, était taxé entre 86 et 113 livres.

Le produit total d'une décime était d'ailleurs assez variable. Celle de 1516 était de 379.000 l. Mais celle de 1523 s'élevait à 474.000, sans doute à la suite des rectifications apportées au département[2]. Leur montant était évalué en moyenne à 400.000 l.

---

1. Il aurait dû en être ainsi si l'évaluation de chaque bénéfice avait correspondu, comme certains le prétendent, à la moitié de son revenu réel. Peut-être la réalité était-elle différente : nous rencontrons en effet cette définition : « Les décimes sont la dixième partie des deux tiers du revenu de tous les bénéfices. » La taxe des bénéfices du diocèse de Senlis en 1516 est publiée dans le *Recueil des pouillés*. Il est évident que la taxe de l'évêque, qui est de 50 livres, de même que celle du chapitre, qui est de 40 l., ne correspondent nullement au 10e des revenus. Voir le texte du *département de 1580*, publié par Peyrissac.

2. Ce chiffre permettrait d'évaluer le revenu total de l'Église de France à 9.500.000 livres.

Mais nous pouvons entrevoir un fléchissement sensible à la
fin du siècle : lorsqu'on voulut obtenir les 1.600.000 livres du
contrat de Poissy en levant quatre décimes, on fut obligé, pour
y parvenir, d'établir une contribution supplémentaire, un *outre
plus*, équivalant à une décime et demie.

Il fallait d'ailleurs ajouter à ces sommes le montant des frais
de perception qui, depuis 1516, était à la charge du clergé.

**Les aliénations
du temporel.**
A côté des décimes qui prirent bientôt
un caractère de régularité qui en faisait
prévoir la permanence, des aliénations
de biens d'Église, d'un caractère plus
exceptionnel, furent réalisées par le gouvernement pour subvenir
aux besoins du Trésor.

Les grandes aliénations de la fin du XVIe siècle ne constituèrent
pas des innovations. Plus d'une fois, il était arrivé que le gouvernement saisît des biens d'Église sans conventions préalables
et sans engagement de restitution. Le cas s'était présenté pour
la grille d'argent de Saint-Martin de Tours, pour quelques
biens appartenant à des églises languedociennes, mais ces opérations étaient peu importantes et constituaient de simples expédients de trésorerie.

La crise financière de 1561, qui détermina la conclusion du
contrat de Poissy, fut également décisive en ce qui concerne
les aliénations : aux États de Pontoise, les deux autres ordres
avaient émis des projets menaçants pour les biens du clergé,
projets de vastes aliénations ou d'inventaires préparatoires.
Le clergé avait cru pouvoir se tirer d'affaire par un sacrifice
partiel, qui aurait sauvé son capital, mais dès l'année suivante,
les frais de la guerre contre l'Angleterre provoquèrent une
nouvelle spoliation. L'édit du 13 mai 1563 ordonnait la vente au
profit du roi d'une partie du temporel des églises, évalué d'après
le département de 1516, jusqu'à concurrence de 100.000 écus de
rente. Les gros bénéficiers devaient seuls supporter les frais de
cette opération, qui ne devait pas les priver de plus du quart
de leurs revenus. Ceux qui seraient trop chargés recevraient
une rente compensatrice.

Ces opérations réalisées par des commissaires royaux donnèrent lieu à de graves abus. Le roi, pour y remédier, et aussi pour régulariser un système auquel il pourrait de nouveau recourir, accorda au clergé, dès 1564, le droit de racheter les biens dont il avait été privé, en remboursant aux acquéreurs les sommes versées et quelques frais accessoires. Pour cela, tous les bénéficiers devaient être taxés d'une façon exactement proportionnelle, le produit de cette cotisation étant destiné à indemniser les acheteurs de biens ecclésiastiques. Mais ces opérations, qui se firent par l'entremise des officiers du roi, comportèrent également de nombreuses irrégularités.

Il y eut, jusqu'en 1586, quatre autres aliénations. Ces cinq opérations portèrent sur un capital d'environ 20 millions de livres t.[1].

L'aliénation aurait dû comporter des procédures compliquées : pour vendre légalement des biens en principe inaliénables, il eût fallu l'autorisation préalable du pape et du clergé de France représenté par ses assemblées. Or ces conditions ne se trouvèrent pas toujours réunies.

L'acte essentiel était un édit royal publié au Parlement, qui ne l'enregistrait pas sans difficultés. Le pape, pour sa part, autorisait les aliénations par des bulles que les ambassadeurs royaux n'obtenaient qu'après de longues et pénibles négociations. Il arrivait d'ailleurs que cette bulle, n'étant pas expédiée à temps, ratifiât seulement les opérations accomplies.

Quant à l'assemblée du clergé, tenue à l'écart de ces procédures, elle intervint seulement pour autoriser la dernière aliénation. Elle n'agissait le reste du temps que pour protester contre l'illégalité de ces opérations réalisées *invitis clericis*, et pour organiser le rachat des biens vendus.

L'initiative et la réalisation de ces aliénations étaient l'œuvre des cardinaux et des prélats de cour qui ne protégeaient pas tou-

---

1. Ces aliénations eurent lieu en 1563, 1568, 1574, 1576 et 1586. Certains parlent de six aliénations : en effet, la bulle du 1ᵉʳ août 1568 autorisait deux opérations simultanées, l'une par engagement de temporel et l'autre par vendition. Il est ainsi possible de distinguer deux aliénations dans celle de 1568. Voir CARRIÈRE, *Introduction aux études d'histoire ecclésiastique locale*, t. III. On trouve là des détails précis sur toutes ces opérations. Nous remarquerons que la première, celle de 1563, fut faite de la seule autorité du roi.

jours les intérêts du bas clergé et même de leurs collègues de l'épiscopat. Une fois l'aliénation décidée, le pape déléguait comme exécuteurs un groupe de cardinaux, le nonce pontifical et des conseillers clercs du Parlement. Ces délégués réglaient les opérations de loin, se réservant surtout la connaissance des litiges. Pour suivre le détail des opérations, ils désignaient des subdélégués, chanoines, conseillers du Parlement, qui siégeaient à la Chambre du Trésor, entourés de tout un personnel de clercs et de greffiers. Dans les diocèses, d'autres subdélégués, ecclésiastiques, notables et gens de justice, effectuaient les ventes, qui se faisaient après toutes sortes d'annonces et d'avis placardés pour attirer la concurrence.

Les deniers étaient centralisés chez un receveur spécial et la comptabilité soumise à la Chambre des comptes.

Cette procédure était insuffisante pour assurer la sincérité des opérations : on accusait les subdélégués de mettre en vente les plus beaux fiefs à des prix dérisoires, pour les céder à leurs parents. Dénoncer le pillage des biens d'Église devint le thème usuel des doléances du clergé.

C'est pour mettre fin à ces abus que le roi autorisa le clergé, dès la première aliénation, à racheter les biens vendus. Cette opération fut réalisée par les soins de l'assemblée du clergé, qui institua une taxe spéciale à cet effet; mais elle traîna en longueur et ne fut achevée qu'en 1570.

Cette mesure eut pour résultat d'inquiéter les acquéreurs éventuels et elle aurait rendu impossibles les autres aliénations, si le roi avait maintenu cette possibilité de rachat. Aussi eut-il recours, dans la suite, à d'autres procédés pour indemniser le clergé. En 1586 seulement, on accorda de nouveau au clergé le droit de rachat, mais en le limitant aux biens qui auraient été aliénés aux 2/3 de leur valeur réelle. Ce droit de rachat subsista dans la suite et fut même étendu à tous les biens aliénés depuis 1563. Ces mesures incohérentes avaient pour effet de rendre incertaine la situation des acquéreurs, sans pour cela reconstituer la richesse de l'Église. Elles donnaient lieu à des négociations avec les assemblées du clergé, qui se prolongèrent pendant tout le xviie siècle.

Les autres contributions du clergé.
Décimes et aliénations constituaient des charges permanentes pour le clergé, dont les richesses étaient pour le gouvernement une tentation perpétuelle. Aussi, y eut-il recours à plusieurs reprises, pour obtenir d'autres subventions d'un caractère plus exceptionnel.

Une des méthodes les plus usitées était la création d'offices qu'on multiplia dans la deuxième partie du siècle. Après les *greffiers des insinuations ecclésiastiques* (1554), il y eut de nombreuses créations justifiées par l'administration des décimes et la pratique des aliénations : *receveurs diocésains des décimes*, créés en 1557 et rétablis en 1573, *receveurs alternatifs des décimes* et *contrôleurs*, en 1588, *receveurs provinciaux*, en 1594. Tous ces officiers étaient rétribués par des taxes prélevées sur leurs opérations, c'est-à-dire en fin de compte sur les revenus de l'Église, à moins que les assemblées n'aient racheté ces offices, soit pour les supprimer, lorsqu'ils étaient réellement inutiles, soit pour en faire exercer les fonctions par des commis. Le développement de cette administration ecclésiastique n'était ainsi qu'un prétexte pour obtenir de l'Église des ressources nouvelles.

On imagina encore un expédient financier analogue aux décimes mais bien plus onéreux pour l'Église avec la taxe sur les *clochers*, qu'on vit apparaître en 1552, dans une période de crise exceptionnelle, et qui devait revenir dans la suite[1].

Le gouvernement décida alors d'emprunter aux fabriques des églises paroissiales, chapelles et autres fondations pieuses, une somme de 3 millions de livres, à raison de 20 livres par clocher. Cet emprunt ne fut jamais remboursé. Aussi devait-on faire appel de nouveau à cette méthode avantageuse : on y eut recours en 1568, en 1574 (à raison de 31 l. 10 s. par clocher), en 1581, en 1587 (au taux de 45 l.), en 1588, et sans doute en 1593, pour la dernière fois. C'est que la misère générale et les pillages dont le clergé avait été victime réduisaient sensiblement le produit de cette contribution, qui ne dépassait peut-être pas

1. Let. pat. du 11 mars 1552.

le tiers du produit escompté. D'ailleurs le gouvernement disposait alors de moyens suffisants pour pressurer le clergé, sans recourir à ce procédé exceptionnel.

Tout cela, en définitive, portait atteinte au principe de l'immunité ecclésiastique et soumettait le clergé à un système de taxation assez rigoureux. Il s'y résignait, pourvu que le principe de l'immunité restât intangible et que ces contributions fussent toujours considérées comme volontaires. Il allait même au-devant des désirs du gouvernement pour éviter la mainmise de l'État sur l'ensemble de sa fortune immobilière, confiscation dont l'idée était déjà dans l'air.

Il est d'ailleurs difficile de se prononcer sur les effets réels de cette taxation : les obscurités de la comptabilité sont beaucoup trop grandes pour que nous puissions évaluer à quelle somme s'élevèrent au total ces contributions. Et il faut tenir compte, en retour, des avantages qu'elles procurèrent au clergé par suite de l'organisation des assemblées générales.

BIBLIOGRAPHIE

La documentation relative aux diverses contributions du clergé est abondante et en général bien conservée, par les soins de l'Agence générale du clergé. Aux Archives nationales, la série G⁸ contient les comptes des contributions, Décimes, G⁸ 1 et suiv., Département des décimes de 1516, G⁸* 1-4, Comptes des décimes ordinaires, G⁸* 7-154, Comptes des décimes extraordinaires, G⁸* 466-498, Aliénations, G⁸* 262, Titres des aliénations, G⁸* 1203-1352.

A la Bibliothèque nationale, on trouve également des registres de comptes : Compte de la Croisade, ms. fr. 24206-7, Contribution du clergé au Saint-Siège, Nouv. acq. 21254, au roi, ms. Dupuy, 543.

Les séries ecclésiastiques des archives départementales sont également très riches, notamment pour ce qui concerne les aliénations, mais ces documents sont rarement classés.

Textes généraux : Édits du 10 septembre 1568, du 20 décembre 1574, du 20 mars 1577, du 11 mai 1582 (*Recueil des remontrances...* B. N. 8° Ld⁵ 1). — Édit de Melun, de février 1580 (FONTANON, IV).

Décimes : Bulle pontificale du 16 mai 1516, règlement de 1576, département de 1580, édit du 20 janvier 1599, contrats de Poissy de 1561, de 1567, 1580, 1586, 1596.

Aliénations : Édit de janvier 1564, bref pontifical du 17 octobre 1564, règlements des 7 mai 1575 et 20 septembre 1576.

- Ces textes sont publiés dans BRISSON, *Code Henry III*, I, 3. — FON-
TANON, *Les édicts et ordonnances*, IV, 26-28. — GUÉNOIS, *La conférence
des ordonnances*, X, 3. — REBUFFI, *Les édits et ordonnances*, II, 9-10. —
Tractatus universi juris, XIII. — *Recueil des actes, titres et mémoires
concernant les affaires du clergé*, t. VIII, IX et XI. — *Recueil général des
affaires du clergé de France*. — *Recueil des remontrances, édits, contrats
et autres choses concernant le clergé*. (B. N. 8° Ld⁵ 1). — PEYRISSAC,
Des remontrances, édits, règlements, contrats... — *Des* comptes de décimes
sont publiés dans divers ouvrages : LONGNON, *Pouillé du diocèse de
Cahors*, et BRUEL, *Pouillés des diocèses de Clermont et de Saint-Flour*
(Bull. Com. trav. hist., 1882). — TOMMASEO, *Relations des ambassadeurs vénitiens*. Relation de Giustiniano, 1535. — ALBERI, *Le relazioni*, t. I.

Ph. PROBUS, *Quaestiones... ad juris regaliae intelligentiam*. — A. RUZÉ,
Tractatus juris regaliae. — G. LE MAISTRE, *Les Œuvres*, t. III. —
CHOPPIN, *De domanio Franciae*, II, 9. — *Trois livres de la police ecclé-
siastique*. — REBUFFI, *De alienatione rerum ecclesiasticarum*.

G. J. PHILLIPS, *Das Regalienrecht in Frankreich*. — MICHELLET,
Du droit de régale. — BOURGAIN, *Contribution du clergé à l'impôt* (Rev.
quest. hist., 1890). — SERBAT, *Les assemblées du clergé de France*. —
LAFERRIÈRE, *Le contrat de Poissy*. — VIGUIER, *Les contrats et la consolidation des décimes à la fin du XVIe siècle*. — DE LESPINASSE, *Les
finances, les fiefs et les offices du duché de Nevers, en 1580*. — FURGEOT,
L'aliénation des biens du clergé sous Charles IX (Rev. quest. hist., 1881).
— RICHARD, *De publicatis, tempore motuum civilium XVIᵗ s. ecclesiae
gallicanae bonis immobilibus*. — WELTER, *Les aliénations des biens ecclésiastiques en Auvergne* (Bull. hist. et scient. de l'Auv., 1946).

CHAPITRE XIV

LES ASSEMBLÉES DU CLERGÉ

HISTORIQUE DES ASSEMBLÉES. — L'ORGANISATION ET LES ATTRIBUTIONS DES ASSEMBLÉES.—ASSEMBLÉES SECONDAIRES.

Historique des assemblées. Le gouvernement de l'Église a toujours comporté la convocation d'assemblées qui se réunissaient dans le cadre du diocèse, de la province ecclésiastique ou du royaume, et auxquelles se superposait le concile œcuménique, représentant de l'Église universelle.

Parmi ces assemblées, les unes, qui relèvent seulement de la discipline ecclésiastique, sont qualifiées de synodes ou de conciles, tandis que d'autres, comprenant des éléments laïques et qui ont à s'occuper d'affaires de politique ou de finances, doivent être considérées à part et désignées sous le nom d'assemblées du clergé, diocésaines, provinciales ou générales.

D'autre part, il faut remarquer que le clergé trouvait avec les États généraux l'occasion de se constituer en corps avec ses chefs et son programme de revendications[1], mais il agissait alors dans le cadre des États, il était forcé de se concerter avec les autres ordres, et au surplus, le manque de périodicité des convocations s'opposait à l'exercice d'une activité méthodique.

Il y avait là les éléments d'une organisation, qui se constitua à partir de 1561 sous la forme des *assemblées générales du clergé,*

---

1. Ces assemblées du clergé au sein des États généraux sont si bien identifiables avec les autres assemblées générales du clergé que les procès-verbaux des délibérations de la Chambre ecclésiastique ont pris place dans la série des Archives des assemblées du clergé.

lesquelles se perpétuèrent jusqu'à la fin de l'Ancien Régime, tandis que le système des *conciles provinciaux* et des *synodes diocésains*, définitivement organisé par le Concile de Trente, complétait ce système d'assemblées ecclésiastiques.

Les rois, qui jusqu'alors, avaient redouté cette organisation du clergé, étaient contraints de recourir à ses subsides, et la crise financière fit passer au second plan les inquiétudes que suscitait une telle innovation.

Les assemblées générales du clergé de France avaient été assez fréquentes dans le passé : au siècle précédent, celle de Bourges, en 1438, avait laissé des souvenirs ineffaçables. En 1493, une assemblée s'était tenue à Tours, pour étudier un projet de réforme de l'Église de France.

Au XVIᵉ siècle, nous ne trouvons que trois assemblées générales avant celle de 1561, qui marque le point de départ d'une ère nouvelle, celles de Tours (1510), de Lyon (1511) préparatoires au concile schismatique de Pise-Milan, et celle de Paris, de 1552, qui répondait à un appel de fonds du gouvernement. Ces assemblées étaient convoquées par le roi : celle de 1510 devait comprendre tous les évêques, assistés chacun de deux représentants du chapitre cathédral et de représentants du clergé diocésain; mais en réalité, cet effectif ne comprit guère que la moitié de l'épiscopat et un très petit nombre d'ecclésiastiques du second ordre. Par contre, le roi y adjoignit de nombreux théologiens, délégués par les universités du royaume, et des présidents des parlements, qui associèrent l'élément laïque aux représentants de l'Église.

En 1552, l'effectif était plus réduit encore et comprenait également des laïques et des ecclésiastiques.

Dans tous les cas, le gouvernement se proposait d'obtenir satisfaction sur un point précis, sans laisser l'assemblée s'égarer sur d'autres terrains. Les représentants du roi dirigeaient les discussions et on s'empressa chaque fois de congédier les membres de l'assemblée, sitôt acquises les décisions sollicitées.

On chercherait en vain dans le fonctionnement de ces assemblées des règles générales qui permettraient de définir précisément ce système.

On eut recours de nouveau à une assemblée générale du clergé en 1561, lorsque la crise financière imposa au roi l'obligation de recourir aux subsides du clergé d'une façon plus régulière.

Il est vrai que cette nécessité ne semblait pas, dès l'origine, devoir être permanente. L'assemblée de 1561 et celles qui suivirent n'étaient considérées que comme des expédients occasionnels. Ce fut la permanence des besoins qui imposa le recours régulier aux assemblées, et du contrat de Poissy sortit l'organisation qui devait subsister jusqu'à la fin de l'Ancien Régime.

L'assemblée du clergé convoquée à Poissy en juillet 1561 présentait déjà quelques-uns des caractères originaux de cette institution : d'abord, elle avait été réunie isolément, à l'écart des États généraux qui siégeaient à Pontoise. Ses membres s'employèrent surtout à discuter les projets financiers concernant « l'aide et secours dont ils ont été requis », et à élaborer le contrat qui fut ratifié au mois d'octobre suivant, sans qu'on se préoccupât de révisions périodiques.

Sans doute, cette organisation régulière ne fut pas immédiatement réalisée, ni même entrevue. Il y eut au début, soit des assemblées générales dont les résistances inquiétèrent le gouvernement, soit des assemblées restreintes, composées de quelques évêques prêts à toutes les concessions. Mais il arriva que ces derniers furent désavoués par les assemblées générales et leurs décisions manquèrent de l'autorité nécessaire.

Dès 1563, une assemblée eut lieu pour s'enquérir des conditions dans lesquelles s'effectuait l'aliénation en cours des biens du clergé[1]. En 1567, une assemblée générale convoquée pour arrêter les comptes à l'expiration de la première phase du contrat de Poissy, préparait la réunion d'une nouvelle assemblée pour 1573. Celle-ci d'ailleurs, composée seulement de quelques évêques d'une docilité certaine, justifia par ses concessions les critiques qui ne lui furent pas ménagées. Mais elle marqua son intervention par une innovation d'importance : elle rédigea un « cahier spirituel », montrant ainsi sa volonté d'intervenir dans les matières disciplinaires et de les associer aux questions tempo-

---

1. Cette assemblée fut nombreuse et pourvue de pouvoirs réguliers. Elle ne fut pas toutefois comprise dans la liste officielle des assemblées du clergé.

relles, qui avaient été jusqu'alors l'objet unique des délibérations

Les États généraux de 1576 furent l'occasion d'une nouvelle assemblée. La Chambre ecclésiastique négocia avec le gouvernement sur les affaires en cours, et fit reconnaître le principe de l'intervention nécessaire des assemblées dans les aliénations, qui ne devaient se faire que *per viam juris canonici*.

L'assemblée réunie à Melun et à Paris en 1579-80 eut une influence décisive sur l'organisation définitive de l'institution. Son intervention, lors de l'expiration du contrat de Poissy, pour la conclusion d'un nouveau contrat, marquait bien la permanence des décimes et la périodicité des sessions. Le clergé se fit d'ailleurs reconnaître par le roi le droit de convoquer de nouvelles assemblées sans autorisation préalable et régla les grandes lignes de son organisation en créant les agents généraux et les syndics diocésains.

Les assemblées suivantes se réunirent conformément au programme prévu : *petites assemblées*, chargées de vérifier les comptes du receveur général, et *assemblées générales*, qui discutaient le renouvellement des contrats. Au début, la permanence des troubles s'opposa à leur périodicité régulière. Il y eut bien des assemblées de comptes en 1582 et 1584, et une assemblée générale en 1585, mais il fallut convoquer une nouvelle assemblée générale dès 1588, complétée peu après par les États généraux. Et avec les troubles de la Ligue, on put croire que toute cette organisation ébauchée allait disparaître en même temps que les subventions du clergé et l'examen des comptes qui s'y rattachait.

Tout cela reparut avec la pacification : l'assemblée générale de 1595 inaugura la série des assemblées décennales alternant avec les assemblées de comptes, qui les suivaient à cinq années d'intervalle. Ce rythme était établi de façon définitive.

L'organisation et les attributions des assemblées.

Le système de ces assemblées, réglé dès 1580, fut précisé dans le règlement de 1595, auquel succédèrent ceux de 1614 et de 1625.

Il y avait deux sortes d'assemblées, les *grandes assemblées* et les *assemblées de comptes*, différentes par leur effectif et par leur compétence. On remarque encore, dans les premiers temps, les assemblées dites particulières, composées de quelques prélats de confiance, sans délégation régulière, mais l'opposition qu'elles rencontrèrent contraignit le gouvernement à y renoncer.

Les assemblées régulières étaient au début convoquées par le roi, dont l'autorisation était nécessaire. Mais, dès 1585, cette autorisation fut considérée d'emblée comme acquise et il n'y avait plus qu'à s'accorder avec lui sur la date de la réunion.

L'élection des représentants du clergé se faisait à plusieurs degrés. On commençait par réunir en *assemblée diocésaine* les bénéficiers de chaque diocèse ou leurs délégués, ou bien l'évêque se contentait d'assembler le syndic et les députés diocésains, moins nombreux et toujours disponibles. Cette assemblée diocésaine élisait ses représentants à l'*assemblée provinciale*.

Cette assemblée provinciale élisait à son tour les députés de la province à l'assemblée générale. Le nombre de ces représentants était variable : en 1567, il y en eut un ou deux pour chaque province, trois en 1579. Cet effectif devait se fixer dans la suite à 4 pour les assemblées générales et à 2 pour les assemblées de comptes. Ce détail avait d'ailleurs peu d'importance, les voix se comptant par province et non par tête.

Les députés devaient tous être hommes d'Église et même *in majoribus*. Les évêques et les chanoines étaient les plus nombreux, ces derniers surtout qui, parfois, constituaient la majorité de l'assemblée. Les simples curés étaient peu nombreux et les réguliers encore moins. Par contre, les conseillers clercs des parlements occupaient toujours une place importante dans les assemblées. L'opposition était d'ailleurs vive entre l'épiscopat et le clergé inférieur, qui accusait le haut clergé de trahir les intérêts de la masse.

Tous les députés étaient pourvus d'une procuration. Ils représentaient la province tout entière, et non le diocèse dont ils étaient originaires.

Les agents du clergé et les cardinaux siégeaient en plus des députés des provinces.

L'effectif des députés qui siégeaient à l'assemblée générale n'était d'ailleurs pas toujours complet : les défections étaient nombreuses dans ces temps troublés, et aussi à cause des frais qu'entraînait ce déplacement.

L'assemblée était convoquée dans le voisinage du roi, à Paris ou aux environs. Les députés préféraient cette dernière solution pour éviter le contact avec les rentiers qui réclamaient trop bruyamment le paiement de leurs arrérages.

Les séances étaient inaugurées par une messe et par une procession. On élisait un bureau : les secrétaires, les promoteurs, qui proposaient les affaires à discuter, et enfin le président, qui était toujours un évêque, cardinal ou prince du sang, s'il s'en trouvait un dans l'assistance. Les plus hauts dignitaires réclamaient toujours cette charge comme leur appartenant de droit, ce qui provoquait d'interminables conflits. On tournait parfois la difficulté en élisant six ou huit présidents.

Le travail de l'assemblée était préparé par des commissions qui finirent par devenir permanentes. L'assemblée des comptes se divisait en deux bureaux pour l'examen de la comptabilité.

Dans l'assemblée, les votes avaient lieu par province. Les représentants de chacune d'elles se réunissaient pour déterminer le vote de la province, après quoi celles-ci votaient pour exprimer la décision de l'assemblée.

Celle-ci était en rapports suivis avec le roi, qui accordait à ses représentants des audiences. D'autres fois, le roi déléguait à l'assemblée des commissaires, surtout lorsqu'il s'agissait de discuter l'octroi des subventions. Les négociations étaient continuelles entre l'assemblée, le chancelier et le Conseil du roi.

Les assemblées engageaient des dépenses de toutes sortes, dépenses somptuaires et charitables, secrétariat, impressions. Il y avait pour chaque session un budget, qui exigeait des ressources importantes, en dehors de celles qu'on votait pour le service du roi.

Les attributions de l'assemblée ne cessaient pas avec les séances : il fallait veiller à l'exécution des contrats financiers. Aussi, après la conclusion du contrat de Poissy, décida-t-on de créer deux syndics, puis six, dont un qui suivait la cour, tandis que les autres résidaient à Paris. Ces délégués virent bientôt leurs pouvoirs accrus : le roi leur reconnut le droit de juger les procès relatifs au rachat des domaines aliénés, en s'adjoignant cinq conseillers du Parlement. C'était créer, au profit du clergé, une juridiction souveraine extraordinaire. Les syndics ne tardèrent pas à intervenir dans d'autres domaines : ils prenaient l'initiative de faire opposition à toutes les mesures qu'ils jugeaient contraires aux intérêts du clergé; ils se substituaient à la Chambre des comptes, pour vérifier la comptabilité des receveurs du clergé[1].

Malgré ces rapides progrès, les syndics généraux du clergé se trouvaient dans une situation difficile : leurs commettants les accusaient de se prêter avec complaisance aux volontés de la cour et des cardinaux, pour faciliter les aliénations. L'assemblée de 1579 les révoqua.

Mais comme leurs fonctions ne pouvaient être supprimées, on les remplaça aussitôt par deux *agents généraux*, élus par les provinces, à tour de rôle. Ils devaient résider à Paris ou « à la suite de la Cour », pour faire respecter les privilèges de l'Église, notamment ceux que garantissaient les ordonnances de Blois et de Melun. Ils transmettaient les plaintes des ecclésiastiques, veillaient à l'exécution des contrats et contrôlaient les comptes du receveur général. On leur avait toutefois retiré les attributions judiciaires des anciens syndics. Mais ils avaient, pour l'exercice de leurs charges, le droit de siéger au Conseil du roi. C'étaient, en définitive, des personnages dont l'importance ne pourrait être sous-estimée, qui restèrent, jusqu'à la fin de l'Ancien Régime, les représentants permanents du clergé dans l'intervalle des sessions de l'assemblée[2].

Enfin, un autre personnage d'importance était le *receveur général du clergé*, banquier en même temps que receveur, dont les avances étaient nécessaires à la bonne exécution des contrats. Philippe Castille était l'un des financiers les plus en vue de son époque.

1. Voir les textes relatifs aux syndics et agents généraux du clergé dans le *Recueil des remontrances...*, et notamment les édits royaux du 14 août 1564 et du 29 mars 1568.
2. Les textes définissant ces pouvoirs sont publiés dans le *Recueil des actes, titres et mémoires*.

Cette organisation supérieure essaima dans les provinces où se créèrent de nombreux organes subalternes.

Au-dessous de l'assemblée générale furent établies les administrations locales, dont le cadre différait à la fois de celui des provinces ecclésiastiques et des gouvernements, puisqu'il en existait seulement huit pour tout le royaume. C'étaient les *Chambres supérieures des décimes*, créées en 1580. Elles étaient composées de 5 ou de 7 ecclésiastiques assistés de 3 conseillers du parlement ou du présidial. Elles constituaient un tribunal compétent pour juger toutes les questions relatives aux décimes, « tant pour raison de la taxe des décimes que pour l'administration d'iceux ».

On avait également décidé la création de *syndics métropolitains ;* mais ceux-ci n'eurent jamais de fonctions bien déterminées, sauf ceux qui siégeaient à côté d'une Chambre supérieure.

Enfin, à ce même échelon, furent établis en 1594 des *receveurs provinciaux*, intermédiaires entre les receveurs des diocèses et le receveur général.

Au degré inférieur, le diocèse constituait le cadre traditionnel de l'administration ecclésiastique, auquel on apporta quelques innovations. De tout temps, avaient existé les *assemblées diocésaines*, qui votaient les subsides fournis par le diocèse. Leur répartition et leur levée étaient effectuées par des députés représentant le clergé du diocèse. Ce système se trouva renforcé à la suite du contrat de Poissy. Les députés diocésains siégeaient sous la présidence de l'évêque. Ils étaient au nombre de six, le plus souvent, désignés par cooptation, par élection, ou par le choix de l'évêque. Ils surveillaient la perception des décimes et autres taxes imposées sur le clergé du diocèse, rectifiaient au besoin le département de 1516, réglaient les différends qui s'élevaient à cette occasion et contrôlaient la gestion des receveurs diocésains. C'était une autorité à la fois administrative et judiciaire, subordonnée à celle des assemblées générales et des Chambres supérieures. Ces députés diocésains étaient un rouage essentiel de l'organisation diocésaine; leur action ne fit que se consolider dans la suite, tandis que leur organisation, très variable suivant les diocèses, tendait à l'uniformité. Nous les voyons fonctionner dès le début du XVIIe siècle, sous le titre de *bureaux diocésains*, qu'ils conservèrent jusqu'à la fin.

A leurs côtés, un ou deux *syndics diocésains* étaient en principe chargés de poursuivre les procès auxquels le clergé était intéressé, mais leurs fonctions allèrent en se développant; ils s'occupaient de la recette des décimes et de toutes les affaires qui concernaient les droits du clergé.

Enfin, la recette des contributions ecclésiastiques était confiée au *receveur diocésain*, qui était parfois un des syndics.

L'assemblée de Melun avait pris soin d'établir des liaisons entre ces divers organismes : les bénéficiers devaient communiquer aux syndics diocésains et ceux-ci aux agents généraux tout ce qui concernait le diocèse. Les syndics diocésains devaient s'assembler dans le cadre de la province et les provinces communiquer ensemble pour délibérer sur tout ce qui « appartenait à la cause de l'Église[1] ».

Cette organisation avait pris corps à l'occasion de la levée et de l'administration des contributions ecclésiastiques. Mais cette occasion et la condescendance nécessaire du gouvernement étaient trop opportunes pour que le clergé n'en profitât point pour étendre son activité, pour défendre ses intérêts de corps, et intervenir dans toutes les parties de la politique ecclésiastique.

Dès l'origine en effet, les prétentions du clergé s'étaient manifestées d'autant plus librement qu'une certaine confusion avait marqué la tenue des premières assemblées : elles avaient succédé aux États d'Orléans de 1560, à l'assemblée de Poissy, où le clergé avait eu à intervenir dans toutes les affaires concernant l'Église et le royaume.

Plus tard, les assemblées du clergé se confondirent avec les sessions des États de 1576 et de 1588, où il était impossible de faire un partage exact entre l'œuvre purement administrative de l'assemblée et l'activité plus large de l'ordre tout entier. Aussi, le caractère des assemblées du clergé reste-t-il toujours incertain et son activité illimitée. Cela explique qu'en 1579, l'assemblée put revendiquer, par une formule significative, une autorité

---

1. Procès-verbaux de l'assemblée de Melun. *Collection des procès-verbaux*, t. I.

qui dépassait largement les limites de sa compétence administrative : « A tous articles concernant la discipline, sera advisé de n'attribuer aucune juridiction au roi, seulement lui faire requête que l'exécution des articles soit par lui autorisée. »

Dès le début, les assemblées se préoccupèrent de faire publier le Concile de Trente et d'obtenir le rétablissement des élections épiscopales. Elles s'obstinèrent dans cette double revendication jusqu'au début du XVII⁰ siècle, ne se laissant jamais rebuter par les réponses dilatoires ou brutales des gouvernants.

A défaut de ces réformes fondamentales, les assemblées prirent en main le rétablissement de la discipline ecclésiastique. Celle de 1579 agissait comme un véritable concile national, en publiant les *Constitutiones conventus melodunensis*, qui était un recueil de règlements extraits du Concile de Trente.

La situation légale des assemblées du clergé restait malgré tout assez difficile à définir. Le Tiers État, en 1576, avait bien déclaré que « la puissance baillée à saint Pierre estoit continuée en MM. de la présente assemblée », mais tous les juristes n'étaient pas d'accord sur cette définition et en premier lieu l'assemblée elle-même, qui, en 1567, déclarait qu'elle « n'est pas en forme de synode ou concile national ou provincial ». Même lorsqu'elle se prononçait sur des questions dogmatiques, l'assemblée les présentait sous la forme de propositions soumises à la ratification des évêques.

Quelque incertaine que fût la situation des assemblées, elles n'en occupaient pas moins dans l'État une place importante, qui compensait largement pour le clergé l'atteinte portée à ses immunités fiscales. Dans le royaume, dont l'organisation était censée reposer sur l'existence des trois ordres, le clergé était le seul qui fût véritablement organisé et représenté en permanence dans les conseils du roi. Peu lui importait que les autres ordres n'eussent plus qu'une existence fictive, et que le système de représentation nationale fût sur le point de disparaître.

Les assemblées du clergé qui, originellement, étaient des organes essentiellement administratifs, se présentèrent bientôt comme des conciles nationaux ou des assemblées nationales du clergé. La puissance du haut clergé, pendant les siècles suivants et son influence sur les affaires de l'État furent les conséquences directes des réformes ainsi réalisées à la fin du XVIe siècle, sous la pression des nécessités financières

Assemblées secondaires. A côté de ces assemblées générales, il existait diverses assemblées de moindre importance : assemblées provinciales et diocésaines, conciles provinciaux et synodes diocésains, faciles à définir, mais dont le classement est malaisé, lorsqu'il s'agit de ranger telle ou telle session dans l'une ou l'autre de ces catégories.

Le *concile provincial* comprenait, sous la présidence de l'archevêque, les évêques et abbés de la province, ainsi que des représentants des chapitres et du clergé inférieur. Les prescriptions du droit ecclésiastique et, en dernier lieu, celles du Concile de Trente ordonnaient de les réunir tous les trois ans. On y examinait les questions de dogme et de discipline, et les canons, votés par le concile et promulgués par l'archevêque, étaient applicables à toute la province.

On désignait sous le nom d'*assemblée provinciale* la réunion des bénéficiers de la province ou de leurs représentants appelés à se prononcer sur des questions d'ordre administratif et spécialement sur l'octroi des subventions demandées par le roi.

Le plus souvent, les assemblées du clergé réunies autour de l'archevêque ne présentaient aucun caractère bien défini et portaient leur activité sur les matières les plus diverses. Leurs réunions étaient d'ailleurs assez rares et les prescriptions concernant leur tenue étaient en général négligées.

Les principales assemblées furent celles de l'année 1528, tenues à Paris, pour la province de Sens, à Lyon et à Bourges. Elles s'occupèrent seulement de questions dogmatiques, ce qui permet de voir là de véritables conciles provinciaux[1].

---

1. Le caractère véritable de ces assemblées peut d'ailleurs prêter à controverse : « Il faut voir dans la plupart de ces réunions provoquées par des demandes de subsides, de simples assemblées provinciales, car il leur manque tous les caractères d'un véritable concile. » SERBAT, *Les assemblées du clergé*, p. 27.

Ces conciles se multiplièrent dans la suite, lorsque la nécessité se fit plus pressante de rétablir la discipline de l'Église et qu'on se préoccupa d'appliquer les décrets du Concile de Trente. Le roi lui-même intervint pour prescrire leur tenue régulière à l'intervalle de trois années[1]. Après le Concile de Narbonne, de 1551, neuf autres conciles, tenus entre 1564 et 1590[2], rédigèrent des canons qui condensaient les décisions du Concile de Trente, concernant la foi et la discipline sous leurs aspects les plus variés. Ils développaient notamment le principe de l'autorité épiscopale, sur lequel devait reposer la restauration ecclésiastique. Ce système conciliaire, bien qu'il ne se fût jamais conformé à la règle de la triennalité qui lui était imposée, semblait devoir être un des organes essentiels de l'Église issue du Concile de Trente.

Au degré inférieur, les *synodes diocésains* comprenaient les curés et prêtres du diocèse réunis autour de l'évêque, qui communiquait à son clergé les décisions provenant du pape ou des conciles provinciaux, et promulguait même de sa propre autorité des statuts synodaux concernant la discipline des prêtres et des fidèles. Cette conférence, régulatrice de la vie religieuse, devait remédier à toutes les insuffisances du clergé paroissial. Aussi, était-il prescrit de la réunir chaque année.

En même temps que les synodes, les *assemblées diocésaines* étaient convoquées pour la répartition des subsides votés par le clergé. Il s'agissait là d'organes administratifs, dont l'activité restait distincte de celle des synodes ecclésiastiques.

BIBLIOGRAPHIE

Les principales séries d'archives se trouvent dans le fonds de l'Agence générale du clergé, Arch. nat. G⁸ 82 et suiv. et G⁸* 586-707. A la Bibliothèque nationale, il existe également des collections de

---

1. Édit de février 1580, art. 1.
2. Ces conciles furent ceux de Reims, 1564 et 1583, Rouen, 1581, Bordeaux, 1583 et 1584, Tours, 1583, Bourges, 1584, Aix, 1585, Toulouse 1590. Les canons de Tours et d'Aix sont particulièrement importants. Voir ODESPUNC DE LA MESCHINIÈRE, *Concilia novissima Galliae*.

procès-verbaux des assemblées, ms. fr. 15650-15700, 17578-83, 18259, 23430-40.

Édit de Melun, de février 1580. — Sommaires des délibérations des assemblées de 1561, 1567, 1576-7, 1579-80, 1582, 1584, 1585-6, 1588, 1595-6, 1598, 1600 (*Collec. des P.-V. des assemblées générales... t. I*). — Chambre ecclésiastique des États généraux de 1560, 1576, 1588 (*Ibid.*). — Remontrances du clergé en 1579, 1582, 1585, 1596, 1598 (*Recueil des remontrances, édits, contrats...* B. N. 8ᵃ Ld⁵ 1).

Recueil des actes, titres et mémoires concernant les affaires du clergé de France, t. VIII et XII (Souvent désigné sous le titre abrégé de *Mémoires du clergé*). — *Recueil des remontrances, édits, contrats...* — (ODESPUNC DE LA MESCHINIÈRE), *Actes, titres et mémoires concernant les affaires du clergé de France*. — *Collection des procès-verbaux des assemblées générales du clergé de France*. — ODESPUNC DE LA MESCHINIÈRE, *Concilia novissima Galliae*. — PEYRISSAC, *Des remontrances, édits, règlements, contrats, départements et autres choses concernant les affaires du clergé*. — G. DE TAIX, *Mémoires des affaires du clergé*.

SERBAT, *Les assemblées du clergé de France*. — BOURLON, *Les assemblées du clergé sous l'Ancien Régime*. — RICHARD, *Pierre d'Épinac, archevêque de Lyon*. — DE FONT-RÉAULX, *Le cahier de doléances du clergé d'Embrun en 1567* (Bull. Com. trav. hist., 1936-7).

CONCLUSION

Les principaux événements qui se sont produits au xvie siècle dans l'ordre politique n'ont pas été déterminants dans l'histoire des institutions. Les guerres d'Italie n'ont pas troublé le cours régulier de l'administration monarchique et, si les guerres religieuses de la fin du siècle ont été l'origine de graves bouleversements, on peut dire que, du point de vue auquel nous nous plaçons, il s'agissait d'une crise passagère, après laquelle le fonctionnement des institutions reprit le plus souvent son allure antérieure.

Il serait de même illégitime d'accorder trop d'importance à la personnalité des rois ou de leurs ministres. Le xvie siècle a été riche en hommes qui se sont signalés par une activité très personnelle, mais bien peu d'entre eux se sont appliqués à modeler sur un type nouveau les organes du gouvernement. Dans ces générations de combattants et d'hommes d'action, le tempérament administratif, méthodique et raisonneur, a fait défaut, tandis que les esprits créateurs trouvaient leur voie dans une autre direction, dans le domaine de la religion et de l'organisation ecclésiastique.

Il est vrai que nous avons relevé çà et là, au cours du règne de François Ier, et spécialement pendant les quinze dernières années, quelques indices d'une volonté réformatrice, qui nous laissent hésitants sur la portée réelle de ce programme d'action. Peut-être y avait-il une pensée profonde dans les réformes financières et dans celle des grands offices, mais ses manifestations, telles que nous les connaissons, restent difficiles à interpréter. Si, plus tard, au temps de Henri II, de remarquables innovations sont à signaler, nous ne saurions en attribuer l'initiative à quiconque et en particulier au roi, dont les vues, en matière d'administration, étaient sommaires. Il semble nécessaire d'y voir des mesures de circonstance imposées par les événements et réalisées par la masse anonyme du Conseil, plutôt que l'effort d'un esprit créateur doué de quelque originalité.

A plus forte raison, ne peut-on considérer les derniers Valois comme de grands constructeurs. Dominés par les événements, ils ont régné en s'efforçant de parer aux difficultés de chaque jour, sans se préoccuper d'un avenir pour lequel ils ne pouvaient rien prévoir.

Quant aux ministres des rois, la revue est vite faite des grands esprits capables de concevoir une réforme fondamentale. La plupart d'entre eux n'ont été attirés que par ce qui semblait mériter surtout leur attention, par la guerre et par la diplomatie. Si, par instants, quelques juristes, aptes aux choses de l'administration, ont accédé à la chancellerie, ils ont été accaparés, soit par le souci des cabales de cour, comme Poyet, soit par les nécessités de la vie quotidienne et en premier lieu par les difficultés financières, et les derniers d'entre eux n'ont pu que négocier avec des adversaires déchaînés, si bien que même les œuvres législatives les plus imposantes de cette époque ne sont que des compromis négociés avec les États généraux ou avec les cours souveraines.

Seul, Duprat, avec le Concordat, a laissé sa marque sur les institutions de son époque et sur la société cléricale, et cela de telle façon que l'Église gallicane en a supporté les conséquences pendant près de trois siècles.

Ce furent, il est vrai, les chefs de l'État qui mirent fin aux guerres religieuses par l'Édit de Nantes, dont l'importance ne saurait être méconnue, non seulement quant à son efficacité pacificatrice, mais surtout quant à sa signification et au caractère nouveau qu'il imposait à l'État. Dans son rapport avec les institutions, nous pouvons le négliger, puisque ses conséquences ne se sont développées qu'au cours du xviiᵉ siècle, mais sa conception même apportait dans le royaume un élément nouveau et quelque peu révolutionnaire. Jusqu'alors, l'État avait été incorporé à l'Église; c'était une entité confessionnelle, dont l'autorité était au service de la religion catholique romaine. Or, l'Édit de Nantes, en accordant la liberté aux dissidents, rompait avec cette tradition. Le gouvernement s'interdisait de conduire ses sujets vers des destinées surnaturelles. Les rois renonçaient à leur mission en reniant le serment du sacre. C'est à quoi Louis XIV ne voulut pas se résigner.

Sans doute, ces remarques préliminaires ne doivent-elles pas être interprétées trop strictement. Il est évident qu'un grand nombre d'événements politiques ont eu leur répercussion sur la vie administrative et sur les méthodes de gouvernement. Il est clair, par exemple, que l'anarchie de la Ligue a laissé des traces durables sur la vie des communautés urbaines, sur l'institution des gouverneurs et sur le fonctionnement des assemblées provinciales. Nous les retrouvons plus encore dans la mémoire des hommes d'État du XVIIe siècle, dont la principale préoccupation a été d'éviter le retour d'événements aussi périlleux. Mais c'est surtout par des voies indirectes que les faits historiques ont agi sur les formes du gouvernement, et c'est dans ce sens qu'il convient de rechercher l'origine des grandes transformations accomplies au cours du siècle.

A voir en effet les choses de près, nous remarquons que les transformations les plus notables dans l'histoire des institutions se rattachent à des origines moins saisissables, à de grands bouleversements sociaux ou économiques qui ont contraint les gouvernements à s'adapter à des situations nouvelles, à consacrer par des règlements les pratiques déjà traditionnelles.

Nous avons ainsi à tenir compte des dispositions intellectuelles des contemporains, auxquels la Renaissance, dans le domaine de la philosophie politique, ouvrait des perspectives nouvelles. Les théories des penseurs se sont reflétées dans les conceptions des administrateurs qui, plus d'une fois, ont considéré comme des raisons valables tels précédents justifiés uniquement par des traditions lointaines. Un esprit réaliste comme Bodin ne reculait pas devant des rapprochements entre la législation royale et celle des Perses ou des Mèdes, entre le Sénat romain et les grands corps de l'État, Parlement, Conseil d'État ou Conseil privé, qu'il désirait modeler à son image. N'allait-il pas jusqu'à invoquer le système financier de Romulus, pour en déduire les principes applicables aux finances de son temps ? Singuliers anachronismes, qu'on pourrait négliger s'ils n'avaient inspiré toute la littérature politique, s'ils n'avaient pas été les thèmes favoris des réformateurs que nous voyons à l'œuvre dans les assemblées d'États, des officiers royaux qui s'efforçaient de respecter, au moins dans la forme, ces traditions réputées vénérables[1].

Une autre tradition s'imposait également à ces esprits conservateurs, moins étrangère aux réalités contemporaines mais susceptible de refréner les essais d'adaptation aux nécessités du temps; c'était celle de Louis XII, considéré non pas comme un réformateur de génie, mais comme représentant d'un système politique bien équilibré, dans lequel les intérêts de la nation n'avaient pas été sacrifiés aux excès d'une politique de magnificence. Il n'y avait là en vérité qu'une interprétation tendancieuse des données réelles de l'histoire, présentée par des littérateurs à gages, légende qui inspira dans la suite pamphlétaires et orateurs, auxquels les hommes de gouvernement durent parfois faire des concessions, jusqu'au jour où Henri IV, en homme d'État pratique et réaliste, sut se dégager des formules périmées.

Mais plus que ce dogmatisme dépourvu d'efficacité, certaines réalités s'imposaient, auxquelles chacun dut se soumettre, même lorsqu'il ne les comprenait qu'imparfaitement. Ce furent au premier rang les réalités financières et économiques.

L'histoire du XVIᵉ siècle est en effet dominée par ce fait essentiel que la détresse des finances publiques y fut permanente et irrémédiable. A part quelques années du début (qui firent précisément le prestige du gouvernement de Louis XII), les problèmes financiers se posèrent pour tous les gouvernements,

---

1. On peut indiquer à ce propos l'article très documenté de DUPONT-FERRIER, *Les institutions du Moyen Age vues à travers les institutions de l'antiquité romaine*. Rev. hist., 1933.

harcelés par la nécessité de trouver des expédients convenables, en particulier après la crise de 1560-67, la première en date de ces faillites qui se reproduisirent périodiquement dans la suite.

Dès le XVIe siècle, la monarchie française se montrait impuissante à organiser un système financier lui permettant de soutenir son effort politique et militaire. Alors, et jusqu'à la fin de l'Ancien Régime, les administrateurs des finances royales n'ont imaginé autre chose que quelques mesures d'assainissement, quelques réformes de comptabilité, insuffisantes pour éviter le retour des bouleversements profonds. Le XVIe siècle est à l'origine de ce drame des finances publiques et des conséquences qui en sont résultées dans le domaine des institutions comme dans la vie sociale tout entière.

Avec ce système de réformes de détail et d'expédients financiers, c'était un nouvel effort de fiscalité qui s'imposait, appuyé sur une réorganisation de l'administration financière. Et celle-ci, en l'absence d'une reconstruction totale, ne pouvait consister qu'en retouches successives, tentatives ébauchées et toujours en retard sur les évènements.

En marge des problèmes financiers, les difficultés monétaires ont eu leur répercussion sur les institutions du royaume. Problèmes dont l'origine remontait loin dans le passé, puisque la pratique des variations monétaires et la chute de la livre tournois ne cessaient de se développer depuis plusieurs siècles. Or, leur aggravation au cours du XVIe siècle, si brusque que certains peuvent la rattacher à l'afflux des métaux précieux d'Amérique, a eu pour résultat un affaiblissement des valeurs nominales et une transformation notable des rapports sociaux. L'effondrement des revenus féodaux, la formation de capitaux mobiliers, l'enrichissement prodigieux de certaines familles, tout cela devait se faire sentir sur le système féodal tout entier, en même temps que sur le droit des offices, désormais considérés comme des valeurs marchandes. Substitution de personnel dans les classes dirigeantes, développement parfois excessif de certains organismes, crise d'autorité dans l'État, tout cela apparaît au cours du siècle et s'impose aux institutions des siècles suivants.

C'est à ces phénomènes, plus ou moins apparents pour les contemporains, que se rattachent les principaux faits qui marquent la transformation des institutions monarchiques, et même de plusieurs principes juridiques sur lesquels reposait la société du Moyen Age.

Nous notons en premier lieu l'effacement de certaines puissances autrefois prépondérantes dans l'administration du royaume, parmi les grands officiers de la Couronne, dont quelques-uns passent au second plan, tel le connétable, ou disparaissent comme le grand chambrier, tandis que le chancelier poursuit une ascension régulière, parallèle au développement de l'administration proprement dite et du personnel bureaucratique.

De même, dans les provinces, le personnel des baillis et des sénéchaux, fonctionnaires pourvus d'attributions multiples et qui représentaient une conception patriarcale de l'administration, s'efface derrière des agents plus spécialisés, aux mains desquels les fonctions judiciaires, militaires et financières sont moins étroitement confondues. Si les baillis eux-mêmes subsistaient, et s'ils étaient toujours choisis dans l'aristocratie, leur activité passa en totalité à leurs collaborateurs juridiques, à petit personnel de lieutenants et de conseillers auxquels étaient désormais confiés le pouvoir judiciaire et l'administration locale. Et la création des présidiaux vint encore renforcer cette organisation, sous prétexte de simplifier le système judiciaire. Progrès marqué de toute la gent de robe et du système collégial, sur la justice plus aristocratique et plus individualiste du passé.

A cette réforme applicable surtout au personnel judiciaire, s'ajoutait l'apparition de nouveaux organes créés de toutes pièces ou issus du développement de certains corps de petite importance, de caractère parfois indécis, et qui, les uns et les autres, vinrent se placer à la tête des grands services de l'État, précisant leur activité et devenant pour l'avenir les agents les plus actifs de la monarchie.

Nous avons vu se consolider ainsi le système des conseils issus du Conseil du roi, organe encore imparfait à la fin du XVIᵉ siècle, mais déjà spécialisé et qui n'aura plus que quelques retouches à subir pour devenir le moteur central de l'administration. De même, les maîtres des requêtes, encore à la recherche de leur véritable destinée à la fin du xv\ :superscript siècle, étaient cent ans plus tard installés dans des fonctions déterminées, aptes à exécuter tous les services qu'on peut attendre d'un personnel de juristes. Enfin, et c'est peut-être la création la plus significative de notre époque, les secrétaires d'État, formés dans les bureaux de la chancellerie, émergèrent brusquement au milieu du siècle, virent définir leur attributions à la tête des bureaux de l'administration centrale, et, après quelques retouches, finirent par devenir les chefs de véritables départements ministériels.

Çà et là, d'ailleurs, nous voyons apparaître des bureaux, tout un personnel de commis, qui n'était pas tout à fait inconnu dans le passé, où les clercs fonctionnaient à côté des chefs de service, mais qui s'organisa en groupes spécialisés, qui devaient donner à la monarchie des derniers siècles son caractère de gouvernement bureaucratique.

Tous ces organes étaient définitivement constitués sous Henri IV et si bien adaptés à leurs tâches qu'ils purent subsister sans transformations notables jusqu'à la fin de la monarchie, qui les légua elle-même à ses successeurs.

L'administration du royaume était ainsi remise à un personnel spécialisé, qui se substituait aux pouvoirs d'origines diverses issus des autres classes de la nation, grands officiers et gouverneurs, baillis et sénéchaux, consulats des villes, États provinciaux. Ceux-ci, sans disparaître, perdaient toutefois du terrain devant ces nouveaux représentants de l'autorité royale.

Cette substitution, si caractéristique du xvi\ :superscript siècle, eût été sans péril pour le pouvoir central si elle n'avait pas été accompagnée de créations qui en modifièrent profondément le caractère. Et c'est ici qu'intervient de la façon la plus efficace l'incidence des faits économiques.

La pénurie du Trésor a en effet amené le gouvernement royal, à court d'expédients, à tirer profit de la vente des fonctions publiques. La multiplication effrénée des offices imposa la réglementation, incertaine d'abord, puis définitivement établie par les actes de 1604, aboutissant à l'appropriation individuelle de la puissance publique, à la création d'une caste d'officiers indépendants du pouvoir souverain. Il ne restait plus à celui-ci qu'une seule méthode pour ressaisir son autorité, le rachat des offices, solution plus irréalisable encore dans la suite qu'au XVIᵉ siècle. C'était un lourd héritage que les derniers rois Valois laissaient à leurs successeurs, et qui allait marquer fortement l'activité politique et la vie sociale de l'Ancien Régime.

La multiplication des offices entraînait d'ailleurs le système de la collégialité : aux officiers chargés personnellement d'une fonction publique s'était ajouté un personnel subalterne associé à l'exercice du pouvoir. Il en résultait une diffusion de la responsabilité qui rendait la hiérarchie incertaine et aggravait encore la décadence de l'autorité publique. Partout les ordres venus d'en haut étaient tenus en échec par des coalitions anonymes, en face desquelles le roi se trouvait désarmé.

Pour réagir contre cette dispersion de l'autorité, contre les usurpations que provoquèrent les guerres civiles, contre l'anarchie locale, le particularisme provincial qui se réveillait autour des gouverneurs de provinces, des moindres commandants de place forte, des États provinciaux et des conseils improvisés un peu partout, le gouvernement devait être tenté de déléguer ses pouvoirs à des fonctionnaires nouveaux, commissaires toujours révocables, chargés de missions temporaires et superposés aux officiers de toutes catégories. On avait pour cela des juristes aptes à toutes les tâches, capables de représenter le roi sans faire craindre d'usurpations. Ce furent les maîtres des requêtes de l'Hôtel qui se transformèrent en intendants, dont les fonctions s'ébauchèrent sous Henri II, pour se préciser peu à peu jusqu'à la fin du siècle. Là encore, nous assistons à l'avènement d'une des puissances caractéristiques de la monarchie d'Ancien Régime.

Ce problème des offices et de la reprise en main de l'autorité gouvernementale était primordial pour la royauté, mais on ne se préoccupait pas moins de la réorganisation financière, qui nécessitait une remise au point permanente de la législation fiscale et des organes administratifs correspondants. Problèmes secondaires aux yeux des personnages dirigeants, mais dont

l'importance se faisait sentir lorsqu'il s'agissait de la préparation d'une campagne ou de l'exécution d'un traité; plus encore,
lorsque l'autorité royale défaillait, par suite du manque des forces nécessaires pour agir contre les armées rebelles. L'issue des
guerres religieuses à la fin du siècle a été conditionnée par la
situation du Trésor.

De là, la refonte perpétuelle du système d'impositions, les
inventions fiscales dissimulées derrière les innovations administratives d'apparence judiciaire, comme la création des présidiaux, ou corporative, comme l'édit de 1581. De là aussi, la
réforme des organes administratifs, de tout le système mis sur
pied au temps de Charles VII, pour lui substituer le Trésor de
l'Épargne et le découpage du royaume en généralités.

En marge de ces réformes, nous observons une nouvelle
poussée de vitalité des États généraux et provinciaux, des assemblées de Notables, une transformation des relations de la royauté
avec les villes, et la mise au point des institutions de crédit
public.

Bien d'autres réformes fondamentales en résultèrent dans le
cadre des institutions, telles que la levée des décimes ecclésiastiques et les assemblées du clergé, sur lesquelles il nous faudra
revenir, comme sur une des grandes innovations apportées à la
vie de l'Église gallicane.

Et cette transformation du régime fiscal se complétait par
celle du personnel des gens de finances : la chute des anciennes
institutions financières avait accompagné celle de l'aristocratie
des administrateurs. Les rois, qui s'étaient privés à tort ou à
raison de ces serviteurs, durent avoir recours à d'autres, et ce
furent les Italiens qui s'imposèrent dans ces fonctions, et dans
beaucoup d'autres encore, invasion qui devait se prolonger
pendant plus d'un siècle, pendant lequel le royaume fut administré et exploité par les hommes d'affaires étrangers, race toujours maudite et irremplaçable.

Si les institutions du xvie siècle portent la marque des efforts
accomplis pour restaurer le pouvoir royal, nous remarquons
d'autres résistances qui ont au même moment gêné son action
et dont il lui a été plus difficile de triompher. Il s'agit des organes

issus de la nation, qui, dans la période de crise des dernières années, menaçaient de prendre une part importante dans l'administration du royaume.

C'étaient en premier lieu les États généraux et les assemblées de Notables, qui, après une période d'activité, au cours des siècles précédents, étaient passés au second plan pendant la première partie du XVIe siècle. Les minorités royales et les contestations dynastiques qui s'ensuivirent les ramenèrent au premier plan, si bien qu'on put se demander si le royaume n'allait pas s'orienter vers un régime d'assemblées délibérantes. L'étude des sessions d'États généraux nous a montré qu'il n'en était rien. Cet organisme informe, sans compétence précise et sans statut réglé, ne pouvait apporter au gouvernement qu'une collaboration temporaire, toujours décevante pour les deux parties. L'effort de reconstruction réalisé par Henri IV devait éliminer cet organe, dont l'insuffisance était démontrée.

Il n'en était pas de même pour les États provinciaux, dont l'activité était plus régulière et qui, s'ils se limitaient à des besognes plutôt administratives, n'en conservaient pas moins leur place dans les institutions royales. Moins inquiétante pour le pouvoir central, en raison de leur éloignement et de leur activité localisée, leur existence pouvait encore se prolonger sans que leur disparition fût prévue.

Quant à la situation des villes, elle pouvait donner lieu à des appréciations contradictoires : si le gouvernement royal les soumettait à un contrôle toujours plus strict, visant à remettre cette administration à un petit nombre de consuls, sur le modèle de l'administration parisienne, les villes conservaient des éléments d'indépendance basés sur leur activité économique et sur la puissance financière de leurs bourgeois. Là encore intervenait le facteur économique pour laisser aux villes leur indépendance en face du pouvoir royal, indépendance dont elles surent profiter au cours des troubles de la Ligue, et qui ne devait décliner sensiblement qu'au cours du XVIIe siècle.

Tels étaient les obstacles de toutes sortes avec lesquels le gouvernement devait compter lorsqu'il agissait dans les provinces. Mais il en rencontrait bien d'autres dans les nombreux organismes locaux dont le concours lui était nécessaire. Le particularisme local était encore intact au xvi⁰ siècle, avec les statuts provinciaux et municipaux, la législation variable suivant le gré des parlements et des juridictions inférieures. La publication des actes de l'autorité souveraine était encore laissée à la disposition des corps judiciaires, qui pouvaient, au surplus, en amender le texte par leurs formules d'enregistrement[1]. Et il arrivait que le roi lui-même autorisât cette étrange procédure, contraire à tous les principes d'autorité dont il se réclamait[2].

L'enregistrement des édits par les cours souveraines, par les présidiaux et les bailliages, le pouvoir de règlement qui leur était attribué aboutissaient ainsi, malgré la présence des représentants du roi, à un foisonnement de diversités locales. Le gouvernement, s'il comprenait parfois la nécessité de réagir, était dépourvu d'une tradition lui permettant d'agir avec continuité. L'incohérence était habituelle en cette matière, pour laquelle, remarque un historien averti, « le gouvernement central manifeste son incompréhension croissante de l'administration provinciale[3] ».

L'effort législatif des rois du xvi⁰ siècle, la présence de juristes expérimentés dans les conseils et à la chancellerie, et même l'action des intendants à leurs débuts ne devaient pas modifier sensiblement cet état de choses.

C'est que la distinction qui semble s'imposer entre les institutions centrales et les institutions locales n'était pas familière aux esprits du xvi⁰ siècle. On ne se préoccupait pas d'établir entre les unes et les autres une hiérarchie exacte. Les chancelleries des provinces n'étaient que des annexes de la grande chancellerie centrale. C'est par des transitions insensibles que nous passons de la cour du roi au Parlement de Paris et aux parlements provinciaux. Il en est de même pour les États généraux proprement dits et pour ceux du Languedoc, qui conservaient certains souvenirs du temps où ils étaient en parallèle

1. Il en fut ainsi notamment pour la publication du Concordat et, à la fin du siècle, pour la suppression de la Compagnie de Jésus, à la suite de l'attentat de Chastel.
2. Ainsi à l'occasion de la publication de l'édit du 14 juin 1549.
3. BUSQUET, *Histoire des institutions de la Provence.*

avec les États de Languedoïl. De même, les généralités n'étaient
au XVIᵉ siècle encore que des charges gérées par les officiers
de finances résidant auprès du roi, et c'est seulement alors que
nous les voyons se transformer en circonscriptions locales. Et
les intendants eux-mêmes, lorsqu'ils apparaissent, ne sont-ils
pas des délégués du Conseil du roi détachés dans les provinces ?
Tout cela est à noter dans l'administration du XVIᵉ siècle, où
l'autorité s'exerçait de façon diffuse et au milieu d'obstacles de
toutes sortes.

C'était aussi un problème d'autorité qui s'était posé entre
la royauté et l'Église, et qui avait abouti à la conclusion du
Concordat.

Sans doute, les questions qui étaient en suspens au début du
siècle étaient-elles étudiées et controversées depuis cent ans
et même davantage. Légistes et canonistes s'affrontaient avec
des théories qui remontaient à l'époque du Grand schisme et
même, prétendaient-ils, au temps de saint Louis. La Pragmatique avait déjà apporté des solutions qu'il eût été facile d'imposer avec quelque bonne volonté de la part des rois. Mais le rôle
de protecteur désintéressé était pour eux sans attrait. François Iᵉʳ devait profiter des circonstances favorables de 1515
pour partager avec le pape ce qui restait des libertés ecclésiastiques. Au gros œuvre de la Pragmatique, qu'on prétendait
respecter, s'ajoutèrent quelques articles qui bouleversaient le
statut de l'Église par la mainmise du roi sur les nominations.
Tout cela devait être complété par une législation accessoire
étendant les droits du roi sur les bénéfices et rétablissant les
annates en faveur de la papauté.

Le roi sortait de cette entreprise avec une autorité accrue.
Disposer à son gré des évêchés et des abbayes, c'était sinon
mettre fin à des conflits qui, en fait, n'existaient pas, mais pourvoir et récompenser aux dépens du temporel ecclésiastique son
personnel de grands serviteurs aptes à toutes les fonctions.
C'était surtout rémunérer sans débours ces serviteurs et soula-
ger d'autant le budget de l'État. Et il n'est pas douteux que là
encore les considérations financières avaient pesé sur les déter-
minations des gouvernants.

Ces considérations ne devaient pas tarder à reparaître d'autre part, et avec une tout autre portée, lorsque l'occasion se présenta de prendre sa part des richesses de l'Église. La bonne volonté du pape, stimulée par la légitimation de l'annate, associée à la complaisance de l'épiscopat, aboutit à la concession des décimes ecclésiastiques, aux contrats qui les perpétuaient en régularisant leur levée, aux aliénations des biens du clergé, tout cela en contradiction absolue avec les principes du droit. Ces avantages, acquis au bout d'un demi-siècle de travaux d'approche, allaient constituer un des principaux éléments des finances publiques jusqu'en 1789.

Mais, si le clergé était complaisant et généreux, il savait mettre le prix à ses concessions. La permanence des contributions ecclésiastiques devait avoir pour contre-partie la périodicité des assemblées du clergé, qui devenait ainsi, dès le xvie siècle, le seul ordre organisé réellement et en permanence, dans l'ensemble de la nation. Et le haut clergé, dans la suite, sut profiter de cet avantage pour faire prévaloir son autorité dans l'État.

Le xvie siècle se termine donc pour l'Église gallicane par un renouvellement total de ses relations avec le gouvernement, mais il la laisse aussi profondément transformée dans ses mœurs et dans son activité religieuse. Nous avons signalé au passage l'étrange déformation du Concordat qui fut faite dans son application. Peu importait, à vrai dire, que ce fût le roi qui présentât aux bénéfices, s'il l'avait fait congrûment et en observant les règles énoncées dans le traité. La vie de l'Église n'en eût pas gravement souffert. Mais, les nominations royales ne furent que des occasions de pourvoir les candidats les moins qualifiés et d'implanter définitivement dans l'Église les abus scandaleux contre lesquels on protestait autrefois. La conduite de Duprat, dès les premiers temps de la mise en œuvre du Concordat, montrait sans hésitation comment son propre auteur en comprenait l'application. Le plus étrange est que la papauté se fit complice de ces erreurs, sans jamais invoquer les droits qu'elle tenait des textes concordataires. Ainsi, le haut clergé, indifférent à sa mission spirituelle, laïque d'esprit et de mœurs, même lorsqu'il se distinguait par sa piété et par son orthodoxie, allait peser d'un poids irrésistible sur les destinées de l'Église gallicane et de l'esprit chrétien.

A l'écart des institutions royales, les conditions de la vie économique se faisaient également sentir, et très directement, sur les institutions qui régissaient la société.

Le régime féodal, jusqu'à la fin du Moyen Age, avait consisté dans une hiérarchie de tenures, auxquelles se rattachaient des obligations et des services. Le droit de propriété s'exerçait avec des modalités différentes de celles qui caractérisaient la propriété romaine, et s'accompagnait du paiement de redevances permanentes et de droits de mutation exceptionnels. Or, tout cela avait évolué dans le temps, et avec une surprenante rapidité, depuis que des commerçants parvenus, des manieurs d'argent de toutes sortes avaient acquis de grosses fortunes, et que les dépréciations monétaires avaient réduit à néant les revenus féodaux. Le paiement des redevances n'avait plus dès lors qu'une valeur recognitive, et le lien féodal finissait même par s'évanouir, comme il est facile de le remarquer dans de nombreuses circonstances. La propriété féodale devenait ainsi une propriété pourvue de caractères juridiques particuliers, mais sujette, comme toutes les autres, à des transactions commerciales. Elle se morcelait, se transmettait par achat ou par héritage, pour le plus grand profit des familles nouvellement enrichies, qui y trouvaient l'avantage de consolider leur ascension sociale.

A cette situation nouvelle se rattachait une transformation dans l'exécution des services. Le seigneur justicier et guerrier des siècles précédents n'avait plus sa raison d'être dans l'organisation sociale du XVIᵉ siècle. La justice lui échappait et ne lui valait plus que de vains privilèges honorifiques. Si, comme celle des baillis et des sénéchaux, elle était rendue en son nom, c'était par des hommes de loi sur lesquels il avait perdu tout contrôle. Quant au service de guerre, l'armée royale s'était reconstituée en dehors des obligations féodales, sur les bases nouvelles qu'imposait la stratégie de l'époque.

La propriété féodale qui, au lendemain de la guerre de Cent ans, avait essayé de se reconstituer dans ses cadres primitifs, avait rapidement décliné, pour prendre les caractères qui seront ceux des derniers siècles de l'Ancien Régime.

C'étaient là des faits peu apparents, ceux qui marquaient la vie quotidienne dans les petites seigneuries du royaume, et qui passaient inaperçus des observateurs qui scrutaient les larges horizons de la politique. Mais ces humbles réalités dominaient l'activité des sujets plus que les actes des hommes de gouvernement. Les relations du seigneur avec ses tenanciers, la condition de la terre roturière et son avènement à la condition de propriété libre, voilà qui importait plus à la masse du peuple que la victoire la plus retentissante. Et dans ce cadre limité, on peut dire que le xvie siècle a été une période décisive.

Cette revue rapide des institutions du xvie siècle met en lumière l'importance de ce qui a été accompli à cette époque, sous l'influence des circonstances, parfois des faits politiques, parfois aussi, et plus souvent encore, sous la pression des nécessités économiques et financières, dont la prépondérance ne saurait être méconnue. Dans cette société agitée, si riche en intelligences créatrices et en passions individuelles, les doctrinaires apparaissent en petit nombre, plus occupés de présenter la théorie du féodalisme sur son déclin que de concevoir des programmes pour l'avenir.

On laissait aux rois de la nouvelle dynastie et aux grands organisateurs du xviie siècle le soin d'utiliser les instruments créés par leurs prédécesseurs. Henri IV, Richelieu, Louis XIV et ses ministres surent mettre en œuvre les éléments fournis par le xvie siècle. Ils n'eurent pas à y ajouter grand chose pour constituer la monarchie d'Ancien Régime, qui subsista jusqu'en 1789, mais ils trouvèrent auprès d'eux les philosophes politiques qui en exposèrent les principes. Et c'est cela peut-être qui leur valut la réputation d'avoir été des fondateurs.

RÉPERTOIRE BIBLIOGRAPHIQUE

ABBADIE. Le Livre noir et les Établissements de Dax (Arch. histor. de la Gironde, 1902).

ACADÉMIE DES INSCRIPTIONS. Recueil des historiens de la France. Pouillés. Paris, 1904-1923, in-4°, 8 vol.

ACADÉMIE DES SCIENCES MORALES. Catalogue des actes de François Ier. Paris, 1887-1908, in-4°, 10 vol.

— Ordonnances des rois de France. Règne de François Ier. Paris, 1902 et suiv., in-4°, 7 vol. (En cours).

AILLERY. Pouillé de l'évêché de Luçon. Fontenay-le-Comte, 1860, in-4°.

Ch. AIMOND. Essai sur la géographie historique de la région qui a formé le département de la Meuse. Bar-le-Duc, 1910, in-8°.

J. ALBANÈS, U. CHEVALIER. Gallia christiana novissima. Valence, 1899-1920, in-4°, 7 vol.

E. ALBERI. Le relazioni degli ambasciatori veneti al Senato, durante il secolo decimo sesto. Florence, 1839-1863, in-8°, 15 vol.

ALLARD. Histoire de la justice criminelle au XVIe siècle. Gand, 1868, in-8°.

AMIET. Essai sur l'organisation du chapitre cathédral de Chartres, du XIe au XVIIIe siècle. (Th. de droit). Chartres, 1922, in-8°.

H. AMPHOUX. Michel de l'Hospital et la liberté de conscience au XVIe siècle. Paris, 1900, in-8°.

F. ANDRÉ. Procès-verbaux des délibérations des États du Gévaudan. (Bull. soc. agr. de la Lozère, 1875-1882).

D'ARBOIS DE JUBAINVILLE. L'administration des intendants, d'après les archives de l'Aube. Paris, 1880, in-8°.

Archives municipales de Bayonne. Registres gascons, 1474-1530. Bayonne, 1896-1898, in-4°, 2 vol.

— Registres français. 1566-1600. Bayonne, 1901-1906, in-4°, 2 vol.

B. D'ARGENTRÉ. Commentarii ad... juris britannici titulos. Paris, 1605, in-4°.

ASTRE. Les intendants du Languedoc. (Mém. Ac. des sc. de Toulouse, 1859-61).

F. AUBERT. Histoire du Parlement de Paris, de l'origine à François Iᵉʳ. Paris, 1894, in-8°, 2 vol.

— Le Parlement et la ville de Paris au xvlᵉ siècle. (Rev. ét. hist., 1905).

— Le Parlement de Paris au xvlᵉ siècle. (N. rev. histor. de droit fran. et étr., 1905.)

— Recherches sur l'organisation du Parlement de Paris au xvlᵉ siècle (1515-1589). Paris, 1912, in-8°.

R. AUBERT. Les hôpitaux de Langres. (Th. de droit). Dijon, 1913, in-8°.

L. AUCOC. Le Conseil d'État avant et depuis 1789. Paris, 1877, in-8°.

AUDIERNE. Ban et arrière-ban de la sénéchaussée de Périgord, en 1557. Périgueux, 1857, in-8°.

D'AUSSY. Jonzac et ses seigneurs. (Arch. histor. de la Saintonge, 1892).

AUTORDE. Le servage dans la Marche avant la publication de la coutume, en 1521. (Mém. soc. sc. nat. et archéol. de la Creuse, t. VII).

— Le servage dans la Marche depuis la publication de la coutume. (1521). Ibid.

P. AYRAULT. De l'ordre et instruction judiciaire. Paris, 1576, in-8°.

— L'ordre, formalité et instruction judiciaire. Paris, 1610, in-4°.

— Ordre et instruction judiciaire. Étude sur les progrès de la procédure criminelle en France, par V. JEANVROT. Paris, 1881, in-18°.

A. BABEAU. La représentation du Tiers aux assemblées pour la rédaction des coutumes, au xvlᵉ siècle. (Rev. histor., 1883).

H. BABEAU. Les assemblées générales des communautés d'habitants en France. (Th. de droit). Paris, 1893, in-8°.

J. BACQUET. Trois premiers traictez... des droits du domaine de la Couronne de France, avec l'establissement et juridiction de la Chambre du Trésor. Paris, 1580, in-4°.

— Quatriesme traicté... des droits du domaine de la Couronne de France, concernant les francs-fiefs, nouveaux acquests, anoblissemens et amortissemens. Paris, 1582, in-4°.

— Œuvres. Paris, 1654, in-fol.

P. BAER. Les institutions municipales de Moulins sous l'Ancien Régime. (Th. de droit). Paris, 1906, in-8°.

BAGUENAULT DE PUCHESSE. Jean de Morvillier, évêque d'Orléans, garde des sceaux de France. 1506-1577. (Th. de lettres). Paris, 1869, in-8°.

BAILHACHE. Les maîtres des requêtes de l'Hôtel du roi, depuis l'avènement de Jean le Bon, jusqu'à l'édit de Compiègne. (Pos. th. Ec. des chartes, 1924).

BAILLAUD, VERLAGUET. Coutumes et privilèges de Rouergue. Toulouse, 1910, in-8°, 2 vol.

BARCKHAUSEN. Statuts et règlements de l'ancienne université de Bordeaux. Bordeaux, 1886, in-4°.

G. BARCLAY. De regno et regali potestate... libri VI. Paris, 1600, in-4°.

BARDONNET. Registre de l'amirauté de Guyenne au siège de La Rochelle, 1569-1570. (Arch. histor. du Poitou, 1878).

BARONIUS, RINALDI. Annales ecclesiastici. Bar-le-Duc, 1864-1883, in-4°, 37 vol.

C. BARRÉ. Les institutions municipales de Compiègne, 1319-1692. (Bul. phil. et histor. Com. trav. histor., 1940-1941).

BARRIÈRE-FLAVY. Histoire de la ville et de la châtellenie de Saverdun. Toulouse, 1890, in-8°.

J. BARRILLON. Journal. Paris, 1897-1899, in-8°, 2 vol.

L. BARTHÉLEMY. Histoire d'Aubagne. Marseille, 1889, in-8°, 2 vol.

L. BATIFFOL. Essai d'une synthèse de l'organisation de la France, vers 1600. (Rev. Henri IV, 1908).

BAUDOT. La représentation du Tiers-État aux États provinciaux de Normandie. (Mém. Acad. de Caen, 1929).

BAUDRILLART, VOGT, ROUZIÈS. Dictionnaire d'histoire et de géographie ecclésiastiques. Paris, 1912 et suiv., in-4°. 10 vol. (En cours).

BEAUCOUSIN. Registre des fiefs et arrière-fiefs du bailliage de Caux, en 1503. Rouen, 1891, in-8°.

Ch. DE BEAUREPAIRE. Recherches sur l'instruction publique dans le diocèse de Rouen. Évreux, 1872, in-8°, 3 vol.

— Cahiers des États de Normandie. Documents relatifs à ces assemblées. Rouen, 1876-1891, in-8°, 8 vol.

— État de l'armée française en 1552. (Bull. Soc. hist. de Normandie, 1880-83).

BELHOMME. Histoire de l'infanterie en France. Paris, 1890, in-8°, 3 vol.

BELLAUD-DESSALLES. Les évêques italiens de l'ancien diocèse de Béziers, 1547-1669. Toulouse, 1901, in-8°.

A. BELLÉE. L'ancien chapitre cathédral du Mans. Le Mans, 1875, in-8°.

C. BELMON. Le bienheureux François d'Estaing, évêque de Rodez, 1460-1529. Rodez, 1924, in-8°.

R. BENOIST. Traicté des dismes. Paris, 1564, in-8°.

BERGIER, VERDIER-LATOUR. Recherches historiques... sur les États provinciaux d'Auvergne. Clermont, 1788, in-8°.

A. BERNARD. Histoire territoriale du Lyonnais. (Rec. de mém. et doc. sur le Forez, 1878).

— Procès-verbaux des États généraux de 1593. Paris, 1842, in-4°.

C. BERTUCAT. La juridiction municipale de Dijon. (Rev. bourgui-gnonne, 1911).

BESANÇON, LONGIN. Registres consulaires de la ville de Villefranche. Villefranche, 1905-1919, in-8°, 4 vol.

BESSE. L'ordre de Cluny et son gouvernement. (Rev. Mabillon, 1905-1906).

BESSE, BEAUNIER. Abbayes et prieurés de l'ancienne France. Paris, 1905-1941, in-8°, 12 vol.

BIVER. L'administration de Saint-Pierre-le-Moûtier. Notice et extraits du registre des assemblées d'habitants, 1530-1537 (Bull. phil. et histor. Com. trav. histor., 1936-1937).

J. BLANC. Epitome feudorum. Venise, 1584, in-8°.

G. BLANCHARD. Compilation chronologique... Recueil en abrégé des ordonnances, édits... Paris, 1715, in-fol., 2 vol.

J. R. BLOCH. L'anoblissement en France, au temps de François Iᵉʳ. Paris, 1934, in-12.

M. BLOCH. Les caractères originaux de l'histoire rurale française. Paris, 1931, in-8°.

— Les rois thaumaturges. Paris, 1924, in-8°.

BLONDEL. Essai sur les institutions municipales de Chartres. (Th. de droit). Chartres, 1903, in-8°.

J. BODIN. Les six livres de la République. Paris, 1576, in-fol.

N. BOHIER. Tractatus de auctoritate et preeminentia Sacri Magni Concilii et parlamentorum regni Francie. Paris, 1512, in-8°.

DE BOISLISLE. Histoire de la maison de Nicolay. Nogent-le-Rotrou, 1873-1875, in-4°, 2 vol.
Le t. II est publié sous le titre : Chambre des comptes de Paris. Pièces justificatives.

— Notice sur Étienne de Vesc. (Ann. bull. soc. de l'hist. de France, 1878-83).

— Semblançay et la surintendance des finances. (Ann. bull. soc. de l'hist. de France, 1881).

BOISSONNADE. Essai sur l'organisation du travail en Poitou, Paris, 1900, in-8°, 2 vol.

P. BONDOIS. Catalogue des actes de François II. (Pos. th. Ec. des chartes, 1908).

— Les secrétaires d'État sous François II. (Rev. Henri IV, 1909).

H. DE BONIFACE. Arrests notables de la Cour de Parlement de Provence. Paris, 1670, in-fol., 2 vol.

BONNARDOT. Essai historique sur le régime municipal d'Orléans, 1389-1790. Orléans, 1881, in-8°.

BONNARDOT, TUETEY, GUÉRIN. Registre des délibérations du Bureau de la ville de Paris. (Histoire générale de Paris). Paris, 1883-1946, in-4°, 16 vol.

DE BONNAULT D'HOUET. Les francs-archers de Compiègne, 1448-1524. Paris, 1897, in-8°.

— Compiègne pendant les guerres de religion et la Ligue. Compiègne, 1910, in-8°.

BONNENFANT. Histoire générale du diocèse d'Évreux. Paris, 1933, in-4°, 2 vol.

T. BONNIN. Cartulaire de Louviers. Évreux, 1870-1883, in-4°, 6 vol.

BONVALLET. Le bureau des finances de la généralité de Poitiers. (Mém. soc. antiq. de l'Ouest, 1883).

BORDENAVE. Estat des cours ecclésiastiques, ou de l'authorité et jurisdiction des grands vicaires et des officiaux. Paris, 1626, in-4°.

BORRELLI DE SERRES. Recherches sur divers services publics. Paris, 1895-1909, in-8°, 3 vol.

BOSCHERON DES PORTES. Histoire du Parlement de Bordeaux. Bordeaux, 1886, in-8°, 3 vol.

L. BOUCHEL. Decretorum Ecclesiae gallicanae ex conciliis... libri VIII. Paris, 1609, in-fol.

M. BOUDET. Documents inédits sur la justice et la police prévôtales. Riom, 1902, in-8°.

— Les baillis royaux et ducaux de la Haute-Auvergne. Riom, 1906, in-8°.

BOUDON. La sénéchaussée présidiale du Puy. (Th. de droit). Valence, 1908, in-8°.

BOURCIER. Le régime municipal à Dijon, sous Henri IV. (Rev. hist. mod., 1935).

BOURDE DE LA ROGERIE. Origine et organisation des sièges d'amirauté établis en Bretagne. (Bull. soc. arch. du Finistère, 1902).

BOURDOT DE RICHEBOURG. Nouveau coutumier général. Paris, 1724, in-fol, 4 vol.

A. BOURÉE. La chancellerie près le Parlement de Bourgogne, de 1476 à 1790. Dijon, 1927, in-4°.

L. BOURGAIN. Contribution du clergé à l'impôt. (Rev. des quest. histor., 1890).

BOURLON. Les assemblées du clergé sous l'Ancien Régime. Paris, 1907, in-16.

BOURRILLY. Guillaume Du Bellay, seigneur de Langey. (Th. de lettres). Paris, 1905, in-8°.

J. Boursier. Le prévost des mareschaux ou recueil des édits, arrêts... Paris, 1639, in-8°.

T. Boutiot. Histoire de la ville de Troyes et de la Champagne méridionale. Paris, 1872-1875, in-8°, 5 vol.

H. Bouvier. Histoire de l'église et de l'ancien archidiocèse de Sens. Paris, 1906-1911, in-8°, 3 vol.

A. Branet. Les sénéchaux de Fézensac et d'Armagnac, 1247-1789. Auch, 1900, in-8°.

G. Brasart. Le collège de la Trinité et la Réforme à Lyon, au XVIᵉ siècle. (Pos. th. Éc. des chartes, 1944).

Bressac. Privilèges, libertés et franchises de la vicomté de Turenne. (Th. de droit). Toulouse, 1922, in-8°.

Breton. La juridiction consulaire à Orléans, 1564-1791. (Mém. soc. archéol. et histor. de l'Orléanais, 1905).

Brièle. Collection de documents pour servir à l'histoire des hôpitaux de Paris. Paris, 1881-1887, in-fol., 4 vol.

J. Brillon. Dictionnaire des arrêts ou jurisprudence universelle des Parlements. Paris, 1727, in-fol., 6 vol.

De Brimont. Le XVIᵉ siècle et les guerres de la Réforme en Berry. Paris, 1905, in-8°, 2 vol.

Brissaud. Manuel d'histoire du droit français. Paris, 1898-1904, in-8°, 2 vol.

B. Brisson. Code du roy Henry III. Paris, 1587, in-fol.

— De verborum quae ad jus pertinent significatione. Lyon, 1559, in-fol.

Brives-Cazes. La chambre de justice de Guyenne, en 1583-84. Bordeaux, 1874, in-8°.

Bruel. Les chapitres généraux de l'ordre de Cluny. (Bibl. Ec. des chartes, 1873).

— Pouillés des diocèses de Clermont et de Saint-Flour, du XIVᵉ au XVIIIᵉ siècle. Paris, 1880, in-4° (Bull. phil. et histor. Com. trav. histor., 1882).

Brutails. Cartulaire de Saint-Seurin de Bordeaux. Bordeaux, 1897, in-8°.

M. J. Bry. Les vigueries de Provence. Aperçu de leur histoire jusqu'à la fin du XVIᵉ siècle. (Th. de droit). Paris, 1910, in-8°.

A. Buisson. Le chancelier Antoine Duprat. Paris, 1935, in-8°.

L. Burias. Les Grands jours d'Auvergne tenus à Riom en 1546. (Pos. th. Ec. des chartes, 1922).

R. Busquet. Histoire des institutions de la Provence, de 1482 à 1790. Marseille, 1920, in-8°.

R. Busquet. Précis de l'histoire du Parlement de Provence. Marseille, 1919, in-4°.

— L'amirauté de Provence et des mers du Levant. (Inv. des arch. départ. des Bouches-du-Rhône, t. IV).
Ce texte a été publié de nouveau avec des additions dans les Études sur l'ancienne Provence. Paris, 1930, in-8°.

— La juridiction du Grand sénéchal, gouverneur de Provence. Paris, 1930, in-8°.

Cabié. État féodal de la judicature d'Albigeois. (Rev. histor... du Tarn, 1881-1886).

F. Cabrol, H. Leclercq. Dictionnaire d'archéologie chrétienne et de liturgie. Paris, 1907 et suiv. in-4°, 14 v. (En cours).

Cadier. Les États de Béarn, jusqu'au commencement du xvie siècle. Paris, 1888, in-8°.

Callery. Histoire des attributions du Parlement, de la Cour des aides et de la Chambre des comptes. (Rev. génér. du droit, 1879-1880).

— Histoire du système général des droits de douane aux xvie et xviie siècles. (Rev. histor., 1882).

Cambon de Lavalette. La chambre de l'Édit de Languedoc. Paris, 1872, in-8°.

Canal. Les origines de l'intendance de Bretagne. (Ann. de Bretagne, 1910-1915).

Canones et decreta... Concilii tridentini. Rome, 1564, in-fol.

L. de Cardenal. Catalogue des assemblées des États de Périgord, de 1378 à 1651. (Bull. phil. et histor. Com. trav. histor., 1938-1939).

Carpentier. Remonstrances faictes en la Court de Parlement et assemblées des Estats de Bretagne. Nantes, 1596, in-12.

H. Carré. Recherches sur l'administration municipale de Rennes au temps de Henri IV. Paris, 1888, in-8°.

V. Carrière. Introduction aux études d'histoire ecclésiastique locale. Paris, 1934-1940, in-8°, 3 vol.

— Rôle et taxes des fiefs de l'arrière-ban du bailliage de Provins, en 1587. (Bull. de la confér. d'hist... de Meaux, 1902).

— Les épreuves de l'Église de France au xvie siècle. (Rev. hist. de l'Ég. de France, 1925-1930).

Catalogue des chartes de franchise. T. I. Poitou, par Dillay. T. II. Guyenne, Gascogne, par Gouron. Paris, 1927-1935, in-8°, 2 vol. (En cours).

Cauvin. Registres de l'hôtel de ville du Mans. Le Mans, 1835, in-12.

Chabord. Le temporel de l'église cathédrale de Paris, pendant les guerres de religion. (Pos. th. Ec. des chartes, 1943).

CHABRUN. Les bourgeois du roi. (Th. de droit). Paris, 1908, in-8°.

CHAMBERLAND. Le Conseil des finances en 1596 et 1597, et les Économies royales. (Rev. Henri IV, 1905-1906).

CHANDON DE BRIAILLES. Sources de l'histoire d'Épernay. Archives municipales d'Épernay. XVIe siècle. Paris, 1906-1908, in-4°, 2 vol.

Ch. CHAPPUZEAU. Traité des diverses juridictions de France. Paris, 1612, in-8°.

CHARLEMAGNE. Les anciennes institutions municipales de Bourges. Bourges, 1889, in-8°.

E. CHARLEVILLE. Les États généraux de 1576, le fonctionnement d'une tenue d'États. (Th. de droit). Paris, 1901, in-8°.

R. CHARLIER MENIOLLE. L'assemblée des notables tenue à Rouen, en 1596. (Th. de droit). Rouen, 1911, in-8°.

DE CHARMASSE. Essai sur l'état de la propriété en Bourgogne au Moyen Age. (Cartulaire de l'église d'Autun, t. III). Autun, 1900, in-4°.

CHARONDAS LE CARON. Recueil des édicts... concernans le règlement des tailles. Paris, 1613, in-8°.

CHARRIER. Les jurades de la ville de Bergerac. Bergerac, 1892-1904, in-8°, 13 vol.

E. CHARRIÈRE. Négociations de la France dans le Levant. Paris, 1848-60, in-4°, 4 vol.

CHASSAING. Le livre de Podio, ou chroniques d'Étienne Médicis. Le Puy, 1869-1874, in-4°, 2 vol.

CHASSAING DE BORREDON. Recherches sur le collège des notaires et secrétaires du roi. (Pos. th. Ec. des chartes, 1905).

B. DE CHASSENEUX. Catalogus gloriae mundi. Lyon, 1529, in-fol.

— Commentarii in consuetudines... Burgundiae. Lyon, 1517, in-4°.

J. DE CHASTENET D'ESTERRE. Histoire de l'amirauté en France. (Th. de droit). Paris, 1906, in-8°.

CHENAL. Étude sur le présidial d'Orléans. (Th. de droit). Orléans, 1908, in-8°.

E. CHÉNON. Histoire générale du droit français, public et privé. Paris, 1926-1929, in-8°, 2 vol.

— Histoire de Sainte-Sévère en Berry. Paris, 1888, in-8°.

— Les marches séparantes d'Anjou, Bretagne et Poitou. (N. rev. histor. de droit fran. et étr., 1892).

J. CHENU. Recueil de règlemens notables... donnés entre ecclésiastiques, juges, magistrats et autres officiers royaux. Paris, 1603, in-4°.

— Livre des offices de France. Paris, 1620, in-4°.

CHÉRUBINI. Bullarium... Rome, 1617, in-fol., 3 vol.

CHÉRUEL. Histoire de l'administration monarchique en France. Paris, 1885, in-8°, 2 vol.

J. CHEVALIER. Essai historique sur l'église et la ville de Die. Montélimar, 1888-1896, in-8°, 2 vol.

U. CHEVALIER. Ordonnances des rois de France relatives au Dauphiné. Colmar, 1871, in-8°.

— Essais sur les hôpitaux et les institutions charitables de Romans. Valence, 1865, in-8°.

— Pouillé du diocèse de Vienne. (Bull. soc. d'arch. de la Drôme, 1866-1869).

H. CHOPPIN. Les origines de la cavalerie française. Paris, 1905, in-8°.

R. CHOPPIN. De domanio Franciae libri III. Paris, 1588, in-fol. (Traduit sous le titre de : Trois livres du domaine de la Couronne de France. Paris, 1613, in-fol., et : Traité du domaine de la Couronne, dans les Œuvres, t. II).

— Trois livres de la police ecclésiastique. Paris, 1617, in-4°.

— Œuvres. Paris, 1662, in-fol., 5 vol.

W. F. CHURCH. Constitutional thought in sixteenth century France. Harvard, 1941, in-8°.

CLAMAGERAN. Histoire de l'impôt en France. Paris, 1867-1876, in-8°, 3 vol.

M. CLÉMENT. Étude sur les communautés d'habitants dans la province du Berry. (Rev. du Centre, 1890-93).

CLÉMY VAUTIER. Les théories relatives à la souveraineté et à la résistance, chez l'auteur des Vindiciae contra tyrannos. Lausanne, 1947, in-8°.

A. CLERGEAC. La Curie et les bénéficiers consistoriaux, 1300-1600. Paris, 1911, in-8°.

C. J. CLOS. Histoire de l'ancienne cour de justice de la maison de nos rois... connue sous le nom de prévôté de l'Hôtel. Paris, 1790, in-4°.

L. CLOS. Étude historique sur le capitoulat toulousain. Toulouse, 1887, in-8°.

COCQUELINES. Bullarum, privilegiorum ac diplomatum romanorum pontificum... collectio. Rome, 1739-1761, in-fol., 14 vol.

COISSAC. Le consulat à Limoges, au XVIᵉ siècle. (Th. de droit). Limoges, 1937, in-8°.

COLETI. Sacrosancta Concilia ad regiam editionem exacta. Venise, 1728-1733, in-fol., 23 vol.

Collection des procès-verbaux des assemblées générales du clergé de France, depuis l'année 1560. Paris, 1767-1780, in-fol., 9 vol.

J. Combes. Traicté des tailles et aultres charges et subsides. Paris, 1576, in-8°.

Combier. Les justices seigneuriales du bailliage de Vermandois. Paris, 1897, in-8°.

Concilium tridentinum. Fribourg, 1901 et suiv., in-4°. (En cours).

G. Constans. Traité de la Cour des monnoyes de Paris. Paris, 1658, in-fol.

P. Constant. De l'excellence et dignité des rois. Paris, 1598, in-12.

J. Constantin. Commentaria... in leges regias. Paris, 1545, in-fol.

Constitutions synodales. Lyon, 1532, in-8°.

J. Contrasty. L'apanage de Marguerite de Valois dans la sénéchaussée de Toulouse. (Mém. Acad. des sc. de Toulouse, 1934).

— Histoire de la cité de Rieux-Volvestre et de ses évêques. Toulouse, 1936, in-8°.

Guy Coquille. Les œuvres de Maître Guy Coquille. Paris, 1666, in-fol., 2 vol.

J. Corbin. Nouveau recueil des édits, ordonnances et arrests de l'auctorité... des cours des aides. Paris, 1612, in-4°.

R. Corti. [Roch de La Cour]. Tractatus... de jure patronatus. Lyon, 1573, in-8°.

P. de Cossé-Brissac. Artus de Cossé, seigneur de Gonnord, surintendant des finances, 1512-1582. (Pos. th. Ec. des chartes, 1929).

L. H. Cottineau. Répertoire topo-bibliographique des abbayes et prieurés. Mâcon, 1935-1937, in-4°, 2 vol.

Courbis. La municipalité lyonnaise sous l'Ancien Régime. (Th. de droit). Paris, 1900, in-8°.

M. Cousin. L'Assistance publique dans le Blésois, avant 1789. (Th. de médecine). Paris, 1936, in-8°.

F. de Coussemaker. Des résistances au mode de nomination des évêques établis par le Concordat de 1516. (Th. de droit). Paris, 1898, in-8°.

Coyecque. L'Hôtel-Dieu de Paris. Paris, 1889-1891, in-8°, 2 vol.

— L'assistance publique à Paris, au milieu du XVIᵉ siècle. Paris, 1888, in-8°.

J. de Croy. Étude sur la Chambre des comptes de Blois. (Pos. th. Ec. des chartes, 1892).

Cuzacq, Detchepare. Bayonne sous l'Ancien Régime. Lettres missives des rois et reines de France. Bayonne, 1933-1934, in-4°, 2 vol.

Dallington. The view of Fraunce, un aperçu de la France, telle qu'elle était vers l'an 1598. Versailles, 1892, in-8°.

DANGIBEAUD. La maison de Rabaine en Saintonge, 1272-1654. (Arch. histor. de la Saintonge, 1891).

DANIEL. Histoire de la milice française. Paris, 1721, in-4°, 2 vol.

C. DARESTE. Histoire de l'administration en France. Paris, 1848, in-8°, 2 vol.

C. DAUX. Histoire de l'église de Montauban. Paris, 1881-1882, in-8°, 2 vol.

J. M. DAVID. L'amirauté de Provence et des mers du Levant. (Th. de droit). Marseille, 1942, in-8°.

DEBUISSON. Étude sur la condition des personnes et des biens d'après les coutumes de Reims. (Th. de droit). Reims, 1930, in-8°.

DECLAREUIL. Histoire générale du droit français. Paris, 1925, in-8°.

DECOUX-LAGOUTTE. Juridictions royales en Bas-Limousin. (Bull. soc. des lettres de la Corrèze, 1882-1883).

E. DECQ. Essai sur les origines, l'histoire et l'organisation de l'administration des eaux et forêts dans le domaine royal. (Pos. th. Ec. des chartes, 1911).

DECRUE. De consilio regis Francisci I. Paris, 1885, in-8°.

— Anne, duc de Montmorency, connétable et pair de France. Paris, 1889, in-8°.

DEGERT. Histoire des évêques de Dax. Dax, 1899, in-8°.

— Histoire des évêques d'Aire. Paris, 1908, in-8°.

— Histoire des séminaires français, jusqu'à la Révolution. Paris, 1912, in-12.

— Les origines de l'ambassade permanente de France à Rome. (Bull. de litter. ecclés., 1921).

— Le clergé de France et les origines de la diplomatie française. (Rev. hist. de l'Eg. de France, 1923).

J. DELABORDE. Gaspard de Coligny, amiral de France. Paris, 1878-1882, in-8°, 3 vol.

DELACHENAL. Histoire des avocats au Parlement de Paris, 1300-1600. Paris, 1885, in-8°.

— Histoire de Crémieu. Grenoble, 1889, in-8°.

P. DELANNOY. La juridiction ecclésiastique en matière bénéficiale sous l'Ancien Régime, en France. (Univ. de Louvain, Recueil de travaux, n° 27). Bruxelles, 1910, in-8°.

R. DELAPORTE. La sénéchaussée de Châteauneuf-du-Faou. (Th. de droit). Paris, 1905, in-8°.

DELCAMBRE. Le consulat du Puy en Velay, des origines à 1610. Le Puy, 1933, in-8°.

— Les États du Velay, des origines à 1642. Saint-Étienne, 1938, in-8°.

DELSOL. Le consulat de Brive-la-Gaillarde. (Th. de droit). Brive, 1936, in-8°.

M. DEMEUNYNCK. Le vicariat de Pontoise ou l'officialité foraine de Rouen à Pontoise. (Mém. soc. histor. et arch. de Pontoise, 1937-1939).

J. DÉNIAU. Les États particuliers du pays de Gévaudan. (Bull. soc. lettres, sc. et arts de la Lozère, 1930).

DENIÈRE. La juridiction consulaire de Paris, 1563-1792. Paris, 1872, in-8°.

DERBLAY. Roger de Comminges, sieur de Saubole, gouverneur de Metz, 1553-1615. Paris, 1935, in-8°.

DERMENGHEM. Claude d'Annebault, maréchal et amiral de France sous François Ier et Henri II. (Pos. th. Ec. des chartes, 1913).

L. DESAIVRE. Lettres missives de Jehan de Chourses. (Arch. histor. du Poitou, t. XXVII).

DESJARDINS. Les parlements du roi, 1589-1596. (Séances et trav. de l'Ac. des sc. mor., 1879).

P. DESLANDRES. L'ordre des Trinitaires. Paris, 1903, in-8°, 2 vol.

DES MONSTIERS-MÉRINVILLE. Un évêque ambassadeur au XVIe siècle, Jean des Monstiers. Limoges, 1895, in-8°.

J. DESNOYERS. Topographie ecclésiastique de la France, pendant le Moyen Age et dans les temps modernes. (Annuaire histor. de la soc. de l'hist. de France, 1853, 1859).

A. DESPEISSES. Traicté des tailles et autres impositions. Toulouse, 1643, in-4°.

DESPOIS. Histoire de l'autorité royale dans le comté de Nivernais. (Th. de droit). Paris, 1912, in-8°.

DOGNON. Les institutions politiques et administratives du pays de Languedoc, du XIIIe s. aux guerres de religion. (Th. de lettres). Toulouse, 1895, in-8°.

— La taille en Languedoc, de Charles VII à François Ier. (Ann. du Midi, 1891).

DOUAIS. Mémoires sur l'état du clergé, de la noblesse, de la justice et du peuple, dans les diocèses de Narbonne, de Montpellier et de Castres, en 1573. Toulouse, 1891, in-8°.

DOUAREN. De sacris Ecclesiae ministeriis ac beneficiis libri VIII. Paris, 1585, in-8°.

R. DOUCET. Étude sur le gouvernement de François Ier dans ses rapports avec le Parlement de Paris. Paris, 1921-26, in-8°, 2 vol.

— L'État des finances de 1523. Paris, 1923, in-8°.

— Finances municipales et crédit public à Lyon, au XVIe siècle. Paris, 1937, in-8°.

R. Doucet. Lyon au xvie siècle. Lyon, 1939, in-4°.

— Pierre Du Chastel, grand aumônier de France. (Rev. histor., 1920).

H. Drouot. Mayenne et la Bourgogne. Étude sur la Ligue, 1587-1596. (Th. de lettres). Paris, 1937, in-8°, 2 vol.

— Les pouvoirs d'un gouverneur de Bourgogne au xvie siècle. (Ann. de Bourgogne, 1937).

— Quelques mots sur les gouverneurs de Bourgogne, au xvie siècle. (Mém. de la soc. pour l'hist. des anc. pays bourg., 1940-1941).

Dubédat. Histoire du Parlement de Toulouse. Paris, 1885, in-8°. 2 vol.

Du Bellay. Mémoires de Martin et Guillaume Du Bellay. Paris, 1908-1919, in-8°, 4 vol.

Du Boulay. Recueil des privilèges de l'Université de Paris. Paris. 1674, in-4°.

— Historia Universitatis parisiensis. Paris, 1665-73, in-fol., 6 vol.

F. Duchesne. Histoire des chanceliers et gardes des sceaux de France. Paris, 1680, in-fol.

P. Ducourtieux. Histoire de Limoges, 1925, in-8°.

Du Crest de Villeneuve. Essai historique sur la défense des privilèges de la Bretagne concernant l'amirauté. (Bull. de l'ass. bretonne, 1898).

L. D. C. [L. Ducrot]. Le vray style du Conseil privé du roy, de la Cour de Parlement, de la Cour des aydes, des Requêtes du Palais et du Chastellet de Paris. Paris, 1623, in-8°.

N. Du Fail. Mémoires recueillis et extraits des plus notables et solennels arrests du Parlement de Bretagne. Rennes, 1579, in-fol.

— Les plus solennels arrests et règlements donnez au Parlement de Bretagne. Publié par Sauvageau. Nantes, 1715-16, in-4°, 2 vol.

Du Haillan. De l'estat et succez des affaires de France. Paris, 1570, in-8°.

J. Du Hamel. La police royalle sur les personnes et choses ecclésiastiques. Paris, 1612, in-8°.

C. Du Lys. Traicté sommaire de l'origine et progrez des offices tant de trésoriers de France que de généraux des finances. Paris, 1618, in-4°.

— Recueil des ordonnances, édits... concernant l'origine... des élus particuliers. Paris, 1635, in-8°.

Du Mège. Histoire des institutions de la ville de Toulouse. Toulouse, 1844-1846, in-8°, 4 vol.

F. Dumont. Le bureau des finances de la généralité de Moulins. (Th. de droit). Moulins, 1923, in-8°.

P. Dumont. La réforme du prieuré d'Yzeure, 1503-1508. (Th. de lettres). Moulins, 1924, in-8º.

Ch. Du Moulin. Opera omnia. Paris, 1681, in-fol., 5 vol.

P. Dupieux. Les institutions royales au pays d'Étampes, 1478-1598. Versailles, 1931, in-8º.

A. Dupin. Profession d'avocat. Paris, 1830-1832, in-8º, 2 vol.

T. Duplessis. Histoire de l'église de Meaux. Paris, 1731, in-4º, 2 vol.

Dupont-Ferrier. Les officiers royaux des bailliages et sénéchaussées et les institutions monarchiques locales en France, à la fin du Moyen Age. (Th. de lettres). Paris, 1903, in-8º.

— Quae fuerint, tam a regibus quam a comitibus, in Engolismensi apanato comitatu instituta, 1445-1515. (Th. de lettres). Paris, 1902, in-8º.

— Essai sur la géographie administrative des élections financières en France, de 1356 à 1790. (Ann. bull. soc. de l'hist. de France, 1928-1929).

— Études sur les institutions financières de la France à la fin du Moyen Age. Paris, 1930-1932, in-8º, 2 vol.

— Les origines et le premier siècle de la Chambre ou Cour des aides de Paris. Paris, 1933, in-8º.

— Les origines et le premier siècle de la Cour du Trésor. Paris, 1936, in-8º.

— Le personnel de la Cour du Trésor, 1390-1520. (Ann. bull. soc. de l'hist. de France, 1935-37).

— Les avocats à la Cour du Trésor. (Bib. Ec. des chartes, 1936-37).

— Gallia regia ou état des officiers royaux des bailliages et des sénéchaussées de 1328 à 1515. Paris, 1942 et suiv., in-4º, 3 vol. (En cours).

— Les institutions bailliagères en Dauphiné, 1440-1515. Chartres, 1902, in-8º.

— États des officiers royaux de la sénéchaussée de Lyon, 1461-1515. (Bull. phil. et histor. Com. trav. histor. 1905).

— La formation de l'État français et l'unité française, des origines au milieu du XVIᵉ siècle. Paris, 1929, in-16.

— Du collège de Clermont au lycée Louis-le-Grand. Paris, 1921-1925, in-8º, 3 vol.

— De quelques problèmes relatifs aux États provinciaux. (Jour. des savants, 1928).

— Histoire et signification du mot « aides ». (Bib. Ec. des chartes, 1928).

— Sur l'emploi du mot *province*, notamment dans le langage administratif de l'ancienne France. (Rev. histor., 1929).

DUPONT-FERRIER. Le rôle des commissaires royaux dans le gouvernement de la France. (Mél. Fournier, 1929).

— Où en était la formation de l'unité française aux XVᵉ et XVIᵉ siècles. (Jour. des savants, 1941).

A. DUPRÉ. Étude sur les institutions municipales de Blois. Orléans, 1875, in-8°.

A. DUPUY. Histoire de la réunion de la Bretagne à la France. Paris, 1881, in-8°, 2 vol.

P. DUPUY. Traitez des droits et libertez de l'Église gallicane. Preuves des libertez de l'Église gallicane. S. l., 1639, in-fol., 2 vol.

— Commentaire sur le traité des libertés de l'Église gallicane de P. Pithou. Paris, 1652, in-4°.

— Traité de la majorité de nos rois et des régences du royaume. Paris, 1655, in-4°.

— Traitez touchant les droits du roy sur plusieurs estats. Paris, 1655, in-fol.

DURAND DE MAILLANE. Dictionnaire de droit canonique et de pratique bénéficiale. Paris, 1771-1776, in-4°, 5 vol.

DURANTET. La grande chancellerie royale sous François Iᵉʳ. (Pos. th. Ec. des chartes, 1937).

J. DURET. L'harmonie et conférence des magistrats romains avec les officiers françois. Lyon, 1574, in-8°.

— Commentaires aux coustumes du duché de Bourbonnois. Lyon, 1584, in-fol.

D. D. R. [D. DU RIVAULT]. Les Estats, esquels il est discouru du prince, du noble et du Tiers Estat. Lyon, 1596, in-12.

G. DU ROUSSEAUD DE LACOMBE. Recueil de jurisprudence canonique et bénéficiale. Paris, 1755, in-fol.

DURTELLE DE SAINT-SAUVEUR. Les pays d'obédience dans l'ancienne France. (Th. de droit). Rennes, 1908, in-8°.

P. DURYE. Le bailliage de Saint-Pierre-le-Moûtier, de sa création au milieu du XVIᵉ siècle. (Pos. th. Ec. des chartes, 1943).

A. DUSSERT. Les États du Dauphiné, de la guerre de Cent ans aux guerres de religion, 1457-1559. (Bull. Acad. delphinale, 1923).

J. DU TILLET. Pour la majorité du roi Très Chrestien contre les escrits des rebelles. Paris, 1560, in-4°.

— Recueil des rois de France, leurs couronne et maison, ensemble le rang des grands de France. Paris, 1613, in-4°.

DU VAUCEL. Essai sur les apanages. S. l. n. d., in-4°, 2 vol.

P. ÉMARD. Jacques Amyot, grand aumônier de France, supérieur des Quinze-Vingts, 1560-1593. (Rev. XVIᵉ siècle, 1927).

Encyclopédie méthodique. Jurisprudence. Paris, 1782-1789, in-4°, 8 vol.

A. ESMEIN. Histoire de la procédure criminelle en France. Paris, 1882, in-8°.

— Cours élémentaire d'histoire du droit français. Paris, 1930, in-8°.

ESMONIN. Les intendants du Dauphiné, des origines à la Révolution. (Ann. de l'univ. de Grenoble, 1923).

— De l'origine de l'institution des intendants par Hanotaux. (Bul. soc. hist. mod., 1932-33).

D'ESPEZEL. Étude sur les institutions militaires de la France de 1480 à 1560. (Manuscrit déposé à la bibliothèque de l'Académie des inscriptions. 2 vol.).

— L'organisation militaire de la France, pendant la première partie du XVIe siècle. (Pos. th. Ec. des chartes, 1916).

G. D'ESPINAY. Les réformes de la coutume de Touraine au XVIe siècle. (Mém. soc. archéol. de Touraine, t. XXXVI, 1891).

— La sénéchaussée d'Anjou. Angers, 1892, in-8°.

— (Attribué à). Lettres originales des rois de France et des ducs d'Anjou aux maires et échevins d'Angers. (Rev. de l'Anjou, t. V, 1856).

ESPINER-SCOTT. Claude Fauchet. (Th. de lettres). Paris, 1938, in-8°.

C. EUBEL. Hierarchia catholica medii et recentioris aevi. Munster, 1913-1935, in-4°, 4 vol.

L'évêché de Langres, au XVe, au XVIe et au XVIIe siècle. Bar-le-Duc, 1868, in-8°.

EVENNETT. The cardinal of Lorraine and the Council of Trent. Cambridge, 1930, in-8°.

— Pie IV et les bénéfices de Jean Du Bellay. Étude sur les bénéfices français vacants en Curie, après le Concordat de 1516. (Rev. hist. de l'Eg. de France, 1936).

E. ÉVERAT. Le bureau des finances de Riom, 1551-1790. Riom, 1900, in-4°.

FAGE. Les États de la vicomté de Turenne. Paris, 1894, in-8°, 2 vol.

G. FAGNIEZ. Recherches sur la commune de Vémars. (Mém. soc. hist. de Paris, 1876).

O. FALLIÈRES. Documents pour servir à l'histoire des États de Guyenne, 1561-1564. (Arch. histor. de la Gironde, 1893).

C. FAUCHET. Origine des dignités et magistrats de France. Paris, 1600, in-8°.

FAUCHON. Étude juridique et historique sur le bailliage de Mortain. (Th. de droit). Avranches, 1923, in-8°.

H. FAURE. Histoire de Moulins. Moulins, 1900, in-8°, 2 vol.

FAUVELET DU TOC. Histoire des secrétaires d'Estat. Paris, 1668, in-4°.

FELGÈRES. Histoire de la baronnie de Chaudesaigues. Paris, 1904, in-8°.

J. FÉLIX. Comptes rendus des échevins de Rouen, 1409-1701. Rouen, 1890, in-8°, 2 vol.

J. FÈVRE. Le cartulaire de Riaucourt. Saint-Dizier, 1892, in-8°.

DE FIGON. Discours des estats et offices tant du gouvernement que de la justice et des finances de France. Paris, 1579, in-8°.

FLAMMERMONT. Histoire des institutions municipales de Senlis. Paris, 1881, in-8°.

FLEURQUIN. De l'administration du village sous l'Ancien Régime. (Th. de droit). Paris, 1899, in-8°.

Cl. FLEURY. Institution au droit ecclésiastique. Paris, 1771, in-12, 2 vol.

E. FLEURY. Cinquante ans de l'histoire du Chapitre de Notre-Dame de Laon. Procès-verbaux et délibérations. 1541-1594. Laon, 1875, in-8°.

FLOQUET. Histoire du Parlement de Normandie. Rouen, 1840, in-8°.

FLORANGE. Mémoires du maréchal de Florange. Paris, 1913-1924, in-8°, 2 vol.

FONTANON. Les édicts et ordonnances des rois de France. Paris, 1611, in-fol., 3 vol.

FONTENAY-MAREUIL. Mémoires. (Nouv. collec. des Mémoires... Michaud et Poujolat, t. V.)

J. DE FONT-RÉAULX. Le cahier de doléances du clergé d'Embrun en 1567. (Bull. phil. et histor. Com. trav. histor., 1936-1937).

FORESTIÉ. La vie municipale au XVIe siècle d'après les comptes consulaires de Montauban, pour 1518. Montauban, 1887, in-4°.

FOSSEYEUX. La taxe des pauvres au XVIe siècle. (Rev. hist. de l'Eg. de France, 1934).

A. DE FOULQUES DE VILLARET. Recherches historiques sur l'ancien chapitre cathédral de l'église d'Orléans. (Mém. soc. archéol. et histor. de l'Orléanais, 1883).

H. FOUQUERAY. Histoire de la Compagnie de Jésus en France. Paris, 1910-1925, in-8°, 5 vol.

H. DE FOURMONT. Histoire de la Chambre des comptes de Bretagne. Paris, 1854, in-8°.

FOURNIVAL. Recueil général des titres concernant les fonctions... des présidents, trésoriers de France, généraux des finances.... Paris, 1655, in-fol.

[FOURQUEVAUX]. Instructions sur le faict de la guerre. Paris, 1548, in-fol.

M. FRANÇOIS. Correspondance du cardinal François de Tournon. Paris, 1946, in-8°.

Ed. FRÉMY. Essai sur les diplomates du temps de la Ligue. Paris, 1873, in-12.

— Un ambassadeur libéral sous Charles IX et Henri III. Ambassades à Venise d'A. Du Ferrier, 1563-1582. Paris, 1880, in-8°.

El. FRÉMY. Premières tentatives de centralisation des impôts indirects, 1584-1614. (Bibl. Ec. des chartes, 1911).

E. FRIEDBERG. Corpus juris canonici. Leipzig, 1879-1881, in-4°, 2 vol.

H. DE FRONDEVILLE. Le premier intendant de justice en Normandie, Antoine Le Camus. (Normannia, 1936).

FURGEOT. L'aliénation des biens du clergé sous Charles IX. (Rev. quest. histor., 1881).

R. GADAVE. Les documents sur l'histoire de l'université de Toulouse. 1229-1789. Toulouse, 1910, in-8°.

GAILLY DE TAURINES. La frontière du Nord-Est du royaume de France sous Henri II. (Bull. sect. géog. Com. trav. histor. 1929).

P. GALLAND. Petri Castellani... vita. Paris, 1674, in-8°.

GALLEY. Le régime féodal dans le pays de Saint-Étienne. Saint-Étienne, 1927, in-8°.

Gallia christiana in provincias ecclesiasticas distributa. Paris, 1715-1865, in-fol., 16 vol.

J. GARDÈRE. Histoire de la seigneurie de Condom et de l'organisation de la justice dans cette ville. Condom, 1902, in-8°.

J. GARNIER. Correspondance de la mairie de Dijon. Dijon, 1868-1870, in-8°, 3 vol.

J. GARNIER, CHAMPEAUX. Chartes de communes et d'affranchissements en Bourgogne. Dijon, 1918, in-4°.

F. GARRAULT. Traitté des finances de France, 1580. (Arch. curieuses, t. IX).

G. GAVET. Sources des institutions et du droit français. Paris, 1899, in-8°.

GENÉBRARD. De sacrarum electionum jure et necessitate. Paris, 1593, in-12.

GÉRARDIN. Étude sur les bénéfices ecclésiastiques aux XVIᵉ et XVIIᵉ siècles. (Th. de droit). Nancy, 1897, in-8°.

M. GICQUELLO. Le clergé séculier du diocèse de Saint-Malo au XVIᵉ siècle. (Pos. th. Ec. des chartes, 1944).

GIFFARD. Les justices seigneuriales en Bretagne aux XVIIᵉ et XVIIIᵉ siècles. Paris, 1903, in-8°.

— Essai sur les présidiaux bretons. (Th. de droit). Paris, 1904, in-8°.

E. GIRARD. Trois livres des offices de France. Des parlements, des chanceliers, des baillis, sénéchaux, avec les additions de Jacques Joly. Paris, 1638, in-fol., 2 vol.

GIRY. Les établissements de Rouen. Paris, 1883-1885, in-8°, 2 vol.

GLASSON. Histoire du droit et des institutions de la France. Paris, 1887-1903, in-8°, 8 vol.

— Le roi grand justicier. (N. rev. histor. de droit fran. et étr., 1902-1903).

T. GODEFROY. Le cérémonial français. Paris, 1649, in-fol., 2 vol.

R. P. GODEFROY. Les Frères mineurs capucins en France. Histoire de la province de Paris. Paris, 1937-1939, in-8°.

M. GODET. La congrégation de Montaigu (1490-1580). Paris, 1912, in-8°.

C. GOSSET. Ordonnances, édits... et lettres concernant... la Chambre des comptes de Paris. Paris, 1728, in-4°, 4 vol.

M. GOURON. L'amirauté de Guyenne. (Th. de lettres). Paris, 1938, in-8°.

Ch. DE GRANDMAISON. Plaintes et doléances de la province de Touraine aux États généraux. Tours, 1890, in-8°.

Le grant stille et prothocolle de la chancellerie de France. Paris, 1533, in-4°.

DE GRASSAILLE. Regalium Franciae libri duo. Lyon, 1538, in-8°.

GRIMAUDET. Paraphrase du droict des dixmes. Paris, 1584, in-8°.

H. DE GRIMOUARD. Les bureaux des finances de l'Ancien Régime. (Rev. de sc. et légis. financière, 1905).

P. GUÉNOIS. La conférence des ordonnances royaux. Paris, 1610, in-fol.

P. GUÉRIN. Délibérations politiques du Parlement. 1562. (Mém. soc. hist. de Paris, 1913).

GUETTÉE. Histoire de l'Église de France. Paris, 1847-1856, in-8°, 12 vol.

L. GUIBERT. Documents... relatifs à l'histoire municipale des deux villes de Limoges. Limoges, 1897-1902, in-8°, 2 vol.

G. GUICHARD. La juridiction des prévôts, du connétable et des maréchaux de France. (Th. de droit). Lille, 1926, in-8°.

GUIGUE. Création du présidial de Lyon. (N. rev. histor. de droit fran. et étr., 1911).

R. GUILLARD. Histoire du Conseil du roy. Paris, 1718, in-4°.

L. GUILLEMAUT. Histoire de la Bresse. Louhans, 1896, in-8°.

GUILLOTIN DE CORSON. Les grandes seigneuries de la Haute-Bretagne. Rennes, 1897-1898, in-8°, 2 vol.

GUILLOTIN DE CORSON. Pouillé historique de l'archevêché de Rennes. Rennes, 1880-1886, in-8°, 6 vol.

L. GUIRAUD. Le procès de Guillaume Pellicier, évêque de Maguelone-Montpellier, de 1527 à 1567. Paris, 1907, in-8°.

G. HANOTAUX. Les premiers intendants de justice. (Rev. histor., 1882-1883).

— Origines de l'institution des intendants des provinces. Paris, 1884, in-8°.

— Études historiques sur les XVIe et XVIIe siècles. Paris, 1886, in-8°.

HARDOUIN. Conciliorum collectio regia maxima. Paris, 1714-1715, in-fol., 12 vol.

S. HARDY. Le nouveau et dernier guidon général des finances... avec les annotations de Vincent Gelée. Paris, 1631, in-8°.

HARLÉ. Registre du clerc de ville de Bordeaux, 1551-1603. (Arch. histor. de la Gironde, 1911).

HÉFÉLÉ, LECLERCQ. Histoire des conciles. Paris, 1907 et suiv., in-8°, 10 vol. (En cours).

F. HÉLIE. Traité de l'instruction criminelle. Paris, 1866-1867, in-8°, 8 vol.

A. HELLOT. Essai sur les baillis de Caux de 1204 à 1789. Paris, 1895, in-8°.

P. HELYOT. Histoire des ordres monastiques, religieux et militaires, et des congrégations séculières. Paris, 1714-1719, in-4°, 8 vol.

J. HENNEQUIN. Guidon général des financiers. Paris, 1585, in-8°.

HENRI IV. Recueil des lettres missives de Henri IV (pub. par BERGER DE XIVREY). Paris, 1843-1876, in-4°, 9 vol.

DE HÉRICOURT. Les lois ecclésiastiques de France. Paris, 1719, in-fol.

R. HÉRY. Les léproseries dans l'ancienne France. (Th. de droit). Paris, 1896, in-8°.

P. HILDENFINGER. La léproserie de Reims, du XIIe au XVIIe siècle. Reims, 1906, in-8°.

HILDESHEIMER. Les assemblées générales des communautés de Provence. (Th. de droit). Paris, 1935, in-8°.

C. HIRSCHAUER. La rédaction des coutumes d'Artois au XVIe siècle. (Nouv. rev. histor. de droit fran. et étr., 1918).

— Les États d'Artois, de leurs origines à l'occupation française, 1340-1640. (Th. de lettres). Paris, 1923, in-8°, 2 vol.

HOMAIS. La vénalité des offices sous l'Ancien Régime. (Th. de droit). Paris, 1903, in-8°.

F. HOTMAN. L'ambassadeur. S. l., 1603, in-4°.

— Franco-Gallia. (Genève), 1573, in-8°.

G. Huard. La paroisse et l'église Saint-Pierre de Caen, des origines au milieu du xvie siècle. (Mém. soc. antiq. de Normandie, t. XXXV).

F. Hubert. L'auditeur des comptes. S. l., 1621, in-4°.

Humbert. Institutions municipales et administratives de la ville de Reims. (Th. de droit). Paris, 1910, in-8°.

M. Hurault. Quatre excellens discours sur l'estat présent de la France. S. l., 1593, in-12.

Imbart de La Tour. Les origines de la Réforme. Paris, 1905-1935, in-8°, 4 vol. 2e éd. depuis 1944. (En cours).

J. Imbert. La practique judiciaire. Paris, 1609, in-4°.

Imbert. Les Grands jours de Poitiers. Registres criminels, 1531-1634. (Mém. soc. de statis... des Deux-Sèvres, 1878).

S. d'Irsay. Histoire des universités françaises et étrangères. Paris, 1933-1935, in-8°, 2 vol.

Isaac. Le cardinal de Tournon, lieutenant général du roi. (Rev. d'hist. de Lyon, 1913).

Isambert. Recueil général des anciennes lois françaises. Paris, 1821-1833, in-8°, 29 vol.

M. Isnard. État documentaire et féodal de la Haute-Provence. Digne, 1913, in-8°.

H. Jacqueton. Étude sur la ville de Thiers. La communauté des habitants, 1272-1789. Paris, 1894, in-8°.

— Documents relatifs à l'administration financière en France, de Charles VII à François Ier, 1443-1523. Paris, 1891, in-8°.

— Le Trésor de l'Épargne sous François Ier, 1523-1547. (Rev. histor., 1894).

Jal. Documents inédits sur l'histoire de la marine. (xvie siècle). (Ann. marit. et coloniales, 1842).

E. Jarry. Provinces et pays de France. Paris, 1942-1943, in-8°, 2 vol.

H. Jassemin. La Chambre des comptes de Paris au xve siècle. (Th. de lettres). Paris, 1933, in-8°.

G. Joly. Traicté de la justice militaire de France. Paris, 1598, in-12.

Jourda de Vaux de Foletier. Galiot de Genouillac, maître de l'artillerie de France, 1465-1546. (Pos. th. Ec. des chartes, 1917). Voir de Vaux de Foletier.

Jousse. Traité du gouvernement spirituel et temporel des paroisses. Paris, 1769, in-12.

— Traité de la juridiction des présidiaux. Paris, 1776, in-8°.

C. Jullian. Histoire de Bordeaux. Bordeaux, 1895, in-4°.

Julliot. Le stille du bailliage de Sens. (Bull. soc. archéol. de Sens, 1880).

JULLIOT. Cartulaire sénonais de B. Taveau. Sens, 1884, in-4°.

H. KLIMRATH. Travaux sur l'histoire du droit français. Paris, 1843, in-8°, 2 vol.

LABANDE. Correspondance de Joachim de Matignon, lieutenant général du roi en Normandie. Paris, 1914, in-4°.

R. L. LA BARRE. Formulaire des esleuz. Rouen, 1622, in-8°.

LABBÉ, COSSART. Sacrosancta concilia ad regiam editionem exacta. Paris, 1671-72, in-fol., 18 vol. Réédité par MANSI. Florence, 1759-98, in-fol., 31 vol.

A. DE LA BORDERIE, B. POCQUET. Histoire de Bretagne. Rennes, 1896-1913, in-4°, 6 vol.

DE LA BUSSIÈRE. Le bailliage de Mâcon. (Th. de droit). Dijon, 1914, in-8°.

L. DE LACGER. États administratifs des anciens diocèses d'Albi, de Castres et de Lavaur. Paris, 1921, in-8°.

DE LA CUISINE. Le Parlement de Bourgogne, depuis ses origines jusqu'à sa chute. Dijon, 1864, in-8°, 3 vol.

J. LAFERRIÈRE. Le contrat de Poissy. (Th. de droit). Paris, 1905, in-8°.

H. LAFOSSE. La juridiction consulaire de Rouen, 1556-1791. Rouen, 1922, in-8°.

DE LAIGUE. La noblesse bretonne aux XVᵉ et XVIᵉ siècles. Réformations et montres. Rennes, 1902, in-8°.

LAIR. Histoire de la seigneurie de Bures. (Mém. soc. hist. de Paris, 1876).

DE LA LANDE DE CALAN. Documents inédits relatifs aux États de Bretagne de 1491 à 1589. Rennes, 1908-1909, in-4°, 2 vol.

L. LALLEMAND. Histoire de la charité. Paris, 1910-1912, in-8°, 5 vol.

C. LALORE. Documents sur l'abbaye de Notre-Dame-aux-nonnains de Troyes. Troyes, 1874, in-8°.

L'ALOUETTE. Des maréchaus de France et principale charge d'iceux. Sedan, 1594, in-4°.

V. DE LA LOUPE. Commentarii... de magistratibus et praefecturis Francorum. Paris, 1551, in-8°.

— Premier et second livre des dignités, magistrats et offices du royaume de France. Lyon, 1572, in-16.

LALOURCÉ, DUVAL. Recueil de pièces originales et authentiques concernant la tenue des États généraux. Paris, 1789, in-8°, 9 vol.

— Recueil des cahiers généraux des trois ordres aux États généraux. Paris, 1789, in-8°, 4 vol.

J. DE LA MARTINIÈRE. Le Parlement sous les rois de France, 1491-1514. (Ann. de Bretagne, 1921-1930).

LAMBERT. Cartulaire de l'abbaye de Saint-Laon. Niort. 1876, in-8°.

L. DE LA MORINERIE. Rôle du ban et de l'arrière-ban de la vicomté et prévôté de Paris, en 1545. Paris, 1865, in-8°.

LA MURE. Histoire des ducs de Bourbon et des comtes de Forez. Paris, 1860-1897, in-4°, 4 vol.

J. P. LANCELOT. Institutiones juris canonici. Lyon, 1577, in-4°.

M. LANGLOIS. La seigneurie bretonne de Quintin, jusqu'en 1682. (Pos. th. Ec. des chartes, 1944).

[H. LANGUET]. Vindiciae contra tyrannos. Édimbourg, 1579, in-8°.

LA NOUE. Discours politiques et militaires. Bâle, 1587, in-4°.

LA POIX DE FRÉMINVILLE. Traité général du gouvernement des biens et affaires des communautés d'habitants. Paris, 1760, in-4°.

DE LA POPELINIÈRE. L'amiral de France. Paris, 1584, in-4°.

L. LAROCHE. Le bailliage comtal et le baillage des cas royaux de Charolais. (Ann. de Bourgogne, 1933).

B. DE LA ROCHE-FLAVIN. Treize livres des Parlemens de France. Bordeaux, 1617, in-fol.

Ch. DE LA RONCIÈRE. Histoire de la marine française. Paris, 1899-1932, in-8°, 6 vol.

LARONZE. Essai sur le régime municipal en Bretagne pendant les guerres de religion. (Th. de lettres). Paris, 1890, in-8°.

G. A. DE LA ROQUE. Traité du ban et arrière-ban. Paris, 1676, in-12.

Ch. DE LASTEYRIE. L'abbaye de Saint-Martial de Limoges. Paris, 1901, in-8°.

LA THAUMASSIÈRE. Histoire de Berry. Paris, 1689, in-fol.

— Nouveaux commentaires sur les coutumes de Berry. Bourges, 1700-01, in-fol.

E. LAURAIN. Essai sur les présidiaux. (N. rev. histor. de droit fran. et étr., 1895-96).

M. LAURAIN. Les Grands jours du Parlement de Paris, de l'avènement de François Ier à la mort d'Henri III. (Pos. th. Ec. des chartes, 1940).

J. LAURENT. Le bailliage de Sens, du XIIIe au XVIIIe siècle. (Rev. quest. histor., 1930).

LAURENT, CLAUDON. Voir BESSE et BEAUNIER, Abbayes.... t. XII, 1941.

LE BARROIS D'ORGEVAL. Le tribunal de la connétablie en France, du XIVe siècle à 1790. (Th. de droit). Paris, 1917, in-8°.

— Le maréchalat de France, des origines à nos jours. Paris, 1932, in-8°, 2 vol.

LEBEUF. Mémoires concernant l'histoire ecclésiastique et civile d'Auxerre. Paris, 1743, in-4°, 2 vol.

— Histoire de la ville et de tout le diocèse de Paris. (Rectifications et additions de F. BOURNON). Paris, 1883-1893, in-8°, 6 vol.

LEBEURIER. Rôle des taxes de l'arrière-ban du bailliage d'Évreux en 1562, avec une introduction sur l'histoire du ban et de l'arrière-ban. Paris, 1861, in-8°.

— État des anoblis en Normandie, de 1545 à 1661. Évreux, 1866, in-8°.

V. LEBLOND. Les lépreux de Beauvais. La maladrerie de Saint-Lazare au XVIe siècle. Beauvais, 1926, in-8°.

LEBRETON. Les sergenteries de l'Avranchin à la fin du XVIe siècle. (Rev. de l'Avranchin, 1925 et suiv.).

Cl. LEBRUN DE LA ROCHETTE. Le procès civil et criminel. Lyon, 1618, in-4°.

P. LE CACHEUX. Essai historique sur l'Hôtel-Dieu de Coutances. Paris, 1895-1899, in-8°, 2 vol.

P. LECESTRE. Notice sur l'arsenal royal de Paris. (Mém. soc. hist. de Paris, 1916).

LE CHANTEUR. Dissertation historique et critique sur la Chambre des comptes. Paris, 1765, in-4°.

LEDAIN. Lettres adressées à J. de Daillon, gouverneur de Poitou. (Arch. histor. du Poitou, 1882-1883).

— Les maires de Poitiers. (Mém. soc. antiq. de l'Ouest, 1897).

— Lettres... relatives à l'administration du Poitou, de 1559 à 1580. (Arch. histor. du Poitou, 1896).

— Lettres des rois de France à la commune de Poitiers. (Arch. histor. du Poitou, 1875).

LEFAS. De l'origine des juridictions consulaires des marchands de France. (Rev. histor. de droit fran. et étr., 1924).

J. LE FÉRON. Histoire des connétables, chanceliers et gardes des seaux, mareschaux, admiraux... continuée par Denis GODEFROY. Paris, 1658, in-fol.

Eug. LEFÈVRE. Les avocats du roi depuis les origines jusqu'à la Révolution. (Th. de droit). Paris, 1912, in-8°.

J. LE GRAND. Instruction sur le faict des finances et Chambre des comptes. Paris, 1582, in-8°.

L. LE GRAND. Les Quinze-Vingts. Paris, 1887, in-8°.

L. LE GRAND, H. STEIN. La frontière d'Argonne, 843-1659. Paris, 1905, in-8°.

M. LE GRAND. Le chapitre cathédral de Langres, de la fin du XIIe siècle au Concordat de 1516. Paris, 1931, in-8°.

Le Hénaff. Étude sur l'organisation administrative de la marine sous l'Ancien Régime et la Révolution. Paris, 1913, in-8°.

F. Le Jay. De la dignité des rois et princes souverains. Tours, 1589, in-8°.

E. Lelong. Les officiers du roi à Saumur, à la fin du xvi⁰ siècle. Angers, 1888, in-8°.

Lemaire. Procès-verbaux des séances de la Chambre du Conseil de Saint-Quentin. (Mém. soc. académ. de Saint-Quentin, 1885 et suiv.).

Lemaire. Les lois fondamentales de la monarchie française, d'après les théoriciens de l'Ancien Régime. (Th. de droit). Paris, 1907, in-8°.

G. Le Maistre. Les œuvres de messire Gilles Le Maistre. Paris, 1653, in-4°.

Lenail. Le Parlement de Dombes, 1523-1771. (Th. de droit). Lyon, 1900, in-8°.

Le Parquier. Contribution à l'histoire de Rouen, 1515. Rouen, 1895, in-8°.

M. Le Pesant. La Cour des aides de Normandie, des origines à 1552. (Pos. th. Ec. des chartes, 1936).

G. Lepointe. Petit précis des sources de l'histoire du droit français. Paris, 1937, in-8°.

Le Prévost. Pouillés du diocèse de Lisieux. Caen, 1844, in-4°.

A. Leroux. Documents historiques concernant la Marche et le Limousin. Limoges, 1883, in-8°.

— La généralité de Limoges. (Inv. des arch. départ. Haute-Vienne, sér. C.).

— Les sénéchaussées du Limousin et de la Marche. (Inv. des arch. départ. Haute-Vienne, sér. B.).

— Géographie historique du Limousin. (Bull. soc. arch. et histor. du Limousin, t. LVIII).

Leroux, Bosvieux. Chartes... de la Marche et du Limousin. Tulle, 1886, in-8°.

E. Leroux. Le bailliage du Palais, de 1359 à 1712. (Pos. th. Ec. des chartes, 1944).

Leschevin de Prévoisin. Du droit de patronage ecclésiastique relativement aux paroisses de campagne et de son histoire. (Th. de droit). Paris, 1898, in-8°.

J. Lescuyer. Le nouveau stille de la chancellerie de France et des chancelleries establies prez les parlements. Paris, 1622, in-8°.

A. Le Sourd. Essai sur les États de Vivarais depuis leurs origines. Paris, 1928, in-4°.

De Lespinasse. Les finances, les fiefs et les offices du duché de Nevers, en 1580. Nevers, 1896, in-8°.

[Levasseur]. Mémoire sur les monnaies du règne de François Iᵉʳ. (Ordonnances des rois de France. Règne de François Iᵉʳ. T. I).

L. Lex. Les fiefs du Mâconnais. Mâcon, 1897, in-8°.

De L'Homel. Le bailliage royal de Montreuil-sur-Mer, ses principaux officiers, 1360-1790. Abbeville, 1903, in-8°.

De L'Hommeau. Maximes générales du droit français. Rouen, 1612, in-8°.

M. de L'Hospital. Œuvres complètes, pub. par Dufey. Paris, 1824-1825, in-8°, 3 vol.

Lhuillier. La maison des princes, fils de François Iᵉʳ. (Bull. phil. et histor. Com. trav. histor., 1889).

A. Loisel. De quelques droits du roy et de la Couronne. Paris, 1652, in-4°.

— Institutes coustumières. Paris, 1607, in-4°.

A. Longnon. L'Ile-de-France, son origine, ses limites, ses gouverneurs. (Mém. soc. hist. de Paris, 1875).

— Pouillé du diocèse de Cahors. Paris, 1877, in-4°.

— La formation de l'unité française. Paris, 1922, in-8°.

F. Lot. L'état des paroisses et des feux de 1328. (Bibl. Ec. des chartes, 1929).

G. Louet. Recueil d'aucuns notables arrests donnez en la cour de Parlement. Paris, 1633, in-fol.

P. Louis-Lucas. Étude sur la vénalité des charges. (Th. de droit). Paris, 1883, in-8°, 2 vol.

Lousse. Parlementarisme ou corporatisme ? Les origines des assemblées d'États. (Rev. histor. de droit fran. et étr., 1935).

Ch. Loyseau. Cinq livres du droict des offices, avec le livre des seigneuries et celui des ordres. Paris, 1613, in-4°.

— De l'abus des justices de village. Paris, 1628, in-8°.

De Luçay. Les secrétaires d'État, depuis leur institution jusqu'à la mort de Louis XV. Paris, 1881, in-8°.

— Le comté de Clermont-en-Beauvaisis. Les comptes d'un apanage... au xviᵉ siècle. (Mém. soc. académ. de l'Oise, 1892).

— Le comté de Clermont. La réformation de la coutume. (Mém. soc. académ. de l'Oise, 1898).

A. Luchaire. Alain le Grand. (Th. de lettres). Paris, 1877, in-8°.

Luco. Pouillé historique de l'ancien diocèse de Vannes. Vannes, 1884, in-8°.

H. Lureau. Les théories démocratiques chez les écrivains protestants français de la seconde moitié du xviᵉ siècle. (Th. de droit). Bordeaux, 1900, in-8°.

R. M. Contribution à l'histoire de l'abbaye de Jouarre. (Rev. Mabillon, 1933-1935).

De Macé de Gastines. Le ban et l'arrière-ban, de la création des compagnies d'ordonnance au xviiiᵉ siècle, 1445-1758. (Pos. th. Ec. des chartes, 1917).

Madelin. Les premières applications du Concordat de 1516, d'après les dossiers du château Saint-Ange. (Mél. Ec. de Rome, 1897).

Maffert. Les apanages en France, du xviᵉ au xixᵉ siècle. (Th. de droit). Paris, 1900, in-8°.

A. Magen. Deux montres d'armes au xviᵉ siècle. (Rev. de l'Agenais, 1882).

Mahon de Monaghan. Étude sur les annates. (Th. de droit). Paris, 1909, in-8°.

L. Maitre. Histoire administrative des anciens hôpitaux de Nantes. Nantes, 1875, in-8°.

P. Mallebay. Les institutions municipales de Bellac sous l'Ancien Régime. (Th. de droit). Paris, 1912, in-8°.

J. Malmezat. Le bailli des Montagnes d'Auvergne et le présidial d'Aurillac. (Th. de droit), Paris, 1941, in-8°.

Manca-Amat de Vallombrosa. Histoire de la prévôté de l'Hôtel le roi. (Th. de droit). Paris, 1907, in-8°.

L. E. Marcel. Le cardinal de Givry, évêque de Langres, 1529-1561. Dijon, 1926, in-8°, 2 vol.

Mareschal. Traicté des droicts honorifiques des seigneurs es églises. Paris, 1615, in-8°.

Olivier Martin. Histoire de la coutume de la prévôté et vicomté de Paris. Paris, 1922-1930, in-8°, 2 vol.

V. Martin. Le gallicanisme et la réforme catholique. Essai sur l'introduction en France des décrets du Concile de Trente. Paris, 1919, in-8°.

Papire Masson. Notitia episcopatuum Galliae. Paris, 1606, in-8°.

E. Maugis. Essai sur le régime financier de la ville d'Amiens du xivᵉ à la fin du xviᵉ siècle. (Mém. soc. antiq. de Picardie, sér. III, t. III).

— Essai sur le recrutement et les attributions des principaux offices du siège du bailliage d'Amiens, de 1300 à 1600. (Th. de lettres). Paris, 1906, in-8°.

— Recherches sur les transformations du régime politique et social de la ville d'Amiens, des origines de la commune à la fin du xviᵉ siècle. (Th. de lettres). Paris, 1906, in-8°.

— Histoire du Parlement de Paris, de l'avènement des rois Valois à la mort de Henri IV. Paris, 1913-1916, in-8°, 3 vol.

DE MAULDE. Procédures politiques du règne de Louis XII. Paris, 1885, in-4º.

— La diplomatie au temps de Machiavel. Paris, 1892-1893, in-8º, 3 vol.

[Ch. J. MAYER]. Des États généraux et autres assemblées nationales. Paris, 1788-1789, in-8º, 18 vol.

DE MAZIÈRES. Le régime municipal en Berry, des origines à 1789. Paris, 1903, in-8º.

L. MÉNARD. Histoire civile, ecclésiastique et littéraire de Nîmes. Nîmes, 1873-1875, in-8º, 7 vol.

MERLET. Des assemblées de communautés d'habitants dans l'ancien comté de Dunois. Châteaudun, 1887, in-8º.

MESCHINET DE RICHEMONT. Cartulaire de l'abbaye de Charon. (Arch. histor. de la Saintonge, 1883).

P. MESNARD. L'essor de la philosophie politique au XVIᵉ siècle. (Th. de lettres). Paris, 1936, in-8º.

MÉTAIS. Cartulaire de l'abbaye de la Trinité de Vendôme. Paris, 1893-1904, in-8º, 5 vol.

— Cartulaire saintongeois de la Trinité de Vendôme. (Arch. histor. de la Saintonge, 1893).

J. DE MÉTIVIER. Chronique du Parlement de Bordeaux. Bordeaux, 1886-1887, in-8º, 2 vol.

MEURGEY. Histoire de la paroisse Saint-Jacques de la Boucherie. Paris, 1926, in-4º.

E. MEYNIAL. Études sur l'histoire financière du XVIᵉ siècle. (N. rev. histor. de droit fran. et étr., 1920-21).

— Études sur la gabelle du sel avant le XVIIᵉ siècle en France. (Tijd-schrift voor Rechtsgeschiedenis, 1922-1923).

E. MICHELLET. Du droit de régale. (Th. de droit). Ligugé, 1900, in-8º.

P. DE MIRAULMONT. Mémoires sur l'origine et institution des cours souveraines. Paris, 1584, in-8º.

— Traicté de la chancellerie et gardes des sceaux de France. Paris, 1610, in-8º.

— Le prévost de l'Hostel et grand prévost de France. Paris, 1615, in-8º.

MIREUR. Les chevauchées d'un maître des requêtes en Provence, 1556. (Rev. des soc. sav., 1881).

— Notice historique sur la sénéchaussée de Draguignan. (Inv. des arch. départ. du Var, t. I).

L. MIROT. Chambre des comptes de Paris. Inventaire des hommages rendus à la Chambre de France. Melun, 1932-1945, in-4º, 3 vol.

P. MOHLER. Le servage et les communautés serviles en Nivernais. (Th. de droit). Paris, 1900, in-8°.

A. MOLINIER. Sur la géographie de la province de Languedoc au Moyen Age. (Histoire générale de Languedoc, t. XII, 18).

MONLUC. Commentaires, pub. par COURTEAULT. Paris, 1911-25, in-8°, 3 vol.

L. MONNIER. Missions diplomatiques de Pompone de Bellièvre, de 1573 à 1588. (Pos. th. Éc. des chartes, 1930).

J. MONTAIGNE. Tractatus celebris de auctoritate... Magni Concilii et parlamentorum Franciae. Paris, 1512, in-8°.

MONTIÉ. Recueil de chartes... relatives au prieuré des Moulineaux et à la châtellenie de Poigny. Paris, 1846, in-4°.

Monumenta historica Societatis Jesu. Ser. III. Monum. Ignatiana. Constitutiones Societatis Jesu. Rome, 1934-1938, in-8°, 3 vol.

MOREAU DE BEAUMONT. Mémoires concernant les impositions et droits. Paris, 1787-1789, in-4°, 5 vol.

MOREAU DE VORMES. Mémoire sur la constitution politique de Périgueux. Paris, 1775, in-4°.

Dom MORICE. Histoire ecclésiastique et civile de Bretagne. Paris, 1750-1760, in-fol., 2 vol.

— Mémoires pour servir de preuves à l'histoire de Bretagne. Paris, 1742-1746, in-fol., 3 vol.

D. A. MORTIER. Histoire abrégée de l'ordre de saint Dominique en France. Tours, 1920, in-8°.

R. MORTIER. La sénéchaussée de la Basse-Marche. (Th. de lettres). Paris, 1912, in-8°.

F. MOURRET. Histoire générale de l'Église. Paris, 1914-1921, in-8°, 9 vol.

R. MOUSNIER. La vénalité des offices sous Henri IV et Louis XIII. (Th. de lettres). Rouen, 1945, in-8°.

— Sully et le Conseil d'État et des finances. (Rev. histor., 1941).

G. MUSSET. L'abbaye de La Grâce Dieu. (Arch. histor. de la Saintonge, 1898).

— Le cartulaire de l'abbaye de Saint-Jean-d'Angély. (Arch. histor. de la Saintonge, 1903).

— Les insinuations ecclésiastiques dans le diocèse de Saintes, 1565. (Arch. histor. de la Saintonge, 1905).

NAZ. Dictionnaire de droit canonique. Paris, 1935 et suiv., in-4°, 3 vol. (En cours).

P. NÉRON, E. GIRARD. Recueil d'édits et ordonnances royaux des très chrestiens roys... sur le fait de la justice. Paris, 1720, in-fol., 2 vol.

Nevers (Duc de). Les Mémoires de M. le Duc de Nevers, Paris, 1665, in-fol., 2 vol.

Nicolay. Générale description du Bourbonnois. Moulins, 1889, in-8°, 2 vol.

— Description générale du païs et duché de Berry. Châteauroux, 1883, in-8°.

— Description générale de la ville de Lyon. Lyon, 1881, in-4°.

J. Nouaillac. Villeroy, secrétaire d'État et ministre de Charles IX, Henri III et Henri IV. (Th. de lettres). Paris, 1908, in-8°.

Odespunc de La Meschinière. Concilia novissima Galliae, a tempore Concilii tridentini celebrata. Paris, 1646, in-fol.

[Odespunc de La Meschinière]. Actes, titres et mémoires concernant les affaires du clergé de France. Paris, 1646, in-fol. 3 vol.

Ordinationes synodales... diaecesis senonensis. Paris, 1524, in-4°.

Ordonnances des rois de France de la troisième race. Paris, 1723-1849, in-fol., 22 vol.

Ordonnances... sur l'estat des trésoriers et manyment des finances nouvellement publiées au Conseil de la Tour carrée. Paris, 1532, in-4°.

Orlandini. Historia Societatis Jesu. Cologne, 1615, in-fol.

G. Pagès. La vénalité des offices dans l'ancienne France. (Rev. histor., 1932).

— Essai sur l'évolution des institutions administratives en France, du commencement du XVIe siècle à la fin du XVIIe. (Rev. hist. mod., 1932).

— La monarchie d'Ancien Régime en France. Paris, 1928, in-16.

Pallasse. La sénéchaussée et siège présidial de Lyon pendant les guerres de religion. (Th. de droit). Lyon, 1943, in-8°.

P. Palliot. Le Parlement de Bourgogne, son origine, son établissement... Dijon, 1649, in-fol.

J. Papon. Recueil d'arrests notables des courts souveraines. Paris, 1565, in-8°.

— Trias judiciel du second notaire. Lyon, 1575, in-fol.

— Secrets du troisième et dernier notaire. Lyon, 1578, in-fol.

Pardessus. Mémoire sur l'organisation judiciaire. (Ordonnances des rois de France, t. XXI). Paris, 1849, in-fol.

L. Paris. Négociations, lettres... relatives au règne de François II. Paris, 1841, in-4°.

Parturier. L'assistance à Paris sous l'Ancien Régime et pendant la Révolution. (Th. de droit). Paris, 1897, in-8°.

E. Pasquier. Les recherches de la France. Paris, 1665, in-fol.

F. PASQUIER. Grands jours de Poitiers, de 1454 à 1634. Paris, 1874, in-8°.

PATAS DE BOURGNEUF. Mémoires sur les privilèges et fonctions des trésoriers généraux de France. Orléans, 1745, in-4°.

PATON. Le corps de ville de Troyes. (Th. de droit). Paris, 1939, in-8°.

PÉLISSIER. Documents pour l'histoire de la domination française dans le Milanais. Toulouse, 1891, in-8°.

E. PELLEGRIN. La vie municipale de Riez au XVIᵉ siècle. (Pos. th. Ec. des chartes, 1934).

PÉRÉ. Le sacre et le couronnement des rois de France dans leurs rapports avec les lois fondamentales. (Th. de droit). Bagnères, 1921, in-8°.

J. PERMEZEL. La politique financière de Sully dans la généralité de Lyon. (Th. de droit). Lyon, 1935, in-8°.

E. PERROT. Les institutions publiques et privées de l'ancienne France, jusqu'en 1789. Paris, 1935, in-8°.

PETIT-DUTAILLIS. Les communes françaises. Caractères et évolution des origines au XVIIIᵉ siècle. Paris, 1947, in-8°.

PEYRISSAC. Des remontrances, édits, règlements, contrats, départements et autres choses concernant les affaires du clergé. Paris, 1625, in-8°, 3 vol.

J. PHILIPPE. Édits et ordonnances du roy concernant l'autorité et jurisdiction des cours des aides de France, sous le nom de celle de Montpellier. Lyon, 1561, in-fol.

G. J. PHILLIPS. Das Regalienrecht in Frankreich. Halle, 1873, in-8°.

A. PICON. La collation des bénéfices au chapitre de Notre-Dame de Paris, sous le régime du Concordat, 1518-1547. (Pos. th. Ec. des chartes, 1931).

— La collation des bénéfices au chapitre de Notre-Dame de Paris, sous le régime du Concordat, 1518-1547. (Rev. histor. de droit fran. et étr., 1932).

G. PICOT. Histoire des États généraux. Paris, 1888, in-12, 5 vol.

— Les élections aux États généraux... de 1302 à 1614. (Séances et trav. de l'Acad. des sc. morales, 1874).

— Recherches sur les quartiniers, cinquanteniers et dixainiers de la ville de Paris. (Mém. soc. hist. de Paris, 1875).

PIÉTRESSON DE SAINT-AUBIN. La juridiction consulaire de Troyes. Troyes, 1928, in-8°.

PINARD. Chronologie historique militaire. Paris, 1760, in-4°, 7 vol.

PINATEL. L'emphytéose dans l'ancien droit provençal. (Th. de droit). Marseille, 1938, in-8°.

J. PINSON DE LA MARTINIÈRE. La connétablie et mareschaussée de France. Paris, 1661, in-fol.

PINSSON. Traité singulier des régales. Paris, 1688, in-4°, 2 vol.

P. PIOLIN. Histoire de l'église du Mans. Paris, 1851-1863, in-8°, 6 vol.

P. PITHOU. Les libertez de l'Église gallicane. Paris, 1594, in-8°.

Dom PLANCHER. Histoire générale et particulière de Bourgogne. Dijon, 1739-1781, in-fol., 4 vol.

J. POINTET. Historique des propriétés et maisons de Lyon. Lyon, 1926-1930, in-8°, 4 vol.

POIRSON. Mémoire sur l'assemblée des notables tenue à Rouen en 1596-1597. (Comp. rend. de l'Acad. des sc. mor., 1866).

POMMERAY. L'officialité archidiaconale de Paris aux XVᵉ-XVIᵉ siècles. (Th. de droit). Paris, 1933, in-8°.

PORÉE. Histoire de l'abbaye du Bec. Évreux, 1901, in-8°, 2 vol.

PORTAL. Histoire de la ville de Cordes. Albi, 1902, in-8°.

(POULLIN DE VIÉVILLE). Nouveau code des tailles. Paris, 1723, in-12.

POUY. La chambre du conseil des États de Picardie pendant la Ligue. Amiens, 1882, in-8°.

PRAROND. La Ligue à Abbeville. Paris, 1868-1873, in-8°, 3 vol.

H. PRENTOUT. Les États provinciaux de Normandie. Caen, 1925-1927, in-8°, 3 vol.

— Les États provinciaux en France. (Bull. of the internat. committee of histor. sc., 1929).

A. E. PRÉVOST. Le diocèse de Troyes, histoire et documents. Domois, 1923-1926, in-8°, 3 vol.

— Journal des visites capitulaires et des visites archidiaconales de Troyes, en 1459, 1466, 1515. (Mém. soc. académ. de l'Aube, 1918).

Les privilèges anciens et nouveaux des officiers domestiques et commensaux de la Maison du roy. Paris, 1620, in-8°.

Privilèges des bourgeois de la ville et cité de Bourdeaux. Bordeaux, 1618, in-4°.

Ph. PROBUS. Quaestiones 63 lectori viam ad juris regaliae intelligentiam praebentes. Paris, 1551, in-8°.

PROUHET. Contribution à l'étude des assemblées générales de communautés d'habitants, 1588-1788. (Mém. soc. antiq. de l'Ouest, 1902).

M. A. PRUDHOMME. Études sur l'assistance publique à Grenoble avant la Révolution. Grenoble, 1898, in-8°.

QUANTIN. Histoire des impôts aux comté et élection d'Auxerre au XVIᵉ siècle. Auxerre, 1874, in-8°.

QUANTIN Recherches sur le régime municipal à Auxerre au milieu du XVIᵉ siècle. (Bull. soc. des sc. histor. et natur. de l'Yonne, 1879).

S. QUET. La Cour des aides de Guyenne. (Rev. histor. de Bordeaux, 1939.)

F. RAGUEAU. Glossaire du droit français. Niort, 1882, in-4°.

— Indice des droicts roiaux et seigneuriaux... de la justice, des finances et practique de France. Paris, 1600, in-4°.

P. RAMBAUD. L'assistance publique à Poitiers. Poitiers, 1912-1915, in-8°, 2 vol.

RAMET. Histoire de Toulouse. Toulouse, (1935), in-8°.

RAMIÈRE DE FORTANIER. Les droits seigneuriaux dans la sénéchaussée et comté de Lauragais. (Th. de droit). Toulouse, 1932, in-8°.

— Chartes de franchises du Lauragais. (Th. de lettres). Toulouse, 1939, in-8°.

RAVEAU. L'agriculture et les classes paysannes. La transformation de la propriété dans le Haut-Poitou au XVIᵉ siècle. Paris, 1926, in-8°.

A. REBILLON. Les États de Bretagne de 1661 à 1789. (Th. de lettres). Paris, 1932, in-8°.

P. REBUFFI. Tractatus novem. Lyon, 1566, in-fol.

— Les édits et ordonnances des roys de France. Lyon, 1573, in-fol.

Recueil des actes, titres et mémoires concernant les affaires du clergé de France. Paris, 1716-1764, in-fol., 13 vol.

Recueil général des affaires du clergé de France. Paris, 1636, in-4°, 2 vol.

Recueil général des Estats tenus en France. Paris, 1651, in-4°.

Recueil de plusieurs édicts, lettres patentes, déclarations, ...concernants... la Chambre du Thrésor. Paris, 1617, in-4°.

Recueil des remontrances, édits, contrats et autres choses concernant le clergé de France. Paris, 1599, in-8°.

RÉGNIER DE LA PLANCHE. Histoire de l'Estat de France. S. l., 1576, in-8°.

RENAULDON. Traité historique et pratique des droits seigneuriaux. Paris, 1765, in-4°.

E. RÉVEILLAUD. Histoire de la ville, commune et sénéchaussée de Saint-Jean-d'Angély. Paris, 1909, in-8°.

DE RIBBE. La société provençale à la fin du Moyen Age. Paris, 1898, in-8°.

A. RICHARD. Un diplomate poitevin du XVIᵉ siècle. Charles de Danzay, ambassadeur en Danemark. (Mém. soc. antiq. de l'Ouest, 1909).

P. Richard. La papauté et la Ligue. Fr. Pierre d'Épinac, archevêque de Lyon. (Th. de lettres). Paris, 1901, in-8°.

— De publicatis tempore motuum civilium XVI saec. ecclesiae gallicanae bonis immobilibus. (Th. de lettres). Paris, 1901, in-8°.

J. Rigault. La frontière de la Meuse. L'utilisation des sources historiques dans un procès devant le Parlement de Paris, en 1535. (Bibl. Ec. des chartes, 1946).

G. Robert. Les fiefs de Saint-Rémi de Reims, depuis le XVᵉ siècle jusqu'en 1550. Paris, 1913, in-8°.

— Visite des prieurés de Saint-Rémi de Reims, en 1560-1561. Reims, 1913, in-8°.

P. Robin. La compagnie des secrétaires du roi, 1351-1791. Paris, 1933, in-8°.

P. Robinet. La vie rurale en Thiérache au XVIᵉ siècle. (Pos. th. Ec. des chartes, 1942).

Robiquet. Histoire municipale de Paris. Paris, 1880, in-8°.

L. Romier. Jacques d'Albon de Saint-André, 1512-1562. Paris, 1909, in-8°.

— Les députés des villes en Cour au XVIᵉ siècle. (Bull. phil. et histor. Com. trav. histor., 1909).

— Lettres et chevauchées du Bureau des finances de Caen sous Henri IV. Paris, 1910, in-8°.

— Les institutions françaises en Piémont sous Henri II. (Rev. histor., 1911).

Rosenzweig. Office de l'amiral en France, du XIIᵉ au XVIIᵉ siècle. Vannes, 1855, in-8°.

J. Roserot de Melin. Antonio Caracciolo, évêque de Troyes, 1515-1570. (Th. de lettres). Paris, 1923, in-8°.

Rosier. Les institutions judiciaires de la Basse-Marche. (Th. de droit). Limoges, 1921, in-8°.

E. A. Rossignol. Petits États d'Albigeois. Paris, 1875, in-8°.

— Étude sur les institutions seigneuriales et communales de l'arrondissement de Gaillac. Toulouse, 1876, in-8°.

— Assemblées du diocèse de Castres. Toulouse, 1878, in-8°.

Rott. Histoire de la représentation diplomatique de la France auprès des cantons suisses. Berne-Paris, 1900-1935, in-8°, 10 vol.

J. Roucaute. Le pays de Gévaudan au temps de la Ligue. (Th. de lettres). Paris, 1900, in-8°.

G. Rouchon. Le Tiers État aux États provinciaux de Basse-Auvergne. (Bull. phil. et histor. Com. trav. histor., 1930-1931).

Rouget. Essai sur le prévôt de l'Hôtel du roi et sa juridiction. (Pos. th. Ec. des chartes, 1899).

L. ROUSSEAU, M. LECOMTE. Cérémonial de la prise de possession des évêques de Meaux. (Bull. de la confér. d'hist... de Meaux, 1904).

J. ROUSSOT. Le Mâconnais, pays d'États et d'élection. (Th. de droit). Lyon, 1937, in-8°.

ROY. Le ban et l'arrière-ban du bailliage de Sens au XVIe siècle. Sens, 1885, in-8°.

E. RUBEN, L. GUIBERT. Registres consulaires de la ville de Limoges. Limoges, 1867-1897, in-8°, 6 vol.

DE RUBYS. Histoire véritable de la ville de Lyon. Lyon, 1604, in-fol.

— Privilèges, franchises et immunitez de la ville de Lyon. Lyon, 1573, in-fol.

A. RUZÉ. Tractatus juris regaliae. Paris, 1551, in-8°.

SABARTHÈS. Inventaire des droits et revenus de l'évêché de Saint-Papoul. Paris, 1902, in-8°.

G. SAIGE. Documents historiques relatifs à la vicomté de Carlat. Monaco, 1900, in-4°, 2 vol.

SALVINI. Le diocèse de Poitiers à la fin du Moyen Age, 1346-1560. (S. l.), 1946, in-8°.

G. SAUGRAIN. La maréchaussée de France. Paris, 1697, in-4°.

D. DE SAULCY. Recueil de documents relatifs à l'histoire des monnaies. Paris, 1879-1892, in-4°, 4 vol.

SAULNIER DE LA PINELAIS. Les gens du roi au Parlement de Bretagne. 1553-1790. Rennes, 1902, in-8°.

— Le Parlement de Bretagne, 1554-1790. Rennes, 1909, in-4°.

R. SAUVAGE. L'abbaye de Saint-Martin de Troarn. (Th. de lettres). Caen, 1911, in-4°.

H. SÉE. Les classes rurales en Bretagne, du XVIe siècle à la Révolution. Paris, 1906, in-8°.

— Les États de Bretagne au XVIe siècle. (Ann. de Bretagne, t. X).

L. SERBAT. Les assemblées du clergé de France, 1561-1615. Paris, 1906, in-8°.

P. SERRES. Histoire de la Cour des comptes, aides et finances de Montpellier. Montpellier, 1878, in-8°.

DE SESSEVALLE. Histoire générale de l'ordre de saint François. Le Puy, 1935-1937, in-8°, 2 vol.

Claude DE SEYSSEL. La grand monarchie de France. Paris, 1519, in-8°.

F. SIMON. Traicté de la jurisdiction des prévôts des mareschaulx. Paris, 1624, in-8°.

P. SOPHEAU. Les variations de la frontière française des Alpes depuis le XVIe siècle. (Ann. de géogr., 1894).

DE SOULTRAIT. Inventaire des titres de Nevers, de l'abbé de Marolles. Nevers, 1873, in-4°.

A. SPONT. Semblançay. (Th. de lettres). Paris, 1895, in-8°.

— De cancellariae regum Franciae officiariis et emolumento, 1440-1523. (Th. de lettres). Besançon, 1894, in-8°.

— La taille en Languedoc de 1450 à 1515. (Ann. du Midi, 1890-1891).

— L'équivalent aux aides en Languedoc, de 1450 à 1515. (Ann. du Midi, 1891).

— La gabelle du sel en Languedoc. (Ann. du Midi, 1891).

— La milice des francs-archers. (Rev. quest. histor., 1897).

— Marignan et l'organisation militaire sous François Iᵉʳ. (Rev. quest. histor., 1899).

SULLY. Mémoires ou Économies royales d'État. Paris, 1662-4, in-fol., 4 vol.

TAILLANDIER. Élection du député de la prévôté de Paris aux États généraux de 1588. (Bibl. Ec. des chartes, 1845-1846).

— Nouvelles recherches historiques sur la vie et les ouvrages du chancelier de L'Hospital. Paris, 1861, in-8°.

G. DE TAIX. Mémoires des affaires du clergé de France. Paris, 1625, in-4°.

TANON. Histoire des justices des anciennes églises et communautés monastiques de Paris. Paris, 1883, in-8°.

A. TARDIF. Histoire des sources du droit canonique. Paris, 1887, in-8°.

— Histoire des sources du droit français. Paris, 1890, in-8°.

A. TESSEREAU. Histoire chronologique de la grande chancellerie de France. Paris, 1710, in-fol., 2 vol.

TESTAUD. Des juridictions municipales en France. (Th. de droit). Paris, 1901, in-8°.

P. THILLIEZ. Les commissaires au Châtelet de Paris, des origines à 1560. (Pos. th. Ec. des chartes, 1946).

G. THOLIN. Des tailles et des impositions au pays d'Agenais durant le XVIᵉ siècle. (Rec. des trav. soc. d'agricult. d'Agen, 1875).

— Aperçus généraux sur le régime municipal de la ville d'Agen au XVIᵉ siècle. Agen, 1877, in-8°.

— La ville d'Agen pendant les guerres de religion. (Rev. de l'Agenais, 1887-93).

— Cahier des doléances du Tiers État du pays d'Agenais aux États généraux, 1588, 1614, 1789. Paris, 1885, in-8°.

L. THOMAS. Le Concordat de 1516, ses origines, son histoire au XVIᵉ siècle. Paris, 1910, in-8°, 3 vol.

THOMASSIN. Ancienne et nouvelle discipline de l'Église touchant les bénéfices et les bénéficiers. Paris, 1678-1679, in-fol., 3 vol.

TOMMASEO. Relations des ambassadeurs vénitiens sur les affaires de France au XVIe siècle. Paris, 1838, in-4°, 2 vol.

J. TOUBEAU. Recueil des privilèges de la ville de Bourges. Paris, 1643, in-4°.

D. TOURNAIRE. L'administration municipale à Montferrand, de 1416 à 1556. (Pos. th. Ec. des chartes, 1933).

Tractatus universi juris, duce et auspice Gregorio XIII. Venise, 1584, in-fol., 25 vol.

TRAVERS. Rôle du ban et de l'arrière-ban du bailliage de Caen, en 1552. Paris, 1901, in-8°.

DE TRÉMAULT. Histoire municipale de Vendôme. Vendôme, 1904, in-4°.

L. TRÉVEDY. L'organisation judiciaire de la Bretagne avant 1790. (N. rev. histor. de droit fran. et étr., 1893).

TRIGER. L'administration municipale du Mans, de 1530 à 1545. (Rev. du Maine, 1902-1903).

TROTRY. Les Grands jours des Parlements. (Th. de droit). Paris, 1908, in-8°.

J. TURLAN. La commune et le corps de ville de Sens, 1146-1789. (Th. de droit). Paris, 1942, in-8°.

VACANT, MANGENOT. Dictionnaire de théologie catholique. Paris, 1903 et suiv., in-4°, 15 vol. (En cours).

VAESEN. La juridiction commerciale à Lyon. Étude historique sur la Conservation des privilèges royaux des foires de Lyon. Lyon, 1879, in-8°.

Dom VAISSÈTE. Histoire générale de Languedoc. Toulouse, 1872-1904, in-4°, 16 vol.

P. DE VAISSIÈRE. Charles de Marillac, 1510-1560. Paris, 1896, in-8°.

VALENTIN-SMITH, GUIGUE. Bibliotheca Dumbensis. Trévoux, 1854-1885, in-4°, 2 vol.

N. VALOIS. Inventaire des arrêts du Conseil d'État. Règne de Henri IV. Introduction : Étude historique sur le Conseil du roi. Paris, 1886-1893, in-4°, 2 vol.

— Le Conseil du roi aux XIVe, XVe et XVIe siècles. Paris, 1888, in-8°.

— Le Conseil de raison de 1597. (Ann. bull. soc. de l'hist. de France, 1885).

— Les États de Pontoise, août 1561. (Rev. hist. de l'Eg. de France, 1943).

V. DE VALOUS. Le domaine ordinaire du Lyonnais au commencement du XVIe siècle. Lyon, 1865, in-8°.

VANNIER. Essai sur le Bureau des finances de la généralité de Rouen. (Th. de droit). Rouen, 1927, in-8°.

J. VARANGOT. Les institutions municipales d'Angers, de 1474 à 1584. (Pos. th. Ec. des chartes, 1932).

M. VARILLE. Les Grands jours de Lyon de 1596. Lyon, 1922, in-8°.

VARIN. Archives législatives de la ville de Reims. Paris, 1839-1852, in-4°, 10 vol.

VATTIER. Cartulaire du prieuré de Saint-Christophe-en-Halatte. Senlis, 1876, in-4°.

DE VAUX DE FOLETIER. Galiot de Genouillac, maître de l'artillerie de France. Paris, 1925, in-4°.

VAYSSIÈRE. Les États du Bourbonnais. (Bull. soc. d'émul. de l'Allier, 1890).

VENDEUVRE. L'exemption de visite monastique. (Th. de droit). Dijon, 1906, in-8°.

P. VIARD. Histoire de la dîme ecclésiastique en France au XVIe siècle. (Th. de droit). Paris, 1914, in-8°.

DE VIDAILLAN. Histoire des conseils du roi. Paris, 1856, in-8°, 2 vol.

A. VIDAL. L'ancien diocèse d'Albi, d'après les registres des notaires. Paris, 1913, in-8°.

— Les anciennes juridictions du département du Tarn. (Bull. phil. et histor. Com. trav. histor., 1930-1931).

F. DE VIEILLEVILLE. Mémoires. (Nouv. collec. des Mémoires... Michaud et Poujolat, t. IX).

J. VIGUIER. Les contrats et la consolidation des décimes à la fin du XVIe siècle. (Th. de droit). Paris, 1906, in-8°.

VILLEROY. Mémoires. (Collection des Mémoires... Michaud et Poujolat, t. XI).

Fleury VINDRY. Dictionnaire de l'état-major français au XVIe siècle. Paris, 1901, in-8° et in-4°, 2 vol.

— Les ambassadeurs français permanents au XVIe siècle. Paris, 1903, in-4°.

— Les parlementaires français au XVIe siècle. Paris, 1909-1912, in-8°, 2 vol.

P. VIOLLET. Histoire du droit civil français. Paris, 1905, in-8°.

— Le roi et ses ministres, pendant les trois derniers siècles de la monarchie. Paris, 1912, in-8°.

— Le colonel général de l'infanterie en France. (Journ. des savants, 1909).

VUATRIN. Étude historique sur le connétable. (Th. de droit). Paris, 1905, in-8°.

G. WEILL. Les théories sur le pouvoir royal en France pendant les guerres de religion. Paris, 1892, in-8°.

— Les États de Bourgogne sous Henri III. (Mém. soc. bourguign. de géog. et d'hist., 1893).

L. WELTER. Les aliénations des biens ecclésiastiques en Auvergne, XVIe siècle. (Bull. histor. et scient. de l'Auvergne, 1946).

L. WOLFF. La vie des parlementaires provençaux au XVIe siècle. (Th. de droit). Marseille, 1924, in-8°.

ZAMPINI DA RECANATI. Degli Stati di Francia. Paris, 1578, in-8°. Traduction française sous le titre : Des États de France et de leur puissance. Paris, 1588, in-8°.

F. ZAPICO. La province d'Aquitaine de la Compagnie de Jésus, d'après son plus ancien catalogue, 1566. (Archivum historicum Societatis Jesu, 1936).

G. ZELLER. La réunion de Metz à la France. (Th. de lettres). Paris, 1926, in-8°, 2 vol.

— Un mémoire de la fin du XVIe siècle sur les institutions de Metz. (Ann. soc. d'hist. et arch. de la Lorraine, 1926).

— Gouverneurs de provinces au XVIe siècle. (Rev. histor., 1939).

— Les premiers gouverneurs d'Auvergne. (Rev. d'Auvergne, 1933).

— De quelques institutions mal connues du XVIe siècle. (Rev. histor., 1944).

— Les premières taxes à l'importation, XVIe siècle. (Publ. Fac. des let. de Strasbourg, Mélanges 1945).

— L'administration monarchique avant les intendants. (Rev. histor. 1947.)

— Les Institutions de la France au XVIe siècle. Paris, 1948, in-8°.

INDEX ANALYTIQUE

784. — Collateur ordinaire, 694, 700-4, 749. — Collation, 280, 677, 689, 694, 701, 703, 706, 709, 723, 732-3, 735, 739-40, 743-4, 818, 831, 833. — libre. 700. — pontificale. 702-6. — Droit de présentation. 689. — Élection. 280, 677, 679, 695-9, 713, 731, 767, 856. — Fiscalité. **709-12.** — Nomination. 44, 50, 676, 679, 681, 872-3. — Possessoire. 525. — Provision. 674, 677, 693, 695-710, 712-4, 731. — des bénéfices consistoriaux. **695-700.** — des bénéfices non consistoriaux. **700-4.** — Régime concordataire. **712-7.** — Résignation. **705.** — Résignation in favorem. 705-6. — Vacances in curia. 696-7, 702-4.

Bénéficiers ecclésiastiques. 63, 261, 356, 690, 748, 838-9, 841-2, 851, 855, 857.

Bergerac (Dordogne). Parlement. 216.

Berry. Duché. 29, 52, 62, 65, 239, 462, 479, 493, 495.
Coutume. 64. — Milices communales. 385.

Berthelot. Gilles. Président des comptes. 190.

Berthereau. Nicolas. Secrétaire des finances. 160.

Bertrand. Jean. Garde des sceaux. 104, 109.

Besançon (Doubs). Diocèse. 18.

Bethléem. Évêché. 666.

Bèze. Théodore de. 78.

Béziers (Hérault). Consulat. 392. — Évêché. 716. — Grands Jours. 218. — Parlement. 217.

Bidoux. Prégent de. Capitaine des galères. 658.

Biens communaux. 398-9, 493.

Biens d'Église. Voir : Temporel ecclésiastique.

Biens vacants. 500, 507.

Billom (Puy-de-Dôme). Collège. 776, 798.

Birague. Famille de. 716. — René, chancelier. 104, 108.

Biron (Dordogne). Pairie. 462.

Biron. Armand, maréchal, 108.

Blasphème. 538-9.

Blois (Loir-et-Cher). 318.
Comté. 49, 578. — Chambre des comptes. 49, 224. — Coutume. 64.
Saint-Laumer, abbaye. 709, 760.

Blois. Famille. 244.

Blois-Coucy. Généralité. 29.

Bochetel. Guillaume, secrétaire des finances. 160.

Bodin. Jean. Publiciste. 79, 82-3, 139, 194, 334, 353, 570, 667, 838, 863.

Bohême. 439.

Bohier. Famille. 290.

Boissize. De. Conseiller d'État. 433-4.

Boisy (Loire). Marquisat. 461. Voir : Gouffier.

Bonsi. Famille. 716.

Bordeaux (Gironde). 222, 367-8, 585, 809.
Chambre des décimes. 839. — Chambre de justice, mi-partie. 216. — Clerc de ville. 378. — Collèges. 381. — Concile provincial. 735. — Cour des aides. 224. — Coutume juridique. 479. — fiscale. 592. — Généralité. 30, 563. — Grands Jours. 217. — Jurats. 370-1, 378. — Justice. 383. — Parlement. 110, 211-2, 216, 218-9, 222, 224, 266, 392. — Province ecclésiastique. 664, 666, 833. — Tribunal d'amirauté. 248. — consulaire. 278. — des eaux-et-forêts. 124. — Université. 791, 801.
Saint-Raphaël. Collège. 801. — Saint-Seurin. 477.

Bordelage. 481.

— d'attribution. 514, **518-23.**
— consulaire. **277-8.** — contentieuse. 259. — ecclésiastique. 256, 281, 533, 690, 694.
— épiscopale. 369, 675, 721, 723-6, 743, 764-5, 775, 777, 789. Voir : Officialité. — gracieuse. 259, 521. — maritime. 121-2, 519. — ordinaire. 261, **271-5,** 276, 280, 434, 519, 780, 786, 793.
Pouvoir de juridiction. 200, 458, 465-6, 489, 497, 817.
Voir : Justice, et aux noms des administrations particulières.
JURIDICTIONS INFÉRIEURES. 255, 265, **271-82,** 317, 414.
JURIDICTIONS LOCALES. 429.
JUSTICE. 454, **513-40.**
Administrative. 145, 195, 519.
— basse. 383, 466, 500-3, 514, 535. — civile. 500-1, 515-7, 682, 691. — commerciale. 520.
— consulaire (des villes). 384.
— criminelle. 195-6, 217, 219, 500-2, 515-6, 519, 690-1. — déléguée. 90. — domaniale. 200, 516, 519. — ecclésiastique. 173, 181, 425, 520-1, 523, 538, 676, 682, 726, **780-90.** — ses rapports avec la justice royale. **783-6.** — féodale. 514-5, 874. — foncière. 477, 502-3, 505. — haute. 383, 466, 483, 500-1, 504, 507, 514, 535. — laïque. 425, 538. — moyenne. 383, 466, 500-2, 504, 514, 535. — municipale. 281, 369, 378, 381-3, 386, 390, 518.
— ordinaire. 50-2, 91, 148, 175, 217, 278, 369, 501, 518.
— retenue. 90, 148, 175. — royale. 50, 74, 76, 89, 106, 155, 171, 173, 178, 180-1, 217, 279-82, 364, 367, 457, 497-8, 503, 517-8, 523-6, 535, 721, 726, 781. Voir : Ressort. — seigneuriale. 46, 50, 173, 280,

382, 401, 457, 463-4, 466, 468, 491, **497-509,** 514, 516, 523, 535, 548. — souveraine. 463.
Administration. 219, 258-61, 275, 350, 426-7. — Frais. 597.
— Hiérarchie. **514-18.** — Revenus de la. 486, 548-50. — Surintendance. 434. — Surintendant. 428, 430.
Voir : Juridiction.
JUSTICE. Circonscription des élections. 31.

L

La Barrière. Jean de. Abbé. 761.
Labourd. Bailliage. 26.
La Chaise-Dieu (Haute-Loire). Abbaye. 709.
La Charité-sur-Loire (Nièvre). Prieuré. 762, 767, 770.
LADRERIE. 804.
La Ferté-sur-Grosne (Saône-et-Loire). Abbaye. 760.
La Fin. Jacques de. Conseiller d'État. 433.
La Forest. Jean de. Ambassadeur. 438, 442.
Lagny (Seine-et-Marne). Doyenné. 667.
La Grange Leroy. Jacques de. Conseiller d'État. 150.
LAÏCISATION DE L'ASSISTANCE PUBLIQUE. 808-9.
LAÏQUES justiciables des tribunaux ecclésiastiques. 671, 783-4.
Lallemand. Famille. 290.
La Mark. Famille de. 628. — Robert. Maréchal. 142.
Lamoignon. Famille de. 111. — Charles, maître des requêtes. 428.
LANCES. 621-3, 626-7, 650.
Landes. 586.
Langeac. Jean de. Ambassadeur. 439.
Langres (Haute-Marne), 25. — Chapitre. 744. — Diocèse. 18,

Strozzi. Famille. 716. — Philippe. Maréchal. 114, 610, 654.

Stuart. Marie. 126.

STYLE DE PROCÉDURE. 529.

SUBSIDE DES PROCÈS. 576.

SUCCESSION. 490. — Royale. 66, 81-5, 315, 322, 327, 335.

Suisse. 160, 438-43, 634, 636. — Dette. 83. — Trésorier des Ligues suisses. 296, 441, 600.

Sully. Maximilien de Béthune, duc de. 83, 143, 150-1, 164, 294, 334-5, 416, 563, 577, 594, 604-5.

SUPERINTENDANCE dans les provinces. 427.

SUPERINTENDANT de la justice. 428, 433.

Voir : Intendant.

SURCENS. 476.

SURETÉ maritime. 247.

SUSPENSE. 787.

SUZERAIN. 16, 74, 458, 470-2, 474, 503.

SUZERAINETÉ. 817.

SYNDIC OU PROCUREUR SYNDIC. 396-8, 401, 426.

SYNODE. 847, 856. — De l'archiprêtre. 728. — Canonical. 742-3. — Diocésain. 722, 724, 726, 751, 848, 857-8. — Provincial. 744.

Droits synodaux. 726.

T

TABELLIONNAGE. 200, 508, 549-50.

TABLE DE MARBRE. 116, 122, 124, 519. Voir : Amirauté. Connétablie. Eaux-et-forêts.

TAILLE. 30-2, 38-9, 51, 197, 280, 285, 289, 291, 299, 300, 303, 307-8, 313, 355, 373, 386, 390, 397-8, 400, 410, 490, 495, 519, 543, 557, 562-77, 580-1, 594, 596, 601, 629, 638, 648, 659, 691.

Égalée. 570. — Exceptionnelle. 492. — Mixte. 570. — Personnelle. 569. 573. — Réelle. 569. — Seigneuriale. 491, 494.

Abonnement. 386. — Administration. 563-9. — Asséeur. 307, 400-1, 565-6, 568-9. — Assiette. 564. — Brevet. 32. — Collecteur. 307-8, 378, 400-1, 564-6, 568-9. — Commission. 307, 563, 565-6. — Contrôleur. 306. — Crue de taille. 287, 289, 347, 563, 573-4, 576. — extraordinaire. 574, 576. — ordinaire. 574. — Définition. 562. — Département. 307, 348, 353, 562. — Mandement. 564. — Principal de la taille. 563, 570-1 573-5, 577. — Recette. 306. — Receveur. 569, 597. — Répartiteur. 378. — Sergent. 568. — Taxes accessoires. 570-7. — Variétés de la taille. 569-70.

TAILLON. 347, 575-7, 604, 625, 648.

Receveur général, particulier. 575, 648.

Taix. Jean de. Colonel général. 643, 646.

Talmont. De La Trémoille, princes de. 461.

Tambonneau. Intendant. 428.

Tarascon (Bouches - du - Rhône). Grenier à sel. 584.

TASQUE. 477.

TAXE pontificale. 679.

TEMPOREL ECCLÉSIASTIQUE. 281, 675, 689, 691, 712, 715, 726, 746, 752, 764, 768-71, 803-5, 813-29, 835, 872.

Aliénations. 281, 730, 733, 814-6, 819, 831, 841-3, 844, 849-50, 853, 873. — Catégories de biens. 817-9. — Décadence du temporel. 819-20. — Statut légal. 813-7. Voir : Dîme.

TENANCIER. 455-6, 459, 469,

TABLE DES MATIÈRES

Chapitre XIII

Les contributions du clergé.

Chapitre XIV

Les assemblées du clergé.

ACHEVÉ D'IMPRIMER SUR LES
PRESSES DE L'IMPRIMERIE
DARANTIERE A DIJON LE
QUINZE OCTOBRE M. CM. XLVIII

Nº d'édition 63
Dépôt légal 4º trimestre 1948